#상위권_정복
#신유형_서술형_고난도

일등
전략

Chunjae
Makes
Chunjae

▼

[일등전략] 중학 수학 3-1

개발총괄	김덕유
편집개발	마영희, 정광혜, 서진원
디자인총괄	김희정
표지디자인	윤순미
내지디자인	박희춘, 안정승
제작	황성진, 조규영
조판	어시스트 하모니

발행일	2021년 12월 15일 초판 2021년 12월 15일 1쇄
발행인	(주)천재교육
주소	서울시 금천구 가산로9길 54
신고번호	제2001-000018호
고객센터	1577-0902
교재 내용문의	02)3282-8851

※ 정답 분실 시에는 천재교육 교재 홈페이지에서 내려받으세요.

중학 수학 3-1

BOOK 1

중간고사 대비

이 책의 구성과 활용

주 도입

이번 주에 배울 내용이 무엇인지 안내하는 부분입니다. 재미있는 만화를 통해 앞으로 배울 학습 요소를 미리 떠올려 봅니다.

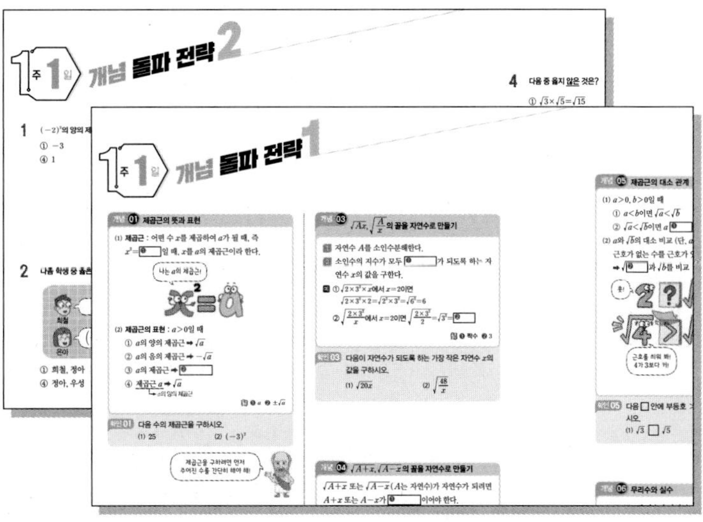

1일 개념 돌파 전략

성취기준별로 꼭 알아야 하는 핵심 개념을 익힌 뒤 문제를 풀며 개념을 잘 이해했는지 확인합니다.

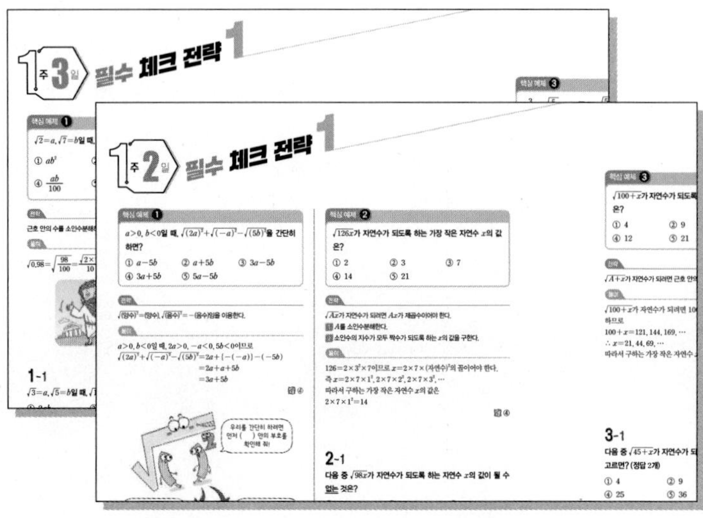

2일, 3일 필수 체크 전략

꼭 알아야 할 대표 유형 문제를 뽑아 쌍둥이 문제와 함께 풀어 보며 문제에 접근하는 과정과 방법을 체계적으로 익혀 봅니다.

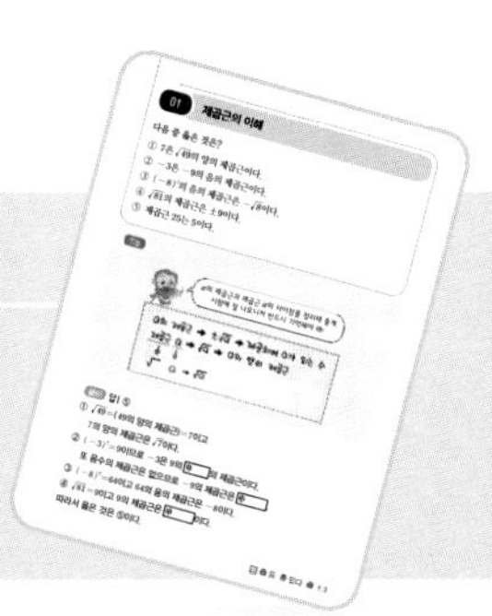

부록 시험에 잘 나오는 대표 유형 ZIP

부록을 뜯으면 미니북으로 활용할 수 있습니다. 시험 전에 대표 유형을 확실하게 익혀 보세요.

주 마무리 코너

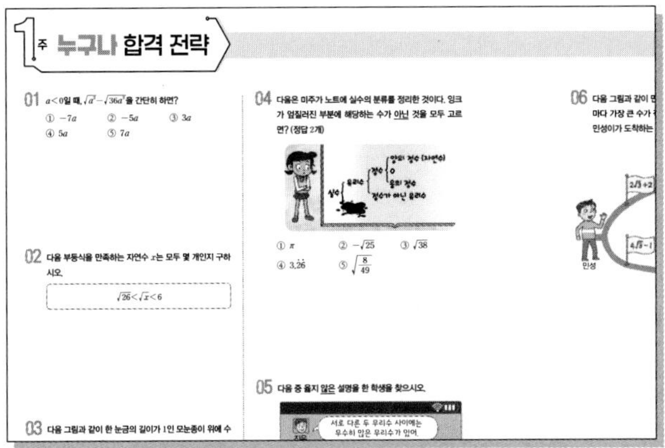

누구나 합격 전략

중간고사 종합 문제로 학습 자신감을 고취할 수 있습니다.

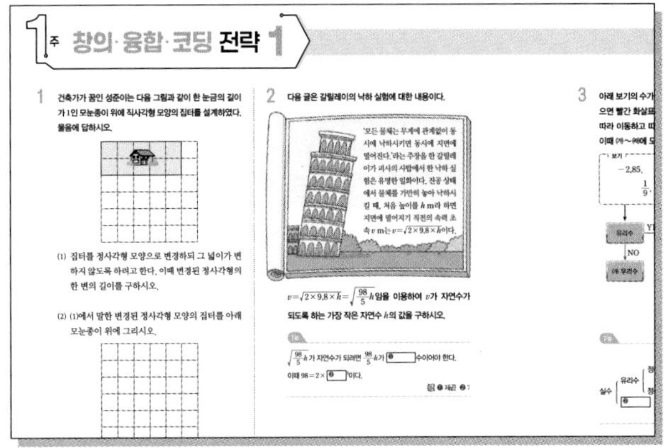

창의·융합·코딩 전략

융복합적 사고력과 문제 해결력을 길러 주는 문제로 구성하였습니다.

중간고사 마무리 코너

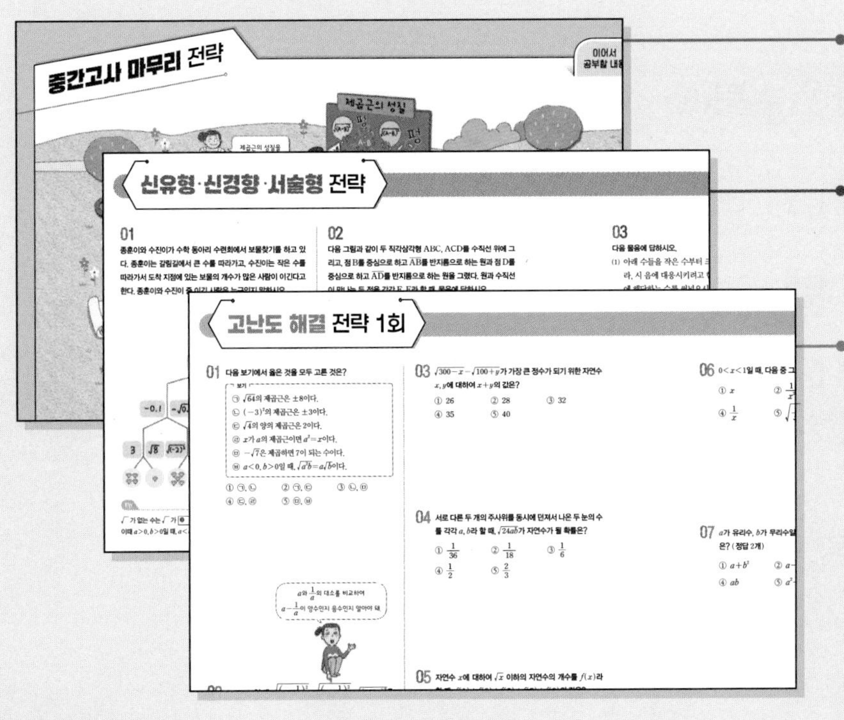

중간고사 마무리 전략

학습 내용을 만화로 정리하여 앞에서 공부한 내용을 한눈에 파악할 수 있습니다.

신유형·신경향·서술형 전략

신유형 · 서술형 문제를 집중적으로 풀며 문제 적응력을 높일 수 있습니다.

고난도 해결 전략

실제 시험에 대비할 수 있는 고난도 실전 문제를 2회로 구성하였습니다.

이 책의 차례

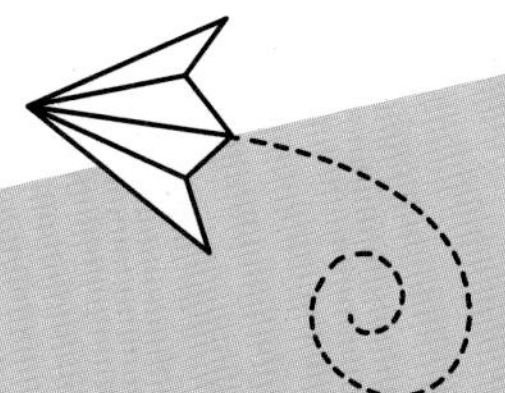

1주 제곱근과 실수

제곱근의 뜻
$x^2=a$ $a>0$ 일 때
나는 너의 제곱근
어떤 수 x를 제곱하여 a가 될 때, x를 a의 제곱근이라고 하는 거야!
나의 제곱근도 구해 줘!
−2
음수의 제곱근은 없어.
a의 제곱근과 제곱근 a의 차이를 잘 기억해!
a의 제곱근 ➡ $\pm\sqrt{a}$ ➡ 제곱하여 a가 되는 수
제곱근 a ➡ $\sqrt{a}$ ➡ a의 양의 제곱근
제곱근의 성질
그건 a가 $a>0$일 때만 해당되는 거고 $a<0$이면 $\sqrt{(-a)^2}=-a$야.
$a<0$일 때, $\sqrt{(-a)^2}=a$야! 지나가게 해 줘!
빵 빵
$a<0$
$\sqrt{(-a)^2}=a$
제곱근 a^2
a의 절댓값

공부할 내용		
	❶ 제곱근의 뜻과 성질	❸ 근호를 포함한 식의 곱셈과 나눗셈
	❷ 무리수와 실수	❹ 근호를 포함한 식의 덧셈과 뺄셈

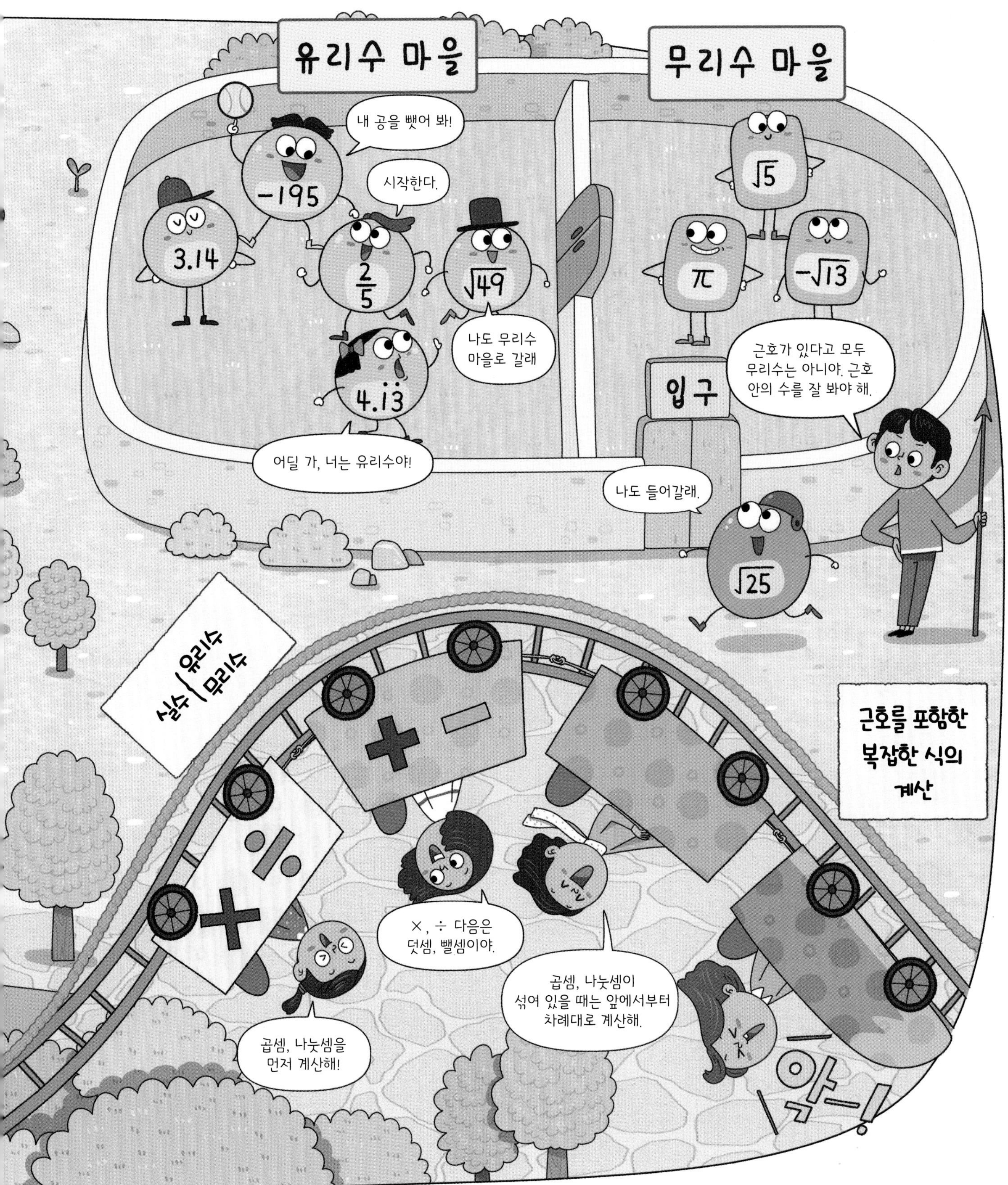

1주 1일 개념 돌파 전략 1

개념 01 제곱근의 뜻과 표현

(1) **제곱근** : 어떤 수 x를 제곱하여 a가 될 때, 즉 $x^2=$ ❶ [   ] 일 때, x를 a의 제곱근이라 한다.

나는 a의 제곱근!

$x^2=a$

(2) **제곱근의 표현** : $a>0$일 때

① a의 양의 제곱근 ➡ $\sqrt{a}$

② a의 음의 제곱근 ➡ $-\sqrt{a}$

③ a의 제곱근 ➡ ❷ [   ]

④ 제곱근 a ➡ $\sqrt{a}$

└➡ a의 양의 제곱근

답 ❶ a ❷ $\pm\sqrt{a}$

확인 01 다음 수의 제곱근을 구하시오.

(1) 25　　(2) $(-3)^2$

제곱근을 구하려면 먼저
주어진 수를 간단히 해야 해!

개념 02 제곱근의 성질

(1) $a>0$일 때

① $(\sqrt{a})^2=a$, $(-\sqrt{a})^2=a$

② $\sqrt{a^2}=a$, $\sqrt{(-a)^2}=$ ❶ [   ]

(2) $\sqrt{a^2}=|a|=\begin{cases} a & (a\geq 0) \\ \text{❷ [   ]} & (a<0) \end{cases}$

답 ❶ a ❷ $-a$

확인 02 $a<0$일 때, 다음 식을 간단히 하시오.

(1) $\sqrt{a^2}$　　(2) $\sqrt{(2a)^2}$

(3) $\sqrt{(-2a)^2}$　　(4) $\sqrt{4a^2}$

개념 03 $\sqrt{Ax}$, $\sqrt{\dfrac{A}{x}}$의 꼴을 자연수로 만들기

1 자연수 A를 소인수분해한다.

2 소인수의 지수가 모두 ❶ [   ]가 되도록 하는 자연수 x의 값을 구한다.

예 ① $\sqrt{2\times 3^2\times x}$에서 $x=2$이면

$\sqrt{2\times 3^2\times 2}=\sqrt{2^2\times 3^2}=\sqrt{6^2}=6$

② $\sqrt{\dfrac{2\times 3^2}{x}}$에서 $x=2$이면 $\sqrt{\dfrac{2\times 3^2}{2}}=\sqrt{3^2}=$ ❷ [   ]

답 ❶ 짝수 ❷ 3

확인 03 다음이 자연수가 되도록 하는 가장 작은 자연수 x의 값을 구하시오.

(1) $\sqrt{20x}$　　(2) $\sqrt{\dfrac{48}{x}}$

개념 04 $\sqrt{A+x}$, $\sqrt{A-x}$의 꼴을 자연수로 만들기

$\sqrt{A+x}$ 또는 $\sqrt{A-x}$ (A는 자연수)가 자연수가 되려면 $A+x$ 또는 $A-x$가 ❶ [   ]이어야 한다.

예 ① $\sqrt{15+x}$가 자연수 (단, x는 자연수)

➡ $15+x$는 15보다 큰 제곱수

➡ $15+x=16, 25, 36, \cdots$

$\therefore x=1, 10, 21, \cdots$

② $\sqrt{15-x}$가 자연수 (단, x는 자연수)

➡ $15-x$는 15보다 작은 제곱수

➡ $15-x=1,$ ❷ [   ], 9

$\therefore x=6, 11, 14$

답 ❶ 제곱수 ❷ 4

확인 04 다음이 자연수가 되도록 하는 가장 작은 자연수 x의 값을 구하시오.

(1) $\sqrt{22+x}$　　(2) $\sqrt{17-x}$

개념 05 제곱근의 대소 관계

(1) $a>0$, $b>0$일 때

① $a<b$이면 $\sqrt{a}<\sqrt{b}$

② $\sqrt{a}<\sqrt{b}$이면 a [❶] b, $-\sqrt{a}>-\sqrt{b}$

(2) a와 $\sqrt{b}$의 대소 비교 (단, $a>0$, $b>0$)

근호가 없는 수를 근호가 있는 수로 바꾸어 비교한다.

➡ $\sqrt{[❷\ ]}$과 $\sqrt{b}$를 비교

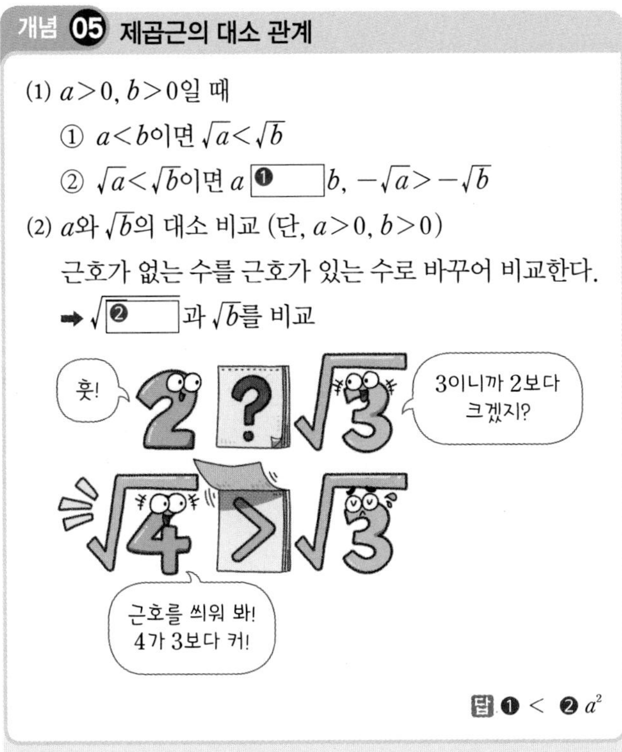

답 ❶ < ❷ a^2

확인 05 다음 □ 안에 부등호 >, < 중 알맞은 것을 써넣으시오.

(1) $\sqrt{3}$ □ $\sqrt{5}$ (2) 3 □ $\sqrt{6}$

개념 06 무리수와 실수

(1) **무리수** : 유리수가 아닌 수, 즉 [❶]가 아닌 무한소수로 나타나는 수

(2) **실수** : 유리수와 무리수를 통틀어 실수라 한다.

(3) **실수의 분류**

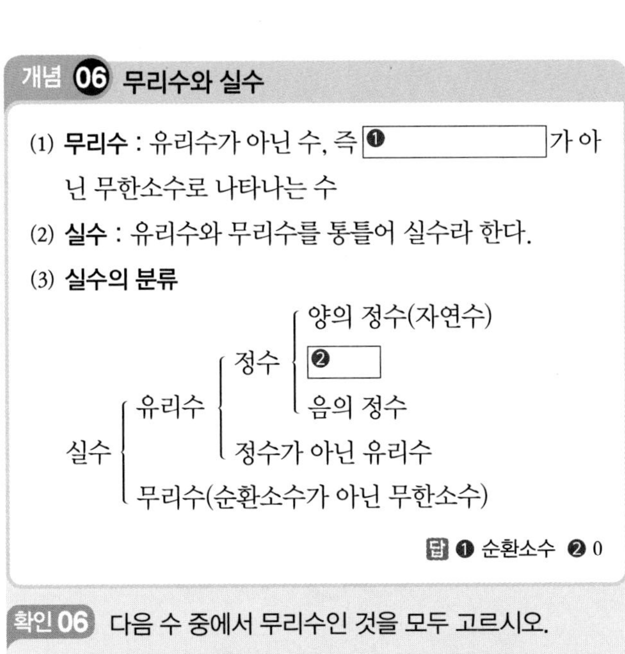

실수
- 유리수
  - 정수
    - 양의 정수(자연수)
    - [❷]
    - 음의 정수
  - 정수가 아닌 유리수
- 무리수(순환소수가 아닌 무한소수)

답 ❶ 순환소수 ❷ 0

확인 06 다음 수 중에서 무리수인 것을 모두 고르시오.

$3.\dot{1}\dot{2}$, $\sqrt{0.04}$, $\sqrt{5}$, 2π

개념 07 실수와 수직선

(1) 모든 실수는 각각 수직선 위의 한 점에 대응한다.

(2) 서로 다른 두 실수 사이에는 무수히 많은 실수가 있다.

(3) 수직선은 [❶]에 대응하는 점들로 완전히 메울 수 있다.

(4) 수직선 위에서 원점의 [❷]에는 양의 실수(양수), 왼쪽에는 음의 실수(음수)가 대응한다.

답 ❶ 실수 ❷ 오른쪽

확인 07 다음 중 옳은 것에는 ○표, 옳지 않은 것에는 ×표를 하시오.

(1) 수직선은 유리수에 대응하는 점들로 완전히 메울 수 있다. ( )

(2) 1과 3 사이에는 유리수가 1개 있다. ( )

개념 08 실수의 대소 관계

(1) **실수의 대소 관계**

① (음수)<0<(양수)

② 양수끼리는 절댓값이 큰 수가 크다.

③ 음수끼리는 절댓값이 큰 수가 [❶].

(2) **두 실수 a, b의 대소 비교 방법**

$a-b$의 부호를 조사한다.

① $a-b>0$이면 $a>b$

② $a-b=0$이면 $a=b$

③ $a-b<0$이면 a [❷] b

예 3과 $1+\sqrt{5}$의 대소를 비교하면

$3-(1+\sqrt{5})=3-1-\sqrt{5}=2-\sqrt{5}=\sqrt{4}-\sqrt{5}<0$

$\therefore 3<1+\sqrt{5}$

답 ❶ 작다 ❷ <

확인 08 다음 □ 안에 부등호 >, < 중 알맞은 것을 써넣으시오.

(1) $-\sqrt{5}$ □ $-\sqrt{12}$

(2) $-\sqrt{10}+6$ □ 3

개념 09 제곱근의 곱셈과 나눗셈

(1) **제곱근의 곱셈과 나눗셈**

$a>0$, $b>0$이고 m, n이 유리수일 때

① $\sqrt{a}\sqrt{b}=\sqrt{ab}$

$m\sqrt{a}\times n\sqrt{b}=$ ❶ $\boxed{}$ $\sqrt{ab}$

② $\dfrac{\sqrt{a}}{\sqrt{b}}=\sqrt{\dfrac{a}{b}}$

$m\sqrt{a}\div n\sqrt{b}=\dfrac{m}{n}\sqrt{\dfrac{a}{b}}$ (단, $n\neq0$)

(2) **근호가 있는 식의 변형**

$a>0$, $b>0$일 때

① $\sqrt{a^2b}=a\sqrt{b}$　　② $\sqrt{\dfrac{b}{a^2}}=\dfrac{\sqrt{b}}{❷\boxed{}}$

답 ❶ mn ❷ a

확인 09 다음 식을 간단히 하시오.

(1) $2\sqrt{7}\times3\sqrt{2}$　　(2) $4\sqrt{18}\div(-2\sqrt{6})$

개념 10 분모의 유리화

(1) **분모의 유리화** : 분수의 분모가 근호를 포함한 무리수일 때, 분자와 분모에 0이 아닌 같은 수를 곱하여 분모를 유리수로 고치는 것

(2) **분모를 유리화하는 방법**

$a>0$이고 a, b가 유리수일 때

① $\dfrac{b}{\sqrt{a}}=\dfrac{b\times\sqrt{a}}{\sqrt{a}\times\sqrt{a}}=\dfrac{b\sqrt{a}}{a}$

② $\dfrac{\sqrt{b}}{\sqrt{a}}=\dfrac{\sqrt{b}\times\sqrt{a}}{\sqrt{a}\times\sqrt{a}}=\dfrac{\sqrt{ab}}{❶\boxed{}}$ (단, $b>0$)

참고 분모가 $\sqrt{a^2b}$의 꼴이면 $\sqrt{a^2b}$를 ❷ $\boxed{}$ $\sqrt{b}$로 바꾼 후 분모를 유리화하는 것이 더 편리하다.

답 ❶ a ❷ a

확인 10 $\dfrac{\sqrt{7}}{3\sqrt{2}}$의 분모를 유리화하시오.

개념 11 제곱근의 곱셈과 나눗셈의 혼합 계산

곱셈과 나눗셈이 섞여 있을 때에는 나눗셈을 ❶ $\boxed{}$의 곱셈으로 바꾼 후 앞에서부터 차례대로 계산한다.

예 (나눗셈을 곱셈으로) $\dfrac{\sqrt{3}}{\sqrt{2}}\div\dfrac{\sqrt{3}}{\sqrt{5}}\times\dfrac{1}{\sqrt{20}}=\dfrac{\sqrt{3}}{\sqrt{2}}\times\dfrac{\sqrt{5}}{\sqrt{3}}\times\dfrac{1}{2\sqrt{5}}=\dfrac{1}{2\sqrt{2}}=\dfrac{\sqrt{2}}{4}$

분모의 ❷ $\boxed{}$

답 ❶ 역수 ❷ 유리화

확인 11 $\sqrt{2}\times\sqrt{5}\div\dfrac{\sqrt{7}}{2}$을 간단히 하시오.

개념 12 제곱근표에 없는 제곱근의 값 구하기

(1) **근호 안이 100보다 큰 수일 때**

근호 안의 수를 10^2, 100^2, ⋯과의 ❶ $\boxed{}$으로 나타낸 후 $\sqrt{a^2b}=a\sqrt{b}$임을 이용하여 구한다.

(2) **근호 안이 0과 1 사이의 수일 때**

근호 안의 수를 $\dfrac{1}{10^2}$, $\dfrac{1}{❷\boxed{}}$, ⋯과의 곱으로 나타낸 후 $\sqrt{\dfrac{b}{a^2}}=\dfrac{\sqrt{b}}{a}$임을 이용하여 구한다.

답 ❶ 곱 ❷ 100^2

확인 12 $\sqrt{2}=1.414$, $\sqrt{20}=4.472$일 때, 다음 제곱근의 값을 구하시오.

(1) $\sqrt{200}$　　(2) $\sqrt{0.002}$

소수점은 $\sqrt{}$ 안에서 두 자리씩 이동하지.

개념 13 제곱근의 덧셈과 뺄셈

근호 안의 수가 ❶ ______ 것끼리 모아서 계산한다.

a, b, c, d는 유리수이고 $\sqrt{x}, \sqrt{y}$는 무리수일 때

$a\sqrt{x}+b\sqrt{y}+c\sqrt{x}+d\sqrt{y}$

$=(a+c)\sqrt{x}+(b+$ ❷ ______ $)\sqrt{y}$

예 $5\sqrt{3}+\sqrt{2}-2\sqrt{3}+4\sqrt{2}=(5-2)\sqrt{3}+(1+4)\sqrt{2}$

$=3\sqrt{3}+5\sqrt{2}$

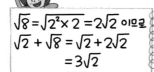

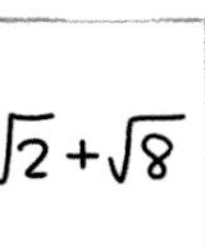

근호 안의 수가
다르니까 더 이상
계산할 수 없어!
아니야! 근호 안의 수가 다를 땐,
근호 안의 수가 같아질 수 있는지
확인하는 것이 첫 번째!
√2+√8
√8=√(2²×2)=2√2 이므로
√2+√8=√2+2√2
=3√2

답 ❶ 같은 ❷ d

확인 13 $3\sqrt{5}+7\sqrt{3}-\sqrt{5}-4\sqrt{3}$을 간단히 하시오.

개념 14 분배법칙과 분모의 유리화를 이용한 제곱근의 덧셈과 뺄셈

(1) $a>0, b>0, c>0$일 때

① $\sqrt{a}(\sqrt{b}\pm\sqrt{c})=\sqrt{ab}\pm$ ❶ ______ (복호동순)

② $(\sqrt{a}\pm\sqrt{b})\sqrt{c}=\sqrt{ac}\pm\sqrt{bc}$ (복호동순)

(2) $a>0, b>0, c>0$일 때

$\dfrac{\sqrt{b}+\sqrt{c}}{\sqrt{a}}=\dfrac{(\sqrt{b}+\sqrt{c})\times\sqrt{a}}{\sqrt{a}\times \text{❷ ______}}=\dfrac{\sqrt{ab}+\sqrt{ac}}{a}$

예 ① $\sqrt{3}(\sqrt{6}+\sqrt{7})=\sqrt{3}\times\sqrt{6}+\sqrt{3}\times\sqrt{7}=3\sqrt{2}+\sqrt{21}$

② $\dfrac{\sqrt{3}-\sqrt{5}}{\sqrt{2}}=\dfrac{(\sqrt{3}-\sqrt{5})\times\sqrt{2}}{\sqrt{2}\times\sqrt{2}}=\dfrac{\sqrt{6}-\sqrt{10}}{2}$

답 ❶ $\sqrt{ac}$ ❷ $\sqrt{a}$

확인 14 다음 수의 분모를 유리화하시오.

(1) $\dfrac{\sqrt{10}-\sqrt{2}}{\sqrt{3}}$ (2) $\dfrac{2+\sqrt{2}}{\sqrt{45}}$

개념 15 근호를 포함한 복잡한 식의 계산

1. 괄호가 있으면 ❶ ______ 을 이용하여 괄호를 푼다.
2. $\sqrt{a^2b}$의 꼴은 $a\sqrt{b}$의 꼴로 고친다.
3. 분모에 무리수가 있으면 분모를 ❷ ______ 한다.
4. 곱셈, 나눗셈을 먼저 계산한 후 근호 안의 수가 같은 것끼리 덧셈, 뺄셈을 계산한다.

예 $\sqrt{3}(2-\sqrt{3})+\dfrac{6}{\sqrt{3}}=2\sqrt{3}-3+\dfrac{6\sqrt{3}}{3}$ (괄호 풀기, 분모를 유리화하기)

$=2\sqrt{3}-3+2\sqrt{3}$ (근호 안의 수가 같은 것끼리 모아서 계산하기)

$=4\sqrt{3}-3$

답 ❶ 분배법칙 ❷ 유리화

확인 15 다음 식을 간단히 하시오.

$$\frac{\sqrt{3}}{\sqrt{2}}+\frac{5}{\sqrt{6}}-\sqrt{2}(2+\sqrt{3})$$

개념 16 무리수의 정수 부분과 소수 부분

(1) (무리수)=(정수 부분)+(소수 부분)

➡ (소수 부분)=(무리수)−(정수 부분)

(2) $\sqrt{a}$가 무리수이고 n이 정수일 때, $n<\sqrt{a}<n+1$이면

① $\sqrt{a}$의 정수 부분 ➡ n

② $\sqrt{a}$의 소수 부분 ➡ $\sqrt{a}-$ ❶ ______ → $0<$(소수 부분)<1

예 $2<\sqrt{7}<3$이므로 $\sqrt{7}$의 정수 부분은 2이고 $\sqrt{7}$의 소수 부분은 $\sqrt{7}-$ ❷ ______ 이다.

답 ❶ n ❷ 2

확인 16 다음 수의 정수 부분과 소수 부분을 각각 구하시오.

(1) $\sqrt{11}$ (2) $3+\sqrt{2}$

1주 1일 개념 돌파 전략 2

1 $(-2)^2$의 양의 제곱근을 a, 5^2의 음의 제곱근을 b라 할 때, $a+b$의 값은?

① -3　② -2　③ -1
④ 1　⑤ 2

문제 해결 전략

• 주어진 수를 먼저 간단히 한 후 제곱근을 구한다.
예 $(-3)^2$의 제곱근
➡ ❶ [　] 의 제곱근
➡ 3, ❷ [　]

답 ❶ 9 ❷ -3

2 다음 학생 중 옳은 말을 한 학생을 모두 찾으면?

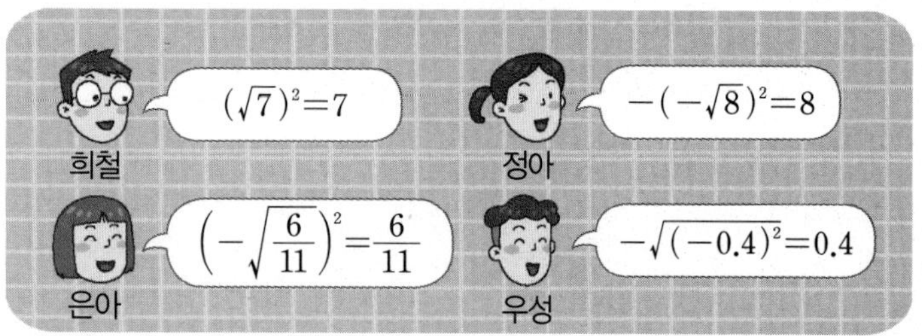

$(\sqrt{7})^2=7$
희철
$-(-\sqrt{8})^2=8$
정아
$\left(-\sqrt{\frac{6}{11}}\right)^2=\frac{6}{11}$
은아
$-\sqrt{(-0.4)^2}=0.4$
우성

① 희철, 정아　② 희철, 우성　③ 희철, 은아
④ 정아, 우성　⑤ 은아, 우성

문제 해결 전략

• $a>0$일 때
① $(\sqrt{a})^2=(-\sqrt{a})^2=$ ❶ [　]
② $\sqrt{a^2}=\sqrt{(-a)^2}=$ ❷ [　]

답 ❶ a ❷ a

3 $a<0$일 때, $\sqrt{a^2}-\sqrt{(-3a)^2}$을 간단히 하면?

① $-4a$　② $-2a$　③ 0
④ $2a$　⑤ $4a$

문제 해결 전략

• $a<0$일 때, $-3a$ ❶ [　] 0이므로
$\sqrt{(-3a)^2}=$ ❷ [　]

답 ❶ $>$ ❷ $-3a$

» 정답과 풀이 3쪽

4 다음 중 옳지 않은 것은?

① $\sqrt{3}\times\sqrt{5}=\sqrt{15}$
② $\sqrt{35}\times\sqrt{\frac{2}{7}}=\sqrt{10}$
③ $\sqrt{12}\div\sqrt{3}=2$
④ $5\sqrt{2}\times(-2\sqrt{13})=-7\sqrt{26}$
⑤ $10\sqrt{14}\div2\sqrt{7}=5\sqrt{2}$

유리수는 유리수끼리
무리수는 무리수끼리
계산하면 돼.

문제 해결 전략

• $a>0$, $b>0$이고 m, n이 유리수일 때
① $m\sqrt{a}\times n\sqrt{b}=$ ❶ $\sqrt{ab}$
② $m\sqrt{a}\div n\sqrt{b}=\frac{m}{n}\sqrt{❷}$ (단, $n\neq0$)

답 ❶ mn ❷ $\frac{a}{b}$

5 다음 중 옳은 것은?

① $7\sqrt{2}=\sqrt{14}$
② $-3\sqrt{3}=\sqrt{-27}$
③ $\sqrt{\frac{5}{16}}=\frac{\sqrt{5}}{2}$
④ $\frac{\sqrt{2}}{5}=\sqrt{\frac{2}{5}}$
⑤ $\sqrt{0.05}=\frac{\sqrt{5}}{10}$

문제 해결 전략

• $a>0$, $b>0$일 때
$\sqrt{a^2b}=$ ❶ , $\sqrt{\frac{a}{b^2}}=$ ❷

답 ❶ $a\sqrt{b}$ ❷ $\frac{\sqrt{a}}{b}$

6 다음 중 옳은 것은?

① $\sqrt{5}-4\sqrt{5}=-3$
② $2\sqrt{5}+3\sqrt{5}=5\sqrt{10}$
③ $\sqrt{9}-\sqrt{4}=\sqrt{5}$
④ $\sqrt{24}+2\sqrt{6}=4\sqrt{6}$
⑤ $\sqrt{12}-\sqrt{27}+\sqrt{48}=3\sqrt{2}$

문제 해결 전략

답 ❶ 밖 ❷ 같은

7 다음 중 두 실수의 대소 관계가 옳은 것은?

① $\sqrt{7}>2\sqrt{2}$
② $3>\sqrt{5}+1$
③ $\sqrt{3}+4>5$
④ $\sqrt{6}-4>-1$
⑤ $6-\sqrt{2}<6-\sqrt{3}$

문제 해결 전략

• 두 실수 a, b의 대소 관계는 $a-b$의 부호를 조사한다.
① $a-b>0$이면 a ❶ b
② $a-b=0$이면 $a=b$
③ $a-b<0$이면 a ❷ b

답 ❶ $>$ ❷ $<$

1주 2일 필수 체크 전략 1

핵심 예제 1

$a>0$, $b<0$일 때, $\sqrt{(2a)^2}+\sqrt{(-a)^2}-\sqrt{(5b)^2}$을 간단히 하면?

① $a-5b$ ② $a+5b$ ③ $3a-5b$
④ $3a+5b$ ⑤ $5a-5b$

전략

$\sqrt{(양수)^2}=(양수)$, $\sqrt{(음수)^2}=-(음수)$임을 이용한다.

풀이

$a>0$, $b<0$일 때, $2a>0$, $-a<0$, $5b<0$이므로

$$\begin{aligned}\sqrt{(2a)^2}+\sqrt{(-a)^2}-\sqrt{(5b)^2}&=2a+\{-(-a)\}-(-5b)\\&=2a+a+5b\\&=3a+5b\end{aligned}$$

답 ④

우리를 간단히 하려면 먼저 ( ) 안의 부호를 확인해 줘!
( ) 안이 +이면 부호 그대로!
( ) 안이 −이면 부호 반대로!

1-1

$a<0$일 때, $\sqrt{a^2}+\sqrt{(-4a)^2}-\sqrt{9a^2}$을 간단히 하면?

① $-8a$ ② $-2a$ ③ a
④ $6a$ ⑤ $8a$

핵심 예제 2

$\sqrt{126x}$가 자연수가 되도록 하는 가장 작은 자연수 x의 값은?

① 2 ② 3 ③ 7
④ 14 ⑤ 21

전략

$\sqrt{Ax}$가 자연수가 되려면 Ax가 제곱수이어야 한다.

1 A를 소인수분해한다.

2 소인수의 지수가 모두 짝수가 되도록 하는 x의 값을 구한다.

풀이

$126=2\times3^2\times7$이므로 $x=2\times7\times(자연수)^2$의 꼴이어야 한다.
즉 $x=2\times7\times1^2, 2\times7\times2^2, 2\times7\times3^2, \cdots$
따라서 구하는 가장 작은 자연수 x의 값은
$2\times7\times1^2=14$

답 ④

2-1

다음 중 $\sqrt{98x}$가 자연수가 되도록 하는 자연수 x의 값이 될 수 <u>없는</u> 것은?

① 2 ② 8 ③ 14
④ 32 ⑤ 50

2-2

$\sqrt{\dfrac{72}{x}}$가 자연수가 되도록 하는 가장 작은 자연수 x의 값을 구하시오.

$72=2^3\times3^2$이므로 72를 어떤 수로 나누었을 때 지수가 모두 짝수가 되는지 생각해 봐.

핵심 예제 3

$\sqrt{100+x}$가 자연수가 되도록 하는 가장 작은 자연수 x의 값은?

① 4 ② 9 ③ 11
④ 12 ⑤ 21

전략

$\sqrt{A+x}$가 자연수가 되려면 근호 안의 수가 A보다 큰 제곱수이어야 한다.

풀이

$\sqrt{100+x}$가 자연수가 되려면 $100+x$가 100보다 큰 제곱수이어야 하므로

$100+x=121, 144, 169, \cdots$

$\therefore x=21, 44, 69, \cdots$

따라서 구하는 가장 작은 자연수 x의 값은 21이다.

답 ⑤

핵심 예제 4

$\sqrt{(2-\sqrt{5})^2}+\sqrt{(3-\sqrt{5})^2}$을 간단히 하면?

① -5 ② $-2\sqrt{5}$ ③ 1
④ $2\sqrt{5}$ ⑤ 5

전략

$2-\sqrt{5}$, $3-\sqrt{5}$의 부호를 결정할 때, 근호가 없는 수를 근호가 있는 수로 바꾸어 생각한다.

즉 $2=\sqrt{4}$이므로 $2-\sqrt{5}<0$, $3=\sqrt{9}$이므로 $3-\sqrt{5}>0$이다.

풀이

$\sqrt{4}<\sqrt{5}$이므로 $2<\sqrt{5}$ $\therefore 2-\sqrt{5}<0$

$\sqrt{9}>\sqrt{5}$이므로 $3>\sqrt{5}$ $\therefore 3-\sqrt{5}>0$

$$\begin{aligned}\therefore \sqrt{(2-\sqrt{5})^2}+\sqrt{(3-\sqrt{5})^2}&=-(2-\sqrt{5})+(3-\sqrt{5})\\&=-2+\sqrt{5}+3-\sqrt{5}\\&=1\end{aligned}$$

답 ③

3-1

다음 중 $\sqrt{45+x}$가 자연수가 되도록 하는 자연수 x의 값을 모두 고르면? (정답 2개)

① 4 ② 9 ③ 16
④ 25 ⑤ 36

3-2

$\sqrt{77-x}$가 정수가 되도록 하는 자연수 x의 최댓값을 M, 최솟값을 m이라 할 때, $M+m$의 값을 구하시오.

$77-x$는 0 또는 77보다 작은 제곱수이어야 해.

4-1

다음 중 두 수의 대소 관계가 옳은 것은?

① $\sqrt{15}>4$ ② $\sqrt{26}<5$
③ $0.1>\sqrt{0.1}$ ④ $-3<-\sqrt{8}$
⑤ $-\sqrt{39}>-6$

4-2

$\sqrt{(3-\sqrt{7})^2}-\sqrt{(\sqrt{7}-3)^2}$을 간단히 하시오.

근호를 없애고 싶다고? 먼저 ●랑 ▲ 중에서 누가 큰지 따져봐야 해.
● > ▲이면 ● − ▲ > 0
● < ▲이면 ● − ▲ < 0

핵심 예제 5

다음 부등식을 만족하는 모든 자연수 x의 값의 합은?

$$7<\sqrt{5x}<8$$

① 27 ② 30 ③ 33
④ 36 ⑤ 39

전략

$a>0$, $b>0$, $c>0$일 때, $\sqrt{a}<\sqrt{b}<\sqrt{c}$이면 $a<b<c$이다.

풀이

$7<\sqrt{5x}<8$의 각 변을 제곱하면 $49<5x<64$

$\therefore \frac{49}{5}<x<\frac{64}{5}$

따라서 주어진 부등식을 만족하는 자연수 x의 값은 10, 11, 12이므로 그 합은 $10+11+12=33$

답 ③

핵심 예제 6

오른쪽 그림은 한 눈금의 길이가 1인 모눈종이 위에 직각삼각형 ABC와 수직선을 그린 것이다.

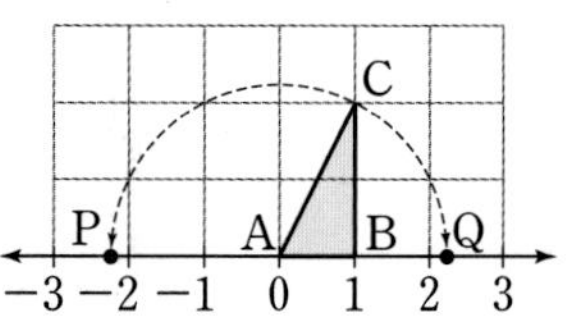

$\overline{AC}=\overline{AP}=\overline{AQ}$일 때, 다음 중 옳지 않은 것은?

① $\overline{AC}=\sqrt{5}$ ② $\overline{AQ}=\sqrt{5}$ ③ $P(-\sqrt{5})$
④ $Q(\sqrt{5})$ ⑤ $\overline{BQ}=1+\sqrt{5}$

전략

피타고라스 정리를 이용하여 $\overline{AC}$의 길이를 구한다.

풀이

① △ABC에서 $\overline{AC}=\sqrt{1^2+2^2}=\sqrt{5}$

② $\overline{AQ}=\overline{AC}=\sqrt{5}$

③, ④ $\overline{AP}=\overline{AQ}=\sqrt{5}$이므로 $P(-\sqrt{5})$, $Q(\sqrt{5})$

⑤ $\overline{BQ}=\overline{AQ}-\overline{AB}=\sqrt{5}-1$

답 ⑤

5-1

부등식 $4<\sqrt{x+2}<5$를 만족하는 자연수 x는 모두 몇 개인가?

① 5개 ② 6개 ③ 7개
④ 8개 ⑤ 9개

5-2

부등식 $3<\sqrt{3x}<6$을 만족하는 자연수 x의 값 중 가장 큰 수를 M, 가장 작은 수를 m이라 할 때, $M-m$의 값을 구하시오.

6-1

오른쪽 그림과 같이 수직선 위에 한 변의 길이가 1인 정사각형 ABCD가 있다.

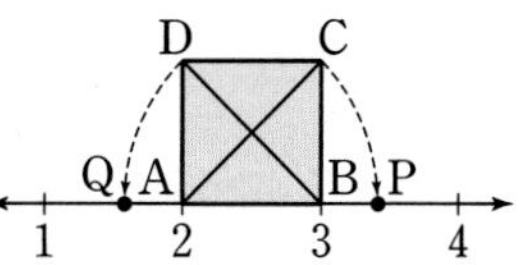

$\overline{AC}=\overline{AP}$, $\overline{BD}=\overline{BQ}$일 때, 다음 중 옳지 않은 설명을 한 학생을 찾으시오.

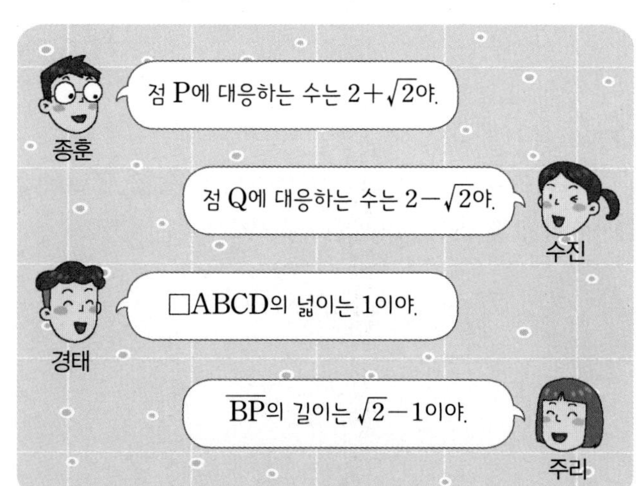

종훈
점 P에 대응하는 수는 $2+\sqrt{2}$야.
수진
점 Q에 대응하는 수는 $2-\sqrt{2}$야.
경태
□ABCD의 넓이는 1이야.
주리
$\overline{BP}$의 길이는 $\sqrt{2}-1$이야.

핵심 예제 7

다음 중 옳지 않은 것을 모두 고르면? (정답 2개)

① 0과 1 사이에는 무수히 많은 유리수가 있다.
② 모든 실수는 각각 수직선 위의 한 점에 대응한다.
③ -1과 $\sqrt{2}$ 사이에는 무수히 많은 정수가 있다.
④ 서로 다른 두 정수 사이에는 무수히 많은 정수가 있다.
⑤ $\sqrt{5}$와 $\sqrt{7}$ 사이에는 무수히 많은 유리수가 있다.

전략

(1) 모든 실수는 수직선 위의 한 점에 대응한다.
(2) 서로 다른 두 실수 사이에는 무수히 많은 실수가 있다.
(3) 수직선은 실수에 대응하는 점들로 완전히 메울 수 있다.

풀이

③ $1<\sqrt{2}<2$이므로 -1과 $\sqrt{2}$ 사이에 있는 정수는 0, 1의 2개이다.
④ 두 정수 0과 1 사이에는 정수가 없다.

답 ③, ④

핵심 예제 8

다음 세 실수 a, b, c의 대소 관계를 부등호를 사용하여 나타내시오.

$$a=2-\sqrt{5},\quad b=1,\quad c=2-\sqrt{6}$$

전략

(1) 두 실수 a, b의 대소 관계는 $a-b$의 부호로 판단한다.
① $a-b>0$이면 $a>b$ ② $a-b=0$이면 $a=b$ ③ $a-b<0$이면 $a<b$
(2) 세 실수 a, b, c에 대하여 $a<b$이고 $b<c$이면 $a<b<c$이다.

풀이

(i) $a-b=2-\sqrt{5}-1=1-\sqrt{5}<0 \quad \therefore a<b$
(ii) $a-c=2-\sqrt{5}-(2-\sqrt{6})=2-\sqrt{5}-2+\sqrt{6}=-\sqrt{5}+\sqrt{6}>0$
$\therefore a>c$
(i), (ii)에서 $c<a<b$

답 $c<a<b$

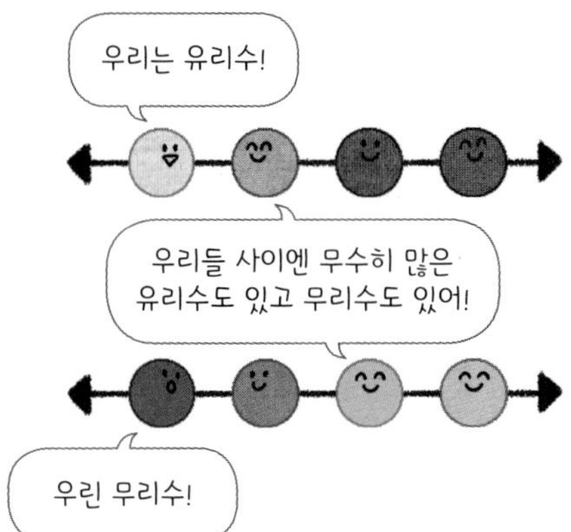

7-1

다음 중 옳은 것을 모두 고르면? (정답 2개)

① 2와 3 사이에는 무수히 많은 무리수가 있다.
② 유리수에 대응하는 점만으로 수직선을 완전히 메울 수 있다.
③ $\sqrt{6}$과 $\sqrt{7}$ 사이에는 무수히 많은 유리수가 있다.
④ 1에 가장 가까운 무리수는 $\sqrt{2}$이다.
⑤ 서로 다른 두 무리수 사이에는 무리수만 있다.

8-1

다음 중 두 실수의 대소 관계가 옳지 않은 것은?

① $5\sqrt{3}>3\sqrt{5}$
② $\sqrt{10}+1>4$
③ $2\sqrt{7}+\sqrt{3}>\sqrt{3}+5$
④ $1-\sqrt{5}>1-\sqrt{6}$
⑤ $3-\sqrt{6}<3-2\sqrt{2}$

8-2

다음 세 실수 a, b, c의 대소 관계를 바르게 나타낸 것은?

$$a=-\sqrt{12}+2,\quad b=2-\sqrt{10},\quad c=-2$$

① $a<b<c$
② $a<c<b$
③ $b<a<c$
④ $c<a<b$
⑤ $c<b<a$

1주 2일 필수 체크 전략 2

1 두 수 a, b에 대하여 $a>b$, $ab<0$일 때, $\sqrt{(a-b)^2}+\sqrt{(-a)^2}-2\sqrt{b^2}$을 간단히 하면?

① $-2a-3b$ ② $-2a-b$ ③ $-3b$
④ $-b$ ⑤ $2a+b$

Tip

$a>b$이고 $ab<0$이므로 a ❶ ☐ 0, b ❷ ☐ 0

답 ❶ $>$ ❷ $<$

2 $\sqrt{124-x}$와 $\sqrt{135x}$가 모두 자연수가 되도록 하는 자연수 x의 값은?

① 15 ② 24 ③ 60
④ 75 ⑤ 135

Tip

- $\sqrt{124-x}$가 자연수가 되려면 $124-x$가 124보다 ❶ ☐ 제곱수이어야 한다.
- $\sqrt{135x}$가 자연수가 되려면 ❷ ☐가 제곱수이어야 한다.

답 ❶ 작은 ❷ $135x$

3 다음 중 크기가 두 번째로 큰 수를 a, 다섯 번째로 큰 수를 b라 할 때, a^2+b^2의 값은?

$\sqrt{8}$, $\frac{1}{2}$, $-\sqrt{5}$, 4, $\sqrt{\frac{15}{4}}$, $-\sqrt{16}$

① 4 ② $\frac{17}{4}$ ③ $\frac{25}{4}$
④ 13 ⑤ 24

Tip

근호가 없는 수는 근호가 ❶ ☐ 수로 바꾸어 대소를 비교한다.
이때 $a>0$, $b>0$이고 $a<b$이면 $\sqrt{a}$ ❷ ☐ $\sqrt{b}$임을 이용한다.

답 ❶ 있는 ❷ $<$

4 $\sqrt{(4-\sqrt{10})^2}-\sqrt{(\sqrt{10}-4)^2}+\sqrt{(\sqrt{10}-3)^2}$을 간단히 하면?

① $-\sqrt{10}-\sqrt{5}$ ② $-\sqrt{10}-3$
③ $-\sqrt{10}+3$ ④ $\sqrt{10}-5$
⑤ $\sqrt{10}-3$

Tip

4 ❶ ☐ $\sqrt{10}$이므로 $4-\sqrt{10}$ ❷ ☐ 0, $\sqrt{10}-4<0$

답 ❶ $>$ ❷ $>$

5 다음 부등식을 만족하는 자연수 x의 값 중 가장 큰 수를 M, 가장 작은 수를 m이라 할 때, $M+m$의 값을 구하시오.

$$5\leq\sqrt{3x-2}<6$$

Tip

부등식의 각 변이 양수이면 각 변을 ❶ [　　] 하여도 부등호의 ❷ [　　] 은 바뀌지 않는다.

답 ❶ 제곱 ❷ 방향

6 아래 그림과 같이 수직선 위에 한 변의 길이가 1인 세 정사각형이 있다. 정사각형의 대각선을 반지름으로 하는 원과 수직선이 만나는 점을 각각 P, Q, R, S라 할 때, 다음 중 옳지 않은 것은?

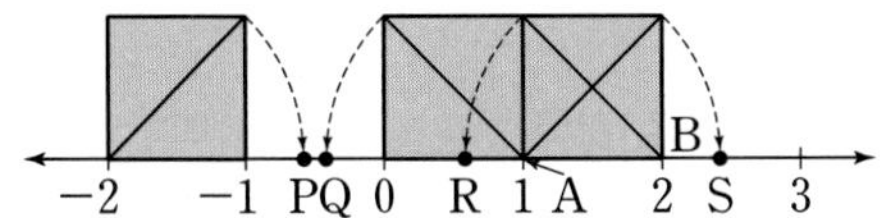

① $\mathrm{P}(-2+\sqrt{2})$　② $\mathrm{R}(2-\sqrt{2})$
③ $\mathrm{S}(2+\sqrt{2})$　④ $\overline{\mathrm{BQ}}=\sqrt{2}+1$
⑤ $\overline{\mathrm{BS}}=\sqrt{2}-1$

Tip

한 변의 길이가 1인 정사각형의 대각선의 길이가 $\sqrt{1^2+1^2}=$ ❶ [　　] 임을 이용하여 각 점에 대응하는 ❷ [　　] 를 각각 구한다.

답 ❶ $\sqrt{2}$ ❷ 수

7 종훈이가 실수와 수직선에 대하여 학교 게시판에 질문을 올렸더니 다음과 같이 댓글이 달렸다. 댓글 내용이 옳지 않은 학생을 모두 찾으시오.

종훈 : 으아, 역시 3학년이 되니 수학이 어렵군. 실수와 수직선에 대해 누가 설명 좀 해 줘.

경태 : $\sqrt{17}$은 수직선 위의 점에 대응시킬 수 없어.

수진 : $\sqrt{3}$과 $\sqrt{5}$ 사이에는 1개의 자연수가 있어.

준영 : 서로 다른 두 유리수 사이에는 무수히 많은 유리수가 있어.

주리 : 서로 다른 두 유리수 사이에는 무수히 많은 무리수도 있어.

효재 : 무리수에 대응하는 점만으로 수직선을 완전히 메울 수 있어.

Tip

유리수와 ❶ [　　] 를 통틀어 실수라 하고, 수직선은 ❷ [　　] 에 대응하는 점들로 완전히 메울 수 있다.

답 ❶ 무리수 ❷ 실수

8 다음 세 실수 a, b, c의 대소 관계를 바르게 나타낸 것은?

$$a=\sqrt{10}+\sqrt{3},\quad b=\sqrt{3}+4,\quad c=6$$

① $a<b<c$　② $a<c<b$　③ $b<a<c$
④ $b<c<a$　⑤ $c<b<a$

Tip

세 실수 a, b, c에 대하여 $a<b$이고 $b<c$이면 $a<$ ❶ [　　] $<$ ❷ [　　] 임을 이용한다.

답 ❶ b ❷ c

1주 3일 필수 체크 전략 1

핵심 예제 1

$\sqrt{2}=a$, $\sqrt{7}=b$일 때, $\sqrt{0.98}$을 a, b를 사용하여 나타내면?

① ab^2　② $\frac{ab^2}{10}$　③ $\frac{a^2b}{10}$　④ $\frac{ab}{100}$　⑤ $\frac{a^2b}{100}$

전략

근호 안의 수를 소인수분해하고 $\sqrt{ab}=\sqrt{a}\sqrt{b}$ $(a>0, b>0)$임을 이용한다.

풀이

$\sqrt{0.98}=\sqrt{\frac{98}{100}}=\frac{\sqrt{2\times7^2}}{10}=\frac{\sqrt{2}\times(\sqrt{7})^2}{10}=\frac{ab^2}{10}$

답 ②

핵심 예제 2

$\frac{2\sqrt{2}}{\sqrt{5}}=a\sqrt{10}$, $\frac{5}{\sqrt{48}}=b\sqrt{3}$일 때, 유리수 a, b에 대하여 $\sqrt{ab}$의 값을 구하시오.

전략

근호 안의 수를 가장 작은 자연수로 만든 후 분모를 유리화한다.

풀이

$\frac{2\sqrt{2}}{\sqrt{5}}=\frac{2\sqrt{2}\times\sqrt{5}}{\sqrt{5}\times\sqrt{5}}=\frac{2\sqrt{10}}{5}$이므로 $a=\frac{2}{5}$

$\frac{5}{\sqrt{48}}=\frac{5}{4\sqrt{3}}=\frac{5\sqrt{3}}{4\sqrt{3}\times\sqrt{3}}=\frac{5\sqrt{3}}{12}$이므로 $b=\frac{5}{12}$

$\therefore \sqrt{ab}=\sqrt{\frac{2}{5}\times\frac{5}{12}}=\sqrt{\frac{1}{6}}=\frac{1}{\sqrt{6}}=\frac{\sqrt{6}}{6}$

답 $\frac{\sqrt{6}}{6}$

1-1

$\sqrt{3}=a$, $\sqrt{5}=b$일 때, $\sqrt{180}$을 a, b를 사용하여 나타내면?

① $2ab$　② $2a^2b$　③ $3ab^3$　④ $4ab^2$　⑤ $4a^2b$

1-2

$\sqrt{3}=a$, $\sqrt{30}=b$일 때, 다음 중 옳은 것은?

① $\sqrt{3000}=10a$
② $\sqrt{30000}=100b$
③ $\sqrt{0.3}=\frac{a}{10}$
④ $\sqrt{0.03}=\frac{a}{100}$
⑤ $\sqrt{0.003}=\frac{b}{100}$

2-1

다음 중 분모를 유리화한 것으로 옳지 않은 것은?

① $\frac{1}{\sqrt{6}}=\frac{\sqrt{6}}{6}$
② $\frac{9}{\sqrt{18}}=\frac{3\sqrt{2}}{2}$
③ $\frac{\sqrt{2}}{3\sqrt{5}}=\frac{\sqrt{10}}{15}$
④ $\frac{3}{4\sqrt{7}}=\frac{3\sqrt{7}}{14}$
⑤ $\frac{2\sqrt{5}}{\sqrt{2}\sqrt{6}}=\frac{\sqrt{15}}{3}$

2-2

$\frac{\sqrt{5}}{3\sqrt{2}}=a\sqrt{10}$, $\frac{6}{\sqrt{12}}=b\sqrt{3}$일 때, 유리수 a, b에 대하여 $6ab$의 값을 구하시오.

핵심 예제 3

$\frac{3}{\sqrt{2}} \times \sqrt{\frac{5}{3}} \times (-\sqrt{3})^2 \div \frac{\sqrt{5}}{2} = a\sqrt{b}$일 때, ab의 값을 구하시오. (단, b는 가장 작은 자연수이다.)

전략

곱셈과 나눗셈이 섞여 있을 때에는 나눗셈을 역수의 곱셈으로 바꾼 후 앞에서부터 차례대로 계산한다.

풀이

$$\frac{3}{\sqrt{2}} \times \sqrt{\frac{5}{3}} \times (-\sqrt{3})^2 \div \frac{\sqrt{5}}{2} = \frac{3}{\sqrt{2}} \times \frac{\sqrt{5}}{\sqrt{3}} \times 3 \times \frac{2}{\sqrt{5}}$$
$$= \frac{18}{\sqrt{6}} = \frac{18\sqrt{6}}{6}$$
$$= 3\sqrt{6}$$

따라서 $a=3$, $b=6$이므로 $ab=3\times6=18$

답 18

핵심 예제 4

$\sqrt{7.41}=2.722$, $\sqrt{74.1}=8.608$일 때, 다음 중 옳지 않은 것은?

① $\sqrt{741}=27.22$ ② $\sqrt{7410}=86.08$
③ $\sqrt{74100}=272.2$ ④ $\sqrt{0.0741}=0.2722$
⑤ $\sqrt{0.741}=0.2722$

전략

근호 안의 수를 $7.41\times\left(10^n \text{ 또는 } \frac{1}{10^n}\right)$ 또는 $74.1\times\left(10^n \text{ 또는 } \frac{1}{10^n}\right)$의 꼴로 변형한다. (단, n은 짝수)

풀이

① $\sqrt{741}=\sqrt{100\times7.41}=10\sqrt{7.41}=10\times2.722=27.22$
② $\sqrt{7410}=\sqrt{100\times74.1}=10\sqrt{74.1}=10\times8.608=86.08$
③ $\sqrt{74100}=\sqrt{10000\times7.41}=100\sqrt{7.41}=100\times2.722=272.2$
④ $\sqrt{0.0741}=\sqrt{\frac{7.41}{100}}=\frac{\sqrt{7.41}}{10}=\frac{2.722}{10}=0.2722$
⑤ $\sqrt{0.741}=\sqrt{\frac{74.1}{100}}=\frac{\sqrt{74.1}}{10}=\frac{8.608}{10}=0.8608$

답 ⑤

3-1

$2\sqrt{\frac{3}{11}} \times 3\sqrt{\frac{2}{3}} \div 2\sqrt{\frac{50}{33}}$을 간단히 하면?

① $\frac{2\sqrt{2}}{5}$ ② $\frac{3\sqrt{2}}{5}$ ③ $3\sqrt{2}$
④ $\frac{3\sqrt{3}}{5}$ ⑤ $3\sqrt{3}$

3-2

다음 그림의 삼각형과 직사각형의 넓이가 서로 같을 때, x의 값을 구하시오.

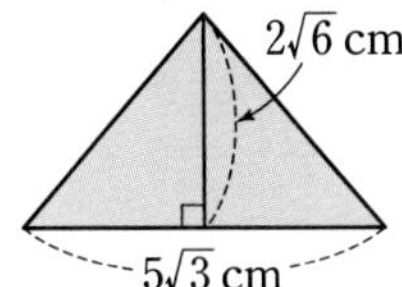

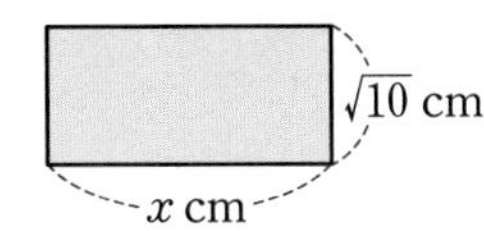

4-1

다음 중 주어진 제곱근표를 이용하여 그 값을 구할 수 없는 것은?

수	0	1	2	3
5.5	2.345	2.347	2.349	2.352
5.6	2.366	2.369	2.371	2.373
5.7	2.387	2.390	2.392	2.394
5.8	2.408	2.410	2.412	2.415

① $\sqrt{5.73}$ ② $\sqrt{560}$ ③ $\sqrt{583}$
④ $\sqrt{5500}$ ⑤ $\sqrt{0.055}$

근호 안의 수를 10², 100², ⋯ 또는 1/10², 1/100², ⋯과의 곱으로 나타내.

핵심 예제 5

$\sqrt{108}+\sqrt{20}+\sqrt{75}-\sqrt{5}$를 간단히 하면 $a\sqrt{3}+b\sqrt{5}$일 때, $2a+b$의 값은? (단, a, b는 유리수)

① 11　② 12　③ 13
④ 21　⑤ 23

전략

1 $\sqrt{a^2b}=a\sqrt{b}$임을 이용하여 근호 안의 수를 가장 작은 자연수로 만든다.
2 근호 안의 수가 같은 것끼리 모아서 계산한다.

풀이

$$\sqrt{108}+\sqrt{20}+\sqrt{75}-\sqrt{5}=6\sqrt{3}+2\sqrt{5}+5\sqrt{3}-\sqrt{5}$$
$$=11\sqrt{3}+\sqrt{5}$$

따라서 $a=11$, $b=1$이므로 $2a+b=2\times11+1=23$

답 ⑤

근호 안의 수가 다른 것 같지만

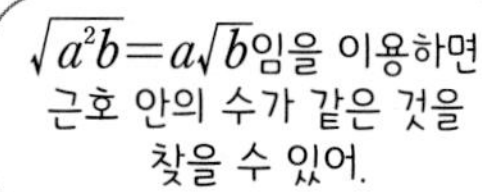
$\sqrt{a^2b}=a\sqrt{b}$임을 이용하면 근호 안의 수가 같은 것을 찾을 수 있어.

5-1

$6\sqrt{2}-\sqrt{80}+\sqrt{5}+\sqrt{32}=a\sqrt{2}+b\sqrt{5}$일 때, 유리수 a, b에 대하여 ab의 값은?

① -30　② -13　③ -7
④ 12　⑤ 15

5-2

다음 식을 간단히 하시오.

$$\frac{\sqrt{18}}{3}-\frac{\sqrt{3}}{2\sqrt{6}}+3\sqrt{8}+\frac{5}{\sqrt{8}}$$

핵심 예제 6

$x=\frac{\sqrt{6}-\sqrt{2}}{\sqrt{6}}$, $y=\frac{\sqrt{6}+\sqrt{2}}{\sqrt{6}}$일 때, $6(x-y)$의 값은?

① $-8\sqrt{3}$　② -12　③ $-4\sqrt{3}$
④ $4\sqrt{3}$　⑤ 12

전략

$a>0$, $b>0$, $c>0$일 때, $\frac{\sqrt{b}+\sqrt{c}}{\sqrt{a}}=\frac{(\sqrt{b}+\sqrt{c})\times\sqrt{a}}{\sqrt{a}\times\sqrt{a}}=\frac{\sqrt{ab}+\sqrt{ac}}{a}$임을 이용한다.

풀이

$$x=\frac{\sqrt{6}-\sqrt{2}}{\sqrt{6}}=\frac{(\sqrt{6}-\sqrt{2})\times\sqrt{6}}{\sqrt{6}\times\sqrt{6}}=\frac{6-2\sqrt{3}}{6}$$
$$y=\frac{\sqrt{6}+\sqrt{2}}{\sqrt{6}}=\frac{(\sqrt{6}+\sqrt{2})\times\sqrt{6}}{\sqrt{6}\times\sqrt{6}}=\frac{6+2\sqrt{3}}{6}$$
$$\therefore 6(x-y)=6\times\left(\frac{6-2\sqrt{3}}{6}-\frac{6+2\sqrt{3}}{6}\right)$$
$$=6\times\left(-\frac{2\sqrt{3}}{3}\right)=-4\sqrt{3}$$

답 ③

6-1

$\frac{6}{\sqrt{3}}(\sqrt{3}-\sqrt{2})+\sqrt{2}(\sqrt{8}-2\sqrt{3})$을 간단히 하면?

① $5-\sqrt{6}$　② $5+\sqrt{6}$　③ $10-4\sqrt{6}$
④ $10+4\sqrt{6}$　⑤ $10+6\sqrt{6}$

6-2

$\frac{6+\sqrt{12}}{\sqrt{3}}-\frac{\sqrt{20}-10}{\sqrt{5}}=a\sqrt{3}+b\sqrt{5}$일 때, $a-b$의 값을 구하시오. (단, a, b는 유리수)

핵심 예제 7

$\dfrac{6-2\sqrt{2}}{\sqrt{2}}+(-2\sqrt{3})^2+2\times2\sqrt{6}\div\dfrac{4}{3\sqrt{3}}=a+b\sqrt{2}$일 때, $a+b$의 값은? (단, a, b는 유리수)

① -4　　② -2　　③ 10
④ 12　　⑤ 22

전략

1 분모를 유리화한다.
2 곱셈, 나눗셈을 먼저 계산한 후 근호 안의 수가 같은 것끼리 덧셈, 뺄셈을 계산한다.

풀이

$$\frac{6-2\sqrt{2}}{\sqrt{2}}+(-2\sqrt{3})^2+2\times2\sqrt{6}\div\frac{4}{3\sqrt{3}}$$
$$=\frac{(6-2\sqrt{2})\times\sqrt{2}}{\sqrt{2}\times\sqrt{2}}+12+4\sqrt{6}\times\frac{3\sqrt{3}}{4}$$
$$=\frac{6\sqrt{2}-4}{2}+12+9\sqrt{2}$$
$$=3\sqrt{2}-2+12+9\sqrt{2}=10+12\sqrt{2}$$

따라서 $a=10$, $b=12$이므로 $a+b=10+12=22$

답 ⑤

핵심 예제 8

$5-\sqrt{2}$의 정수 부분을 a, $3\sqrt{2}-3$의 소수 부분을 b라 할 때, $a+b$의 값은?

① $3\sqrt{2}-4$　　② $3\sqrt{2}-1$　　③ $3\sqrt{2}+1$
④ $2\sqrt{3}-4$　　⑤ $2\sqrt{3}-1$

전략

무리수 $\sqrt{a}$에 대하여 $n<\sqrt{a}<n+1$ ($n\geq0$인 정수)이면
① $\sqrt{a}$의 정수 부분 ➡ n
② $\sqrt{a}$의 소수 부분 ➡ $\sqrt{a}-n$
└➡ $0<$(소수 부분)<1

풀이

$1<\sqrt{2}<2$에서 $-2<-\sqrt{2}<-1$이므로
$3<5-\sqrt{2}<4$　　$\therefore a=3$
$3\sqrt{2}=\sqrt{18}$이고 $4<\sqrt{18}<5$이므로 $1<\sqrt{18}-3<2$
$\therefore b=(\sqrt{18}-3)-1=\sqrt{18}-4=3\sqrt{2}-4$
$\therefore a+b=3+(3\sqrt{2}-4)=3\sqrt{2}-1$

답 ②

지수
$1<\sqrt{2}<2$에서 $3<3\sqrt{2}<6$으로 했더니 풀지 못했어.

병찬
이 경우 $3\sqrt{2}$를 연속하는 두 정수 사이의 수로 나타내지 않았으므로 정수 부분이 3인지, 4인지, 5인지 정확히 알 수 없어.

우리
맞아. $a\sqrt{b}$의 꼴의 무리수의 정수 부분과 소수 부분은 $\sqrt{a^2b}$의 꼴로 바꾼 후 $\sqrt{a^2b}$를 연속하는 두 정수 사이의 수로 나타내야만 구할 수 있어.

7-1

$3\sqrt{75}+\sqrt{3}(8\sqrt{3}-\sqrt{2})-\dfrac{6-3\sqrt{2}}{\sqrt{3}}$를 간단히 하면?

① $12\sqrt{3}+24$　　② $13\sqrt{3}+24$　　③ $15\sqrt{3}+24$
④ $13\sqrt{3}-2\sqrt{6}$　　⑤ $13\sqrt{3}+2\sqrt{6}$

7-2

오른쪽 그림과 같은 사다리꼴의 넓이를 구하시오.

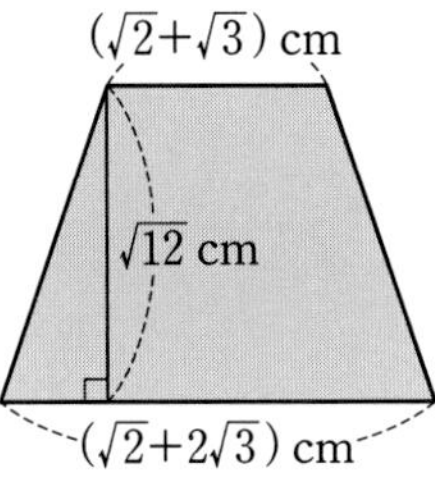

(사다리꼴의 넓이)
$=\frac{1}{2}\times\{$(윗변의 길이)
$+$(아랫변의 길이)$\}$
$\times$(높이)

$(\sqrt{2}+\sqrt{3})$ cm
$\sqrt{12}$ cm
$(\sqrt{2}+2\sqrt{3})$ cm

8-1

$4-\sqrt{3}$의 정수 부분을 a, $\sqrt{10}+1$의 소수 부분을 b라 할 때, $\sqrt{10}a-b$의 값은?

① $\sqrt{10}-3$　　② $\sqrt{10}-1$　　③ $\sqrt{10}+1$
④ $\sqrt{10}+3$　　⑤ $2\sqrt{10}+3$

1주 3일 필수 체크 전략 2

1 $\sqrt{2}=a$, $\sqrt{5}=b$일 때, $\sqrt{0.32}$를 a, b를 사용하여 나타내면?

① $\frac{a^2}{b^2}$ ② $\frac{a^3}{b^2}$ ③ $\frac{a}{b^3}$

④ $\frac{b^3}{a^2}$ ⑤ $\frac{b^3}{a^3}$

Tip

$a>0$, $b>0$일 때, $\sqrt{ab}=\sqrt{a}\sqrt{\boxed{❶}}$임을 이용하여 $\sqrt{0.32}$를 $\sqrt{2}$와 $\boxed{❷}$의 곱셈 또는 나눗셈으로 나타내어 본다.

답 ❶ b ❷ $\sqrt{5}$

2 $a>0$, $b>0$일 때, 다음 중 옳은 것을 들고 있는 학생을 모두 찾으시오.

Tip

$a>0$, $b>0$일 때

① $a\sqrt{b}=\sqrt{\boxed{❶}\,b}$ ② $\frac{\sqrt{b}}{\sqrt{a}}=\frac{\sqrt{b}\times\sqrt{a}}{\sqrt{a}\times\sqrt{a}}=\frac{\sqrt{\boxed{❷}}}{a}$

답 ❶ a^2 ❷ ab

3 다음 식을 만족하는 두 수 a, b에 대하여 $\frac{b}{a^2}$의 값은?

$$a=4\times\sqrt{\frac{7}{2}}\times\sqrt{\frac{3}{28}},\qquad b=3\sqrt{2}\times2\sqrt{3}\div\frac{1}{\sqrt{6}}$$

① 1 ② $\sqrt{6}$ ③ 6

④ $6\sqrt{6}$ ⑤ 36

Tip

나눗셈을 역수의 $\boxed{❶}$으로 바꾼 후 근호 안의 수끼리, 근호 $\boxed{❷}$의 수끼리 계산한다.

답 ❶ 곱셈 ❷ 밖

4 다음 중 $\sqrt{5}=2.236$임을 이용하여 제곱근의 값을 구할 수 <u>없는</u> 것은?

① $\sqrt{0.2}$ ② $\sqrt{20}$ ③ $\sqrt{\frac{5}{4}}$

④ $\sqrt{45}$ ⑤ $\sqrt{75}$

Tip

$a>0$일 때, $\sqrt{a^2\times5}=\boxed{❶}\sqrt{5}$임을 이용하여 주어진 수를 $\sqrt{5}$에 대한 $\boxed{❷}$ 또는 나눗셈으로 나타내어 본다.

답 ❶ a ❷ 곱셈

>> 정답과 풀이 7쪽

5 다음 그림과 같은 도형의 넓이를 구하시오.

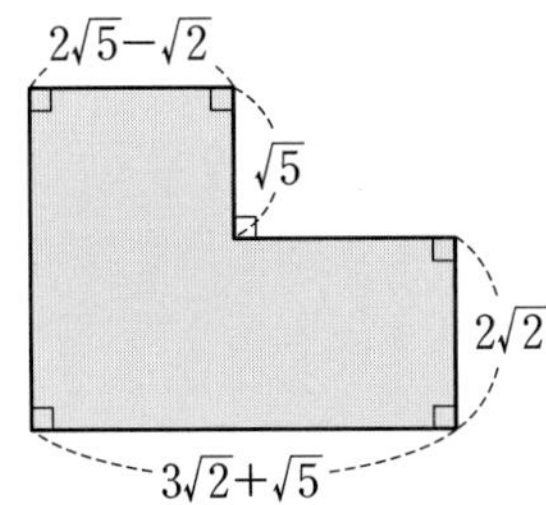

Tip

주어진 도형을 두 개의 ❶ [ ]으로 나누어 식을 세운 후 ❷ [ ]를 포함한 복잡한 식의 계산을 한다.

답 ❶ 직사각형 ❷ 근호

6 다음 대화를 읽고 $x=2\sqrt{3}-\frac{2\sqrt{5}}{5}$, $y=\sqrt{3}+\frac{\sqrt{5}}{4}$일 때, $\sqrt{5}(x-4y)+4\sqrt{3}y$의 값을 구하시오.

대입부터 하면 되나?
내 생각엔 먼저 식을 간단히 하는 게 좋겠어.

Tip

주어진 식을 먼저 정리한 후 x, y의 값을 각각 ❶ [ ]한다.
이때 ❷ [ ]법칙을 이용하여 식을 간단히 한다.

답 ❶ 대입 ❷ 분배

7 다음 중 가장 큰 수를 a, 가장 작은 수를 b라 할 때, $a-b$의 값을 구하시오.

$\sqrt{32}-1$, $3\sqrt{2}+1$, $2\sqrt{7}-1$, 3

Tip

두 실수 A, B의 대소 관계를 비교할 때에는 $A-B$의 ❶ [ ]를 조사한다.
이때 $A<B$이고 $B<C$이면 $A<B<$ ❷ [ ]이다.

답 ❶ 부호 ❷ C

8 자연수 n에 대하여 $\sqrt{n}$의 소수 부분을 $f(n)$이라 할 때, $f(75)+f(27)$의 값을 구하시오.

Tip

무리수 $\sqrt{n}$에 대하여 $a<\sqrt{n}<a+1$ ($a\geq 0$인 정수)이면
$\sqrt{n}$의 정수 부분은 ❶ [ ]이고 $\sqrt{n}$의 소수 부분은 ❷ [ ]이다.

답 ❶ a ❷ $\sqrt{n}-a$

1주 누구나 합격 전략

01 $a<0$일 때, $\sqrt{a^2}-\sqrt{36a^2}$을 간단히 하면?

① $-7a$ ② $-5a$ ③ $3a$
④ $5a$ ⑤ $7a$

02 다음 부등식을 만족하는 자연수 x는 모두 몇 개인지 구하시오.

$$\sqrt{26}<\sqrt{x}<6$$

03 다음 그림과 같이 한 눈금의 길이가 1인 모눈종이 위에 수직선과 직각삼각형 ABC를 그리고, 점 A를 중심으로 하고 $\overline{AB}$를 반지름으로 하는 원을 그려 수직선과 만나는 두 점을 각각 P, Q라 할 때, 두 점 P, Q에 대응하는 수를 각각 구하시오.

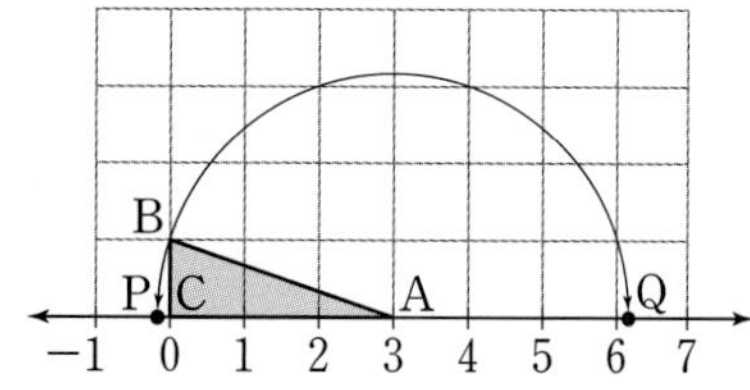

04 다음은 미주가 노트에 실수의 분류를 정리한 것이다. 잉크가 엎질러진 부분에 해당하는 수가 <u>아닌</u> 것을 모두 고르면? (정답 2개)

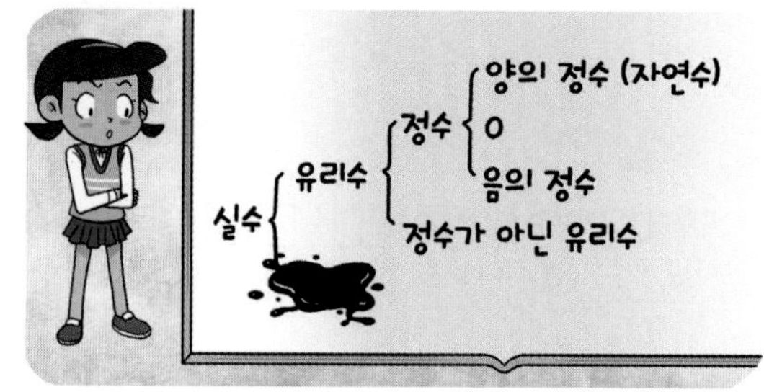

① π ② $-\sqrt{25}$ ③ $\sqrt{38}$
④ $3.\dot{2}\dot{6}$ ⑤ $\sqrt{\frac{8}{49}}$

05 다음 중 옳지 <u>않은</u> 설명을 한 학생을 찾으시오.

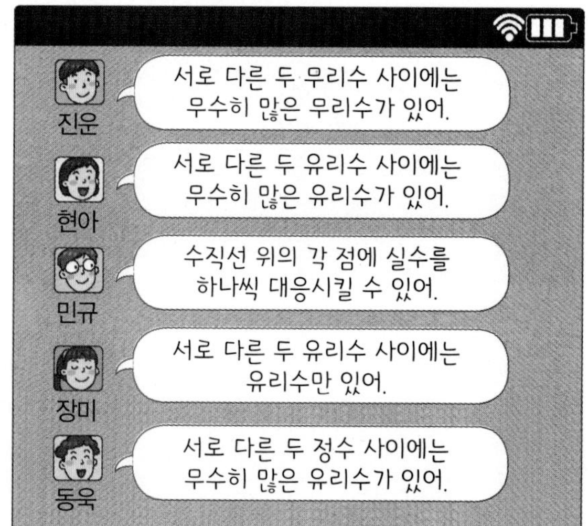

06 다음 그림과 같이 민성이가 주어진 길을 따라간다. 갈림길마다 가장 큰 수가 적힌 깃발이 있는 길을 따라 이동할 때, 민성이가 도착하는 장소를 말하시오.

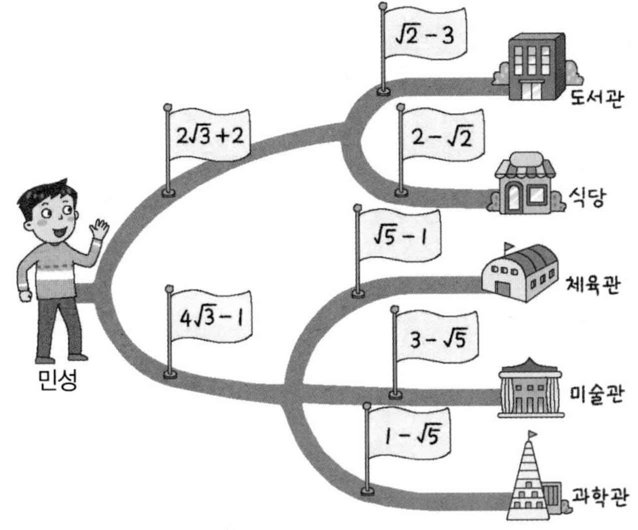

07 $\sqrt{3}=a$, $\sqrt{5}=b$일 때, $\sqrt{60}$을 a, b를 사용하여 나타내면?

① $2ab$ ② $2ab^2$ ③ $2a^2b$
④ $4ab$ ⑤ $4a^2b^2$

08 제곱근표에서 $\sqrt{9.72}$의 값이 3.118일 때, $\sqrt{a}$의 값이 311.8이 되도록 하는 a의 값은?

① 0.0972 ② 0.972 ③ 972
④ 9720 ⑤ 97200

09 다음 중 옳은 것은?

① $2\sqrt{6}\times3\sqrt{2}\div3=12$
② $\sqrt{28}\div\frac{\sqrt{7}}{\sqrt{3}}\times\frac{\sqrt{5}}{2}=2\sqrt{15}$
③ $\sqrt{32}+2\sqrt{18}-\sqrt{72}=3\sqrt{2}$
④ $\left(\sqrt{84}+\frac{1}{\sqrt{12}}\right)\div\sqrt{3}=\frac{11}{2}$
⑤ $\sqrt{24}\times\sqrt{2}-9\sqrt{6}\div3\sqrt{2}=\sqrt{3}$

10 $(\sqrt{6}-3)\sqrt{2}+\frac{6-2\sqrt{6}}{\sqrt{2}}$을 간단히 하면?

① $-3\sqrt{2}$ ② $-2\sqrt{3}$ ③ 0
④ $5\sqrt{2}$ ⑤ $6\sqrt{6}$

1주 창의·융합·코딩 전략 1

1 건축가가 꿈인 성준이는 다음 그림과 같이 한 눈금의 길이가 1인 모눈종이 위에 직사각형 모양의 집터를 설계하였다. 물음에 답하시오.

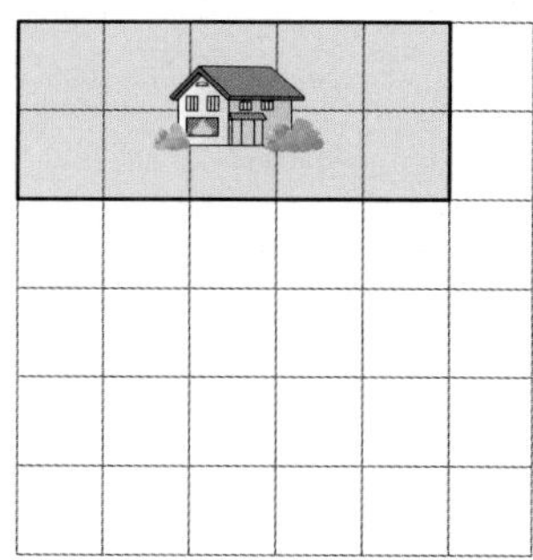

(1) 집터를 정사각형 모양으로 변경하되 그 넓이가 변하지 않도록 하려고 한다. 이때 변경된 정사각형의 한 변의 길이를 구하시오.

(2) (1)에서 말한 변경된 정사각형 모양의 집터를 아래 모눈종이 위에 그리시오.

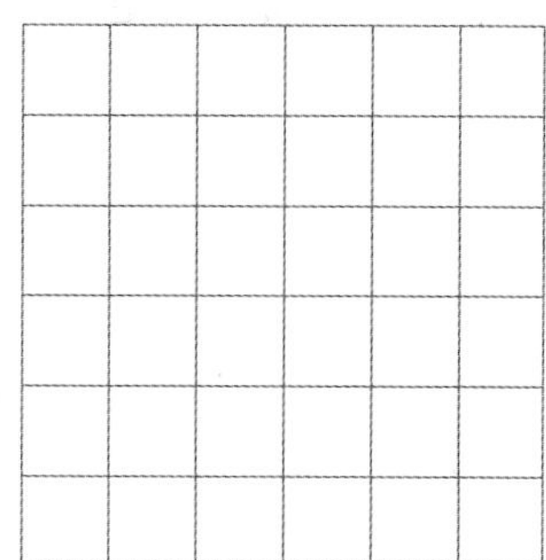

Tip

모눈 한 칸의 넓이가 1임을 이용하여 직사각형 모양의 집터의 ❶ ☐를 구한다.
이때 변경된 정사각형 모양의 집터의 한 변의 길이를 a라 하면 ❷ $☐^2$=(직사각형 모양의 집터의 넓이)이다.

답 ❶ 넓이 ❷ a

2 다음 글은 갈릴레이의 낙하 실험에 대한 내용이다.

'모든 물체는 무게에 관계없이 동시에 낙하시키면 동시에 지면에 떨어진다.'라는 주장을 한 갈릴레이가 피사의 사탑에서 한 낙하 실험은 유명한 일화이다. 진공 상태에서 물체를 가만히 놓아 낙하시킬 때, 처음 높이를 h m라 하면 지면에 떨어지기 직전의 속력 초속 v m는 $v=\sqrt{2\times9.8\times h}$이다.

$v=\sqrt{2\times9.8\times h}=\sqrt{\frac{98}{5}h}$임을 이용하여 v가 자연수가 되도록 하는 가장 작은 자연수 h의 값을 구하시오.

Tip

$\sqrt{\frac{98}{5}h}$가 자연수가 되려면 $\frac{98}{5}h$가 ❶ ☐수이어야 한다.
이때 $98=2\times$ ❷ $☐^2$이다.

답 ❶ 제곱 ❷ 7

3 아래 보기의 수가 다음 흐름도의 각 칸에 해당하는 수가 맞으면 빨간 화살표를 따라 이동하고, 아니면 파란 화살표를 따라 이동하고 따라갈 화살표가 없으면 이동하지 않는다. 이때 ㈎~㈑에 도착하는 수를 각각 말하시오.

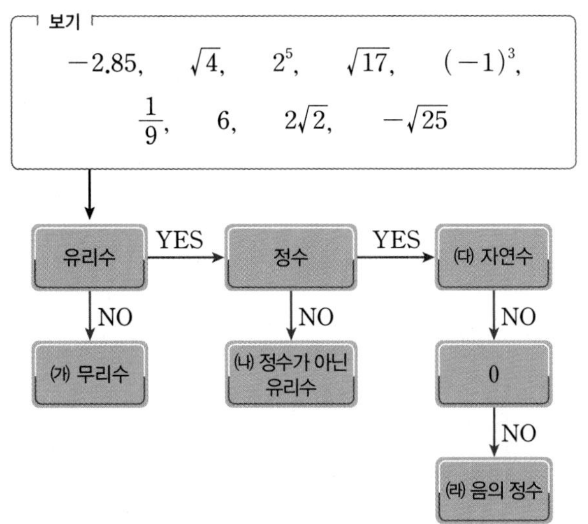

Tip

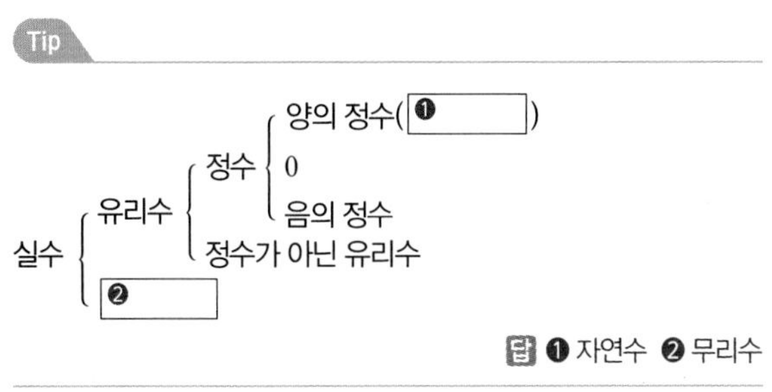

답 ❶ 자연수 ❷ 무리수

4 h m의 높이에서 공을 떨어뜨렸을 때, 공이 바닥에 닿을 때까지 걸린 시간을 t초라 하면 h와 t 사이에는 $t=\sqrt{\frac{h}{4.9}}$인 관계가 있다고 한다. 다음 그림을 보고 물음에 답하시오.

(1) 위의 그림에서 ㈎, ㈏에 알맞은 수를 각각 구하시오.

(2) 2 m의 높이에서 공을 떨어뜨렸을 때 공이 바닥에 닿을 때까지 걸린 시간은 50 cm의 높이에서 공을 떨어뜨렸을 때 공이 바닥에 닿을 때까지 걸린 시간의 몇 배인지 구하시오.

Tip

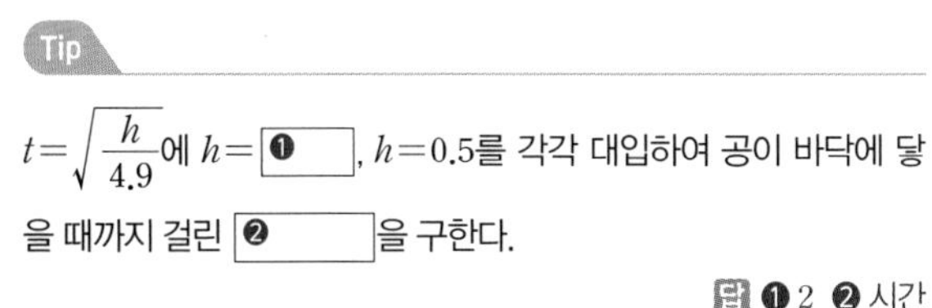
$t=\sqrt{\frac{h}{4.9}}$에 $h=$ ❶ , $h=0.5$를 각각 대입하여 공이 바닥에 닿을 때까지 걸린 ❷ 을 구한다.

답 ❶ 2 ❷ 시간

5 태양계에서 행성이 태양을 한 바퀴 도는 데 걸리는 시간을 그 행성의 일 년이라 한다. 태양과 행성 사이의 거리를 R(백만 km), 행성의 일 년을 N(일)이라 하면

$$N=0.2\times\sqrt{R^3}$$

이 성립한다. 다음 대화를 읽고 물음에 답하시오.

화성 공전 주기?
지구 공전 주기
365일 = 1년
지구의 1년은 365일이야.
태양과 화성 사이의 거리가 228백만 km라면 화성의 일 년은 며칠일까?

주어진 제곱근표를 이용하여 화성의 일 년은 며칠인지 구하시오. (단, 계산 결과는 소수점 아래 첫째 자리에서 반올림한다.)

수	5	6	7	8	9
2.2	1.500	1.503	1.507	1.510	1.513
2.4	1.565	1.568	1.572	1.575	1.578
22	4.743	4.754	4.764	4.775	4.785
24	4.950	4.960	4.970	4.980	4.990

Tip

$0.2\times\sqrt{R^3}=0.2R\sqrt{R}$이므로 이 식에 $R=$ ❶ 을 대입한다.
이때 근호 안의 수를 ❷ 에 있는 수가 나오도록 변형한다.

답 ❶ 228 ❷ 제곱근표

6 다음 그림에서 길을 따라 내려가면서 식을 만든 후 □ 안에 식을 계산한 결과를 써넣으시오. (단, 길을 따라 내려갈 때 가로 선을 만나면 그 선을 따라 옆으로 이동한 후 다시 내려간다.)

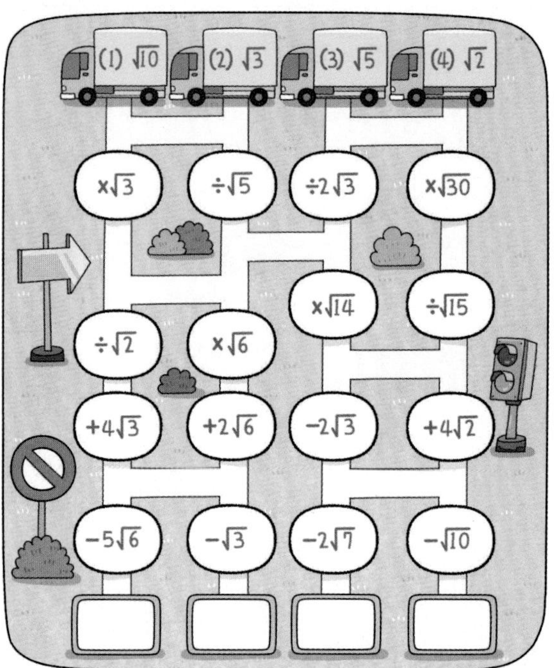

Tip

$\sqrt{10}$에서 출발하여 길을 따라 내려가면서 식을 세우면 다음과 같다.
$\sqrt{10}\div\sqrt{5}\times$ ❶ $+4\sqrt{2}-2\sqrt{7}$
이때 곱셈, 나눗셈을 먼저 계산한 후 근호 안의 수가 ❷ 은 것끼리 덧셈, 뺄셈을 한다.

답 ❶ $\sqrt{14}$ ❷ 같

7 칠교판은 정사각형 모양의 나무 또는 종이를 정사각형 1개, 평행사변형 1개, 직각삼각형 5개로 나누어 만든 것이다. 오른쪽 그림은 한 눈금의 길이가 1인 모눈종이 위에 칠교판을 그린 것이다. 이 칠교판으로 다음과 같이 숫자 2를 만들었을 때, 숫자 2 모양 도형의 둘레의 길이를 구하시오.

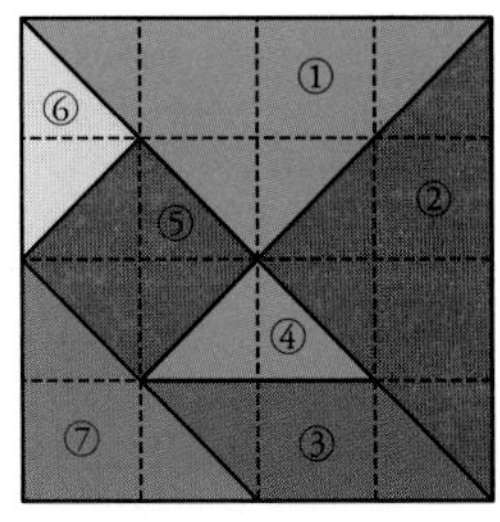

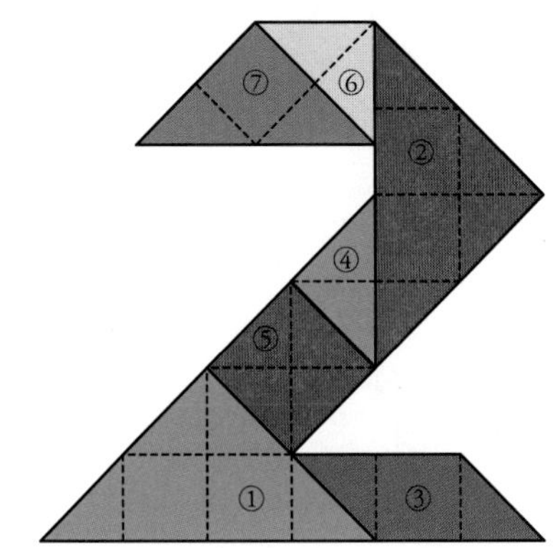

Tip

가로의 길이와 세로의 길이가 각각 1인 정사각형의 ❶ ☐ 의 길이는 $\sqrt{1^2+1^2}=$ ❷ ☐ 이다.

답 ❶ 대각선 ❷ $\sqrt{2}$

8 복사 용지로 많이 사용하는 A4 용지의 규격은 국제 표준화 기구(ISO)에서 종이의 낭비를 없애기 위해 정하였는데, A0 용지를 반으로 자르는 과정을 네 번 반복하여 만든 것이다. 다음 대화를 읽고 물음에 답하시오.

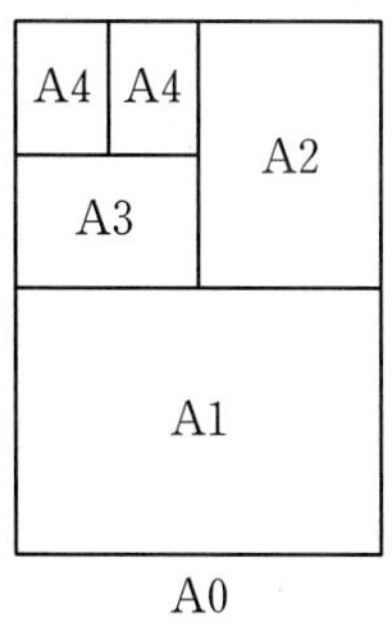

(1) A3 용지의 짧은 변과 긴 변의 길이의 비를 $1 : x$라 할 때, x의 값을 구하시오.

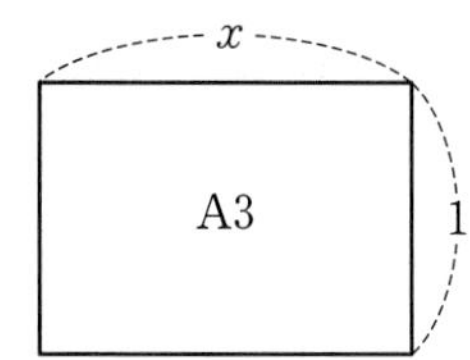

(2) A4 용지의 짧은 변과 긴 변의 길이의 비가 $a : 2$일 때, a의 값을 구하시오.

Tip

A3 용지를 반으로 자르면 A4 용지가 되므로 A4 용지의 짧은 변과 긴 변의 길이의 비는 ❶ ☐ : 1이다.

이때 A3 용지와 A4 용지가 ❷ ☐ 임을 이용하여 비례식을 세운다.

답 ❶ $\frac{1}{2}x$ ❷ 닮음

2주 다항식의 곱셈과 인수분해

공부할 내용

❶ 곱셈 공식
❷ 곱셈 공식의 활용
❸ 인수분해 공식
❹ 인수분해 공식의 활용

2주 1일 개념 돌파 전략 1

개념 01 다항식과 다항식의 곱셈

분배법칙을 이용하여 전개한 후 ❶ [   ] 끼리 모아서 간단히 정리한다.

$$(a+b)(c+d)=\underset{①}{ac}+\underset{②}{ad}+\underset{③}{bc}+\underset{④}{❷\square}$$

답 ❶ 동류항 ❷ bd

확인 01 다음 식을 전개하시오.

(1) $(x+1)(y+3)$ (2) $(2a+3)(b-1)$

개념 02 곱셈 공식

(1) $(a+b)^2=a^2+2ab+b^2$

(2) $(a-b)^2=a^2-2ab+b^2$

(3) $(a+b)(a-b)=$ ❶ [   ] $-b^2$

(4) $(x+a)(x+b)=x^2+(a+b)x+ab$

(5) $(ax+b)(cx+d)$

$=acx^2+(ad+$ ❷ [   ] $)x+bd$

답 ❶ a^2 ❷ bc

확인 02 다음 중 식을 바르게 전개한 것에는 ○표, 아닌 것에는 ×표를 하시오.

(1) $(a-2b)^2=a^2-4b^2$ ( )

(2) $(x+1)(x-1)=x^2-1$ ( )

(3) $(x+2)(x-3)=x^2-x-6$ ( )

(4) $(2a-3)(3a-2)=6a^2-4a+6$ ( )

개념 03 곱셈 공식을 이용한 수의 계산

(1) **수의 제곱의 계산 :** $(a+b)^2=a^2+2ab+b^2$ 또는 $(a-b)^2=a^2-$ ❶ [   ] $+b^2$을 이용한다.

(2) **두 수의 곱의 계산 :** $(a+b)(a-b)=a^2-b^2$ 또는 $(x+a)(x+b)=x^2+(a+b)x+$ ❷ [   ] 를 이용한다.

답 ❶ $2ab$ ❷ ab

확인 03 다음을 계산할 때 이용하면 가장 편리한 곱셈 공식을 아래 보기에서 찾고, 그 곱셈 공식을 이용하여 계산하시오.

보기
㉠ $(a+b)^2=a^2+2ab+b^2$
㉡ $(a-b)^2=a^2-2ab+b^2$
㉢ $(a+b)(a-b)=a^2-b^2$
㉣ $(x+a)(x+b)=x^2+(a+b)x+ab$

(1) 48^2 (2) 72^2

(3) 91×89 (4) 103×108

개념 04 곱셈 공식을 이용한 무리수의 계산

제곱근을 문자로 생각하고 곱셈 공식을 이용한다.

(1) $(\sqrt{a}+\sqrt{b})^2=a+2\sqrt{ab}+b$

(2) $(\sqrt{a}-\sqrt{b})^2=$ ❶ [   ] $-2\sqrt{ab}+b$

(3) $(\sqrt{a}+\sqrt{b})(\sqrt{a}-\sqrt{b})=a-b$

(4) $(\sqrt{a}+b)(\sqrt{a}+c)=a+(b+c)$ ❷ [   ] $+bc$

답 ❶ a ❷ $\sqrt{a}$

확인 04 곱셈 공식을 이용하여 다음을 계산하시오.

(1) $(4-\sqrt{2})^2$

(2) $(\sqrt{7}+\sqrt{5})(\sqrt{7}-\sqrt{5})$

≫ 정답과 풀이 11쪽

개념 05 곱셈 공식을 이용한 분모의 유리화

분모가 2개의 항으로 되어 있는 무리수일 때, 곱셈 공식 $(a+b)(a-b)=$ ❶ [ ] 을 이용하여 분모를 유리화한다.

➡ $a>0$, $b>0$, $a\neq b$일 때

$$\frac{c}{\sqrt{a}+\sqrt{b}}=\frac{c(\sqrt{a}-\sqrt{b})}{(\sqrt{a}+\sqrt{b})(\sqrt{a}-\sqrt{b})}$$

부호 반대

$$=\frac{c(\sqrt{a}-\sqrt{b})}{❷\ [\quad]}$$

답 ❶ a^2-b^2 ❷ $a-b$

확인 05 곱셈 공식을 이용하여 다음 수의 분모를 유리화하시오.

(1) $\frac{1}{\sqrt{7}-\sqrt{3}}$ (2) $\frac{5}{2+\sqrt{3}}$

개념 06 복잡한 다항식의 전개

1 공통부분 또는 식의 일부를 A로 놓는다.

2 곱셈 공식을 이용하여 식을 전개한다.

3 A에 원래의 식을 ❶ [ ] 하여 정리한다.

윽! 이건 복잡해!!
공통부분인 $x+y$를 A로 놓고 식을 전개하면 돼. 이렇게.
당황하지 말고~
(x+y+1)(x+y-1)
$(x+y+1)(x+y-1)$
$=(A+1)(A-1)$
$=A^2-1=($❷ $)^2-1$
$=x^2+2xy+y^2-1$

답 ❶ 대입 ❷ $x+y$

확인 06 $(x+y+3)^2$을 전개하시오.

개념 07 식의 값 구하기

(1) **식을 먼저 간단히 하는 경우**

1 곱셈 공식을 이용하여 주어진 식을 간단히 한다.

2 1의 식에 주어진 수를 ❶ [ ] 한다.

(2) **$x=a\pm\sqrt{b}$의 꼴이 주어진 경우**

방법 1 x의 값을 직접 대입하여 구한다.

방법 2 $x=a\pm\sqrt{b}$를 $x-$❷ [ ] $=\pm\sqrt{b}$로 변형한 후 정리한다.

답 ❶ 대입 ❷ a

확인 07 $x=1+\sqrt{2}$일 때, x^2-2x+3의 값을 위의 방법 1, 방법 2를 이용하여 각각 구하시오.

개념 08 곱셈 공식의 변형

(1) $a^2+b^2=(a+b)^2-2ab=(a-b)^2+2ab$

(2) $(a-b)^2=(a+b)^2-4ab$

$(a+b)^2=(a-b)^2+$ ❶ [ ]

(3) $x^2+\frac{1}{x^2}=\left(x+\frac{1}{x}\right)^2-2=\left(x-\frac{1}{x}\right)^2+2$

(4) $\left(x+\frac{1}{x}\right)^2=\left(x-\frac{1}{x}\right)^2+4$

$\left(x-\frac{1}{x}\right)^2=\left(x+\frac{1}{x}\right)^2-$ ❷ [ ]

답 ❶ $4ab$ ❷ 4

확인 08 다음 물음에 답하시오.

(1) $x+y=4$, $xy=-2$일 때, x^2+y^2, $(x-y)^2$의 값을 각각 구하시오.

(2) $x+\frac{1}{x}=2$일 때, $x^2+\frac{1}{x^2}$, $\left(x-\frac{1}{x}\right)^2$의 값을 각각 구하시오.

개념 09 인수분해

(1) **인수** : 하나의 다항식을 두 개 이상의 다항식의 곱으로 나타낼 때, 곱해진 각각의 다항식

참고 모든 다항식에서 1과 자기 자신은 그 다항식의 ❶ [　　　]이다.

(2) **인수분해** : 하나의 다항식을 두 개 이상의 인수의 곱으로 나타내는 것

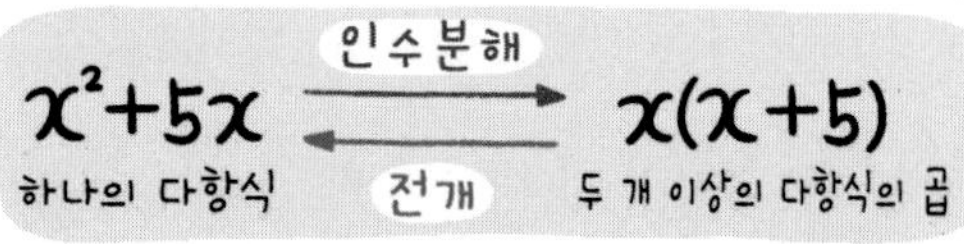

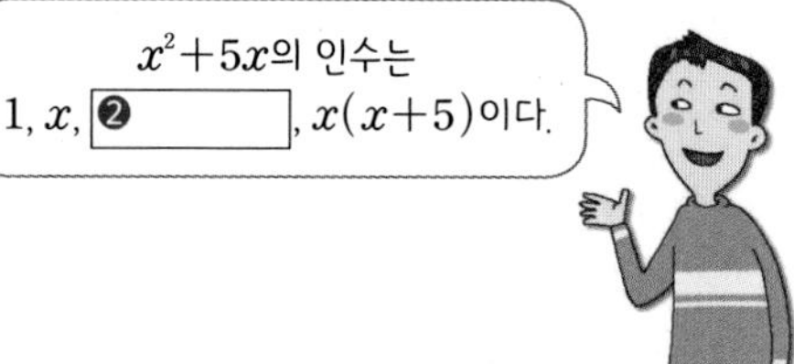

답 ❶ 인수 ❷ $x+5$

확인 09 다음 중 $5x(x+2y)$의 인수가 아닌 것은?

① 1　② x　③ $2y$
④ $x+2y$　⑤ $5x(x+2y)$

개념 10 공통인수를 이용한 인수분해

(1) **공통인수** : 다항식의 각 항에 공통으로 들어 있는 인수

(2) **공통인수를 이용한 인수분해** : 다항식에 공통인수가 있을 때에는 ❶ [　　　]을 이용하여 공통인수로 묶어 내어 인수분해한다.

➡ $ma+mb-mc=$ ❷ [　　] $(a+b-c)$

답 ❶ 분배법칙 ❷ m

확인 10 다음 중 옳지 않은 것은?

① $ax+2ay=a(x+2y)$
② $x^2+2x=x(x+2)$
③ $4a^2-8a=4a(a-2)$
④ $3a^3b-6ab^2=3ab(a^2-2ab)$
⑤ $ax-bx+cx=(a-b+c)x$

개념 11 인수분해 공식

(1) $a^2+2ab+b^2=(a+b)^2$
(2) $a^2-2ab+b^2=(a$ ❶ [　　] $b)^2$
(3) $a^2-b^2=(a+b)(a-b)$
(4) $x^2+(a+b)x+ab=(x+a)(x+$ ❷ [　　] $)$
(5) $acx^2+(ad+bc)x+bd=(ax+b)(cx+d)$

답 ❶ $-$ ❷ b

확인 11 다음 보기에서 바르게 인수분해한 것을 모두 고르시오.

보기
㉠ $x^2+12x+36=(x+6)^2$
㉡ $4x^2-25=(4x+5)(4x-5)$
㉢ $x^2+4x-5=(x-1)(x+5)$
㉣ $5x^2+13x-6=(5x-3)(x+2)$

개념 12 완전제곱식이 되는 조건

(1) x^2+ax+b가 완전제곱식이 되기 위한 b의 조건

➡ $b=($❶ [　　]$)^2$

(2) x^2+ax+b^2이 완전제곱식이 되기 위한 a의 조건

➡ $a=\pm 2b$

답 ❶ $\frac{a}{2}$ ❷ 제곱

확인 12 다음 식이 완전제곱식이 되도록 하는 a의 값을 모두 구하시오.

(1) $x^2+12x+a$　(2) x^2+ax+9

>> 정답과 풀이 11쪽

개념 13 복잡한 식의 인수분해 – 공통부분이 있는 경우

(1) 공통인수가 있으면 ➡ 공통인수로 묶어 내고 인수분해 공식을 이용한다.

인수분해의 시작은 공통인수 묶기!

ax-ay-az

예 $x^3-4x^2-5x=$ ❶ (x^2-4x-5)

$=x(x+1)(x-5)$

(2) 공통부분이 있으면 ➡ 공통부분을 한 문자로 놓고 인수분해한 후 원래의 식을 대입하여 정리한다.

예 $(a-4)^2+2(a-4)+1$을 인수분해하여 보자.

$a-4=A$로 놓으면

$A^2+2A+1=(A+1)^2=($ ❷ $+1)^2$

$=(a-3)^2$

답 ❶ x ❷ $a-4$

확인 13 다음 식을 인수분해하시오.

(1) $(x-y)x^2-(x-y)y^2$

(2) $(x+3)^2-(x+3)-6$

개념 14 복잡한 식의 인수분해 – 항이 4개인 경우

(1) 공통인수가 생기도록 항을 2개씩 짝 지은 후 인수분해한다.

예 $x^2+x-y^2-y=x^2-y^2+x-y$

$=(x+y)(x-y)+(x-y)$

$=(x-y)($ ❶ $)$

(2) 항 4개 중 3개가 완전제곱식으로 인수분해될 때에는 A^2-B^2의 꼴로 만든 후 인수분해한다.

예 $x^2+4x+4-y^2=(x+2)^2-y^2$

$=(x+2+y)($ ❷ $)$

답 ❶ $x+y+1$ ❷ $x+2-y$

확인 14 다음 식을 인수분해하시오.

(1) $x^2+xy+3x+3y$ (2) x^2-y^2-4y-4

개념 15 인수분해 공식을 이용한 수의 계산

(1) **공통인수로 묶어 내기**

➡ $ma+mb=$ ❶

(2) **완전제곱식 이용하기**

➡ $a^2\pm 2ab+b^2=(a\pm b)^2$ (복호동순)

(3) **제곱의 차 이용하기**

➡ $a^2-b^2=($ ❷ $)(a-b)$

답 ❶ $m(a+b)$ ❷ $a+b$

확인 15 다음 수를 계산할 때 이용하면 가장 편리한 인수분해 공식을 아래 보기에서 찾고, 그 인수분해 공식을 이용하여 계산하시오.

보기
㉠ $ma+mb=m(a+b)$
㉡ $a^2+2ab+b^2=(a+b)^2$
㉢ $a^2-b^2=(a+b)(a-b)$

(1) 96^2-4^2

(2) $38^2+2\times 38\times 2+4$

(3) $500\times 13+500\times 17$

개념 16 인수분해 공식을 이용한 식의 값

1 주어진 식을 인수분해한다.

2 1의 결과에 문자의 값을 ❶ 하여 식의 값을 구한다. 이때 문자의 값의 분모에 무리수가 있으면 분모를 ❷ 한 후 대입한다.

답 ❶ 대입 ❷ 유리화

확인 16 $x=\dfrac{2+\sqrt{3}}{2-\sqrt{3}}$일 때, $x^2-14x+49$의 값을 구하시오.

분모를 유리화해서
내 모양을 간단하게 바꿔.
인수분해하면
우리도 간단해지지.
x²-14x+49

2주 1일 개념 돌파 전략 2

1 $(ax+y)(3x-2y+4)$의 전개식에서 xy의 계수가 -1일 때, 상수 a의 값은?

① -4　② -2　③ 2
④ 4　⑤ 6

분배법칙을 이용해서 전개하려고 했는데 항이 너무 많아.
xy항이 나오는 부분만 전개해!

문제 해결 전략

• xy항이 나오는 부분만 전개한다.
즉 ax와 ❶ ______, y와 ❷ ______를 곱하여 xy의 계수를 구한다.

답 ❶ $-2y$ ❷ $3x$

2 $(x-5)(x+A)=x^2-Bx+20$일 때, 상수 A, B에 대하여 $A+B$의 값은?

① 1　② 5　③ 9
④ 11　⑤ 13

문제 해결 전략

• 곱셈 공식 $(x+a)(x+b)=x^2+($❶ ______$)x+ab$를 이용하여 좌변을 전개한 후 ❷ ______과 비교한다.

답 ❶ $a+b$ ❷ 우변

3 오른쪽 그림과 같이 가로의 길이가 $2x+1$, 세로의 길이가 $2x-1$인 직사각형의 넓이는?

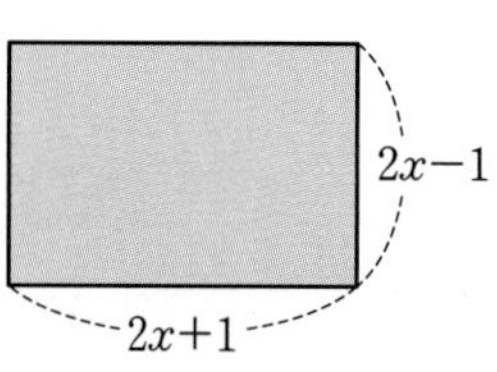

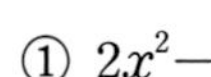

① $2x^2-1$　② $2x^2+1$
③ $4x^2-1$　④ $4x^2+1$
⑤ $8x^2+1$

문제 해결 전략

• (직사각형의 넓이)
=(가로의 길이)×(❶ ______의 길이)
임을 이용하여 식을 세운 후, ❷ ______한다.

답 ❶ 세로 ❷ 전개

>> 정답과 풀이 13쪽

4 다음 중 아래의 식에 대한 설명으로 옳지 않은 말을 한 학생을 찾으시오.

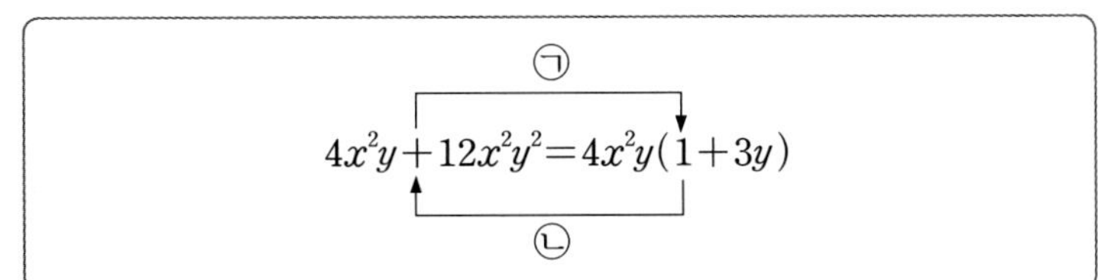

㉠의 과정을 인수분해 한다고 해.
㉡의 과정에서 분배법칙이 이용돼.
시아
지수
$1+3y$는 $4x^2y$, $12x^2y^2$의 공통인수야.
주환
현우
$4x^2y$, $y(1+3y)$는 모두 $4x^2y+12x^2y^2$의 인수야.

문제 해결 전략

• 하나의 다항식이 두 개 이상의 다항식의 곱으로 나타날 때, 각각의 다항식은 처음 다항식의 ❶ ☐이다.
또 이들 인수끼리의 ❷ ☐도 인수이다.

답 ❶ 인수 ❷ 곱

5 $2x^2+13x+15=(x+a)(2x+b)$일 때, 정수 a, b에 대하여 $a-b$의 값은?

① 1 ② 2 ③ 3
④ 4 ⑤ 5

문제 해결 전략

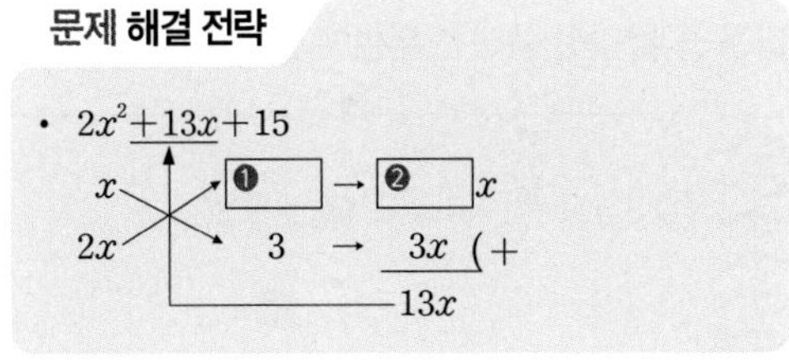

답 ❶ 5 ❷ 10

6 $9x^2+Ax+4$가 완전제곱식이 되도록 하는 양수 A의 값은?

① 6 ② 9 ③ 12
④ 15 ⑤ 18

문제 해결 전략

• 완전제곱식이 되려면 세 항 사이에 다음과 같은 관계가 성립해야 한다.

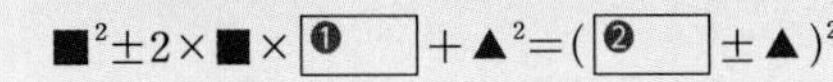

답 ❶ ▲ ❷ ■

핵심 예제 1

$(x-4)^2-(x+5)(3x-2)=ax^2+bx+c$**일 때,**
$a-b-c$**의 값은?** (단, a, b, c는 상수)

① -7　② -5　③ -2
④ 5　⑤ 7

전략

좌변을 곱셈 공식을 이용하여 전개한 후 동류항끼리 모아서 간단히 한다.

풀이

$(x-4)^2-(x+5)(3x-2)$
$=x^2-8x+16-(3x^2+13x-10)$
$=x^2-8x+16-3x^2-13x+10$
$=-2x^2-21x+26$
따라서 $a=-2, b=-21, c=26$이므로
$a-b-c=-2-(-21)-26=-7$

답 ①

핵심 예제 2

$(x-1)(x+1)(x^2+1)(x^4+1)(x^8+1)=x^a+b$**일 때,**
$a+b$**의 값은?** (단, a, b는 상수)

① 8　② 9　③ 15
④ 16　⑤ 17

전략

$(a+b)(a-b)=a^2-b^2$을 여러 번 이용한다.

풀이

$(x-1)(x+1)(x^2+1)(x^4+1)(x^8+1)$
$=(x^2-1)(x^2+1)(x^4+1)(x^8+1)$
$=(x^4-1)(x^4+1)(x^8+1)$
$=(x^8-1)(x^8+1)$
$=x^{16}-1$
따라서 $a=16, b=-1$이므로 $a+b=16+(-1)=15$

답 ③

1-1

다음 중 물감이 쏟아진 부분에 들어갈 수가 가장 큰 것은?

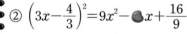

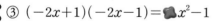

① $(x+5)^2=x^2+$■$x+25$
② $\left(3x-\frac{4}{3}\right)^2=9x^2-$■$x+\frac{16}{9}$
③ $(-2x+1)(-2x-1)=$■x^2-1
④ $(-x-y)(-x+6y)=x^2-$■$xy-6y^2$
⑤ $(5x-3)(2x-1)=10x^2-$■$x+3$

2-1

$(x-y)(x+y)(x^2+y^2)$**을 전개하면?**

① x^2-y^2　② $x^2-2xy+y^2$　③ x^4-y^4
④ x^4+y^4　⑤ x^8-y^8

앞에서부터 차례대로
곱셈 공식을 적용해 봐!

1-2

$3(x-2)^2+(-x+6)(2x-5)=ax^2+bx+c$**일 때,**
$a+b-c$**의 값을 구하시오.** (단, a, b, c는 상수)

2-2

$(x-2)(x+2)(x^2+4)(x^4+16)=x^a-b$**일 때,** $a+b$**의 값을 구하시오.** (단, a, b는 상수)

핵심 예제 3

곱셈 공식을 이용하여 $103^2-102\times98$을 계산하면?

① 605 ② 607 ③ 609
④ 611 ⑤ 613

전략

$(a+b)^2=a^2+2ab+b^2$과 $(a+b)(a-b)=a^2-b^2$을 이용한다.

풀이

$$\begin{aligned}103^2-102\times98&=(100+3)^2-(100+2)(100-2)\\&=100^2+2\times100\times3+3^2-(100^2-2^2)\\&=10000+600+9-10000+4\\&=613\end{aligned}$$

답 ⑤

핵심 예제 4

$\dfrac{a+3\sqrt{3}}{2-\sqrt{3}}=13+b\sqrt{3}$일 때, 유리수 a, b에 대하여 $a+b$의 값을 구하시오.

전략

$(a+b)(a-b)=a^2-b^2$을 이용하여 분모를 유리화한다.

풀이

$$\begin{aligned}\frac{a+3\sqrt{3}}{2-\sqrt{3}}&=\frac{(a+3\sqrt{3})(2+\sqrt{3})}{(2-\sqrt{3})(2+\sqrt{3})}\\&=2a+9+(a+6)\sqrt{3}\end{aligned}$$

이때 $2a+9=13$, $a+6=b$이므로 $a=2$, $b=8$

$\therefore a+b=2+8=10$

답 10

3-1

다음 중 주어진 수의 계산을 가장 편리하게 하기 위하여 이용되는 곱셈 공식이 아닌 것은?

① 202^2 ➡ $(a+b)^2=a^2+2ab+b^2$
② 299^2 ➡ $(a-b)^2=a^2-2ab+b^2$
③ 5.1×4.9 ➡ $(a+b)(a-b)=a^2-b^2$
④ 0.98^2 ➡ $(a-b)^2=a^2-2ab+b^2$
⑤ 304×296 ➡ $(x+a)(x+b)=x^2+(a+b)x+ab$

3-2

곱셈 공식을 이용하여 $\dfrac{1005\times1007+1}{1006}$을 계산하시오.

4-1

$\dfrac{\sqrt{2}}{\sqrt{5}-2}-\dfrac{\sqrt{5}}{\sqrt{2}-1}=a\sqrt{2}+b\sqrt{5}$일 때, 유리수 a, b에 대하여 $a-b$의 값은?

① -3 ② -1 ③ 1
④ 3 ⑤ 5

4-2

$\dfrac{\sqrt{5}-\sqrt{3}}{\sqrt{5}+\sqrt{3}}-\dfrac{\sqrt{5}+\sqrt{3}}{\sqrt{5}-\sqrt{3}}=a+b\sqrt{15}$일 때, 유리수 a, b에 대하여 $a+b$의 값을 구하시오.

핵심 예제 5

$(3x-y+4)(3x+y-4)$를 전개하시오.

전략

공통부분을 A로 놓고 전개한 후, A에 다시 원래의 식을 대입한다.

풀이

$(3x-y+4)(3x+y-4)=\{3x-(y-4)\}\{3x+(y-4)\}$

$y-4=A$로 놓으면

(주어진 식) $=(3x-A)(3x+A)$

$=9x^2-A^2$

$=9x^2-(y-4)^2$ ← A 대신 $y-4$를 대입한다.

$=9x^2-(y^2-8y+16)$

$=9x^2-y^2+8y-16$

답 $9x^2-y^2+8y-16$

공통부분이 보이지 않아.
$-●+■=-(●-■)$임을 이용해서 공통부분을 찾아봐.

핵심 예제 6

$(x-3)(x-5)(x+1)(x+3)$의 전개식에서 x^2의 계수와 x의 계수의 합을 구하시오.

전략

상수항의 합이 같아지도록 일차식을 두 개씩 짝 지어 전개한다.

풀이

상수항의 합 : $-3+1=-2$

$(x-3)(x-5)(x+1)(x+3)$

상수항의 합 : $-5+3=-2$

$=\{(x-3)(x+1)\}\{(x-5)(x+3)\}$

$=(x^2-2x-3)(x^2-2x-15)$

$x^2-2x=A$로 놓으면

(주어진 식) $=(A-3)(A-15)$

$=A^2-18A+45$

$=(x^2-2x)^2-18(x^2-2x)+45$ ← A 대신 x^2-2x를 대입한다.

$=x^4-4x^3+4x^2-18x^2+36x+45$

$=x^4-4x^3-14x^2+36x+45$

따라서 x^2의 계수는 -14, x의 계수는 36이므로 그 합은

$-14+36=22$

답 22

5-1

$(a-b-c)(a+b-c)$를 전개하면?

① $a^2+2ab+b^2+c^2$
② $a^2+2ab+b^2-c^2$
③ $a^2-2ac+c^2-b^2$
④ $a^2+b^2-2bc+c^2$
⑤ $a^2-b^2+2bc-c^2$

6-1

$x(x-2)(x+4)(x+6)$을 전개하면?

① $x^4-20x^3+16x^2-48x$
② $x^4+6x^3+4x^2-48x$
③ $x^4+6x^3+4x^2-36x$
④ $x^4+8x^3+4x^2-48x$
⑤ $x^4+20x^3+10x^2-48x$

5-2

$(2x+y+1)^2$의 전개식에서 xy의 계수를 a, x의 계수를 b, 상수항을 c라 할 때, $a-b+c$의 값을 구하시오.

6-2

$(x-4)(x-1)(x+2)(x+5)=x^4+ax^3+bx^2+cx+d$일 때, $a-b+c-d$의 값을 구하시오. (단, a, b, c, d는 상수)

핵심 예제 7

$x=4+2\sqrt{3}$일 때, x^2-8x+2의 값은?

① -6　② -4　③ -2　④ 2　⑤ 4

전략

$x=a+\sqrt{b} \Rightarrow x-a=\sqrt{b} \Rightarrow (x-a)^2=b$

풀이

$x=4+2\sqrt{3}$에서 $x-4=2\sqrt{3}$

양변을 제곱하면 $(x-4)^2=(2\sqrt{3})^2$

$x^2-8x+16=12$, $x^2-8x=-4$

$\therefore x^2-8x+2=-4+2=-2$

답 ③

핵심 예제 8

$a+b=6$, $ab=4$일 때, $\frac{b}{a}+\frac{a}{b}$의 값은?

① 4　② 7　③ 10　④ 28　⑤ 36

전략

$\frac{b}{a}+\frac{a}{b}=\frac{a^2+b^2}{ab}$이고 $a^2+b^2=(a+b)^2-2ab$이다.

풀이

$$\frac{b}{a}+\frac{a}{b}=\frac{a^2+b^2}{ab}=\frac{(a+b)^2-2ab}{ab}$$

$$=\frac{6^2-2\times4}{4}=\frac{28}{4}=7$$

답 ②

7-1

$x=\sqrt{5}-3$일 때, $x^2+6x+10$의 값은?

① 3　② 6　③ 9　④ 12　⑤ 15

x의 분모를 먼저 유리화하자!

7-2

$x=\frac{1}{7-4\sqrt{3}}$일 때, $x^2-14x+50$의 값을 구하시오.

8-1

$a-b=3$, $ab=2$일 때, $(a+b)^2$의 값은?

① 9　② 11　③ 13　④ 15　⑤ 17

$(a+b)^2$
$=(a-b)^2+4ab$
+가 −가 됐네!
$+4ab$도 생겼어!

8-2

$x+\frac{1}{x}=4$일 때, $x^2+\frac{1}{x^2}$의 값은?

① 10　② 12　③ 14　④ 16　⑤ 18

2주 2일 필수 체크 전략 2

1 $(2x+a)^2-(x-3)(x+1)$을 계산하면 x의 계수가 10일 때, 상수 a의 값은?

① -3　② -1　③ 2
④ 3　⑤ 5

$(a+b)^2=a^2+$ ❶ $+b^2$,
$(x+a)(x+b)=x^2+(a+b)x+$ ❷
를 이용하여 식을 전개한다.

답 ❶ $2ab$ ❷ ab

2 $\left(x-\frac{1}{2}\right)\left(x+\frac{1}{2}\right)\left(x^2+\frac{1}{4}\right)\left(x^4+\frac{1}{16}\right)=x^a+b$일 때, 두 상수 a, b에 대하여 ab의 값은?

① $-\frac{1}{2}$　② $-\frac{1}{4}$　③ $-\frac{1}{32}$
④ $\frac{1}{4}$　⑤ $\frac{1}{2}$

Tip

$(a+b)(a-b)=a^2-$ ❶ 을 앞에서부터 차례대로 적용하여 ❷ 을 간단히 정리한다.

답 ❶ b^2 ❷ 좌변

3 다음 대화를 읽고 문제의 답을 구하시오.

$(x+2)(x-3)$을 전개하는데 -3을 A로 잘못 보고 전개하였더니 x^2-Bx-8이 되었어.
그럼 두 상수 A, B에 대하여 $A+B$의 값은?

Tip

$(x+2)(x-3)$에서 -3 대신 ❶ 로 놓고 주어진 식을 전개하면 x^2-Bx- ❷ 과 같다.

답 ❶ A ❷ 8

4 전개도가 다음과 같은 정육면체에서 마주 보는 면에 적힌 두 일차식의 곱을 각각 A, B, C라 할 때, $A+B+C$의 값을 구하시오.

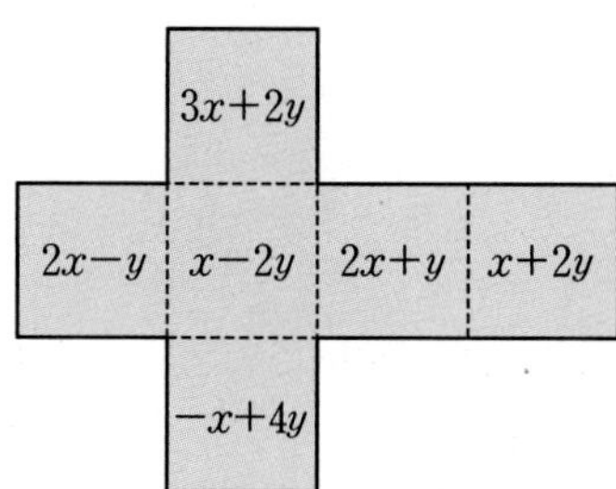

Tip

전개도에서 마주 보는 면을 찾아 ❶ 을 세운 후, ❷ 공식을 이용하여 전개한다.

답 ❶ 식 ❷ 곱셈

5 $(3-1)(3+1)(3^2+1)(3^4+1)(3^8+1)=3^a-1$일 때, 자연수 a의 값은?

① 8 ② 10 ③ 12
④ 14 ⑤ 16

Tip

$(a+b)(a-b)=$ ❶ $-$ ❷ 을 연속하여 이용한다.

답 ❶ a^2 ❷ b^2

6 다음 그림에 주어진 문제의 답을 구하시오.

3x+1=A로 놓고 식을 전개해 봐.
(3x+ay+1)²을 전개한 식에서 x²의 계수와 xy의 계수가 서로 같을 때, y의 계수를 구하시오. (단, a는 상수)

Tip

$3x+1=A$로 놓고 주어진 식을 ❶ 한다.
이때 전개한 식의 A에 다시 ❷ 의 식을 대입해야 함에 주의한다.

답 ❶ 전개 ❷ 원래

7 $\sqrt{6}$의 소수 부분을 x라 할 때, x^2+4x+8의 값은?

① 4 ② 6 ③ 8
④ 10 ⑤ 12

Tip

$2<\sqrt{6}<3$에서 $\sqrt{6}$의 정수 부분은 ❶ 이고
소수 부분은 ❷ 이다.

답 ❶ 2 ❷ $\sqrt{6}-2$

8 $x-\frac{1}{x}=5$일 때, $x^2-3x+\frac{3}{x}+\frac{1}{x^2}$의 값은?

① 6 ② 10 ③ 12
④ 22 ⑤ 42

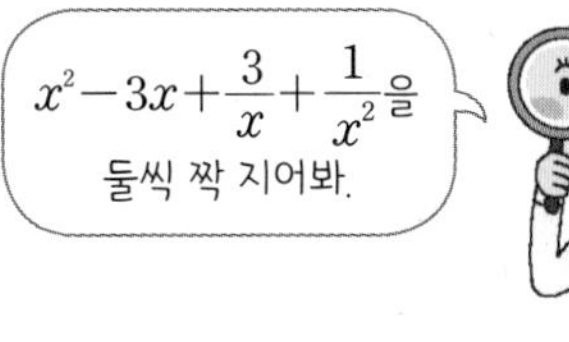

x²−3x+3/x+1/x²을
둘씩 짝 지어봐.

Tip

$x^2-3x+\frac{3}{x}+\frac{1}{x^2}=x^2+\frac{1}{x^2}-$ ❶ $\left(x-\frac{1}{x}\right)$
이때 $x^2+\frac{1}{x^2}=\left(x-\frac{1}{x}\right)^2+$ ❷

답 ❶ 3 ❷ 2

2주 3일 필수 체크 전략 1

핵심 예제 1

다음 중 인수분해한 것이 옳은 것은?

① $2x^2-12x+18=(2x-3)^2$

② $x^2+\frac{1}{2}x+\frac{1}{16}=\left(x+\frac{1}{2}\right)^2$

③ $3x^2-75=3(x+25)(x-25)$

④ $x^2-x-6=(x-2)(x-3)$

⑤ $5x^2-14x-3=(5x+1)(x-3)$

전략

공통인수로 묶어 내거나 인수분해 공식을 이용한다.

풀이

① $2x^2-12x+18=2(x^2-6x+9)=2(x-3)^2$

② $x^2+\frac{1}{2}x+\frac{1}{16}=\left(x+\frac{1}{4}\right)^2$

③ $3x^2-75=3(x^2-25)=3(x+5)(x-5)$

④ $x^2-x-6=(x+2)(x-3)$

따라서 인수분해한 것이 옳은 것은 ⑤이다.

답 ⑤

핵심 예제 2

$4x^2+(2a-6)xy+25y^2$이 완전제곱식이 되도록 하는 상수 a의 값을 모두 고르면? (정답 2개)

① -13 ② -7 ③ -2
④ 8 ⑤ 13

전략

$a^2+\square+b^2$이 완전제곱식이 되기 위한 $\square$의 조건 ➡ $\square=\pm 2ab$

풀이

$(2a-6)xy=\pm 2\times 2x\times 5y=\pm 20xy$이므로

$2a-6=\pm 20$

(i) $2a-6=20$에서 $2a=26$ $\therefore a=13$

(ii) $2a-6=-20$에서 $2a=-14$ $\therefore a=-7$

따라서 상수 a의 값은 -7 또는 13이다.

답 ②, ⑤

xy항의 계수의 부호는 '+'일 수도 있고, '−'일 수도 있음에 주의해!

1-1

$12x^2+41x-15$가 x의 계수가 자연수인 두 일차식의 곱으로 인수분해될 때, 두 일차식의 합은?

① $7x-14$ ② $7x+14$ ③ $7x+15$
④ $8x-14$ ⑤ $8x+14$

1-2

다음 등식을 만족하는 상수 a, b, c에 대하여 $a+b+c$의 값을 구하시오.

$$9x^2+12x+4=(ax+2)^2$$
$$-64x^2+25y^2=(bx+5y)(8x+5y)$$
$$8x^2-2x-3=(2x+1)(4x+c)$$

2-1

$(x+2)(x-8)+a$가 완전제곱식이 되도록 하는 상수 a의 값은?

① 5 ② 9 ③ 16
④ 24 ⑤ 25

2-2

다음 두 다항식이 모두 완전제곱식이 되도록 하는 상수 p, q에 대하여 $p+q$의 값을 구하시오. (단, $q>0$)

$$x^2+6x+p, \qquad \frac{1}{16}x^2-qx+36$$

핵심 예제 3

$-2<a<2$일 때, $\sqrt{a^2+4a+4}+\sqrt{a^2-4a+4}$를 간단히 하면?

① $a+2$　　② $a-2$　　③ $2a$
④ 4　　⑤ -4

전략

근호 안의 식을 완전제곱식으로 인수분해한 후 부호에 주의하여 근호를 없앤다. ➡ $\sqrt{A^2}=\begin{cases} A & (A\ge 0) \\ -A & (A<0) \end{cases}$

풀이

$\sqrt{a^2+4a+4}+\sqrt{a^2-4a+4}=\sqrt{(a+2)^2}+\sqrt{(a-2)^2}$
이때 $-2<a<2$에서 $a+2>0$, $a-2<0$이므로
(주어진 식)$=(a+2)-(a-2)$
$=a+2-a+2=4$

 ④

모자를 벗기 전에
A의 값의 범위를 생각해 봐.
A≥0이면 그냥 A,
A<0이면 −A!

3-1

$-5<a<3$일 때, $\sqrt{a^2-6a+9}-\sqrt{a^2+10a+25}$를 간단히 하면?

① $-2a-2$　　② $-2a+2$　　③ -8
④ $2a-8$　　⑤ $2a+8$

3-2

$x<y<0$일 때, $\sqrt{x^2-2xy+y^2}+\sqrt{x^2+2xy+y^2}$을 간단히 하시오.

핵심 예제 4

두 다항식 x^2+ax-3, $2x^2-3x+b$의 공통인수가 $x-3$일 때, $a-b$의 값은? (단, a, b는 상수)

① -7　　② -5　　③ -3
④ 5　　⑤ 7

전략

이차식 ax^2+bx+c가 일차식 $mx+n$을 인수로 가진다.
➡ $ax^2+bx+c=\underbrace{(mx+n)}_{\text{주어진 인수}}\underbrace{(\bullet x+\blacktriangle)}_{\text{나머지 인수}}$

풀이

$x^2+ax-3=(x-3)(x+m)$ (m은 상수)으로 놓으면
$-3+m=a$, $-3m=-3$
$\therefore m=1, a=-2$
$2x^2-3x+b=(x-3)(2x+n)$ (n은 상수)으로 놓으면
$n-6=-3$, $-3n=b$
$\therefore n=3, b=-9$
$\therefore a-b=-2-(-9)=7$

답 ⑤

4-1

다항식 $8x^2+ax-3$이 $2x-1$을 인수로 가질 때, 상수 a의 값은?

① -2　　② -1　　③ 1
④ 2　　⑤ 4

이차식 A의 인수가 $2x-1$
➡ $A=(2x-1)\times$(일차식)

4-2

두 다항식 x^2-x+a, $2x^2+bx-35$의 공통인수가 $x-5$일 때, $b-a$의 값을 구하시오. (단, a, b는 상수)

핵심 예제 5

$(5x-1)^2+6(5x-1)-7=(5x+a)(bx-2)$일 때, 상수 a, b에 대하여 $a+b$의 값은?

① 5　② 7　③ 9　④ 11　⑤ 13

전략

공통부분을 A로 놓은 후 인수분해한다. 이때 A에 원래의 식을 대입하여 정리해야 한다.

풀이

$5x-1=A$로 놓으면

$$\begin{aligned}(5x-1)^2+6(5x-1)-7&=A^2+6A-7\\&=(A-1)(A+7)\\&=\{(5x-1)-1\}\{(5x-1)+7\}\\&=(5x-2)(5x+6)\end{aligned}$$

따라서 $a=6$, $b=5$이므로 $a+b=6+5=11$

답 ④

핵심 예제 6

다음 중 $a^3-a^2b-ac^2+bc^2$의 인수가 될 수 없는 것은?

① $a-b$　② $a-c$　③ $a+b$　④ $a+c$　⑤ a^2-c^2

전략

공통부분이 생기도록 두 항씩 묶어 인수분해한다.

풀이

$$\begin{aligned}a^3-a^2b-ac^2+bc^2&=a^2(a-b)-c^2(a-b)\\&=(a-b)(a^2-c^2)\\&=(a-b)(a+c)(a-c)\end{aligned}$$

따라서 인수가 될 수 없는 것은 ③이다.

답 ③

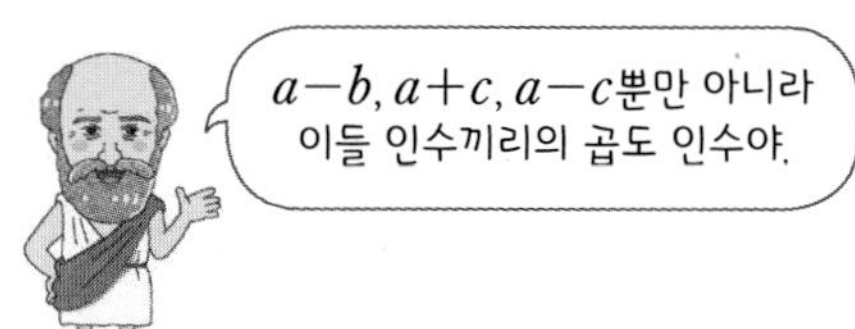

$a-b$, $a+c$, $a-c$뿐만 아니라
이들 인수끼리의 곱도 인수야.

5-1

$(2x-y+2)(2x-y-6)-20$을 인수분해하면?

① $(2x-y-4)(2x-y+3)$
② $(2x-y-4)(2x-y+5)$
③ $(2x-y-4)(2x-y+8)$
④ $(2x-y+4)(2x-y-5)$
⑤ $(2x-y+4)(2x-y-8)$

5-2

$(4x-5)^2-(3x-2)^2=a(x+b)(x-3)$일 때, $a-b$의 값을 구하시오. (단, a, b는 상수)

(4x-5)²-(3x-2)²
치환해야 하는 대상이
2개인 경우에는 각각 다른
문자로 치환해야 해.
4x-5
3x-2
A
B

6-1

$2ab-2a-3b+3$을 인수분해하면?

① $(2a-3)(b-1)$
② $(2a-3)(b+1)$
③ $(2a+1)(b-3)$
④ $(2a+1)(b+3)$
⑤ $(2a+3)(b+1)$

6-2

$4x^2-y^2+2y-1$이 x의 계수가 자연수이고 y의 계수가 정수인 두 일차식의 곱으로 인수분해될 때, 두 일차식의 합을 구하시오.

핵심 예제 7

인수분해 공식을 이용하여 다음 A, B의 값을 각각 구하시오.

$A=28^2+4\times28+2^2$
$B=54^2-46^2$

전략

인수분해 공식 $(a+b)^2=a^2+2ab+b^2$과 $a^2-b^2=(a+b)(a-b)$를 이용한다.

풀이

$A=28^2+4\times28+2^2=28^2+2\times28\times2+2^2$
$=(28+2)^2=30^2=900$
$B=54^2-46^2=(54+46)(54-46)$
$=100\times8=800$

답 $A=900$, $B=800$

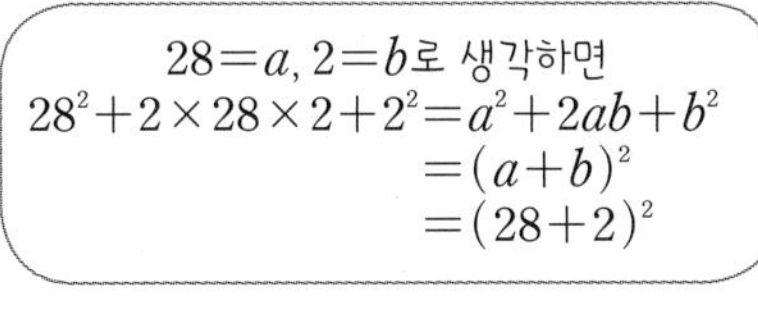
$28=a$, $2=b$로 생각하면
$28^2+2\times28\times2+2^2=a^2+2ab+b^2$
$=(a+b)^2$
$=(28+2)^2$

7-1

$\dfrac{102\times72-102\times56}{53^2-49^2}$을 계산하면?

① $\dfrac{257}{102}$ ② 4 ③ 6
④ $\dfrac{113}{8}$ ⑤ $\dfrac{79}{4}$

7-2

$1^2-2^2+3^2-4^2+5^2-6^2+7^2-8^2+9^2-10^2$의 값은?

① -66 ② -55 ③ -44
④ 44 ⑤ 55

핵심 예제 8

$x=\dfrac{1}{\sqrt{5}-2}$, $y=\dfrac{1}{\sqrt{5}+2}$일 때, x^3y-xy^3의 값을 구하시오.

전략

식을 인수분해하여 간단히 한 후 문자의 값을 바로 대입하거나 변형하여 대입한다. 이때 분모에 무리수가 있으면 먼저 분모를 유리화한다.

풀이

$x^3y-xy^3=xy(x^2-y^2)=xy(x+y)(x-y)$
이때 $x=\dfrac{1}{\sqrt{5}-2}=\sqrt{5}+2$, $y=\dfrac{1}{\sqrt{5}+2}=\sqrt{5}-2$이므로
$xy=(\sqrt{5}+2)(\sqrt{5}-2)=5-4=1$
$x+y=(\sqrt{5}+2)+(\sqrt{5}-2)=2\sqrt{5}$
$x-y=(\sqrt{5}+2)-(\sqrt{5}-2)=4$
$\therefore$ (주어진 식)$=xy(x+y)(x-y)$
$=1\times2\sqrt{5}\times4=8\sqrt{5}$

답 $8\sqrt{5}$

8-1

$x+2y=-4$, $x-2y=\sqrt{3}$일 때, x^2-4y^2의 값은?

① $-4+\sqrt{3}$ ② $-2+\sqrt{3}$ ③ $-\sqrt{6}$
④ $-4\sqrt{3}$ ⑤ $4\sqrt{3}$

8-2

$x=3\sqrt{2}+2\sqrt{3}$, $y=3\sqrt{2}-2\sqrt{3}$일 때, $x^2-2xy+y^2$의 값은?

① 12 ② 16 ③ 24
④ 36 ⑤ 48

필수 체크 전략 2

1 다음 세 다항식의 공통인수는?

$a^2+2a-3,\ a^2-1,\ a^2-3a+2$

① $a-2$ ② $a-1$ ③ a^2
④ $a+1$ ⑤ a^2-1

Tip

세 다항식을 각각 ❶ ☐ 하여 공통 ❷ ☐ 를 찾는다.

답 ❶ 인수분해 ❷ 인수

2 세 다항식 x^2-4x+a, $x^2-3x-18$, x^2-36의 공통인수가 일차식일 때, 상수 a의 값은?

① -12 ② -10 ③ 2
④ 10 ⑤ 12

Tip

두 다항식 $x^2-3x-18$, x^2-36을 각각 인수분해하였을 때, ❶ ☐ 으로 들어 있는 인수가 주어진 ❷ ☐ 다항식의 공통인수이다.

답 ❶ 공통 ❷ 세

3 $3<x<4$일 때, 다음 식을 간단히 하시오.

$\sqrt{x^2-6x+9}+\sqrt{(3-x)^2}-\sqrt{x^2-8x+16}$

Tip

근호 안의 식을 완전제곱식으로 인수분해한 후 ❶ ☐ 에 주의하여 근호를 푼다.
이때 $3<x<4$에서 $x-3>0$, $x-4$ ❷ ☐ 0

답 ❶ 부호 ❷ $<$

4 다음 대화를 읽고 시험 문제에서 주어진 이차식을 바르게 인수분해한 것은?

① $(x-1)(x-14)$ ② $(x-1)(x+14)$
③ $(x+1)(x-14)$ ④ $(x+1)(x+14)$
⑤ $(x+2)(x+7)$

Tip

잘못 본 수를 제외한 나머지는 제대로 본 것임을 이용한다.
(1) x의 계수를 잘못 본 경우
➡ x^2의 계수, ❶ ☐ 은 제대로 보았다.
(2) 상수항을 잘못 본 경우
➡ x^2의 계수, ❷ ☐ 의 계수는 제대로 보았다.

답 ❶ 상수항 ❷ x

5 다음 두 다항식의 공통인수를 구하시오. (단, 1은 제외한다.)

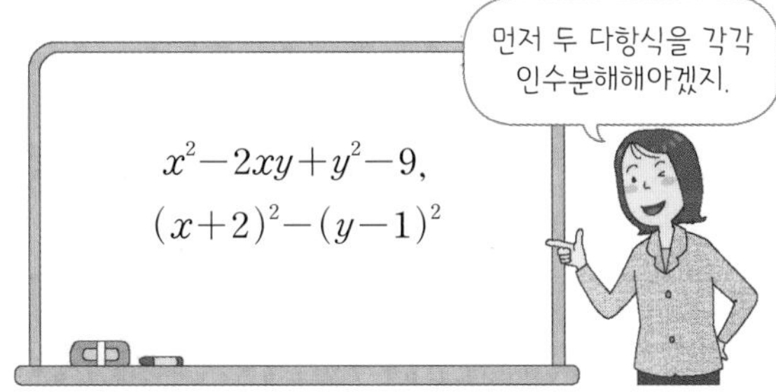

먼저 두 다항식을 각각 인수분해해야겠지.
$x^2-2xy+y^2-9$,
$(x+2)^2-(y-1)^2$

Tip

(1) $x^2-2xy+y^2-9$에서 $x^2-2xy+y^2=(x-$ ❶ $)^2$, $9=3^2$임을 이용한다.
(2) $x+2=A$, ❷ $=B$로 놓고 인수분해한다.

답 ❶ y ❷ $y-1$

6 $2^{16}-1$은 10과 20 사이의 두 자연수 a, b로 각각 나누어떨어진다. 이때 $a+b$의 값은? (단, $a>b$)

① 22 ② 25 ③ 29
④ 32 ⑤ 35

Tip

$a^2-1=(a+1)(a-$ ❶ $)$임을 이용하여 $2^{16}-1$을 여러 번 인수 ❷ 한다.

답 ❶ 1 ❷ 분해

7 $x+y=3$, $xy=2$일 때, $x^3+y^3+x^2y+xy^2$의 값은?

① 11 ② 13 ③ 15
④ 17 ⑤ 19

Tip

주어진 식을 인수분해한 후 문자의 값을 ❶ 한다.
이때 $x^2+y^2=(x+y)^2-$ ❷ xy임을 이용한다.

답 ❶ 대입 ❷ 2

8 다음 그림에서 두 도형 ㉠, ㉡의 넓이가 서로 같을 때, 도형 ㉡의 둘레의 길이는?

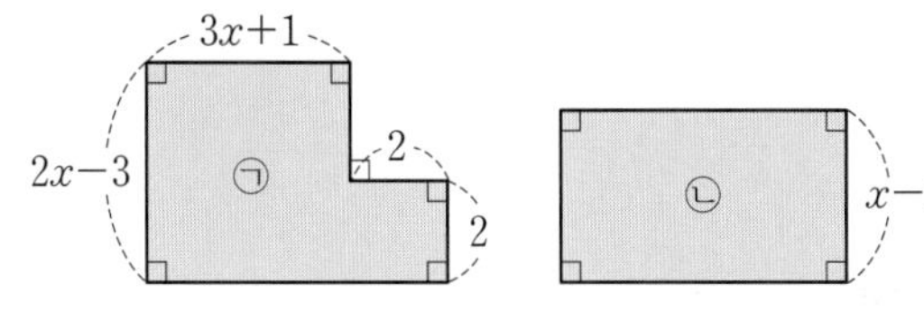

① $6x-1$ ② $6x+1$ ③ $7x-2$
④ $14x-2$ ⑤ $14x-4$

Tip

(직사각형의 넓이)=(가로의 길이)×(세로의 길이)임을 이용한다.
이때 (도형 ㉠의 넓이)$=(3x+1)(2x-3)+2\times$ ❶
(도형 ㉡의 넓이)=(가로의 길이)×$(x-$ ❷ $)$

답 ❶ 2 ❷ 1

2주 누구나 합격 전략

01 다음 중 $(a-b)(-a+b)$와 전개식이 같은 것은?

① $(a+b)^2$ ② $(a-b)^2$
③ $-(a-b)^2$ ④ $(a+b)(a-b)$
⑤ $-(a+b)(a-b)$

02 다음 중 옳은 것은?

① $(-x+2y)^2=x^2+4xy+4y^2$
② $\left(\frac{3}{4}x+\frac{1}{2}\right)^2=\frac{9}{16}x^2+\frac{3}{8}x+\frac{1}{4}$
③ $(x-8)(x+5)=x^2+3x-40$
④ $(-3x+y)(-3x-y)=9x^2-y^2$
⑤ $(2x-1)\left(\frac{1}{2}x+\frac{3}{2}\right)=x^2-\frac{3}{2}x-\frac{3}{2}$

03 곱셈 공식을 이용하여 99.8×100.2를 계산하려고 할 때, 가장 편리한 곱셈 공식은?

① $m(a+b)=ma+mb$
② $(a+b)^2=a^2+2ab+b^2$
③ $(a-b)^2=a^2-2ab+b^2$
④ $(a+b)(a-b)=a^2-b^2$
⑤ $(x+a)(x+b)=x^2+(a+b)x+ab$

04 다음 그림과 같이 한 변의 길이가 $4x$인 정사각형에서 가로의 길이는 2만큼 줄이고 세로의 길이는 5만큼 늘였다. 이때 새로운 직사각형의 넓이는?

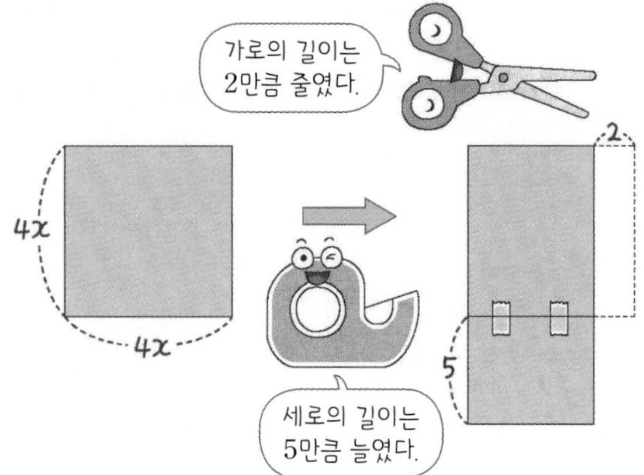

① $16x^2-28x+10$
② $16x^2-12x-10$
③ $16x^2+10x-28$
④ $16x^2+12x-10$
⑤ $16x^2+28x+10$

05 $\frac{2}{\sqrt{5}+\sqrt{3}}-\frac{4}{\sqrt{5}-\sqrt{3}}=a\sqrt{3}-b\sqrt{5}$일 때, 유리수 a, b에 대하여 $a+b$의 값은?

① -4 ② -2 ③ 0
④ 2 ⑤ 4

06 다음 중 $x+3$을 인수로 갖지 않는 것은?

① x^2+3x ② x^2-5x+6
③ x^2-x-12 ④ x^2+6x+9
⑤ $3x^2+7x-6$

07 다음 이차식이 완전제곱식이 될 때, 양수 A의 값이 가장 큰 것은?

① x^2+4x+A ② $x^2+Ax+36$
③ $Ax^2-16x+4$ ④ $36x^2+Ax+\frac{1}{9}$
⑤ $4x^2+Ax+25$

08 $3x^2+Ax-10=(x+2)(3x+B)$일 때, $A+B$의 값은? (단, A, B는 상수)

① -12 ② -8 ③ -4
④ 0 ⑤ 4

09 [그림 1]은 한 변의 길이가 a인 정사각형의 한 모퉁이에서 한 변의 길이가 b인 정사각형을 잘라 낸 것이다. [그림 2]는 [그림 1]의 도형에서 ㉡ 부분을 잘라 ㉠의 오른쪽에 이어 붙여서 직사각형을 만든 것이다.

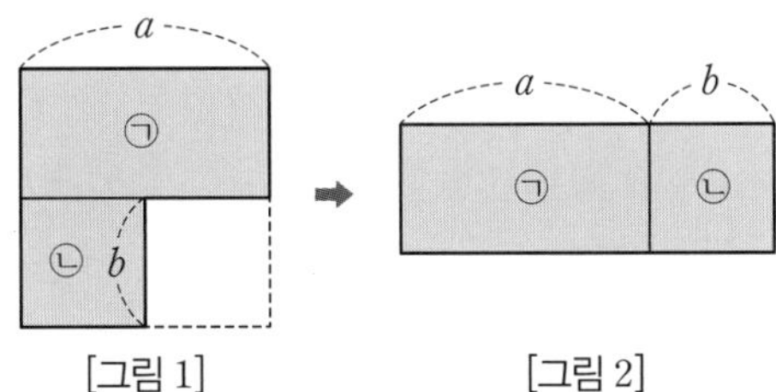

다음 중 [그림 1]과 [그림 2]의 도형의 넓이가 같음을 이용하여 설명할 수 있는 식은?

① $a^2+2ab+b^2=(a+b)^2$
② $a^2-2ab+b^2=(a-b)^2$
③ $a^2-b^2=(a+b)(a-b)$
④ $a^2-ab-2b^2=(a+b)(a-2b)$
⑤ $4a^2-b^2=(2a+b)(2a-b)$

10 다음은 종훈, 수진, 경태가 인수분해 공식을 이용하여 수의 계산을 한 결과이다. 계산을 바르게 한 학생을 모두 찾으시오.

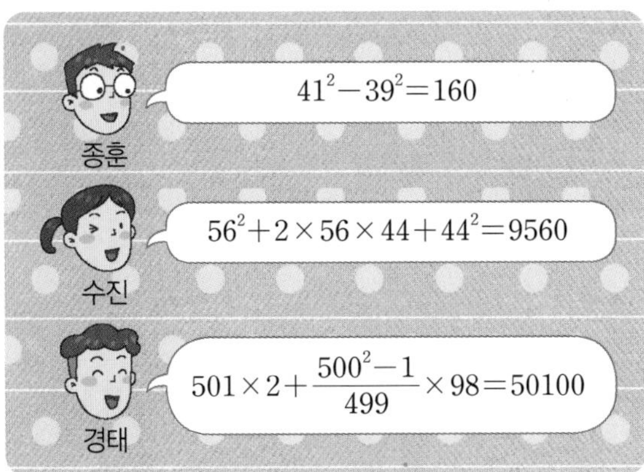

$41^2-39^2=160$
종훈
$56^2+2\times56\times44+44^2=9560$
수진
$501\times2+\frac{500^2-1}{499}\times98=50100$
경태

2주 창의·융합·코딩 전략 1

1 다음과 같이 사다리를 타는 방법에 따라 식을 계산하려고 한다. ㉠, ㉡에 알맞은 식을 각각 구하시오.

〈사다리 타는 방법〉

A, B, C에서 각각 출발하여 선을 따라 내려가다가 옆으로 그려진 선을 만나면 그 선을 따라 이동하면서 계산한다. 괄호가 나오면 괄호 안에 그때까지 구한 식을 대입하여 계산한 결과를 마지막 칸에 쓴다.

예 B에서 출발하는 경우

$(2a^2 \div a) \times (2x+y) = 2a(2x+y) = 4ax+2ay$

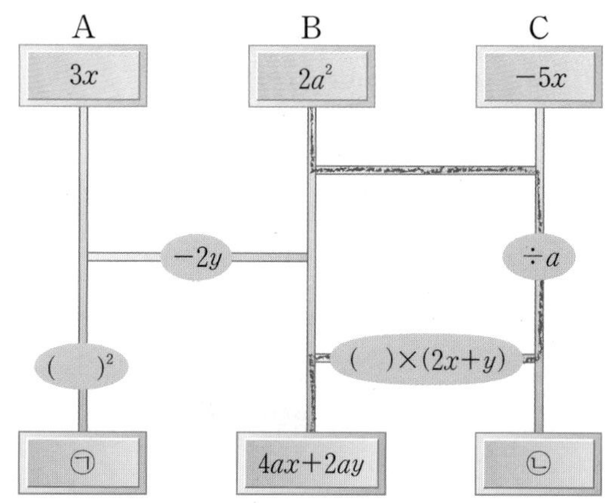

Tip

사다리를 타는 방법에 맞게 식을 세우고 곱셈 공식을 이용하여 전개한다.

이때 ㉠은 ❶ ____ 에서 출발한 결과이고 ㉡은 ❷ ____ 에서 출발한 결과이다.

답 ❶ C ❷ A

2 다음 그림을 보고 물음에 답하시오.

(1) □ABCD의 가로의 길이와 세로의 길이가 각각 a, b일 때, 여학생이 □ABCD에 대하여 준 정보를 식으로 세우시오.

① □ABCD의 둘레의 길이 ➡

② □ABCD의 넓이 ➡

(2) 상자 도안에서 색칠한 부분의 넓이를 구하시오.

Tip

□ABCD의 둘레의 길이에서 ❶ ____ 의 값을, □ABCD의 넓이에서 ❷ ____ 의 값을 구할 수 있다.

답 ❶ $a+b$ ❷ ab

» 정답과 풀이 20쪽

3 다음 영철이와 민주의 대화를 읽고 물음에 답하시오.

(1) 영철이가 생각한 수를 n, $n+1$이라 할 때, 두 수의 제곱의 차를 곱셈 공식을 이용하여 n의 식으로 나타내시오.

(2) (1)에서 계산한 식의 값이 341임을 이용하여 n의 값을 구하시오.

(3) 영철이가 생각한 두 수를 모두 구하시오.

Tip

차는 큰 수에서 ❶ ☐ 수를 뺀 것이므로
두 수 n, $n+1$의 제곱의 차는 $(n+1)^2-$ ❷ ☐^{2}이다.

답 ❶ 작은 ❷ n

4 세영이가 가로의 길이가 x이고 세로의 길이가 y인 직사각형 모양의 종이로 종이접기를 하고 있다. 세영이가 이 종이를 다음 그림과 같이 접었을 때, 사각형 GFJI의 넓이를 구하시오.

Tip

$\overline{GF}$, $\overline{GI}$의 길이를 각각 x, ❶ ☐에 대한 식으로 나타낸다.
이때 □ABFE, □EGHD, □IJCH는 ❷ ☐ 사각형임을 이용한다.

답 ❶ y ❷ 정

2주 창의·융합·코딩 전략 2

5 다음 그림을 보고 물음에 답하시오.

(1) 세 장의 카드 A, B, C의 뒷면에 적힌 일차식을 각각 구하시오.

(2) 세 번째 학생이 B 카드와 C 카드를 뽑았을 때, 그 뒷면에 적힌 두 일차식의 곱을 구하시오.

Tip

두 다항식 $2x^2+7x+3$, x^2+2x-3을 각각 인수 ❶ ☐ 한다.
이때 두 다항식의 ❷ ☐ 인수가 A 카드의 뒷면에 적혀 있는 일차식이다.

답 ❶ 분해 ❷ 공통

6 다음 그림과 같이 A 주머니에는 1, 2, 3, 4, 5의 수가 하나씩 적혀 있는 5개의 공이 들어 있고, B주머니에는 6, 7, 8, 9, 10의 수가 하나씩 적혀 있는 5개의 공이 들어 있다. 각 주머니에서 공을 한 개씩 꺼낼 때, A 주머니에서 꺼낸 공에 적혀 있는 수를 a, B 주머니에서 꺼낸 공에 적혀 있는 수를 b라 하자. 다항식 $x^2+cx+30$이 $(x+a)(x+b)$로 인수분해되도록 하는 상수 c의 값을 모두 구하시오.

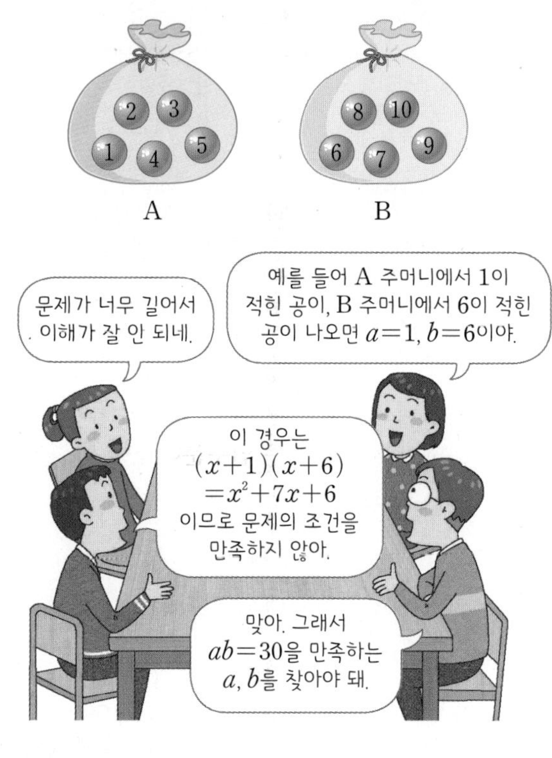

Tip

$x^2+cx+30=(x+a)(x+b)$에서 $ab=30$
즉 $ab=$ ❶ ☐ 을 만족하는 a, b의 순서쌍 (a, b)를 구한다.
이때 a, b는 $1\le a\le 5$, $6\le b\le$ ❷ ☐ 인 자연수이다.

답 ❶ 30 ❷ 10

7 다음 대화를 읽고 물음에 답하시오.

(1) 다음 보기에서 2491이 소수인지 아닌지 판단하기 위해 이용하려는 인수분해 공식으로 가장 적당한 것을 고르시오.

보기
- ㉠ $a^2+2ab+b^2=(a+b)^2$
- ㉡ $a^2-2ab+b^2=(a-b)^2$
- ㉢ $a^2-b^2=(a+b)(a-b)$
- ㉣ $x^2+(a+b)x+ab=(x+a)(x+b)$

(2) (1)에서 고른 인수분해 공식을 이용하여 2491이 소수인지 아닌지 판단하시오.

Tip

$2491=2500-$ ❶ ___ 임을 이용하여 가장 적당한 인수분해 공식을 찾는다. 이때 2491이 어떤 두 수의 ❷ ___ 으로 나타나는지에 따라 소수인지 아닌지를 판단할 수 있다.

답 ❶ 9 ❷ 곱

8 다음 그림은 인수분해 공식 $a^2-b^2=(a+b)(a-b)$를 이용하여 한 변의 길이가 1인 같은 개수의 정사각형을 ㈎, ㈏의 방법으로 배열한 것이다.

	1단계	2단계	3단계	…
㈎				…
㈏	1, 3	2, 4	3, 5	…
㈎의 넓이 =㈏의 넓이	2^2-1 $=1\times3$	3^2-1 $=2\times4$	4^2-1 $=3\times5$	…

위와 같은 방법으로 배열하였을 때, 10단계의 ㈏에 들어갈 직사각형의 가로의 길이와 세로의 길이를 각각 구하시오.
(단, 가로의 길이는 세로의 길이보다 짧다.)

Tip

㈎의 방법은 한 변의 길이가 $n(n=2, 3, 4, \cdots)$인 정사각형에서 한 변의 길이가 ❶ ___ 인 정사각형의 넓이를 뺀 것이다.
이때 $n^2-1=(n-1)($❷ ___$)$이다.

답 ❶ 1 ❷ $n+1$

중간고사 마무리 전략

제곱근의 성질
$\sqrt{(A-B)^2}$
펑
A-B
$\sqrt{(A-B)^2}$
펑
-(A-B)
A>B
A<B
제곱근의 성질을 확인해 볼까?
유리수와 무리수로 꽉 채워진 수직선!
여기는 내 자리!
$-\sqrt{5}$
$\sqrt{2}$
2.5
$\sqrt{17}$
-3 -2 -1 0 1 2 3 4 5
무리수인 나만으로 수직선을 채울 수 없어. 유리수야, 빨리 와.
제곱인 인수는 근호 밖으로!
$\sqrt{\ }$ 안의 숫자가 같은 것끼리 계산!
$\sqrt{a^2b}=a\sqrt{b}$
근호를 포함한 식의 계산은 어떻게 하지?
식에 괄호가 있으면 괄호를 먼저 풀어.
( )
$\sqrt{3}(2-\sqrt{3})+\frac{6}{\sqrt{3}}=2\sqrt{3}-3+\frac{6\sqrt{3}}{3}$
$=2\sqrt{3}-3+2\sqrt{3}$
$=4\sqrt{3}-3$

이어서 공부할 내용

❶ 신유형 · 신경향 · 서술형 전략
❷ 고난도 해결 전략

신유형·신경향·서술형 전략

01

종훈이와 수진이가 수학 동아리 수련회에서 보물찾기를 하고 있다. 종훈이는 갈림길에서 큰 수를 따라가고, 수진이는 작은 수를 따라가서 도착 지점에 있는 보물의 개수가 많은 사람이 이긴다고 한다. 종훈이와 수진이 중 이긴 사람은 누구인지 말하시오.

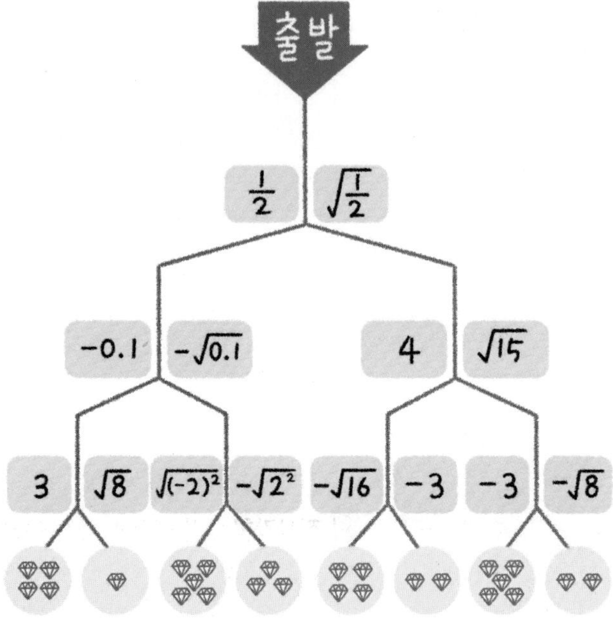

Tip

$\sqrt{\ }$ 가 없는 수는 $\sqrt{\ }$ 가 ❶ ☐ 는 수로 바꾸어 대소를 비교한다.
이때 $a>0$, $b>0$일 때, $a<b$이면 $\sqrt{a}<\sqrt{b}$, $-\sqrt{a}$ ❷ ☐ $-\sqrt{b}$이다.

답 ❶ 있 ❷ $>$

02

다음 그림과 같이 두 직각삼각형 ABC, ACD를 수직선 위에 그리고, 점 B를 중심으로 하고 $\overline{AB}$를 반지름으로 하는 원과 점 D를 중심으로 하고 $\overline{AD}$를 반지름으로 하는 원을 그렸다. 원과 수직선이 만나는 두 점을 각각 E, F라 할 때, 물음에 답하시오.

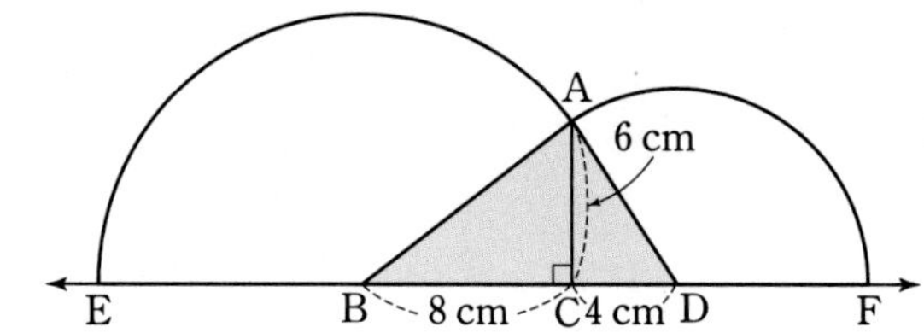

(1) $\overline{EB}$의 길이를 구하시오.

(2) $\overline{DF}$의 길이를 구하시오.

(3) $\overline{EF}$의 길이를 구하시오.

Tip

두 직각삼각형 ABC, ACD에서 각각 피타고라스 ❶ ☐ 를 이용하여 $\overline{AB}$, $\overline{AD}$의 길이를 구한다.
이때 $\overline{EB}=\overline{AB}$이고 $\overline{DF}=$ ❷ ☐ 이다.

답 ❶ 정리 ❷ $\overline{AD}$

03

다음 물음에 답하시오.

(1) 아래 수들을 작은 수부터 크기순으로 도, 레, 미, 파, 솔, 라, 시 음에 대응시키려고 한다. 다음 □ 안에 각 계이름에 해당하는 수를 써넣으시오.

$\sqrt{(-2)^2}$, -1, $\sqrt{3}+1$, $\sqrt{5}-2$, 0, π, $-\sqrt{2}$

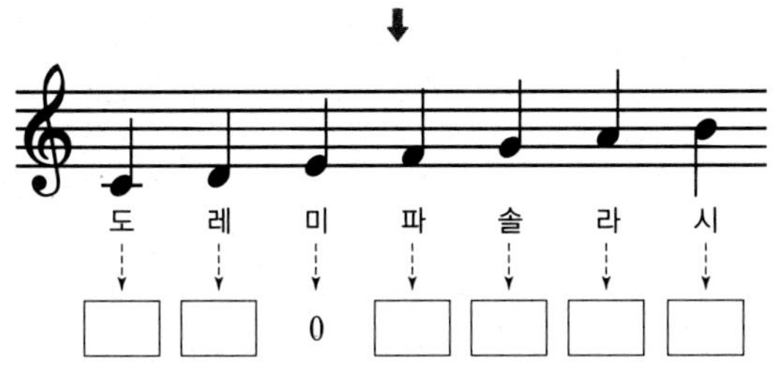

(2) 다음 악보는 동요 '학교종'의 일부이다. 각 계이름에 해당하는 수를 써넣고, 그 수들의 합을 구하시오.

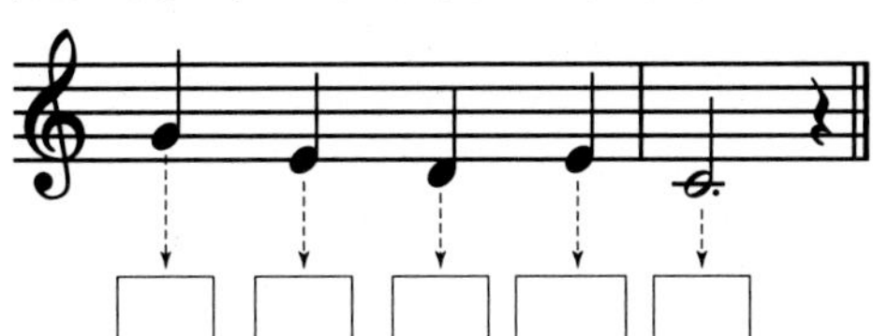

Tip

(1) a와 $\sqrt{b}$의 대소 비교 ➡ $\sqrt{\ }$가 없는 수를 $\sqrt{\ }$가 [❶]는 수로 바꾸어 대소를 비교한다.

(2) 두 실수 a, b의 대소 비교 ➡ a [❷] b의 부호를 조사한다.

답 ❶ 있 ❷ −

04

다음 그림을 보고 물음에 답하시오.

2
1
3
선수들이 서 있는 단상을 앞에서
보니 모두 정사각형 모양이네요.

세 개의 정사각형의
넓이의 비는 2 : 4 : 1
이라는구나.

아래 그림과 같이 넓이의 비가 2 : 4 : 1인 세 개의 정사각형 A, B, C를 이어 붙여 새로운 도형을 만들었다. 이 도형의 둘레의 길이가 46일 때, 정사각형 A와 정사각형 C의 넓이의 차를 구하시오.

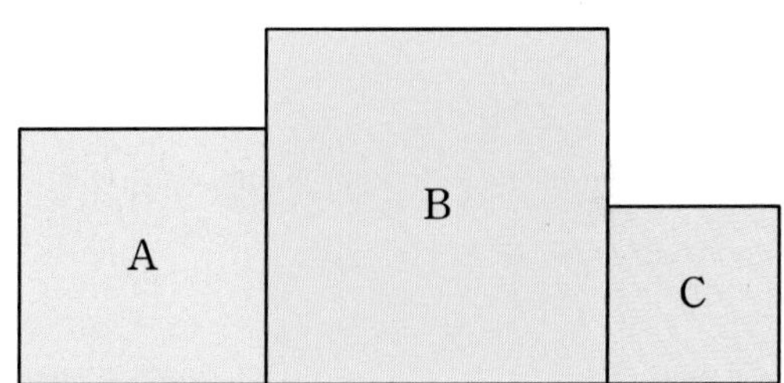

Tip

세 정사각형 A, B, C의 한 변의 길이를 각각 a, b, c라 하면

$a^2 : b^2 : c^2 = 2 :$ [❶] $: 1$이므로

$a : b : c = \sqrt{2} :$ [❷] $: 1$이다.

답 ❶ 4 ❷ 2

05

다음은 이사갈 집의 평면도를 보며 연서와 엄마가 나눈 대화이다. 이사갈 집의 큰 방과 작은 방에 장판을 새로 깔려고 할 때, 물음에 답하시오.

(1) 화장실을 제외한 큰 방의 넓이를 구하시오.

(2) 작은 방의 넓이를 구하시오.

(3) 장판을 새로 깔아야 할 부분의 넓이를 구하시오.

Tip

(직사각형의 넓이)=(가로의 길이)×(❶ 의 길이)임을 이용하여 식을 세우고, 곱셈 공식을 이용하여 식을 ❷ 한다.

답 ❶ 세로 ❷ 전개

06

$(x+a)(x-3)$을 전개하면 $x^2+bx-15$일 때, 오른쪽 그림과 같이 대각선의 길이가 $a+b$인 정사각형의 넓이를 구하시오.

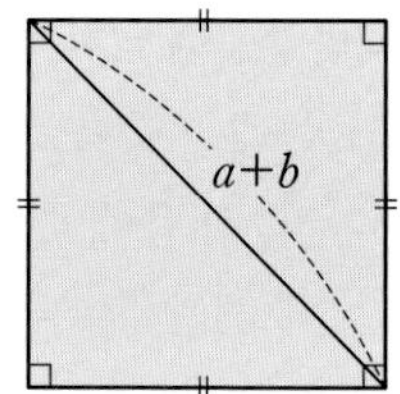

Tip

$(x+a)(x-3)=x^2+bx-15$이므로 $-3a=$ ❶ , $a-$ ❷ $=b$를 만족하는 a, b의 값을 각각 구한다.

답 ❶ -15 ❷ 3

07

다음 그림과 같이 넓이가 각각 x^2, x, 1인 세 종류의 직사각형 10개가 있다. 물음에 답하시오.

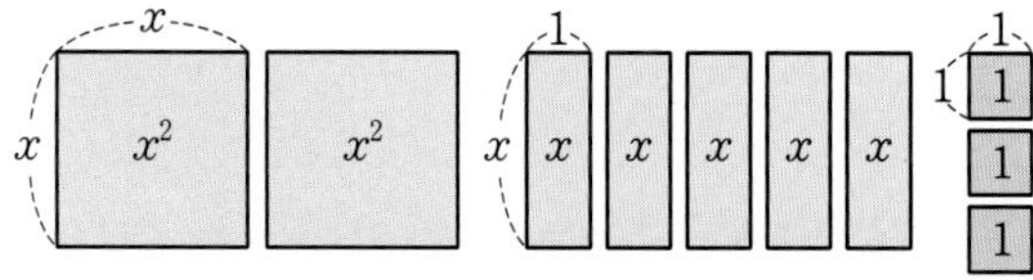

(1) 위의 모든 직사각형을 겹치지 않게 이어 붙여서 세로의 길이가 $x+1$인 하나의 큰 직사각형을 만드시오.

(2) (1)에서 만든 하나의 큰 직사각형의 넓이를 x의 식으로 나타내고, 그 직사각형의 둘레의 길이를 구하시오.

Tip

주어진 모든 직사각형의 넓이의 ❶ 을 x의 식으로 나타낸 후, 인수 ❷ 한다.

답 ❶ 합 ❷ 분해

08

정인이는 아버지로부터 다음과 같은 편지를 받았다. 편지를 읽고, 새로 바뀐 현관문의 비밀번호를 구하시오.

사랑하는 정인이에게.
어제 본 영화 너무 재미있었지?
영화 속에서 암호를 풀면 문이 열리는 장면을 보니 우리 집 현관문의 비밀번호도 바꾸고 싶어졌단다.
바뀐 현관문의 비밀번호는
$\boxed{A}\ \boxed{B}\ \boxed{C}\ \boxed{D}$란다.

$$x^2+Ax-2=(x+2)(x-B)$$
$$4x^2-8x+3=(2x-1)(Cx-D)$$

A, B, C, D를 차례대로 누르면 현관문이 열릴 거야.
인수분해를 이용하면 쉽지?

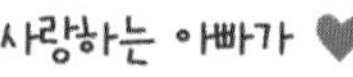

Tip

$x^2+Ax-2=(x+2)(x-B)$에서 A, ❶ $\boxed{}$의 값을 구하고
$4x^2-8x+3=(2x-1)(Cx-D)$에서 C, ❷ $\boxed{}$의 값을 구한다.

답 ❶ B ❷ D

09

다음 그림의 두루마리 화장지는 밑면의 반지름의 길이가 7.5 cm, 높이가 10 cm인 원기둥 모양이고, 화장지가 감기지 않은 안쪽 원기둥의 밑면의 반지름의 길이는 1.5 cm이다. 인수분해 공식을 이용하여 화장지가 감긴 부분의 부피를 구하시오. (단, 두루마리 화장지의 속과 겉은 높이가 같은 원기둥 모양이고 밑면에서 두 원의 중심은 같다.)

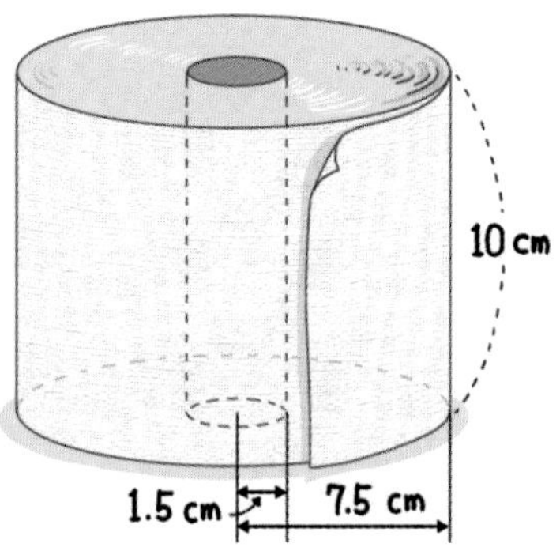

Tip

(화장지가 감긴 부분의 부피)
=(바깥쪽 원기둥의 부피) ❶ $\boxed{}$ (안쪽 원기둥의 부피)
이때 (원기둥의 부피)=(밑넓이)×(❷ $\boxed{}$)이다.

답 ❶ − ❷ 높이

고난도 해결 전략 1회

01 다음 보기에서 옳은 것을 모두 고른 것은?

보기
ㄱ $\sqrt{64}$의 제곱근은 ±8이다.
ㄴ $(-3)^2$의 제곱근은 ±3이다.
ㄷ $\sqrt{4}$의 양의 제곱근은 2이다.
ㄹ x가 a의 제곱근이면 $a^2=x$이다.
ㅁ $-\sqrt{7}$은 제곱하면 7이 되는 수이다.
ㅂ $a<0$, $b>0$일 때, $\sqrt{a^2b}=a\sqrt{b}$이다.

① ㄱ, ㄴ ② ㄱ, ㄷ ③ ㄴ, ㅁ
④ ㄷ, ㄹ ⑤ ㅁ, ㅂ

a와 $\frac{1}{a}$의 대소를 비교하여
$a-\frac{1}{a}$이 양수인지 음수인지 알아야 돼.

02 $0<a<1$일 때, $\sqrt{\left(a+\frac{1}{a}\right)^2}-\sqrt{\left(a-\frac{1}{a}\right)^2}-\sqrt{(-3a)^2}$을 간단히 하면?

① $-5a$ ② $-a$ ③ 0
④ $\frac{2}{a}$ ⑤ $-5a+\frac{2}{a}$

03 $\sqrt{300-x}-\sqrt{100+y}$가 가장 큰 정수가 되기 위한 자연수 x, y에 대하여 $x+y$의 값은?

① 26 ② 28 ③ 32
④ 35 ⑤ 40

04 서로 다른 두 개의 주사위를 동시에 던져서 나온 두 눈의 수를 각각 a, b라 할 때, $\sqrt{24ab}$가 자연수가 될 확률은?

① $\frac{1}{36}$ ② $\frac{1}{18}$ ③ $\frac{1}{6}$
④ $\frac{1}{2}$ ⑤ $\frac{2}{3}$

05 자연수 x에 대하여 $\sqrt{x}$ 이하의 자연수의 개수를 $f(x)$라 할 때, $f(1)+f(3)+f(5)+f(7)+f(9)$의 값은?

① 8 ② 9 ③ 10
④ 11 ⑤ 12

예를 들어
$f(2)=(\sqrt{2}$ 이하의 자연수의 개수)
$1<\sqrt{2}<2$이므로 $\sqrt{2}$ 이하의 자연수는
1로 1개이다. $\therefore f(2)=1$

06 $0<x<1$일 때, 다음 중 그 값이 가장 큰 것은?

① x　② $\frac{1}{x^2}$　③ $\sqrt{x}$
④ $\frac{1}{x}$　⑤ $\sqrt{\frac{1}{x}}$

07 a가 유리수, b가 무리수일 때, 다음 중 항상 무리수인 것은? (정답 2개)

① $a+b^2$　② $a-b$　③ $\frac{a}{b}$
④ ab　⑤ a^2+b

08 다음 그림과 같이 자연수의 양의 제곱근 $1, \sqrt{2}, \sqrt{3}, 2, \sqrt{5}, \sqrt{6}, \sqrt{7}, \sqrt{8}, 3, \cdots$에 대응하는 점을 수직선 위에 나타내었다.

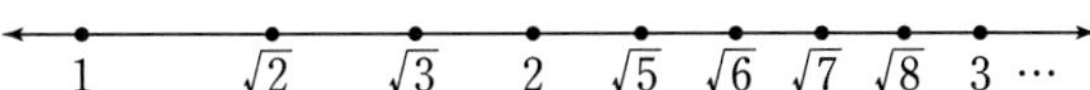

차례대로 150개의 점을 수직선 위에 나타내었을 때, 무리수에 대응하는 점의 개수를 구하시오.

09 다음 그림과 같이 한 눈금의 길이가 1인 모눈종이 위에 수직선과 정사각형 2개를 그렸다. $\overline{CD}=\overline{PD}$, $\overline{EF}=\overline{EQ}$이고, 점 P에 대응하는 수가 $1-\sqrt{5}$일 때, 점 Q에 대응하는 수를 바르게 말한 학생을 찾으시오.

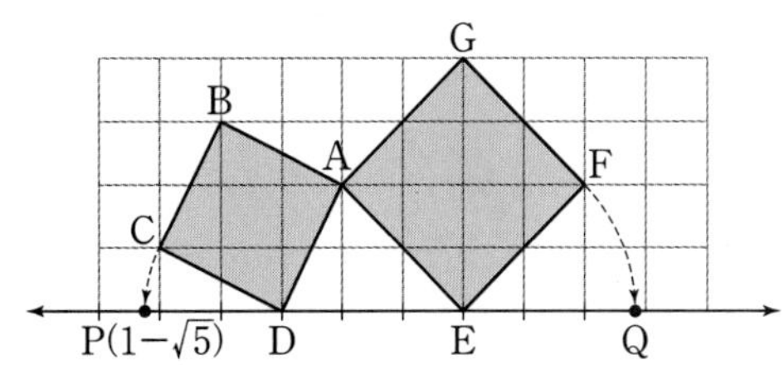

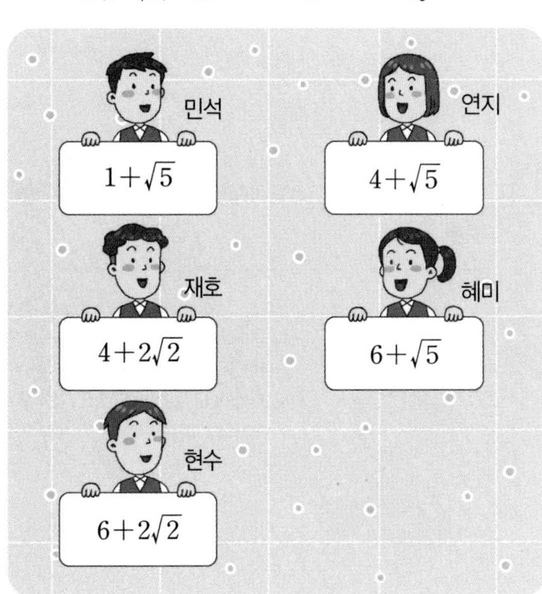

10 다음 중 옳은 것은?

① $\frac{1}{3}$과 $\frac{1}{2}$ 사이에는 무리수가 없다.
② $\sqrt{3}$과 $\sqrt{5}$ 사이에는 유리수가 없다.
③ 1과 2 사이에는 무리수가 2개 있다.
④ $-\sqrt{2}$와 $\sqrt{2}$ 사이에는 정수가 2개 있다.
⑤ 1.4와 $\sqrt{2}$ 사이에는 무수히 많은 실수가 있다.

11 다음 수를 수직선 위에 나타낼 때, 왼쪽에서 세 번째에 오는 수를 구하시오.

$4-\sqrt{5}$, $-\sqrt{3}+4$, $2-\sqrt{5}$, $-\sqrt{6}+3$, 2

작은 수부터 크기순으로 나열했을 때,
세 번째에 오는 수를 구하라는 거야.

12 $\sqrt{7}=a$, $\sqrt{70}=b$라 할 때, $\sqrt{175}+\sqrt{2.8}$을 a, b를 사용하여 나타내면?

① $a-\frac{b}{5}$ ② $2a+\frac{b}{3}$ ③ $4a-\frac{b}{4}$
④ $5a+\frac{b}{5}$ ⑤ $6a+6b$

13 $a>0$, $b>0$이고 $ab=4$일 때, $a\sqrt{\frac{5b}{a}}+b\sqrt{\frac{20a}{b}}$의 값은?

① $2\sqrt{5}$ ② $4\sqrt{5}$ ③ $6\sqrt{5}$
④ $8\sqrt{5}$ ⑤ $10\sqrt{5}$

ab의 꼴이 나타나도록 식을 변형해야겠어.
근호 밖의 a와 b를 각각 근호 안으로 넣어 봐.

14 다음 그림에서 사각형 A, B, C, D는 모두 정사각형이고, 각 사각형의 넓이 사이에는 C는 D의 2배, B는 C의 2배, A는 B의 2배인 관계가 있다고 한다. 정사각형 A의 넓이가 1 cm^2일 때, 정사각형 D의 한 변의 길이는?

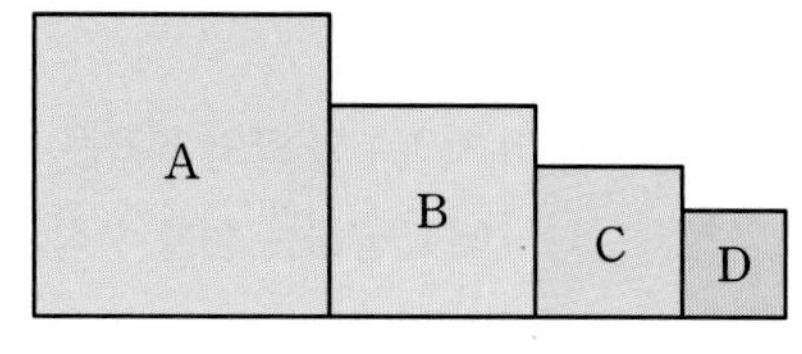

① $\frac{\sqrt{2}}{8}$ cm ② $\frac{\sqrt{2}}{4}$ cm ③ $\frac{3\sqrt{2}}{8}$ cm
④ $\frac{\sqrt{2}}{2}$ cm ⑤ $\frac{3\sqrt{2}}{4}$ cm

15 $\sqrt{24}\left(\frac{1}{\sqrt{3}}-\frac{1}{\sqrt{6}}\right)+\frac{a}{\sqrt{2}}(\sqrt{8}-2)$가 유리수가 되도록 하는 유리수 a의 값은?

① 0　② 1　③ 2
④ 3　⑤ 4

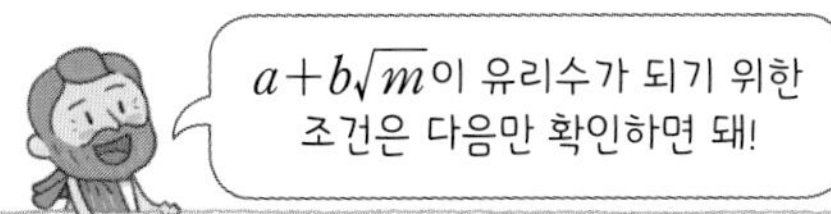

a, b가 유리수이고 $\sqrt{m}$이 무리수일 때,
$a+b\sqrt{m}$이 유리수가 되기 위한 조건
→ 무리수 부분이 0이어야 하므로
$b=0$

16 다음 그림은 넓이가 12 cm², 18 cm², 48 cm²인 정사각형 모양의 색종이를 겹치지 않게 이어 붙인 것이다. 이 색종이로 이루어진 도형의 둘레의 길이를 구하면?

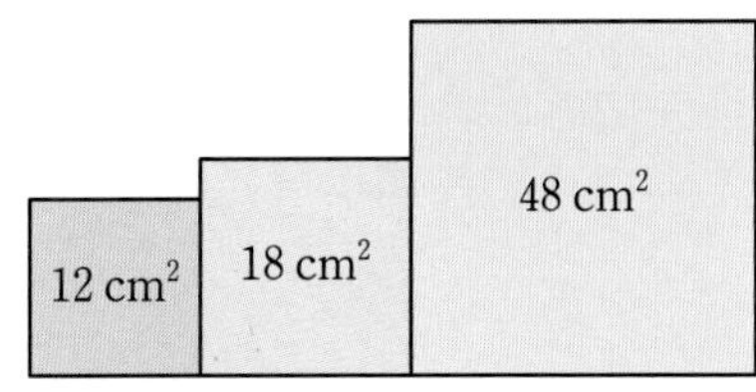

① $(10\sqrt{3}+3\sqrt{2})$ cm　② $(14\sqrt{3}+3\sqrt{2})$ cm
③ $(12\sqrt{3}+6\sqrt{2})$ cm　④ $(20\sqrt{3}+6\sqrt{2})$ cm
⑤ $(20\sqrt{3}+8\sqrt{2})$ cm

17 $\frac{2}{\sqrt{5}}(\sqrt{2}+\sqrt{5})-\left(\sqrt{12}+\frac{3\sqrt{60}}{5}\right)\div\sqrt{6}-\frac{\sqrt{8}-2}{\sqrt{2}}$를 간단히 하면?

① $-\sqrt{10}$　② $-\frac{\sqrt{10}}{5}$　③ $\frac{13\sqrt{10}}{5}$
④ $\sqrt{10}+4$　⑤ $\frac{3\sqrt{10}}{5}+4$

18 다음은 퀴즈 프로그램 도전! 황금벨이 열리고 있는 천재 중학교 강당이다. 다음 단계로 넘어가기 위하여 지현이가 적어야 하는 답을 구하시오.

도전! 황금벨
$2\sqrt{2}$의 소수 부분을 a, $\sqrt{128}$의 소수 부분을 b라 할 때, b를 a의 식으로 바르게 나타낸 것은?
① $4a-7$　② $4a-3$
③ $4a$　④ $3-4a$
⑤ $7-4a$
$2\sqrt{2}=\sqrt{8}$이므로 $\sqrt{8}$의 정수 부분은 …….
지현

고난도 해결 전략 2회

01 $<a, b>=(a+b)^2$으로 약속할 때,
$<2x, -3y>-2<-x, 2y>$를 간단히 하면?

① $2x^2-4xy-y^2$ ② $2x^2+4xy-y^2$
③ $2x^2-4xy+y^2$ ④ $2x^2+4xy+y^2$
⑤ $4x^2+4xy+y^2$

제일 먼저 할 일은 약속한 것에 맞게 식을 바꾸는 거야.

02 $(x+a)(x+b)$를 전개하면 x^2+cx+8일 때, 다음 중 c의 값이 될 수 없는 것은? (단, a, b, c는 정수)

① -9 ② -6 ③ 6
④ 9 ⑤ 14

03 정은이는 $(x+2)(x-4)$를 전개하는데 -4를 A로 잘못 보아 x^2+6x-B로 전개하였고, 연재는 $(2x+1)(x-3)$을 전개하는데 x의 계수 2를 C로 잘못 보아 Cx^2+7x-3으로 전개하였다. 이때 $A+B+C$의 값은?

(단, A, B, C는 상수)

① -14 ② -12 ③ -10
④ -8 ⑤ -6

04 다음 그림과 같은 직사각형 ABCD에서 사각형 ABFE와 사각형 EGHD는 정사각형이다. $\overline{AD}=x$, $\overline{AB}=y$일 때, 사각형 GFCH의 넓이를 x, y의 식으로 나타내면?

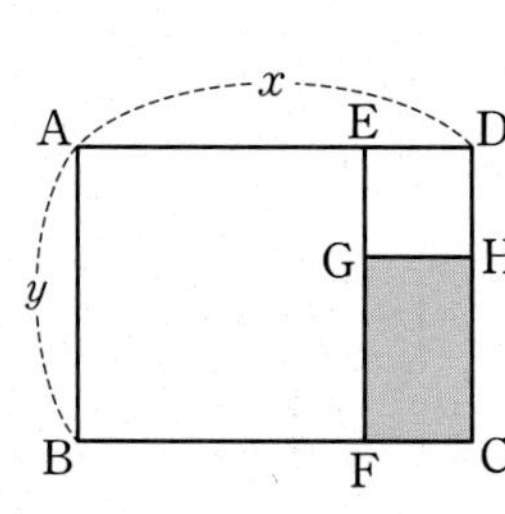

① x^2-2y^2 ② $x^2-3xy+2y^2$
③ $x^2+3xy-2y^2$ ④ $-x^2+3xy-2y^2$
⑤ $-x^2+3xy+2y^2$

05 $4(5+1)(5^2+1)(5^4+1)(5^8+1)=5^a-1$일 때, 자연수 a의 값은?

① 4 ② 6 ③ 8
④ 10 ⑤ 16

06 $(2-\sqrt{3})^{100}(2+\sqrt{3})^{102}=a+b\sqrt{3}$일 때, 유리수 a, b에 대하여 $a+b$의 값은?

① -11 ② -7 ③ 3
④ 7 ⑤ 11

07 $f(x)=\dfrac{1}{\sqrt{x+1}+\sqrt{x}}$일 때, 다음 식의 값을 구하시오.

$$f(1)+f(2)+f(3)+\cdots+f(39)$$

08 $x^2-2x-5=0$일 때, $(x+2)(x+3)(x-4)(x-5)-11$의 값은?

① 16 ② 17 ③ 18
④ 19 ⑤ 20

09 다음 그림을 보고 문제의 답을 구하시오.

먼저 $x^2-4x-1=0$에서 $x-\dfrac{1}{x}$의 값을 구해야 돼.
$x^2-4x-1=0$일 때, $2x^2-x+\dfrac{1}{x}+\dfrac{2}{x^2}$의 값을 구하시오.

10 두 실수 x, y에 대하여 $x-y<0$, $xy<0$일 때, $\sqrt{x^2-4xy+4y^2}+\sqrt{y^2+6y+9}-\sqrt{x^2}$을 간단히 하면?

① $-y+3$　② $3y+3$　③ $-2x+y-3$　④ $x-y+3$　⑤ $2x-y+3$

11 x에 대한 이차식 x^2+6x+k가 $(x+a)(x+b)$로 인수분해될 때, 상수 k의 값 중 가장 작은 수는? (단, a, b는 자연수)

① 5　② 6　③ 8　④ 9　⑤ 12

12 $2(3x+y)^2-3(3x+y)(x+2y)-5(x+2y)^2$을 인수분해하였더니 $(x+ay)(bx+cy)$가 되었다. $a+bc$의 값은? (단, a, b, c는 정수)

① -12　② -4　③ 0　④ 4　⑤ 12

13 다음 선생님의 질문에 바르게 답한 학생을 찾으시오.

14 인수분해 공식을 이용하여 다음을 계산하시오.

$$\left(1-\frac{1}{2^2}\right)\times\left(1-\frac{1}{3^2}\right)\times\left(1-\frac{1}{4^2}\right)\times\cdots\times\left(1-\frac{1}{10^2}\right)$$

15 다음 두 수 A, B에 대하여 $A-B$의 값을 구하시오.

$$A=15.5^2+9\times15.5+4.5^2$$
$$B=\sqrt{136^2-64^2}$$

16 다음 중 25^4-1을 나누었을 때, 나누어떨어지게 하는 수가 아닌 것은?

① 4 ② 6 ③ 13
④ 25 ⑤ 26

17 $\sqrt{2}+1$의 정수 부분을 a, 소수 부분을 b라 할 때, a^2-b^2-4b-4의 값은?

① $-5-2\sqrt{2}$ ② $-5+2\sqrt{2}$
③ $1-2\sqrt{2}$ ④ $1+2\sqrt{2}$
⑤ $5-2\sqrt{2}$

18 다음 그림과 같이 지름의 길이가 각각 y, $4x+2y$인 두 원이 내접하고 있다. 색칠한 부분의 넓이가 $\pi(2x+ay)(2x+by)$일 때, a^2+b^2의 값을 구하시오.

(단, a, b는 상수)

memo

일등공략 필승학습!
단기간에 끝장내자!

특목고 대비

일등 전략

중학 수학 3-1

BOOK 2

기 말 고 사 대 비

중학 수학 3-1

BOOK 2

기 말 고 사 대 비

이 책의 구성과 활용

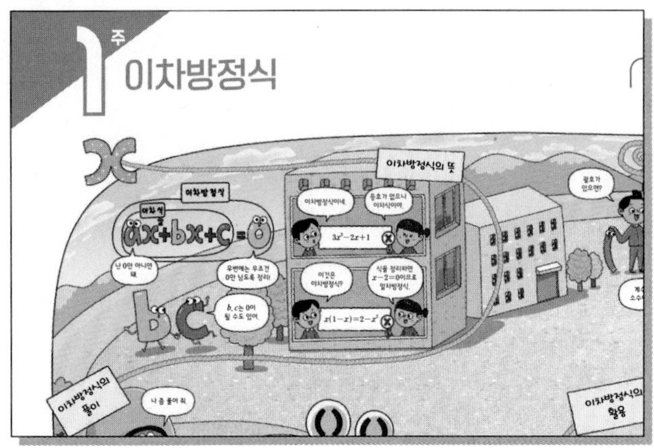

주 도입

이번 주에 배울 내용이 무엇인지 안내하는 부분입니다. 재미있는 만화를 통해 앞으로 배울 학습 요소를 미리 떠올려 봅니다.

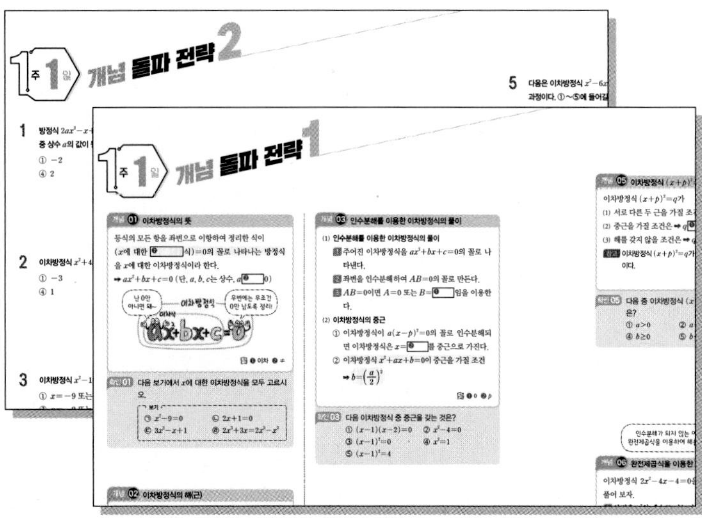

1일 개념 돌파 전략

성취기준별로 꼭 알아야 하는 핵심 개념을 익힌 뒤 문제를 풀며 개념을 잘 이해했는지 확인합니다.

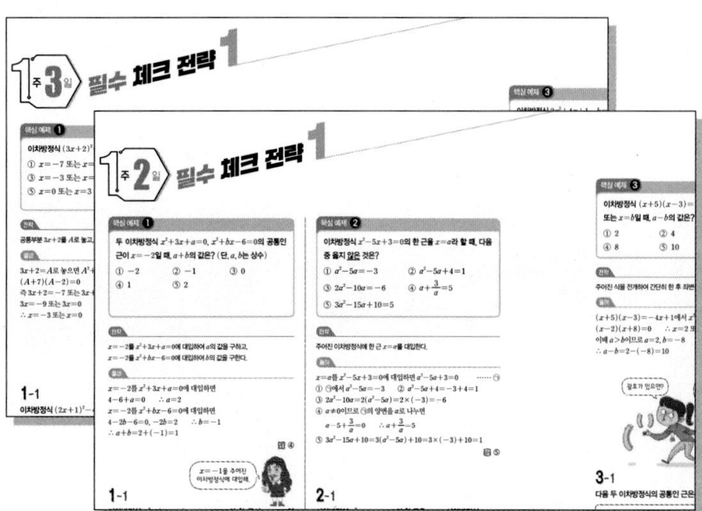

2일, 3일 필수 체크 전략

꼭 알아야 할 대표 유형 문제를 뽑아 쌍둥이 문제와 함께 풀어 보며 문제에 접근하는 과정과 방법을 체계적으로 익혀 봅니다.

부록 시험에 잘 나오는 대표 유형 ZIP

부록을 뜯으면 미니북으로 활용할 수 있습니다. 시험 전에 대표 유형을 확실하게 익혀 보세요.

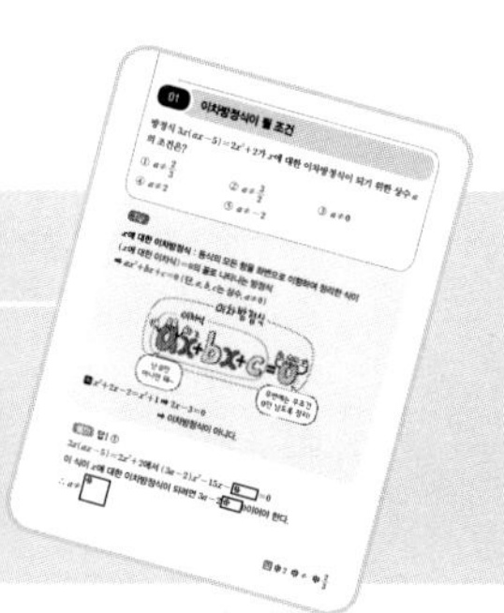

주 마무리 코너

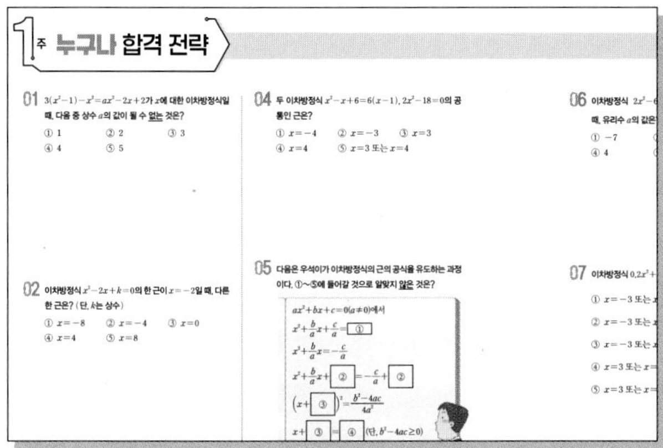

누구나 합격 전략

기말고사 종합 문제로 학습 자신감을 고취할 수 있습니다.

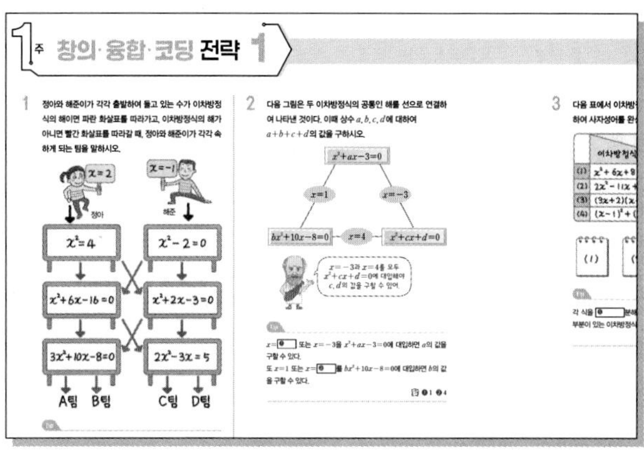

창의·융합·코딩 전략

융복합적 사고력과 문제 해결력을 길러 주는 문제로 구성하였습니다.

기말고사 마무리 코너

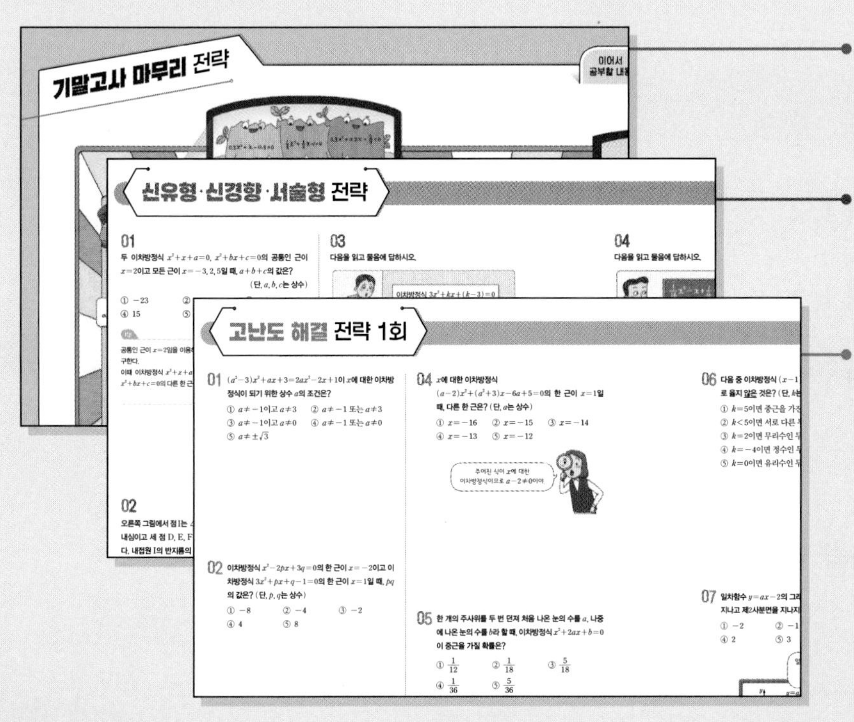

기말고사 마무리 전략

학습 내용을 만화로 정리하여 앞에서 공부한 내용을 한눈에 파악할 수 있습니다.

신유형·신경향·서술형 전략

신유형 · 서술형 문제를 집중적으로 풀며 문제 적응력을 높일 수 있습니다.

고난도 해결 전략

실제 시험에 대비할 수 있는 고난도 실전 문제를 2회로 구성하였습니다.

이 책의 차례

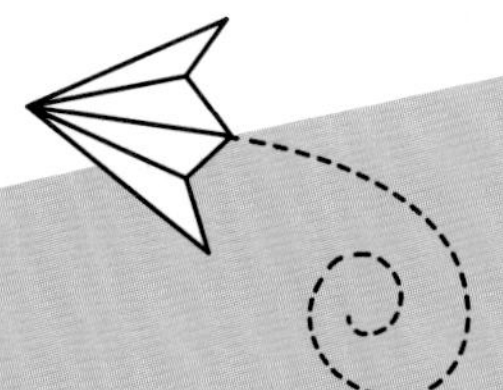

1주 이차방정식

이차방정식의 뜻
이차방정식
이차식
$ax^2+bx+c=0$
난 0만 아니면 돼.
우변에는 무조건 0만 남도록 정리!
b, c는 0이 될 수도 있어.
이차방정식이네.
등호가 없으니 이차식이야.
$3x^2-2x+1$
이것은 이차방정식?
식을 정리하면 $x-2=0$이므로 일차방정식.
$x(1-x)=2-x^2$
이차방정식의 풀이
나 좀 풀어 줘.
$ax^2+bx+c=0$
인수분해 공식을 이용하여 풀어 주지.
( ) ( )
저리 비켜. 제곱근을 이용해 주마.

공부할 내용

❶ 이차방정식의 뜻과 해
❷ 이차방정식의 풀이
❸ 이차방정식의 근의 공식
❹ 이차방정식의 활용

복잡한 이차방정식의 풀이

괄호가 있으면?

분배법칙, 곱셈 공식으로 괄호를 풀어.

계수가 분수이면?

최소공배수

분모의 최소공배수를 곱해.

이차방정식에 수를 곱할 때에는 모든 항에 곱해야 함을 잊지마.

계수가 소수이면?

10의 거듭제곱을 곱할래.

0.1 0.2 0.3 10 10^2 10^3

와!

이차방정식의 활용

다음 순서로 이차방정식의 활용 문제를 풀자.

출발

1 미지수 정하기

2 방정식 세우기

3 방정식 풀기

4 답 구하기

1주 1일 개념 돌파 전략 1

개념 01 이차방정식의 뜻

등식의 모든 항을 좌변으로 이항하여 정리한 식이 (x에 대한 ❶ ______ 식)=0의 꼴로 나타나는 방정식을 x에 대한 이차방정식이라 한다.

➡ $ax^2+bx+c=0$ (단, a, b, c는 상수, a ❷ ___ 0)

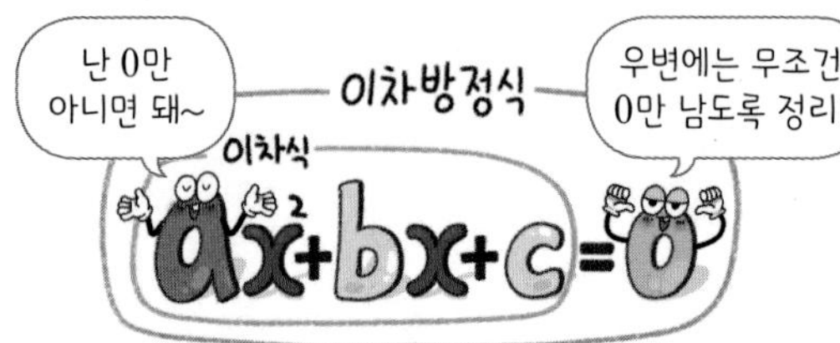

난 0만 아니면 돼~
이차방정식
우변에는 무조건 0만 남도록 정리!
이차식
ax²+bx+c=0

답 ❶ 이차 ❷ $\neq$

확인 01 다음 보기에서 x에 대한 이차방정식을 모두 고르시오.

보기
㉠ $x^2-9=0$　　㉡ $2x+1=0$
㉢ $3x^2-x+1$　　㉣ $2x^3+3x=2x^3-x^2$

개념 02 이차방정식의 해(근)

(1) **이차방정식의 해(근)**
이차방정식 $ax^2+bx+c=0$ (a, b, c는 상수, $a\neq0$)을 참이 되게 하는 ❶ ___ 의 값

(2) **이차방정식의 해(근)의 의미**
$x=p$가 이차방정식 $ax^2+bx+c=0$의 해(근)이다.
➡ $x=p$를 $ax^2+bx+c=0$에 대입하면 등식이 성립한다.
➡ $ap^2+bp+c=$ ❷ ___

답 ❶ x ❷ 0

확인 02 다음 이차방정식 중 $x=3$을 해로 갖지 않는 것은?

① $x^2-9=0$　　② $x(x-2)=3$
③ $2x^2-3x+1=0$　　④ $4x^2-9=9x$
⑤ $(x-10)^2=49$

개념 03 인수분해를 이용한 이차방정식의 풀이

(1) **인수분해를 이용한 이차방정식의 풀이**

1 주어진 이차방정식을 $ax^2+bx+c=0$의 꼴로 나타낸다.

2 좌변을 인수분해하여 $AB=0$의 꼴로 만든다.

3 $AB=0$이면 $A=0$ 또는 $B=$ ❶ ___ 임을 이용한다.

(2) **이차방정식의 중근**

① 이차방정식이 $a(x-p)^2=0$의 꼴로 인수분해되면 이차방정식은 $x=$ ❷ ___ 를 중근으로 가진다.

② 이차방정식 $x^2+ax+b=0$이 중근을 가질 조건
➡ $b=\left(\frac{a}{2}\right)^2$

답 ❶ 0 ❷ p

확인 03 다음 이차방정식 중 중근을 갖는 것은?

① $(x-1)(x-2)=0$　　② $x^2-4=0$
③ $(x-1)^2=0$　　④ $x^2=1$
⑤ $(x-1)^2=4$

개념 04 제곱근을 이용한 이차방정식의 풀이

(1) $x^2=k$ $(k>0)$의 해 ➡ $x=$ ❶ ___

(2) $(x+p)^2=q$ $(q>0)$의 해 ➡ $x=$ ❷ ___ $\pm\sqrt{q}$

답 ❶ $\pm\sqrt{k}$ ❷ $-p$

확인 04 다음 이차방정식을 제곱근을 이용하여 푸시오.

(1) $9x^2-5=0$　　(2) $6(x-1)^2=42$

개념 05 이차방정식 $(x+p)^2=q$가 근을 가질 조건

이차방정식 $(x+p)^2=q$가
(1) 서로 다른 두 근을 가질 조건은 ➡ $q>0$
(2) 중근을 가질 조건은 ➡ q ❶ $\boxed{}$ 0
(해를 가질 조건)
(3) 해를 갖지 않을 조건은 ➡ $q<0$

참고 이차방정식 $(x+p)^2=q$가 해를 가질 조건은 q ❷ $\boxed{}$ 0이다.

답 ❶ = ❷ ≥

확인 05 다음 중 이차방정식 $(x-a)^2=b$가 해를 가질 조건은?
① $a>0$ ② $a<0$ ③ $a=0$
④ $b\ge0$ ⑤ $b<0$

인수분해가 되지 않는 이차방정식은 완전제곱식을 이용하여 해를 구할 수 있어.

개념 06 완전제곱식을 이용한 이차방정식의 풀이

이차방정식 $2x^2-4x-4=0$을 완전제곱식을 이용하여 풀어 보자.

1 양변을 x^2의 계수로 나눈다. ➡ $x^2-2x-2=0$
2 상수항을 우변으로 이항한다. ➡ $x^2-2x=2$
3 양변에 $\left\{\dfrac{(x\text{의 계수})}{2}\right\}^2$을 더한다.
➡ $x^2-2x+1=2+$ ❶ $\boxed{}$
4 (완전제곱식)=(수)의 꼴로 나타낸다.
➡ $(x-1)^2=$ ❷ $\boxed{}$
5 제곱근을 이용하여 해를 구한다. ➡ $x=1\pm\sqrt{3}$

답 ❶ 1 ❷ 3

확인 06 이차방정식 $x^2+4x-2=0$을 $(x+p)^2=q$의 꼴로 나타내고, 해를 구하시오.

개념 07 이차방정식의 근의 공식

(1) 이차방정식 $ax^2+bx+c=0\,(a\ne0)$의 해는
$$x=\frac{-b\pm\sqrt{b^2-\text{❶}\boxed{}}}{2a}\quad(\text{단, } b^2-4ac\ge0)$$
(2) 이차방정식 $ax^2+2b'x+c=0$의 해는 ($2b'$: x의 계수가 짝수)
$$x=\frac{-b'\pm\sqrt{b'^2-ac}}{\text{❷}\boxed{}}\quad(\text{단, } b'^2-ac\ge0)$$

답 ❶ $4ac$ ❷ a

확인 07 다음 이차방정식을 푸시오.
(1) $x^2+3x+1=0$ (2) $3x^2+2x-4=0$

개념 08 계수가 소수 또는 분수인 이차방정식의 풀이

(1) **계수가 소수인 경우** : 양변에 10, 100, 1000, …을 곱하여 계수를 ❶ $\boxed{}$로 바꾼 후 푼다.
(2) **계수가 분수인 경우** : 양변에 분모의 최소 ❷ $\boxed{}$를 곱하여 계수를 정수로 바꾼 후 푼다.

예 $0.1x^2-0.3x-0.2=0 \xrightarrow[\text{10을 곱한다.}]{\text{양변에}} x^2-3x-2=0$
$\dfrac{1}{4}x^2-\dfrac{1}{2}x-\dfrac{1}{3}=0 \xrightarrow[\text{12를 곱한다.}]{\text{양변에}} 3x^2-6x-4=0$

답 ❶ 정수 ❷ 공배수

확인 08 다음 이차방정식을 푸시오.
(1) $0.2x^2+x-0.5=0$ (2) $\dfrac{1}{3}x^2+\dfrac{1}{2}x-1=0$

개념 09 이차방정식의 근의 개수

이차방정식 $ax^2+bx+c=0$의 근의 개수는 근의 공식 $x=\dfrac{-b\pm\sqrt{b^2-4ac}}{2a}$에서 b^2-4ac의 부호에 따라 결정된다.

(1) $b^2-4ac>0$ ➡ 서로 다른 ❶ [　　] 근을 가진다.

(2) $b^2-4ac=0$ ➡ 한 근(❷ [　　])을 가진다.

(3) $b^2-4ac<0$ ➡ 근이 없다.

참고 x의 계수가 짝수일 때, 즉 $ax^2+2b'x+c=0$일 때에는 b'^2-ac의 부호를 이용해도 결과는 같다.

답 ❶ 두 ❷ 중근

확인 09 다음 이차방정식의 근의 개수를 구하시오.

(1) $x^2-x+1=0$ (2) $x^2-2x-5=0$

개념 10 이차방정식 구하기

(1) 두 근이 α, β이고 x^2의 계수가 a인 이차방정식

➡ $a(x-\alpha)(x-\beta)=0$

➡ $a\{x^2-(\alpha+\beta)x+$ ❶ [　　] $\}=0$

(2) 중근이 α이고 x^2의 계수가 a인 이차방정식

➡ $a(x-$ ❷ [　　] $)^2=0$

답 ❶ $\alpha\beta$ ❷ α

확인 10 다음 조건을 만족하는 이차방정식을 $ax^2+bx+c=0$의 꼴로 나타내시오.

(1) 두 근이 1, -4이고 x^2의 계수가 1인 이차방정식

(2) x^2의 계수가 2이고 중근 -3을 갖는 이차방정식

개념 11 이차방정식의 해의 조건이 주어진 경우

(1) 두 근의 차가 k이다.

➡ 두 근을 α, $\alpha+k$로 놓는다.

(2) 두 근의 비가 $m:n$이다.

➡ 두 근을 $m\alpha$, ❶ [　　]로 놓는다. (단, $\alpha\neq0$)

(3) 한 근이 다른 근의 k배이다.

➡ 두 근을 α, ❷ [　　]α로 놓는다. (단, $\alpha\neq0$)

답 ❶ $n\alpha$ ❷ k

확인 11 다음 □ 안에 알맞은 자연수를 써넣으시오.

(1) 두 근의 차가 5이고 두 근 중 작은 근이 a이면 큰 근은 $a+$□이다.

(2) 두 근의 비가 $2:3$이고 두 근 중 작은 근이 $2k(k>0)$이면 다른 한 근은 □k이다.

개념 12 계수가 유리수인 이차방정식의 근

a, b, c가 유리수일 때, 이차방정식 $ax^2+bx+c=0$의 한 근이 $p+q\sqrt{m}$이면 다른 한 근은 p ❶ [　　] $q\sqrt{m}$이다.

(단, p, q는 유리수, $\sqrt{m}$은 무리수이다.)

예 이차방정식 $x^2-4x-3=0$의 한 근이 $2+\sqrt{7}$이면 방정식의 계수와 상수항이 모두 유리수이므로 다른 한 근은 ❷ [　　]이다.

답 ❶ $-$ ❷ $2-\sqrt{7}$

확인 12 a, b, c가 유리수인 이차방정식 $ax^2+bx+c=0$의 한 근이 다음과 같을 때, 다른 한 근을 구하시오.

(1) $1+\sqrt{2}$ (2) $-2-\sqrt{3}$

>> 정답과 풀이 32쪽

개념 13 이차방정식의 활용 문제를 푸는 순서

1 **미지수 정하기** : 문제의 뜻을 파악하고 구하려고 하는 것을 미지수 x로 놓는다.

2 **이차방정식 세우기** : 문제의 뜻에 맞게 x에 대한 이차 ❶ ☐ 을 세운다.

3 **이차방정식 풀기** : 이차방정식을 풀어 해를 구한다.

4 **답 구하기** : 구한 해 중에서 문제의 ❷ ☐ 에 맞는 것을 답으로 택한다.

답 ❶ 방정식 ❷ 뜻

확인 13 어떤 자연수를 제곱한 것은 그 수를 5배 한 것보다 24만큼 더 크다고 할 때, 다음 물음에 답하시오.

(1) 어떤 자연수를 x로 놓고, x에 대한 이차방정식을 세우시오.

(2) (1)에서 세운 이차방정식을 푸시오.

(3) 어떤 자연수를 구하시오.

개념 14 연속하는 수에 대한 활용 문제

연속하는 수는 다음과 같이 한 미지수로 나타낸다.

(1) 연속하는 두 자연수 ➡ $x-1$, x 또는 x, $x+1$

(2) 연속하는 세 자연수 ➡ $x-1$, x, $x+$ ❶ ☐

(3) 연속하는 두 홀수(짝수) ➡ x, $x+$ ❷ ☐

답 ❶ 1 ❷ 2

확인 14 연속하는 두 자연수의 제곱의 합이 85일 때, 다음 물음에 답하시오.

(1) 연속하는 두 자연수 중 작은 수를 x로 놓고, x에 대한 이차방정식을 세우시오.

(2) (1)에서 세운 이차방정식을 푸시오.

(3) 연속하는 두 자연수를 구하시오.

개념 15 위로 쏘아 올린 물체에 대한 활용 문제

t초 후의 물체의 높이가 t에 대한 이차식으로 주어질 때 높이 h m에 도달하는 시간은

(t에 대한 이차식)= ❶ ☐

로 놓고 이차방정식을 풀어 구한다.

참고 쏘아 올린 물체의 높이가 h m인 경우는 물체가 올라갈 때, 내려올 때 ❷ ☐ 번 생긴다. (단, 최고 높이 제외)

지금 내 높이는 h m야.
높이가 h m인 경우가 또 있네!
h m
지면에 떨어질 때 높이는 0 m야.

답 ❶ h ❷ 두

확인 15 지면에서 초속 40 m로 똑바로 위로 던진 공의 x초 후의 높이는 $(40x-5x^2)$ m이다. 공의 높이가 35 m가 되는 것은 공을 던진 지 몇 초 후인지 구하시오.

개념 16 도형에 대한 활용 문제

도형의 넓이가 주어진 문제는 넓이를 구하는 공식을 이용하여 방정식을 세운다.

(1) (삼각형의 넓이)$=\frac{1}{2}\times$(밑변의 길이)$\times$(높이)

(2) (직사각형의 넓이)

$=$(가로의 길이)$\times$(❶ ☐ 의 길이)

(3) (원의 넓이)$=\pi\times$(❷ ☐ 의 길이)^2

답 ❶ 세로 ❷ 반지름

확인 16 높이가 밑변의 길이보다 4 cm만큼 긴 삼각형의 넓이가 48 cm^{2}일 때, 이 삼각형의 밑변의 길이를 구하시오.

1주 1일 개념 돌파 전략 2

1 방정식 $2ax^2-x+3=6x^2-8x+4$가 x에 대한 이차방정식일 때, 다음 중 상수 a의 값이 될 수 없는 것은?

① -2 ② -1 ③ 1
④ 2 ⑤ 3

문제 해결 전략

- 우변의 모든 항을 ❶ ☐ 으로 이항하여 $Ax^2+Bx+C=0$의 꼴로 바꾼 후 A ❷ ☐ 0임을 생각한다.

답 ❶ 좌변 ❷ $\neq$

2 이차방정식 $x^2+4x-a=0$의 한 근이 $x=-1$일 때, 상수 a의 값은?

① -3 ② -1 ③ 0
④ 1 ⑤ 3

문제 해결 전략

- $x=-1$이 이차방정식 $x^2+4x-a=0$의 근이다.
  ➡ $x=$ ❶ ☐ 을 $x^2+4x-a=0$에 대입하면 ❷ ☐ 이 성립한다.

답 ❶ -1 ❷ 등식

3 이차방정식 $x^2-12x=-27$을 풀면?

① $x=-9$ 또는 $x=-3$ ② $x=-3$ 또는 $x=6$
③ $x=-2$ 또는 $x=6$ ④ $x=2$ 또는 $x=4$
⑤ $x=3$ 또는 $x=9$

문제 해결 전략

1. $ax^2+bx+c=0\,(a\neq0)$의 꼴로 정리한다.
2. 좌변을 ❶ ☐ 분해한다.
3. $AB=0$이면 $A=$ ❷ ☐ 또는 $B=0$임을 이용하여 이차방정식의 해를 구한다.

답 ❶ 인수 ❷ 0

4 이차방정식 $x^2+8x+11-a=0$이 중근을 가질 때, 상수 a의 값을 구하시오.

중근을 갖기 위한 미지수의 값을 구하는 방법은 두 가지가 있어. 편리한 방법을 사용하자.

① 완전제곱식 이용 ➡ (완전제곱식)$=0$
② $ax^2+bx+c=0\,(a\neq0)$에서 $b^2-4ac=0$ 이용

문제 해결 전략

- 주어진 이차방정식이 (❶ ☐ 제곱식)$=0$의 꼴이면 중근을 가진다.
- 이차방정식 $x^2+ax+b=0$이 중근을 가질 조건
  ➡ $b=\left(\dfrac{a}{❷\ ☐}\right)^2$

답 ❶ 완전 ❷ 2

5 다음은 이차방정식 $x^2-6x+2=0$의 해를 완전제곱식을 이용하여 푸는 과정이다. ①~⑤에 들어갈 수로 알맞지 않은 것은?

① -2　② 9　③ 6
④ 7　⑤ $3\pm\sqrt{7}$

문제 해결 전략

1 이차방정식을 $(x-p)^2=q(q\geq 0)$의 꼴로 고친다.
2 제곱근을 이용하여 해를 구한다.
➡ $(x-p)^2=q$에서 $x-p=$ ❶
$\therefore x=$ ❷ $\pm\sqrt{q}$

답 ❶ $\pm\sqrt{q}$ ❷ p

6 이차방정식 $x^2-7x+4=0$의 근이 $x=\frac{a\pm\sqrt{b}}{2}$일 때, 유리수 a, b에 대하여 $a+b$의 값은?

① 25　② 30　③ 35
④ 40　⑤ 45

문제 해결 전략

• 이차방정식 $ax^2+bx+c=0$의 근은

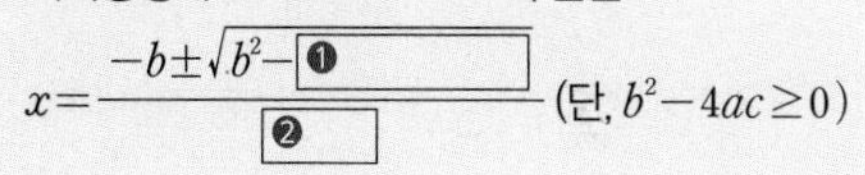

답 ❶ $4ac$ ❷ $2a$

7 다음 이차방정식 중 근이 없는 것은?

① $x^2-5x+3=0$　② $x^2=2x-1$
③ $3x^2-6x-5=0$　④ $x^2+x+1=0$
⑤ $2x^2-x-3=0$

문제 해결 전략

• 이차방정식 $ax^2+bx+c=0$의 근의 개수는 b^2-4ac의 부호로 판단한다.
(1) $b^2-4ac>0$ ➡ 근이 ❶ 개
(2) $b^2-4ac=0$ ➡ 근이 1개(❷)
(3) $b^2-4ac<0$ ➡ 근이 0개

답 ❶ 2 ❷ 중근

1주 2일 필수 체크 전략 1

핵심 예제 1

두 이차방정식 $x^2+3x+a=0$, $x^2+bx-6=0$의 공통인 근이 $x=-2$일 때, $a+b$의 값은? (단, a, b는 상수)

① -2 ② -1 ③ 0
④ 1 ⑤ 2

전략

$x=-2$를 $x^2+3x+a=0$에 대입하여 a의 값을 구하고,
$x=-2$를 $x^2+bx-6=0$에 대입하여 b의 값을 구한다.

풀이

$x=-2$를 $x^2+3x+a=0$에 대입하면
$4-6+a=0 \quad \therefore a=2$
$x=-2$를 $x^2+bx-6=0$에 대입하면
$4-2b-6=0$, $-2b=2 \quad \therefore b=-1$
$\therefore a+b=2+(-1)=1$

답 ④

핵심 예제 2

이차방정식 $x^2-5x+3=0$의 한 근을 $x=\alpha$라 할 때, 다음 중 옳지 않은 것은?

① $\alpha^2-5\alpha=-3$ ② $\alpha^2-5\alpha+4=1$
③ $2\alpha^2-10\alpha=-6$ ④ $\alpha+\frac{3}{\alpha}=5$
⑤ $3\alpha^2-15\alpha+10=5$

전략

주어진 이차방정식에 한 근 $x=\alpha$를 대입한다.

풀이

$x=\alpha$를 $x^2-5x+3=0$에 대입하면 $\alpha^2-5\alpha+3=0$ …… ㉠
① ㉠에서 $\alpha^2-5\alpha=-3$ ② $\alpha^2-5\alpha+4=-3+4=1$
③ $2\alpha^2-10\alpha=2(\alpha^2-5\alpha)=2\times(-3)=-6$
④ $\alpha\neq0$이므로 ㉠의 양변을 α로 나누면
$\alpha-5+\frac{3}{\alpha}=0 \quad \therefore \alpha+\frac{3}{\alpha}=5$
⑤ $3\alpha^2-15\alpha+10=3(\alpha^2-5\alpha)+10=3\times(-3)+10=1$

답 ⑤

$x=-1$을 주어진 이차방정식에 대입해.

1-1

이차방정식 $x^2-(2a+1)x+3a+2=0$의 한 근이 $x=-1$일 때, $5a$의 값은? (단, a는 상수)

① -10 ② -4 ③ -2
④ 2 ⑤ 4

1-2

다음 두 이차방정식의 공통인 근이 $x=-3$일 때, $a-b$의 값을 구하시오. (단, a, b는 상수)

$$x^2+ax-12=0, \qquad 3x^2+10x-b=0$$

2-1

이차방정식 $x^2+5x-1=0$의 한 근을 $x=a$, 이차방정식 $2x^2+3x-6=0$의 한 근을 $x=b$라 할 때, $(a^2+5a+4)(2b^2+3b-3)$의 값은?

① 6 ② 9 ③ 10
④ 15 ⑤ 20

2-2

이차방정식 $x^2-3x+1=0$의 한 근을 $x=\alpha$라 할 때, 다음 식의 값을 구하시오.

(1) $\alpha+\frac{1}{\alpha}$ (2) $\alpha^2+\frac{1}{\alpha^2}$

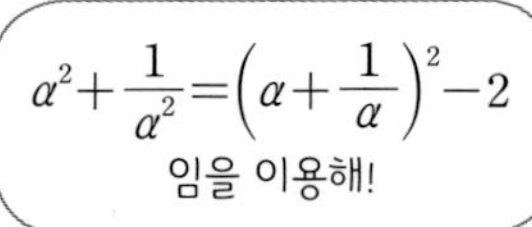

핵심 예제 3

이차방정식 $(x+5)(x-3)=-4x+1$의 두 근이 $x=a$ 또는 $x=b$일 때, $a-b$의 값은? (단, $a>b$)

① 2　② 4　③ 6
④ 8　⑤ 10

전략

주어진 식을 전개하여 간단히 한 후 좌변을 인수분해한다.

풀이

$(x+5)(x-3)=-4x+1$에서 $x^2+6x-16=0$
$(x-2)(x+8)=0$　$\therefore x=2$ 또는 $x=-8$
이때 $a>b$이므로 $a=2$, $b=-8$
$\therefore a-b=2-(-8)=10$

 ⑤

괄호가 있으면?
분배법칙, 곱셈 공식으로 괄호를 풀어.

3-1

다음 두 이차방정식의 공통인 근은?

$3x^2-x-2=5(1-x)$,　$x(x-7)=-6$

① $x=-\frac{7}{3}$　② $x=-2$　③ $x=-1$
④ $x=1$　⑤ $x=6$

3-2

이차방정식 $(x+1)(x-2)=-2x+4$의 두 근이 $x=m$ 또는 $x=n$일 때, 이차방정식 $x^2+mx+n=0$의 해를 구하시오. (단, $m>n$)

핵심 예제 4

이차방정식 $3x^2+5x-2=0$의 두 근 중 정수인 근이 이차방정식 $x^2+a^2x+3a-2=0$의 한 근일 때, 상수 a의 값을 구하시오. (단, $a>0$)

전략

이차방정식 $ax^2+bx+c=0$의 한 근이 다른 이차방정식의 한 근일 때
1 이차방정식 $ax^2+bx+c=0$의 근을 구한다.
2 1에서 구한 근을 다른 이차방정식에 대입하여 미지수의 값을 구한다.

풀이

$3x^2+5x-2=0$에서 $(x+2)(3x-1)=0$
$\therefore x=-2$ 또는 $x=\frac{1}{3}$
이때 두 근 중 정수인 근은 $x=-2$이므로
$x=-2$를 $x^2+a^2x+3a-2=0$에 대입하면
$4-2a^2+3a-2=0$, $2a^2-3a-2=0$
$(2a+1)(a-2)=0$　$\therefore a=-\frac{1}{2}$ 또는 $a=2$
그런데 $a>0$이므로 $a=2$

답 2

4-1

이차방정식 $x^2-2x-35=0$의 두 근 중 양수인 근이 이차방정식 $x^2-ax+7=0$의 한 근일 때, 상수 a의 값은?

① 8　② 9　③ 10
④ 11　⑤ 12

4-2

이차방정식 $(a-1)x^2-7x+3=0$의 두 근이 $x=3$ 또는 $x=b$일 때, $2ab$의 값을 구하시오. (단, a는 상수)

핵심 예제 5

이차방정식 $2x^2+4x-a=0$을 $(x+b)^2=\frac{5}{2}$의 꼴로 고친 후 해를 구하였더니 $x=c\pm\frac{\sqrt{10}}{2}$이었다. 이때 $a-b+c$의 값을 구하시오. (단, a, b, c는 유리수)

전략

x^2의 계수를 1로 만든 후 $(x+p)^2=q$의 꼴로 나타낸다.
이때 해는 $x=-p\pm\sqrt{q}$이다.

풀이

$2x^2+4x-a=0$에서 $x^2+2x-\frac{a}{2}=0$

$x^2+2x=\frac{a}{2}$, $x^2+2x+1=\frac{a}{2}+1$

$\therefore (x+1)^2=\frac{a}{2}+1$

이것이 $(x+b)^2=\frac{5}{2}$와 같으므로 $b=1$, $\frac{a}{2}+1=\frac{5}{2}$

$\frac{a}{2}+1=\frac{5}{2}$에서 $\frac{a}{2}=\frac{3}{2}$ $\quad\therefore a=3$

또 $(x+1)^2=\frac{5}{2}$에서 $x=-1\pm\sqrt{\frac{5}{2}}=-1\pm\frac{\sqrt{10}}{2}$이므로 $c=-1$

$\therefore a-b+c=3-1+(-1)=1$

답 1

핵심 예제 6

이차방정식 $3(x-5)^2=2-k$가 해를 갖도록 하는 상수 k의 값이 될 수 없는 것은?

① -5 ② -2 ③ 0
④ 2 ⑤ 5

전략

이차방정식 $(x+p)^2=q$가
① 서로 다른 두 근을 가질 조건 ➡ $q>0$
② 중근을 가질 조건 ➡ $q=0$
(①, ② ➡ 해를 가질 조건 ➡ $q\geq 0$)
③ 근을 갖지 않을 조건 ➡ $q<0$

풀이

$3(x-5)^2=2-k$에서 $(x-5)^2=\frac{2-k}{3}$

이 이차방정식이 해를 가지려면 $\frac{2-k}{3}\geq 0$

$2-k\geq 0$ $\quad\therefore k\leq 2$

따라서 k의 값이 될 수 없는 것은 ⑤ 5이다.

답 ⑤

어떤 수의 제곱은 양수 또는 0임을 생각하면 돼.

5-1

이차방정식 $2(x+2)^2=a$의 해가 $x=b\pm\sqrt{7}$일 때, $a-b$의 값은? (단, a, b는 유리수)

① -16 ② -12 ③ 12
④ 16 ⑤ 26

5-2

이차방정식 $-3x^2+6x+9=0$을 $(x+a)^2=b$의 꼴로 나타내었을 때, $a+b$의 값을 구하시오. (단, a, b는 상수)

6-1

이차방정식 $(x-2)^2=a$가 서로 다른 두 근을 가지도록 하는 상수 a의 값의 범위는?

① $a>0$ ② $a\geq 0$ ③ $a>-1$
④ $a<0$ ⑤ $a\leq 0$

6-2

이차방정식 $(x-3)^2=k-7$이 중근 $x=a$를 가질 때, $k-a$의 값을 구하시오. (단, k는 상수)

핵심 예제 7

이차방정식 $3x^2+4x+a=0$의 근이 $x=\frac{b\pm\sqrt{19}}{3}$일 때, $a+b$의 값은? (단, a, b는 유리수)

① -9　② -7　③ -5　④ -3　⑤ -1

전략

이차방정식 $ax^2+2b'x+c=0$의 근은
$x=\frac{-b'\pm\sqrt{b'^2-ac}}{a}$ (단, $b'^2-ac\geq0$)

풀이

$3x^2+4x+a=0$에서 $x=\frac{-2\pm\sqrt{4-3a}}{3}$
이것이 $x=\frac{b\pm\sqrt{19}}{3}$와 같으므로 $b=-2$, $4-3a=19$
$4-3a=19$에서 $-3a=15$　$\therefore a=-5$
$\therefore a+b=-5+(-2)=-7$

답 ②

핵심 예제 8

이차방정식 $0.3x^2=-x-\frac{1}{4}$의 근이 $x=\frac{-10\pm\sqrt{B}}{A}$일 때, $A+B$의 값은? (단, A, B는 유리수)

① 73　② 76　③ 80　④ 82　⑤ 86

전략

계수가 소수 또는 분수인 이차방정식은 양변에 적당한 수를 곱하여 계수를 정수로 바꾸어 푼다.

풀이

$0.3x^2=-x-\frac{1}{4}$의 양변에 20을 곱하면
$6x^2=-20x-5$, $6x^2+20x+5=0$
$\therefore x=\frac{-10\pm\sqrt{70}}{6}$
따라서 $A=6$, $B=70$이므로
$A+B=6+70=76$

답 ②

$0.3=\frac{3}{10}$이므로 양변에 10과 4의 최소공배수 20을 곱해야 돼.

7-1

이차방정식 $3x^2+ax+b=0$의 해가 $x=\frac{5\pm\sqrt{13}}{6}$일 때, $b-a$의 값은? (단, a, b는 유리수)

① -5　② -4　③ 4　④ 5　⑤ 6

7-2

이차방정식 $x^2-4x-7=0$의 두 근 중 큰 근을 $x=k$라 할 때, $k-\sqrt{11}$의 값을 구하시오.

8-1

이차방정식 $0.2x^2-\frac{2}{5}x-\frac{1}{10}=0$의 해는?

① $x=\frac{-2\pm\sqrt{2}}{2}$　② $x=\frac{-2\pm\sqrt{6}}{2}$
③ $x=\frac{2\pm\sqrt{2}}{2}$　④ $x=\frac{2\pm\sqrt{6}}{2}$
⑤ $x=1\pm\sqrt{2}$

8-2

다음 두 이차방정식의 공통인 근을 구하시오.

$$0.3x^2+0.1x-1=0,\quad \frac{1}{2}x^2-\frac{1}{3}x-\frac{5}{6}=0$$

1주 2일 필수 체크 전략 2

1 이차방정식 $x^2+ax+b=0$의 두 근이 $x=2$ 또는 $x=-6$일 때, $a+b$의 값은? (단, a, b는 상수)

① -8　② -4　③ 0　④ 4　⑤ 8

Tip

$x=2$, $x=$ ❶ ☐ 을 $x^2+ax+b=0$에 각각 대입하여 a, b에 대한 ❷ ☐ 방정식을 만들어 푼다.

답 ❶ -6 ❷ 연립

2 다음 그림을 보고 선생님의 물음에 답하시오.

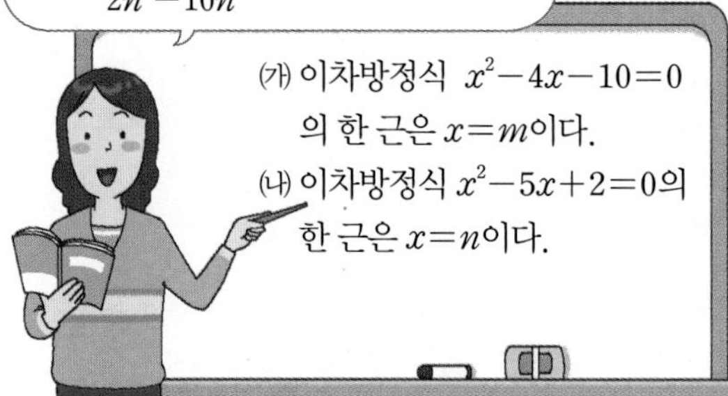

다음 조건을 만족하는 상수 m, n에 대하여 $\frac{m^2-4m+10}{2n^2-10n}$의 값을 구해 볼까?
(가) 이차방정식 $x^2-4x-10=0$의 한 근은 $x=m$이다.
(나) 이차방정식 $x^2-5x+2=0$의 한 근은 $x=n$이다.

Tip

(가) $x^2-4x-10=0$의 한 근이 $x=m$이므로 $m^2-4m-10=$ ❶ ☐

(나) $x^2-5x+2=0$의 한 근이 $x=$ ❷ ☐ 이므로 $n^2-5n+2=0$

답 ❶ 0 ❷ n

3 이차방정식 $6x^2+7x-20=0$의 두 근 사이에 있는 모든 정수의 합은?

① -6　② -5　③ -3　④ -2　⑤ 0

Tip

인수 ❶ ☐ 를 이용하여 주어진 이차방정식의 두 근을 구하고 그 두 근 사이에 있는 ❷ ☐ 를 찾는다.

답 ❶ 분해 ❷ 정수

4 이차방정식 $x^2-2px-5=0$의 한 근이 $x=-5$이고 다른 한 근은 이차방정식 $x^2+(q-2)x+3q=0$을 만족할 때, 상수 p, q의 값은?

① $p=-2,\ q=-\frac{1}{4}$　② $p=-2,\ q=\frac{1}{4}$

③ $p=-2,\ q=\frac{3}{4}$　④ $p=2,\ q=\frac{1}{4}$

⑤ $p=2,\ q=\frac{3}{4}$

Tip

$x=-5$를 $x^2-2px-5=0$에 ❶ ☐ 하여 상수 p의 값을 구하고, p의 값을 대입하여 다른 한 ❷ ☐ 을 구한다.

답 ❶ 대입 ❷ 근

5 이차방정식 $(x-4)(x+1)=3x-6$을 $(x+a)^2=b$의 꼴로 고쳐서 구한 해가 $x=c\pm\sqrt{d}$일 때, 유리수 a, b, c, d에 대하여 $a+b+c+d$의 값은?

① 6 ② 10 ③ 14
④ 20 ⑤ 24

Tip

주어진 이차방정식의 괄호를 풀고 x항은 좌변으로, 상수항은 ❶ [ ]으로 이항하여 정리하면 $x^2-6x=$ ❷ [ ]이다.

답 ❶ 우변 ❷ -2

6 다음 학생 중 이차방정식 $(x-4)^2=a+1$의 근에 대하여 바르게 말한 학생을 모두 고르시오. (단, a는 상수)

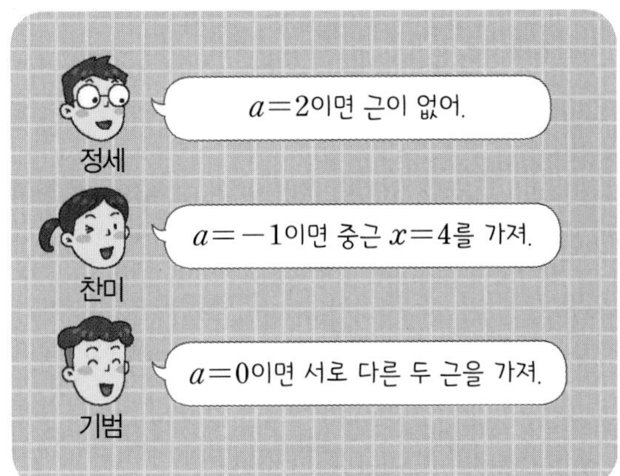

정세
a=2이면 근이 없어.
찬미
a=−1이면 중근 x=4를 가져.
기범
a=0이면 서로 다른 두 근을 가져.

Tip

이차방정식 $(x-4)^2=a+1$에서

① 서로 다른 두 근을 가질 조건 ➡ $a+1>0$

② 중근을 가질 조건 ➡ $a+1=$ ❶ [ ]

③ 근을 갖지 않을 조건 ➡ $a+1$ ❷ [ ] 0

답 ❶ 0 ❷ $<$

7 이차방정식 $(x-2)(x+3)=5x-4$의 해가 $x=p\pm\sqrt{q}$일 때, 유리수 p, q에 대하여 $p+q$의 값은?

① 4 ② 5 ③ 6
④ 7 ⑤ 8

Tip

주어진 이차방정식을 $ax^2+bx+c=0$의 꼴로 바꾼 후

$x=\dfrac{-\text{❶ [ ]}\pm\sqrt{b^2-\text{❷ [ ]}}}{2a}$를 이용하여 해를 구한다.

답 ❶ b ❷ $4ac$

8 이차방정식 $3x-\dfrac{x^2-1}{2}=0.5(x-1)$을 풀면?

① $x=\dfrac{-3\pm\sqrt{14}}{2}$ ② $x=\dfrac{-5\pm2\sqrt{10}}{2}$
③ $x=0$ 또는 $x=5$ ④ $x=5\pm3\sqrt{11}$
⑤ $x=\dfrac{5\pm\sqrt{33}}{2}$

Tip

$0.5=\dfrac{5}{10}=\dfrac{1}{2}$이므로 주어진 이차방정식의 양변에 ❶ [ ]를 곱하면 ❷ [ ] $x-(x^2-1)=x-1$

답 ❶ 2 ❷ 6

1주 3일 필수 체크 전략 1

핵심 예제 1

이차방정식 $(3x+2)^2+5(3x+2)-14=0$을 풀면?

① $x=-7$ 또는 $x=2$　② $x=-3$ 또는 $x=0$
③ $x=-3$ 또는 $x=3$　④ $x=-2$ 또는 $x=7$
⑤ $x=0$ 또는 $x=3$

전략

공통부분 $3x+2$를 A로 놓고, A에 대한 이차방정식을 푼다.

풀이

$3x+2=A$로 놓으면 $A^2+5A-14=0$
$(A+7)(A-2)=0$　$\therefore A=-7$ 또는 $A=2$
즉 $3x+2=-7$ 또는 $3x+2=2$이므로
$3x=-9$ 또는 $3x=0$
$\therefore x=-3$ 또는 $x=0$

답 ②

핵심 예제 2

이차방정식 $kx^2+(k+2)x+2=0$이 중근 $x=p$를 가질 때, $k+p$의 값은? (단, k는 상수)

① -2　② -1　③ $\frac{1}{2}$
④ 1　⑤ 2

전략

이차방정식 $ax^2+bx+c=0$이 중근을 가질 조건 ➡ $b^2-4ac=0$

풀이

$kx^2+(k+2)x+2=0$이 중근을 가지므로
$(k+2)^2-4\times k\times 2=0$, $k^2-4k+4=0$
$(k-2)^2=0$　$\therefore k=2$
$k=2$를 $kx^2+(k+2)x+2=0$에 대입하면
$2x^2+4x+2=0$, $x^2+2x+1=0$
$(x+1)^2=0$　$\therefore x=-1$
따라서 $p=-1$이므로 $k+p=2+(-1)=1$

답 ④

1-1

이차방정식 $(2x+1)^2-4(2x+1)+3=0$을 풀면?

① $x=-3$ 또는 $x=-1$　② $x=-1$ 또는 $x=0$
③ $x=-1$ 또는 $x=3$　④ $x=0$ 또는 $x=1$
⑤ $x=1$ 또는 $x=3$

1-2

$(a-b)(a-b-3)=10$일 때, $a-b$의 값을 구하시오. (단, $a<b$)

$a-b=A$로 놓고 방정식을 풀어 봐.

2-1

이차방정식 $x^2+2kx+2-k=0$이 중근을 갖도록 하는 모든 상수 k의 값의 합은?

① -2　② -1　③ 0
④ 1　⑤ 2

2-2

이차방정식 $x^2+4x+k-3=0$이 중근을 가질 때, 이차방정식 $(k-5)x^2+6x-1=0$의 해를 구하시오. (단, k는 상수)

핵심 예제 3

이차방정식 $2x^2+4x+1-k=0$이 근을 갖도록 하는 상수 k의 값의 범위는?

① $k\le -1$ ② $k>-1$ ③ $k\ge -1$
④ $k\le 1$ ⑤ $k>1$

전략

이차방정식 $ax^2+bx+c=0$이 근을 가질 조건 ➡ $b^2-4ac\ge 0$

풀이

$2x^2+4x+1-k=0$이 근을 가지므로
$4^2-4\times 2\times(1-k)\ge 0$, $8k+8\ge 0$
$8k\ge -8$ $\therefore k\ge -1$

답 ③

핵심 예제 4

이차방정식 $x^2+3x+2k-2=0$의 두 근의 차가 1일 때, 상수 k의 값은?

① -6 ② -2 ③ 0
④ 2 ⑤ 6

전략

두 근의 차가 1이므로 두 근 중 작은 근을 α라 하면 큰 근은 $\alpha+1$로 놓을 수 있다.

풀이

두 근의 차가 1이므로 두 근을 α, $\alpha+1$로 놓으면
x^2의 계수가 1이고 두 근이 α, $\alpha+1$인 이차방정식은
$(x-\alpha)\{x-(\alpha+1)\}=0$
$x^2-(2\alpha+1)x+\alpha(\alpha+1)=0$
이 식이 $x^2+3x+2k-2=0$과 같으므로
$-(2\alpha+1)=3$에서 $-2\alpha=4$ $\therefore \alpha=-2$
$\alpha(\alpha+1)=2k-2$에서 $-2\times(-1)=2k-2$
$2k=4$ $\therefore k=2$

답 ④

3-1

이차방정식 $x^2-6x+k-1=0$이 서로 다른 두 근을 갖도록 하는 상수 k의 값의 범위는?

① $k=10$ ② $k<10$ ③ $k\le 10$
④ $k>10$ ⑤ $k\ge 10$

3-2

이차방정식 $x^2+(2k-3)x+k^2+1=0$의 해가 없을 때, 다음 중 상수 k의 값이 될 수 있는 것은?

① $-\frac{3}{2}$ ② $-\frac{1}{2}$ ③ $-\frac{1}{4}$
④ $\frac{1}{3}$ ⑤ $\frac{2}{3}$

4-1

이차방정식 $3x^2-4x-m^2+2m=0$의 한 근이 다른 한 근의 3배일 때, 상수 m의 값은?

① -1 ② $-\frac{1}{3}$ ③ $\frac{1}{3}$
④ 1 ⑤ 3

4-2

이차방정식 $x^2-(m+5)x+5m=0$의 두 근의 비가 $1:2$일 때, 정수 m의 값을 구하시오.

핵심 예제 5

이차방정식 $x^2+ax+b=0$의 한 근이 $2+\sqrt{5}$일 때, ab의 값은? (단, a, b는 유리수)

① -4 ② -3 ③ 2
④ 4 ⑤ 6

전략

계수와 상수항이 모두 유리수인 이차방정식에서 한 근이 $p+q\sqrt{m}$이면 다른 한 근은 $p-q\sqrt{m}$이다. (단, p, q는 유리수, $\sqrt{m}$은 무리수)

풀이

계수와 상수항이 모두 유리수인 이차방정식의 한 근이 $2+\sqrt{5}$이므로 다른 한 근은 $2-\sqrt{5}$이다.
x^2의 계수가 1이고 두 근이 $2+\sqrt{5}$, $2-\sqrt{5}$인 이차방정식은
$\{x-(2+\sqrt{5})\}\{x-(2-\sqrt{5})\}=0$
$x^2-4x-1=0$
이 식이 $x^2+ax+b=0$과 같으므로 $a=-4$, $b=-1$
$\therefore ab=-4\times(-1)=4$

답 ④

핵심 예제 6

연속하는 세 자연수가 있다. 가장 큰 수의 제곱이 나머지 두 수의 제곱의 합보다 12만큼 작을 때, 가장 큰 수는?

① 6 ② 7 ③ 8
④ 9 ⑤ 10

전략

연속하는 세 자연수를 $x-1$, x, $x+1$로 놓고, 이차방정식을 세운다.

풀이

연속하는 세 자연수를 $x-1$, x, $x+1$($x\geq2$인 자연수)이라 하면
$(x+1)^2=(x-1)^2+x^2-12$, $x^2-4x-12=0$
$(x+2)(x-6)=0$ $\therefore x=-2$ 또는 $x=6$
그런데 $x\geq2$이므로 $x=6$
따라서 가장 큰 수는 $x+1=6+1=7$

답 ②

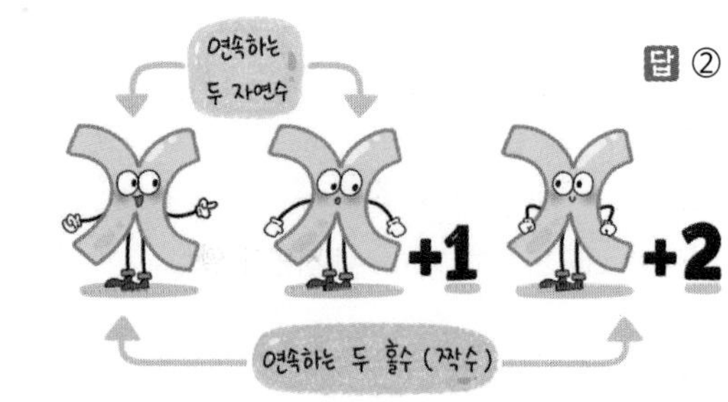

5-1

$4-\sqrt{5}$의 소수 부분이 이차방정식 $ax^2+bx+c=0$의 한 근일 때, 다른 한 근은? (단, a, b, c는 유리수)

① $3-\sqrt{5}$ ② $4-\sqrt{5}$ ③ $5-\sqrt{5}$
④ $3+\sqrt{5}$ ⑤ $4+\sqrt{5}$

5-2

이차방정식 $x^2-6x+k-1=0$의 한 근이 $3-\sqrt{3}$일 때, 유리수 k의 값을 구하시오.

6-1

연속하는 두 홀수의 제곱의 합이 두 홀수의 곱보다 39만큼 클 때, 이 두 홀수의 곱은?

① 15 ② 35 ③ 63
④ 99 ⑤ 143

6-2

어떤 자연수에 그 수보다 7만큼 큰 수를 곱해야 하는데, 잘못하여 7만큼 작은 수를 곱하였더니 18이 되었다. 처음에 구하려고 했던 두 수의 곱을 구하시오.

핵심 예제 7

지면에서 초속 12 m로 똑바로 위로 던진 공의 t초 후의 높이는 $(-3t^2+12t)$ m이다. 공을 던진 지 몇 초 후에 지면에 떨어지는지 구하시오.

전략

물체가 지면에 떨어질 때의 높이는 0 m이다.

풀이

공이 지면에 떨어질 때의 높이는 0 m이므로
$-3t^2+12t=0$, $t^2-4t=0$
$t(t-4)=0$　　$\therefore t=0$ 또는 $t=4$
그런데 $t>0$이므로 $t=4$
따라서 공을 던진 지 4초 후에 지면에 떨어진다.

답 4초

핵심 예제 8

오른쪽 그림과 같이 가로, 세로의 길이가 각각 10 cm, 8 cm인 직사각형 ABCD에서 가로의 길이는 매초 1 cm씩 줄어들고, 세로의 길이는 매초 2 cm씩 늘어난다. 길이의 변화가 동시에 일어나기 시작하였을 때, 나중 직사각형의 넓이가 처음 직사각형의 넓이와 같아지는 것은 몇 초 후인지 구하시오.

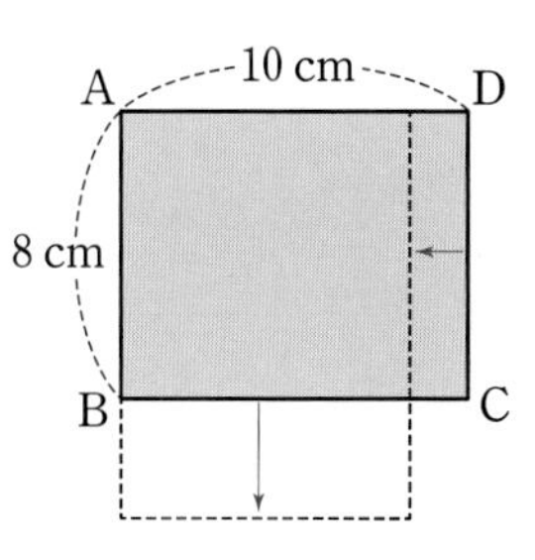

전략

매초 a cm씩 변하는 선분의 길이는 t초 후에 at cm만큼 변한다.

풀이

x초 후의 가로의 길이는 $(10-x)$ cm, 세로의 길이는 $(8+2x)$ cm이므로 x초 후의 직사각형의 넓이는 $(10-x)(8+2x)$ cm^{2}이다.
$(10-x)(8+2x)=10\times8$이므로 $-2x^2+12x+80=80$
$x^2-6x=0$, $x(x-6)=0$　　$\therefore x=0$ 또는 $x=6$
그런데 $x>0$이므로 $x=6$
따라서 나중 직사각형의 넓이가 처음 직사각형의 넓이와 같아지는 것은 6초 후이다.

답 6초

7-1

야구 경기에서 어느 타자가 친 야구공의 t초 후의 높이는 $(-4t^2+16t+1)$ m이다. 이 야구공이 지면으로부터 17 m의 높이에 도달하는 것은 야구공을 친 지 몇 초 후인가?

① 1초　② 2초　③ 3초
④ 4초　⑤ 5초

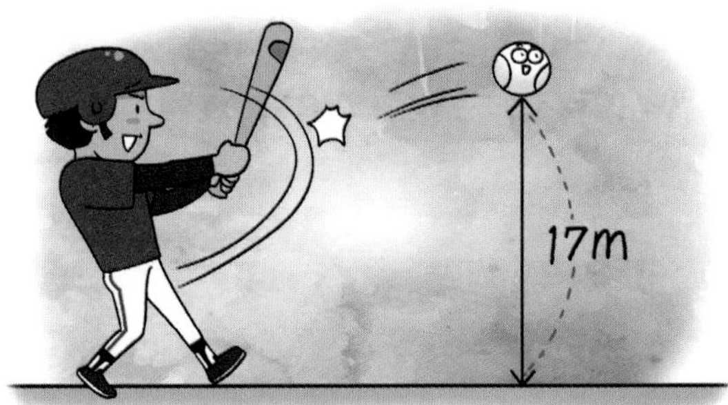

8-1

오른쪽 그림과 같이 가로, 세로의 길이가 각각 21 m, 14 m인 직사각형 모양의 땅에 폭이 일정한 길을 만들어 남는 부분을 꽃밭으로 만들려고 한다. 길을 제외한 꽃밭의 넓이가 198 m^{2}일 때, 길의 폭은 몇 m인가?

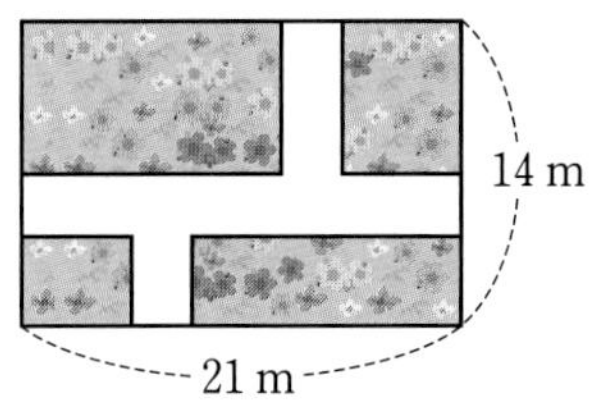

① 1 m　② 2 m　③ 3 m
④ 4 m　⑤ 5 m

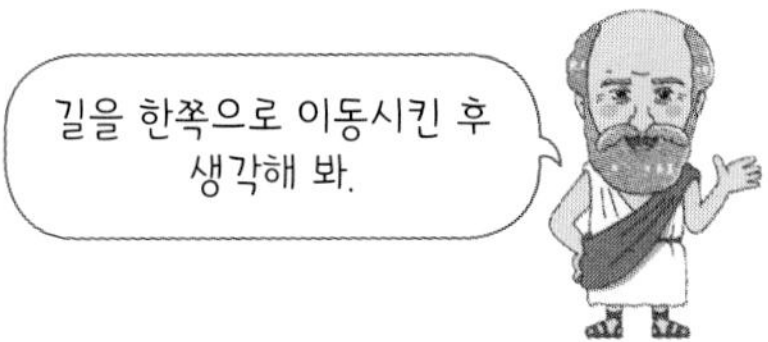

1주 3일 필수 체크 전략 2

1 $x-y=3$이고 $(2x-y)^2-7(2x-y)-30=0$일 때, $x+y$의 값은? (단, $x>y>0$)

① 4 ② 7 ③ 10
④ 11 ⑤ 17

Tip

1 $2x-y=A$로 놓고 이차방정식을 풀어 ❶ 의 값을 구한다.

2 연립방정식 $\begin{cases} x-y= ❷ \\ 2x-y=A \end{cases}$ 를 풀어 x, y의 값을 구한다.

답 ❶ A ❷ 3

2 이차방정식 $3x^2-3x-2=mx^2-mx$가 중근을 가질 때, 상수 m의 값은?

① -11 ② -3 ③ 3
④ 11 ⑤ 19

Tip

주어진 이차방정식을 $ax^2+bx+c=0$의 꼴로 고친 후 $b^2-4ac=$ ❶ 임을 이용한다.
이때 이차방정식이므로 a ❷ 0임을 반드시 확인한다.

답 ❶ 0 ❷ $\neq$

3 다음 두 학생이 말한 조건을 동시에 만족하는 자연수 k는 모두 몇 개인가?

이차방정식
4x²−6x+k−5=0은
해를 가져.
이차방정식
(k+2)x²+4x+1=0
은 해를 갖지 않아.

① 3개 ② 4개 ③ 5개
④ 6개 ⑤ 7개

Tip

이차방정식 $ax^2+bx+c=0$이
① 해를 가질 조건 ➡ b^2-4ac ❶ 0
② 해를 갖지 않을 조건 ➡ b^2-4ac ❷ 0

답 ❶ $\geq$ ❷ $<$

4 이차방정식 $x^2+5x+4k-2=0$의 두 근의 비가 $2:3$일 때, 상수 k의 값은?

① -4 ② -2 ③ 2
④ 4 ⑤ 6

Tip

두 근의 비가 $2:3$이므로 두 근을 $2\alpha, 3\alpha(\alpha\neq0)$로 놓을 수 있다.
이때 $2\alpha, 3\alpha$를 두 근으로 하고 x^2의 계수가 1인 이차방정식은
$(x-$ ❶ $)(x-3\alpha)=$ ❷ 이다.

답 ❶ 2α ❷ 0

5 이차방정식 $x^2+4x+k=0$의 한 근이 $\sqrt{7}$의 소수 부분일 때, 유리수 k의 값은?

① -3 ② -2 ③ -1
④ 1 ⑤ 2

Tip

$2<\sqrt{7}<3$이므로 $\sqrt{7}$의 소수 부분은 $\sqrt{7}-$ ❶ 이다. 이때 주어진 이차방정식의 계수와 상수항이 모두 ❷ 수이므로 다른 한 근을 구할 수 있다.

답 ❶ 2 ❷ 유리

6 다음은 퀴즈 프로그램 도전! 황금벨이 열리고 있는 천재 중학교 강당이다. 다음 단계로 넘어가기 위하여 학생이 적어야 하는 답을 구하시오.

도전! 황금벨
일의 자리의 숫자와 십의 자리의 숫자의 합이 8인 두 자리의 자연수가 있습니다. 이 두 자리의 자연수는 각 자리의 숫자의 곱보다 14만큼 크다고 할 때, 이 두 자리의 자연수는 무엇일까요?
십의 자리의 숫자를 x, 일의 자리의 숫자를 y라 하면 …

Tip

십의 자리의 숫자가 x, 일의 자리의 숫자가 y인 두 자리의 자연수
➡ 10 ❶ + ❷

답 ❶ x ❷ y

7 지면에서 초속 25 m로 수직으로 쏘아 올린 공의 t초 후의 높이는 $(25t-5t^2)$ m이다. 이 공이 20 m보다 높은 위치에 머무는 시간은 몇 초 동안인가?

① 1초 ② 2초 ③ 3초
④ 4초 ⑤ 5초

Tip

공이 20 m에 처음으로 도달한 시간을 a초, 나중에 도달한 시간을 b초라 하면 공이 20 m보다 높은 위치에 머무는 시간은 (❶ − ❷)초 동안이다.

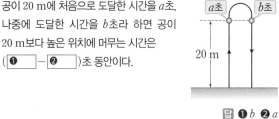

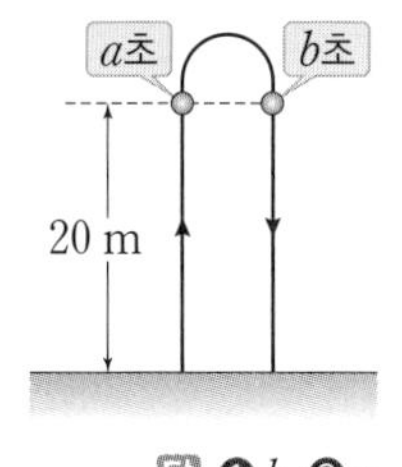

답 ❶ b ❷ a

8 오른쪽 그림과 같이 크기가 서로 다른 두 정사각형의 넓이의 합은 233 m²이고, 큰 정사각형의 한 변의 길이는 작은 정사각형의 한 변의 길이보다 5 m만큼 더 길다. 이때 두 정사각형의 넓이의 차를 구하시오.

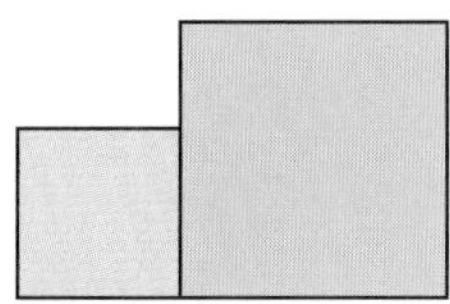

Tip

작은 정사각형의 한 변의 길이를 x m라 하면 큰 정사각형의 한 변의 길이는 (❶) m이다.
이때 작은 정사각형의 넓이는 ❷ m²이다.

답 ❶ $x+5$ ❷ x^2

1주 누구나 합격 전략

01 $3(x^2-1)-x^2=ax^2-2x+2$가 x에 대한 이차방정식일 때, 다음 중 상수 a의 값이 될 수 <u>없는</u> 것은?

① 1　② 2　③ 3　④ 4　⑤ 5

02 이차방정식 $x^2-2x+k=0$의 한 근이 $x=-2$일 때, 다른 한 근은? (단, k는 상수)

① $x=-8$　② $x=-4$　③ $x=0$　④ $x=4$　⑤ $x=8$

03 이차방정식 $x^2-6x+3=0$의 한 근을 p라 할 때, p^2-6p+7의 값은?

① 0　② 1　③ 2　④ 3　⑤ 4

04 두 이차방정식 $x^2-x+6=6(x-1)$, $2x^2-18=0$의 공통인 근은?

① $x=-4$　② $x=-3$　③ $x=3$　④ $x=4$　⑤ $x=3$ 또는 $x=4$

05 다음은 우석이가 이차방정식의 근의 공식을 유도하는 과정이다. ①~⑤에 들어갈 것으로 알맞지 <u>않은</u> 것은?

$ax^2+bx+c=0(a\neq0)$에서
$x^2+\frac{b}{a}x+\frac{c}{a}=$ ①
$x^2+\frac{b}{a}x=-\frac{c}{a}$
$x^2+\frac{b}{a}x+$ ② $=-\frac{c}{a}+$ ②
$\left(x+\text{③}\right)^2=\frac{b^2-4ac}{4a^2}$
$x+$ ③ $=$ ④ (단, $b^2-4ac\geq0$)
$\therefore x=$ ⑤

① 0　② $\frac{b^2}{4a^2}$　③ $\frac{b}{2a}$　④ $\frac{\sqrt{b^2-4ac}}{2a}$　⑤ $\frac{-b\pm\sqrt{b^2-4ac}}{2a}$

06 이차방정식 $2x^2-6x+a=0$의 해가 $x=\frac{3\pm\sqrt{23}}{2}$일 때, 유리수 a의 값은?

① -7 ② -4 ③ -1
④ 4 ⑤ 7

07 이차방정식 $0.2x^2+0.1x=\frac{3}{2}$을 풀면?

① $x=-3$ 또는 $x=-\frac{5}{2}$

② $x=-3$ 또는 $x=\frac{5}{4}$

③ $x=-3$ 또는 $x=\frac{5}{2}$

④ $x=3$ 또는 $x=-\frac{5}{2}$

⑤ $x=3$ 또는 $x=\frac{5}{2}$

08 이차방정식 $x^2+(a-5)x-5a=0$이 중근을 가질 때, 상수 a의 값은?

① -7 ② -5 ③ -3
④ 3 ⑤ 5

09 다음은 지원이와 현우의 휴대전화 문자 내용이다. □ 안에 알맞은 수를 써넣으시오.

현우야, 네 생일이 정우와 같은 6월이지?
지원
맞아. 정우가 태어난 날보다 7일 전 같은 요일에 태어났어. 그리고 정우와 나의 생일 날짜를 곱하면 330이야.
현우
그럼 네 생일은 6월 □일이구나!
지원

10 반지름의 길이가 5 cm인 원의 반지름의 길이를 $x\text{ cm}$만큼 줄였더니 원의 넓이가 처음 원의 넓이보다 $9\pi\text{ cm}^2$만큼 줄어들었다. 이때 x의 값은?

① 1 ② 2 ③ 3
④ 4 ⑤ 5

$\pi\times5^2=25\pi\ (\text{cm}^2)$네.

1주 창의·융합·코딩 전략 1

1 정아와 해준이가 각각 출발하여 들고 있는 수가 이차방정식의 해이면 파란 화살표를 따라가고, 이차방정식의 해가 아니면 빨간 화살표를 따라갈 때, 정아와 해준이가 각각 속하게 되는 팀을 말하시오.

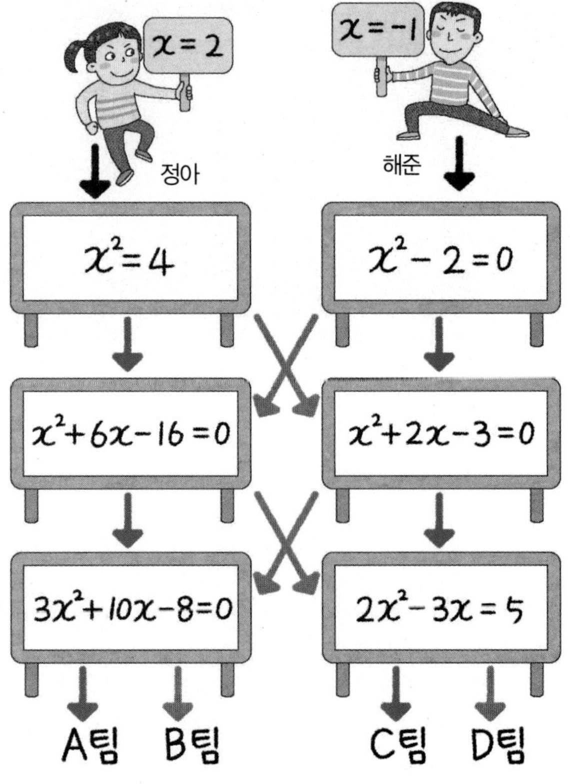

Tip

각 칸에 있는 이차방정식에 x의 값을 대입하였을 때, ❶ _____ 이 성립하면 이차방정식의 해이고, 등식이 성립하지 않으면 이차방정식의 ❷ _____ 가 아니다.

답 ❶ 등식 ❷ 해

2 다음 그림은 두 이차방정식의 공통인 해를 선으로 연결하여 나타낸 것이다. 이때 상수 a, b, c, d에 대하여 $a+b+c+d$의 값을 구하시오.

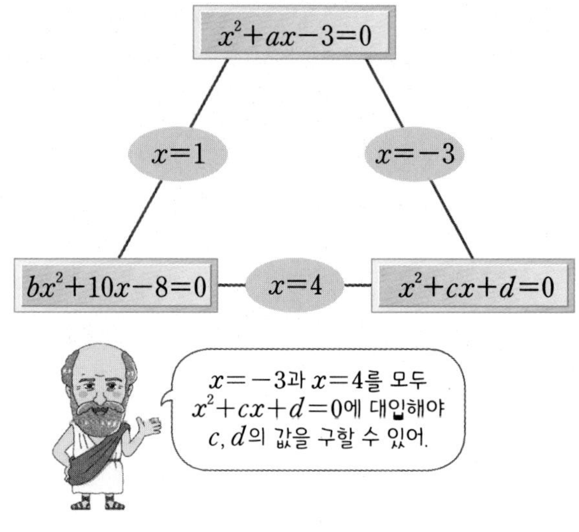

Tip

$x=$ ❶ _____ 또는 $x=-3$을 $x^2+ax-3=0$에 대입하면 a의 값을 구할 수 있다.

또 $x=1$ 또는 $x=$ ❷ _____ 를 $bx^2+10x-8=0$에 대입하면 b의 값을 구할 수 있다.

답 ❶ 1 ❷ 4

3 다음 표에서 이차방정식의 해에 맞는 글자를 하나씩 선택하여 사자성어를 완성하시오.

	이차방정식 \ x의 값	$x=4$	$x=-2$
(1)	$x^2+6x+8=0$	고	대
(2)	$2x^2-11x+12=0$	기	진
(3)	$(3x+2)(x-5)=-6x+10$	만	감
(4)	$(x-1)^2+(x-1)-6=0$	래	성

(1) (2) (3) (4)

Tip

각 식을 ❶ [   ]분해하여 이차방정식의 해를 구한다. 이때 공통 부분이 있는 이차방정식은 ❷ [   ]부분을 문자 A로 놓는다.

답 ❶ 인수 ❷ 공통

4 다음 표에서 가로, 세로, 대각선에 있는 세 식의 합이 같을 때, 물음에 답하시오.

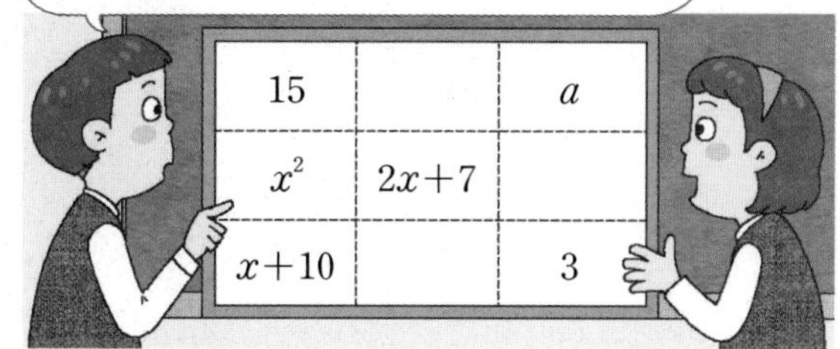

첫 번째 세로줄에 있는 세 식의 합과 대각선에 있는 세 식의 합이 같음을 이용하면 되겠어.
15
a
x²
2x+7
x+10
3

(1) x의 값을 구하시오. (단, x는 자연수)

(2) 상수 a의 값을 구하시오.

Tip

$15+x^2+($❶ [   ]$)=15+($❷ [   ]$)+3$에서 자연수 x의 값을 먼저 구한다.

답 ❶ $x+10$ ❷ $2x+7$

5 다음은 그리스의 수학자 디오판토스가 쓴 "산학"에 실린 문제이다. 글을 읽고 물음에 답하시오.

두 자연수의 차는 3이고,
그 두 수를 제곱한 합은
149이다.
두 자연수는 각각 얼마인가?

(1) 차가 3인 두 자연수 중 작은 수를 x라 할 때, 큰 수를 x로 나타내시오.

(2) 위 문제의 답을 구하시오.

Tip

작은 수를 x라 하면 큰 수는 $x+$ ❶ 이므로
$x^2+($ ❷ $)^2=149$로 놓을 수 있다.

답 ❶ 3 ❷ $x+3$

6 다음 두 학생의 대화를 읽고 여학생이 생각한 수의 십의 자리의 숫자를 a, 일의 자리의 숫자를 b라 할 때, 물음에 답하시오.

내가 생각한 수는 두 자리 자연수야. 맞혀 봐.
힌트를 줘.
㉠ 일의 자리의 숫자는 십의 자리의 숫자의 2배야.
그런 수가 하나가 아닌데?
마지막 힌트야. ㉡ 각 자리의 숫자의 곱은 처음 수보다 16만큼 작은 자연수야.
그런데 그런 자연수가 한 개가 아닌데?
그러면 그 자연수들을 모두 더해 봐.
아! 모두 더하면 □야!

(1) ㉠을 a, b에 대한 식으로 나타내시오.

(2) ㉡을 a, b에 대한 식으로 나타내시오.

(3) □ 안에 알맞은 수를 구하시오.

Tip

십의 자리의 숫자가 a, 일의 자리의 숫자가 b인 두 자리의 자연수는
❶ $a+$ ❷ 로 놓을 수 있다.

답 ❶ 10 ❷ b

7 건이는 수학 시간에 인도의 수학자 바스카라가 쓴 책에 있는 이차방정식과 관련된 시를 읽고, 다음과 같이 숫자를 바꾸어 보았다. 이 시에서 숲 전체 원숭이의 수로 가능한 수를 모두 구하시오.

숲속에 원숭이 무리가 아주 재미있게 놀고 있네.
이 무리의 원숭이의 수는 숲 전체 원숭이의 수의 $\frac{1}{6}$의 제곱이라네. 숲 전체 원숭이의 수에서 이 무리의 원숭이의 수를 제외한 나머지 8마리는 산들바람이 불 때마다 근처 언덕에서 서로 소리를 지르고 있다네.

Tip

숲 전체 원숭이의 수를 ❶ [　　] 로 놓고 이차 ❷ [　　] 을 세워 x의 값을 구한다.

답 ❶ x ❷ 방정식

8 어느 학급에서 다음 그림과 같이 직사각형 모양의 게시판을 정보란과 알림난으로 나누어 꾸미려고 한다. 왼쪽 부분이 정사각형이 되도록 나누어 〈정보란〉으로 꾸몄더니 남은 오른쪽 〈알림난〉은 가로의 길이가 1 m인 직사각형이 되었다. 〈알림난〉이 학급 게시판 전체와 닮은 도형일 때, 학급 게시판의 세로의 길이를 구하시오.

Tip

학급 게시판의 세로의 길이를 x m라 하면 정보란의 가로의 길이는 ❶ [　　] m이므로 학급 게시판의 가로의 길이는 (❷ [　　]) m이다.

답 ❶ x ❷ $x+1$

2주 이차함수

이차함수의 뜻
x에 대한 이차식
x에 대한 이차방정식
x에 대한 이차함수
$a\neq0$일 때 ax^2+bx+c
$a\neq0$일 때 $ax^2+bx+c=0$
내가 0이어도 되겠지?
$y=ax^2+bx+c$
안 돼. 네가 0이면 내가 사라진다고! 내가 없으면 우리는 이차함수가 아니야.
x^2이 없어요.
x^2이 분모에 있어.
우변을 정리하면 $y=-2x+1$ 즉 일차함수야.
$y=-2x+1$
$y=\frac{4}{x^2}$
$y=(x-1)^2-x^2$
이차함수 $y=ax^2$의 그래프의 성질
나는 결정할 일이 너무 많아.
$y=ax^2$
$a>0$
감소
증가
$a<0$
맞아. 넌 그래프의 모양과 폭을 결정하지.
내가 +이면 아래로 볼록.
내가 −이면 위로 볼록.
나의 절댓값이 클수록 폭이 좁아.
나의 절댓값이 작을수록 폭이 넓어.
$a>0$
$a<0$

공부할 내용

❶ 이차함수의 뜻
❷ 이차함수 $y=a(x-p)^2+q$의 그래프
❸ 이차함수 $y=ax^2+bx+c$의 그래프
❹ 이차함수의 식 구하기

이차함수의 그래프의 평행이동

$y=ax^2$
꼭짓점 (0, 0)
축의 방정식 x=0

x축의 방향으로 p만큼 평행이동

$y=a(x-p)^2$
꼭짓점 (p, 0)
축의 방정식 x=p

y축의 방향으로 q만큼 평행이동

x축의 방향으로 p만큼
y축의 방향으로 q만큼 평행이동

$y=a(x-p)^2+q$
꼭짓점 (p, q)
축의 방정식 x=p

y축의 방향으로 q만큼 평행이동

$y=ax^2+q$
꼭짓점 (0, q)
축의 방정식 x=0

x축의 방향으로 p만큼 평행이동

이차함수의 그래프의 성질은 이렇게 정리하면 한 방에 모든 걸 해결할 수 있어.

이것도 복잡한데.

아하, 이 그림을 기억하면 되겠군.

이차함수 $y=ax^2+bx+c$의 그래프

꼭짓점의 좌표를 구해야 돼.

$y=a(x-p)^2+q$

식의 꼴을 바꾸면 그래프를 쉽게 그릴 수 있어.

$y=ax^2+bx+c$

2주 1일 개념 돌파 전략 1

개념 01 이차함수의 뜻과 함숫값

(1) **이차함수** : 함수 $y=f(x)$에서 y가 x에 대한 이차식, 즉 $y=ax^2+bx+c$(a, b, c는 상수, a ❶ ☐ 0)로 나타날 때, 이 함수를 x에 대한 이차함수라 한다.

(2) **이차함수의 함숫값** : 이차함수 $f(x)=ax^2+bx+c$에 대하여 $x=k$일 때의 함숫값 $f(k)$는
$f(k)=ak^2+b$ ❷ ☐ $+c$

예 이차함수 $f(x)=x^2-2x-5$에서
$f(-1)=(-1)^2-2\times(-1)-5=-2$

답 ❶ $\neq$ ❷ k

확인 01 다음 중 y가 x에 대한 이차함수인 것은?

① $x^2+x+1=0$　② $3x^2-1$
③ $y=x^2+2x-x^2$　④ $y=x(x-1)+x$
⑤ $y=\dfrac{1}{x^2}-5$

개념 02 이차함수 $y=x^2$의 그래프

(1) 원점을 지나고 아래로 볼록한 곡선이다.
(2) y축에 대칭이다.
(3) $x<0$일 때, x의 값이 증가하면 y의 값은 감소한다.
$x>0$일 때, x의 값이 증가하면 y의 값도 ❶ ☐ 한다.
(4) 이차함수 $y=-x^2$의 그래프와 x축에 ❷ ☐ 이다.

답 ❶ 증가 ❷ 대칭

확인 02 이차함수 $y=-x^2$의 그래프에 대하여 다음 ☐ 안에 알맞은 것을 써넣으시오.

(1) ☐로 볼록한 곡선이다.
(2) 제3사분면과 제☐사분면을 지난다.
(3) $x<0$일 때, x의 값이 증가하면 y의 값도 ☐ 한다.

개념 03 이차함수 $y=ax^2$의 그래프

(1) 원점을 꼭짓점으로 하고, y축을 축으로 하는 포물선이다.
① **꼭짓점의 좌표** : $(0, 0)$
② **축의 방정식** : $x=0$(y축)

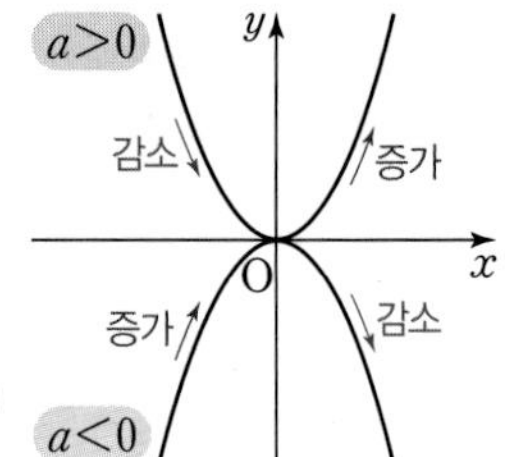

(2) $a>0$이면 아래로 볼록,
$a<0$이면 ❶ ☐ 로 볼록하다.
(3) a의 절댓값이 클수록 그래프의 폭이 좁아진다.
(4) 이차함수 $y=$ ❷ ☐ 의 그래프와 x축에 대칭이다.

답 ❶ 위 ❷ $-ax^2$

확인 03 다음 보기의 이차함수에 대하여 그래프가 아래로 볼록한 것을 모두 고르시오.

보기
㉠ $y=-3x^2$　㉡ $y=\dfrac{3}{2}x^2$　㉢ $y=4x^2$

개념 04 이차함수 $y=ax^2+q$의 그래프

이차함수 $y=ax^2$의 그래프를 ❶ ☐ 축의 방향으로 q만큼 평행이동한 것이다.

① **꼭짓점의 좌표**
➡ $(0,$ ❷ ☐ $)$
② **축의 방정식**
➡ $x=0$ (y축)

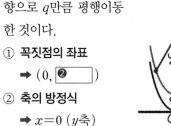

답 ❶ y ❷ q

확인 04 다음 이차함수의 그래프를 y축의 방향으로 [ ] 안의 수만큼 평행이동한 그래프의 식과 꼭짓점의 좌표, 축의 방정식을 차례대로 구하시오.

(1) $y=3x^2$ [1]　(2) $y=-4x^2$ [-5]

개념 05 이차함수 $y=a(x-p)^2$의 그래프

이차함수 $y=ax^2$의 그래프를 ❶ [ ] 축의 방향으로 p만큼 평행이동한 것이다.

① 꼭짓점의 좌표 ➡ (❷ [ ], 0)

② 축의 방정식 ➡ $x=p$

답 ❶ x ❷ p

확인 05 다음 이차함수의 그래프를 x축의 방향으로 [ ] 안의 수만큼 평행이동한 그래프의 식과 꼭짓점의 좌표, 축의 방정식을 차례대로 구하시오.

(1) $y=5x^2$ [3]　　(2) $y=-2x^2$ [-3]

개념 06 이차함수 $y=a(x-p)^2+q$의 그래프

이차함수 $y=ax^2$의 그래프를 x축의 방향으로 p만큼, y축의 방향으로 ❶ [ ] 만큼 평행이동한 것이다.

① 꼭짓점의 좌표 ➡ (p, q)

② 축의 방정식 ➡ $x=$ ❷ [ ]

답 ❶ q ❷ p

확인 06 이차함수 $y=2(x+3)^2+7$의 그래프는 이차함수 $y=ax^2$의 그래프를 x축의 방향으로 p만큼, y축의 방향으로 q만큼 평행이동한 것이다. 이때 $a+p+q$의 값을 구하시오. (단, a는 상수)

개념 07 이차함수 $y=a(x-p)^2+q$의 그래프의 평행이동

이차함수 $y=a(x-p)^2+q$의 그래프를 x축의 방향으로 m만큼, y축의 방향으로 n만큼 평행이동한 그래프는

➡ $y=a(x-m-p)^2+q+n$

① 꼭짓점의 좌표 : $(p+m, q+$ ❶ [ ] $)$

② 축의 방정식 : $x=p+$ ❷ [ ]

답 ❶ n ❷ m

확인 07 이차함수 $y=-(x-1)^2+1$의 그래프를 x축의 방향으로 3만큼, y축의 방향으로 2만큼 평행이동한 그래프의 꼭짓점의 좌표를 구하시오.

개념 08 이차함수 $y=a(x-p)^2+q$의 그래프에서 a, p, q의 부호

(1) a의 부호 : 그래프의 모양으로 결정한다.

① 아래로 볼록 ➡ $a>0$

② 위로 볼록 ➡ a ❶ [ ] 0

(2) p, q의 부호 : 꼭짓점 (p, q)의 위치로 결정한다.

제1사분면	제2사분면	제3사분면	제4사분면
$p>0$, $q>0$	$p<0$, q ❷ [ ] 0	$p<0$, $q<0$	$p>0$, $q<0$

꼭짓점이 x축 또는 y축 위에 있으면?

꼭짓점이 x축 위에 있으면 $q=0$, y축 위에 있으면 $p=0$이야.

답 ❶ < ❷ >

확인 08 이차함수 $y=3(x-p)^2+q$의 그래프의 꼭짓점이 제2사분면 위에 있을 때, 상수 p, q의 부호를 정하시오.

개념 09 이차함수 $y=ax^2+bx+c$의 그래프

이차함수 $y=ax^2+bx+c$의 그래프는 다음과 같이 함수의 식을 $y=a(x-p)^2+q$의 꼴로 고쳐서 그린다.

$$y=ax^2+bx+c \Rightarrow y=a\left(x+\frac{b}{2a}\right)^2-\frac{b^2-4ac}{4a}$$

① 꼭짓점의 좌표 : $\left(-\frac{b}{2a}, -\frac{b^2-4ac}{4a}\right)$

② 축의 방정식 : $x=$ ❶ □

③ y축과의 교점의 좌표 : $(0,$ ❷ □$)$

답 ❶ $-\frac{b}{2a}$ ❷ c

확인 09 이차함수 $y=3x^2-6x+7$을 $y=a(x-p)^2+q$의 꼴로 나타내고, 꼭짓점의 좌표와 축의 방정식을 차례대로 구하시오.

개념 10 이차함수의 그래프와 좌표축이 만나는 점

이차함수 $y=ax^2+bx+c$의 그래프에서

(1) x축과 만나는 점의 x좌표
➡ $y=0$을 ❶ □하여 구한다.

(2) y축과 만나는 점의 y좌표
➡ $x=$ ❷ □을 대입하여 구한다.

$x=0$을 대입 / $y=ax^2+bx+c$ / $y=0$을 대입

답 ❶ 대입 ❷ 0

확인 10 이차함수 $y=x^2+2x-8$의 그래프와 x축과의 교점의 좌표를 구하시오.

개념 11 이차함수 $y=ax^2+bx+c$의 그래프에서 a, b, c의 부호

(1) a의 부호 : 그래프의 모양으로 결정한다.
① 아래로 볼록 ➡ a ❶ □ 0
② 위로 볼록 ➡ $a<0$

(2) b의 부호 : 축의 위치로 결정한다.
① 축이 y축의 왼쪽 ➡ $ab>0$(a, b는 같은 부호)
② 축이 y축과 일치 ➡ $b=0$
③ 축이 y축의 오른쪽 ➡ $ab<0$(a, b는 다른 부호)

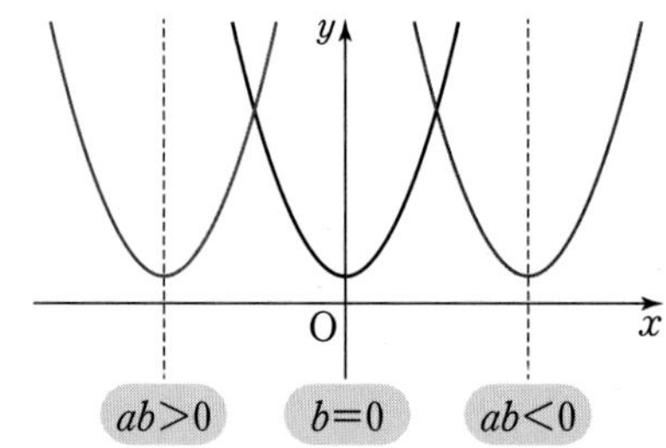

(3) c의 부호 : y축과의 교점의 위치로 결정한다.
① y축과의 교점이 x축보다 위쪽 ➡ $c>0$
② y축과의 교점이 원점 ➡ c ❷ □ 0
③ y축과의 교점이 x축보다 아래쪽 ➡ $c<0$

답 ❶ > ❷ =

확인 11 이차함수 $y=ax^2+bx+c$의 그래프가 오른쪽 그림과 같을 때, □ 안에 알맞은 부등호를 써넣으시오. (단, a, b, c는 상수)

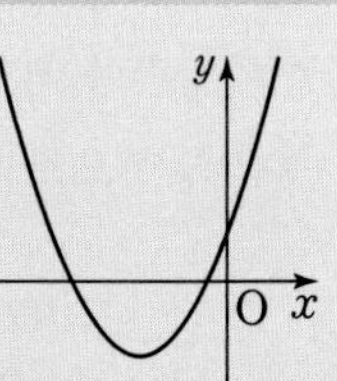

(1) 그래프가 아래로 볼록하므로 a □ 0

(2) 축이 y축의 왼쪽에 있으므로
ab □ 0 $\therefore b$ □ 0

(3) y축과의 교점이 x축보다 위쪽에 있으므로
c □ 0

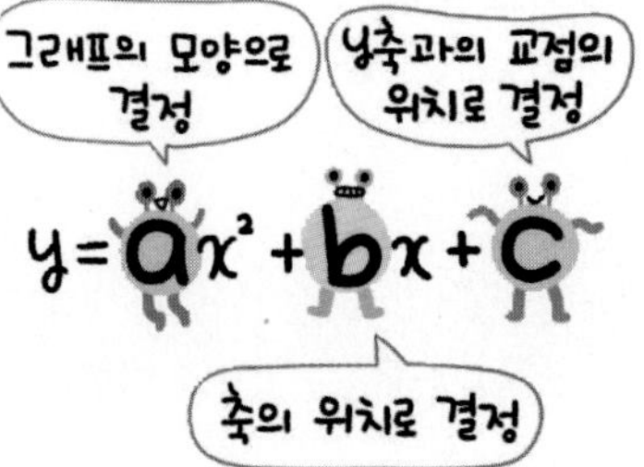

개념 12 이차함수의 식 구하기 (1)

꼭짓점 (p, q)와 그래프 위의 다른 점을 알 때

1 이차함수의 식을 $y=a(x-$ ❶ $)^2+q$로 놓는다.

2 1의 식에 주어진 한 점의 좌표를 ❷ 하여 상수 a의 값을 구한다.

답 ❶ p ❷ 대입

확인 12 꼭짓점의 좌표가 $(-3, 0)$이고 점 $(-1, 4)$를 지나는 포물선을 그래프로 하는 이차함수의 식을 $y=a(x-p)^2+q$의 꼴로 나타내시오.

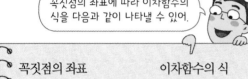

꼭짓점의 좌표에 따라 이차함수의 식을 다음과 같이 나타낼 수 있어.

꼭짓점의 좌표		이차함수의 식
$(0, 0)$	⟶	$y=ax^2$
$(0, q)$	⟶	$y=ax^2+q$
$(p, 0)$	⟶	$y=a(x-p)^2$
(p, q)	⟶	$y=a(x-p)^2+q$

개념 13 이차함수의 식 구하기 (2)

축의 방정식 $x=p$와 그래프 위의 두 점을 알 때

1 이차함수의 식을 $y=a(x-$ ❶ $)^2+q$로 놓는다.

2 1의 식에 주어진 두 점의 좌표를 각각 대입하여 상수 a, ❷ 의 값을 구한다.

답 ❶ p ❷ q

확인 13 축의 방정식이 $x=-1$이고 두 점 $(1, 2)$, $(-2, -1)$을 지나는 포물선을 그래프로 하는 이차함수의 식을 $y=a(x-p)^2+q$의 꼴로 나타내시오.

개념 14 이차함수의 식 구하기 (3)

y축과의 교점 $(0, k)$와 그래프 위의 서로 다른 두 점을 알 때

1 이차함수의 식을 $y=ax^2+bx+$ ❶ 로 놓는다.

2 1의 식에 주어진 두 점의 좌표를 각각 대입하여 상수 a, ❷ 의 값을 구한다.

답 ❶ k ❷ b

확인 14 세 점 $(0, 8)$, $(1, 3)$, $(2, 0)$을 지나는 포물선을 그래프로 하는 이차함수의 식을 $y=ax^2+bx+c$의 꼴로 나타내시오.

이차함수의 그래프에서 x축과의 교점 $(m, 0)$, $(n, 0)$은 이차방정식 $a(x-m)(x-n)=0$의 해가 $x=m$ 또는 $x=n$임을 뜻해.

개념 15 이차함수의 식 구하기 (4)

x축과의 교점 $(m, 0)$, $(n, 0)$과 그래프 위의 다른 한 점을 알 때

1 이차함수의 식을 $y=a(x-m)(x-$ ❶ $)$으로 놓는다.

2 1의 식에 주어진 한 점의 좌표를 대입하여 상수 ❷ 의 값을 구한다.

답 ❶ n ❷ a

확인 15 x축과 두 점 $(-1, 0)$, $(3, 0)$에서 만나고 점 $(1, -2)$를 지나는 포물선을 그래프로 하는 이차함수의 식을 $y=ax^2+bx+c$의 꼴로 나타내시오.

2주 1일 개념 돌파 전략 2

1 다음 중 y가 x에 대한 이차함수인 것을 말한 학생을 모두 찾으시오.

1개에 x원 하는 망고 2개의 가격은 y원이야.
희서

아랫변의 길이와 높이가 x cm이고, 윗변의 길이가 5 cm인 사다리꼴의 넓이는 y cm^{2}야.
연진

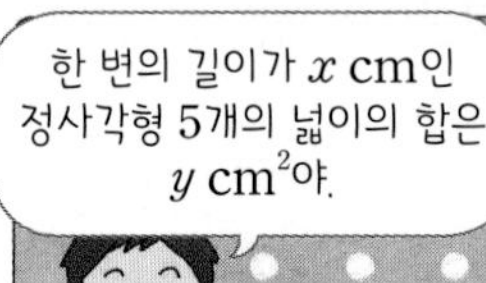

한 변의 길이가 x cm인 정사각형 5개의 넓이의 합은 y cm^{2}야.
석진

시속 10 km로 x시간 동안 달린 거리는 y km야.
지훈

문제 해결 전략

- x와 y 사이의 관계식을 구했을 때, $y=ax^2+bx+c(a$ ❶ $0)$의 꼴로 나타나면 y는 ❷ 에 대한 이차함수이다.

답 ❶ $\neq$ ❷ x

2 다음 이차함수의 그래프 중 아래로 볼록하면서 폭이 가장 넓은 것은?

① $y=-4x^2$ ② $y=-\frac{1}{5}x^2$ ③ $y=x^2$

④ $y=\frac{4}{3}x^2$ ⑤ $y=3x^2$

x^2의 계수의 부호와 절댓값을 생각해 봐.

문제 해결 전략

- 이차함수 $y=ax^2$의 그래프가 아래로 볼록하려면 a ❶ 0
또 $|a|$의 값이 작을수록 그래프의 폭이 ❷ 다.

답 ❶ $>$ ❷ 넓

3 이차함수 $y=-3(x+p)^2$의 그래프가 점 $(-1, -3)$을 지날 때, 이 이차함수의 그래프의 축의 방정식을 구하시오. (단, p는 상수, $p>0$)

문제 해결 전략

- 이차함수 $y=-3(x+p)^2$에 $x=-1$, $y=$ ❶ 을 대입하여 상수 ❷ 의 값을 구한다.

답 ❶ -3 ❷ p

≫ 정답과 풀이 42쪽

4 다음 이차함수의 그래프 중 이차함수 $y=\frac{1}{2}x^2$의 그래프를 평행이동하여 완전히 포갤 수 있는 것을 모두 고르면? (정답 2개)

① $y=-\frac{1}{2}x^2$ ② $y=-\frac{1}{2}x^2+1$ ③ $y=\frac{1}{2}x^2-3$

④ $y=\frac{1}{2}(x+5)^2$ ⑤ $y=\left(x-\frac{1}{2}\right)^2$

문제 해결 전략

- 그래프를 평행이동하면 그래프의 모양과 폭은 변하지 않고 ❶ ___ 만 바뀐다. 즉 x^2의 계수가 같은 이차함수의 그래프는 ❷ ___ 이동하여 완전히 포갤 수 있다.

답 ❶ 위치 ❷ 평행

5 다음 중 이차함수와 그 그래프의 축의 방정식을 잘못 연결한 것을 모두 고르면? (정답 2개)

	이차함수	축의 방정식
①	$y=2x^2$	$x=0$
②	$y=x^2+5$	$x=0$
③	$y=(x+1)^2$	$x=-1$
④	$y=-2(x-1)^2$	$x=-2$
⑤	$y=x^2+4x-1$	$x=2$

문제 해결 전략

- 이차함수 $y=a(x-p)^2+q$의 그래프에서 축의 방정식은 $x=$ ❶ ___
- 이차함수의 식이 $y=ax^2+bx+c$의 꼴일 때는 $y=a(x-p)^2+q$의 꼴로 고쳐서 축의 방정식을 구한다.
  ➡ $y=ax^2+bx+c$에서
  $y=a\left(x+\frac{b}{❷\ \_\_\_}\right)^2-\frac{b^2-4ac}{4a}$

답 ❶ p ❷ $2a$

6 다음 중 이차함수 $y=\frac{1}{2}x^2-2x+1$의 그래프는?

①
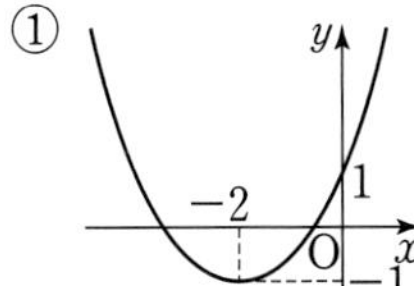

②
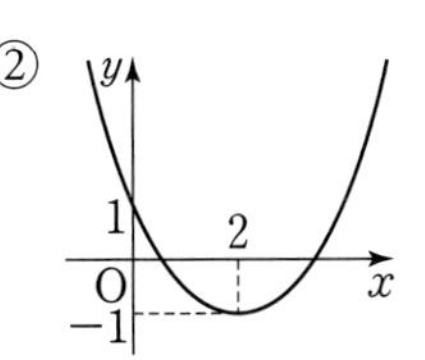

③
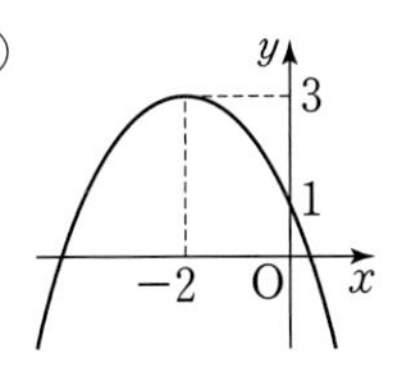

④
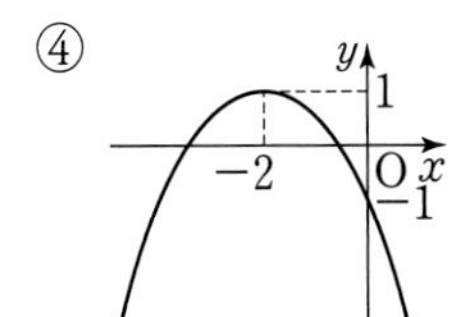

⑤
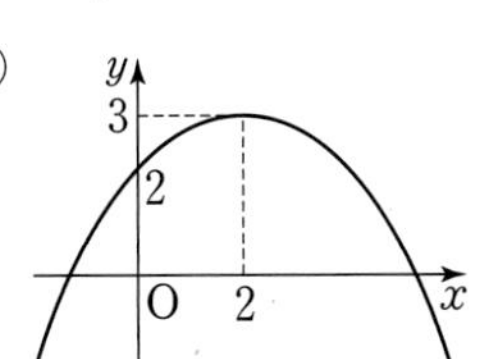

식의 꼴을 바꾸면 그래프를 쉽게 그릴 수 있어.

문제 해결 전략

- 이차함수 $y=ax^2+bx+c$의 그래프 그리기
  1 $y=a(x-p)^2+q$의 꼴로 고쳐서 꼭짓점의 좌표를 구한다.
  ➡ (❶ ___, q)
  2 그래프의 모양을 결정한다.
  ➡ $a>0$이면 아래로 볼록, $a<0$이면 위로 볼록
  3 y축과의 교점의 좌표를 구한다.
  ➡ (0, ❷ ___)

답 ❶ p ❷ c

2주 2일 필수 체크 전략 1

핵심 예제 1

$y=k(k-1)x^2+3x-2x^2$이 x에 대한 이차함수일 때, 다음 중 상수 k의 값이 될 수 없는 것을 모두 고르면? (정답 2개)

① -2 ② -1 ③ 0
④ 1 ⑤ 2

전략

$y=ax^2+bx+c$가 x에 대한 이차함수가 되려면 반드시 $a\neq0$이어야 한다.

풀이

$y=k(k-1)x^2+3x-2x^2=(k^2-k-2)x^2+3x$
이 함수가 x에 대한 이차함수가 되려면 $k^2-k-2\neq0$이어야 하므로 $(k+1)(k-2)\neq0$ $\therefore k\neq-1$이고 $k\neq2$

답 ②, ⑤

핵심 예제 2

다음 보기에서 이차함수 $y=ax^2$의 그래프에 대한 설명으로 옳은 것을 모두 고르시오. (단, a는 상수)

보기
ㄱ $a>0$이면 위로 볼록한 포물선이다.
ㄴ 꼭짓점의 좌표는 $(0, 0)$이다.
ㄷ $a<0$이면 제1, 2사분면을 지난다.
ㄹ 이차함수 $y=2ax^2$의 그래프보다 폭이 넓다.

전략

a의 부호에 따라 그래프의 볼록한 방향이 다르다.

풀이

ㄱ $a>0$이면 아래로 볼록한 포물선이다.
ㄷ $a<0$이면 제3, 4사분면을 지난다.

답 ㄴ, ㄹ

1-1

다음 중 y가 x에 대한 이차함수가 아닌 것은?

① $y=3x-\frac{1}{4}x^2$
② $y=-3x(x+1)-1$
③ $y=4x^2-x(x+2)$
④ $y=x^3-(x+1)^2$
⑤ $y=(x+1)(x+3)$

먼저 식을 정리한 후 이차함수인지 확인해 봐.

1-2

$y=3x^2-4-kx(1-x)$가 x에 대한 이차함수가 되도록 하는 상수 k의 조건을 구하시오.

2-1

다음 중 이차함수 $y=-\frac{1}{4}x^2$의 그래프에 대한 설명으로 옳지 않은 것은?

① 모든 실수 x에 대하여 $y\leq0$이다.
② $x<0$일 때, x의 값이 증가하면 y의 값도 증가한다.
③ 이차함수 $y=x^2$의 그래프보다 폭이 좁다.
④ 점 $(4, -4)$를 지난다.
⑤ 이차함수 $y=\frac{1}{4}x^2$의 그래프와 x축에 대칭이다.

2-2

이차함수 $y=5x^2$의 그래프와 x축에 대칭인 그래프가 점 $(-2, k)$를 지날 때, k의 값을 구하시오.

x축에 대칭이면 x축으로 접었을 때 두 그래프가 완전히 포개져.

핵심 예제 3

세 이차함수 $y=ax^2$, $y=2x^2$, $y=\frac{1}{3}x^2$의 그래프가 오른쪽 그림과 같을 때, 다음 중 상수 a의 값이 될 수 있는 것은?

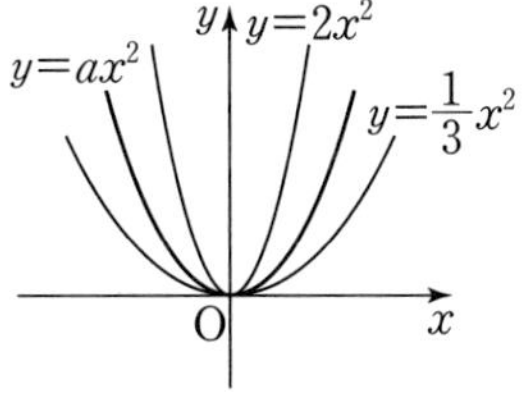

① $-\frac{5}{4}$ ② $-\frac{1}{4}$ ③ $\frac{1}{4}$
④ $\frac{3}{4}$ ⑤ $\frac{9}{4}$

전략

이차함수 $y=ax^2$의 그래프에서 a의 부호는 그래프의 볼록한 방향을 결정하고, a의 절댓값은 그래프의 폭을 결정한다.

풀이

이차함수 $y=ax^2$의 그래프의 폭은 이차함수 $y=2x^2$의 그래프의 폭보다 넓고 이차함수 $y=\frac{1}{3}x^2$의 그래프의 폭보다 좁으므로

$\frac{1}{3}<a<2$

따라서 a의 값이 될 수 있는 것은 ④ $\frac{3}{4}$이다.

답 ④

핵심 예제 4

다음 중 이차함수 $y=3x^2-5$의 그래프에 대한 설명으로 옳지 않은 것은?

① 꼭짓점의 좌표는 $(0, -5)$이다.
② y축에 대칭이다.
③ 모든 사분면을 지난다.
④ 이차함수 $y=\frac{1}{2}x^2-5$의 그래프보다 폭이 좁다.
⑤ 이차함수 $y=3x^2$의 그래프를 y축의 방향으로 5만큼 평행이동한 것이다.

전략

이차함수 $y=ax^2+q$의 그래프는 이차함수 $y=ax^2$의 그래프를 y축의 방향으로 q만큼 평행이동한 것이다.
➡ 꼭짓점의 좌표 : $(0, q)$, 축의 방정식 : $x=0$

풀이

③ 이차함수 $y=3x^2-5$의 그래프는 오른쪽 그림과 같으므로 모든 사분면을 지난다.
⑤ 이차함수 $y=3x^2$의 그래프를 y축의 방향으로 -5만큼 평행이동한 것이다.

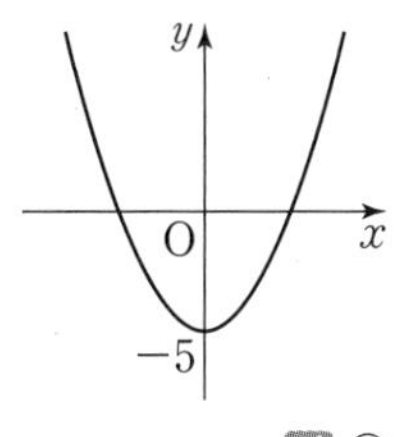

답 ⑤

3-1

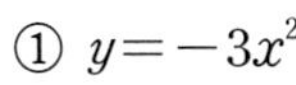

다음 중 오른쪽 그림에서 점선으로 나타나는 포물선을 그래프로 하는 이차함수의 식이 될 수 있는 것은?

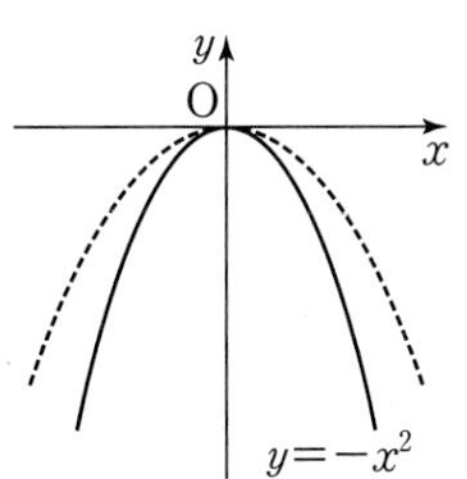

① $y=-3x^2$ ② $y=-\frac{5}{3}x^2$
③ $y=-\frac{1}{5}x^2$ ④ $y=\frac{3}{5}x^2$
⑤ $y=5x^2$

점선으로 나타나는 포물선은 위로 볼록하고 $y=-x^2$의 그래프보다 폭이 넓어.

4-1

이차함수 $y=5x^2$의 그래프를 y축의 방향으로 -2만큼 평행이동하면 점 $(1, a)$를 지날 때, a의 값은?

① 1 ② 3 ③ 5
④ 7 ⑤ 9

4-2

오른쪽 그림은 이차함수 $y=-2x^2$의 그래프를 y축의 방향으로 평행이동한 것이다. 이 그래프가 나타내는 식을 $y=f(x)$라 할 때, $f(1)-f(-2)$의 값을 구하시오.

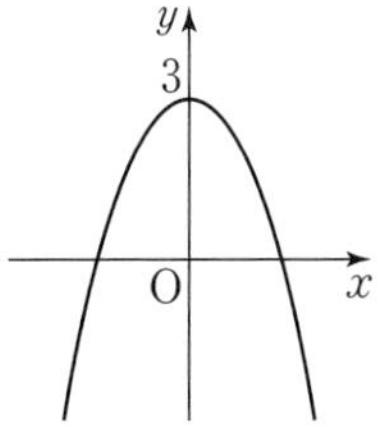

핵심 예제 5

다음 중 이차함수 $y=-\frac{1}{2}(x+3)^2$의 그래프에 대한 설명으로 옳지 않은 것은?

① 꼭짓점의 좌표는 $(-3, 0)$이다.
② 축의 방정식은 $x=-3$이다.
③ 이차함수 $y=\frac{1}{3}x^2$의 그래프보다 폭이 넓다.
④ 이차함수 $y=-\frac{1}{2}x^2$의 그래프를 평행이동하여 완전히 포갤 수 있다.
⑤ $x<-3$일 때, x의 값이 증가하면 y의 값도 증가한다.

전략

이차함수 $y=a(x-p)^2$의 그래프는 이차함수 $y=ax^2$의 그래프를 x축의 방향으로 p만큼 평행이동한 것이다.
➡ 꼭짓점의 좌표 : $(p, 0)$, 축의 방정식 : $x=p$

풀이

③ 이차함수 $y=\frac{1}{3}x^2$의 그래프보다 폭이 좁다.
④ 이차함수 $y=-\frac{1}{2}x^2$의 그래프를 x축의 방향으로 -3만큼 평행이동하면 완전히 포갤 수 있다.

답 ③

핵심 예제 6

다음 중 이차함수 $y=\frac{1}{3}(x+2)^2-2$의 그래프에 대한 설명으로 옳은 것을 모두 고르면? (정답 2개)

① 꼭짓점의 좌표는 $(2, -2)$이다.
② $y=\frac{1}{3}x^2$의 그래프와 모양이 같다.
③ 제4사분면을 지나지 않는다.
④ 함숫값의 범위는 $y\geq-2$이다.
⑤ $x>-2$일 때, x의 값이 증가하면 y의 값은 감소한다.

전략

이차함수 $y=a(x-p)^2+q$의 그래프는 이차함수 $y=ax^2$의 그래프를 x축의 방향으로 p만큼, y축의 방향으로 q만큼 평행이동한 것이다.
➡ 꼭짓점의 좌표 : (p, q), 축의 방정식 : $x=p$

풀이

① 꼭짓점의 좌표는 $(-2, -2)$이다.
③ 이차함수 $y=\frac{1}{3}(x+2)^2-2$의 그래프는 오른쪽 그림과 같으므로 모든 사분면을 지난다.

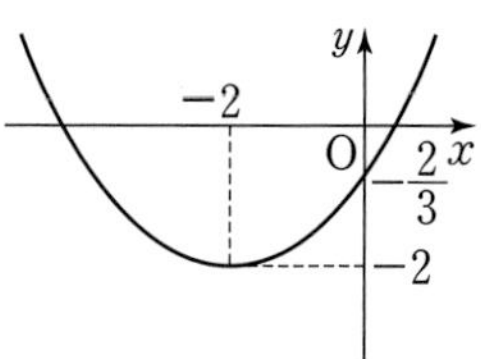

⑤ $x>-2$일 때, x의 값이 증가하면 y의 값도 증가한다.

답 ②, ④

5-1

이차함수 $y=a(x-p)^2$의 그래프가 오른쪽 그림과 같을 때, ap의 값은? (단, a, p는 상수)

① -4　② -2
③ 2　④ 4
⑤ 8

6-1

이차함수 $y=-\frac{3}{4}x^2$의 그래프를 x축의 방향으로 2만큼, y축의 방향으로 -7만큼 평행이동하면 점 $(-2, a)$를 지난다고 할 때, a의 값은?

① -19　② -15　③ -10
④ -7　⑤ -3

핵심 예제 7

이차함수 $y=3(x-1)^2-2$의 그래프를 x축의 방향으로 -2만큼, y축의 방향으로 3만큼 평행이동하면 점 $(1, a)$를 지난다고 할 때, a의 값은?

① 10 ② 11 ③ 12
④ 13 ⑤ 14

전략

이차함수 $y=a(x-p)^2+q$의 그래프를 x축의 방향으로 m만큼, y축의 방향으로 n만큼 평행이동한 그래프의 식은
➡ $y=a(x-m-p)^2+q+n$

풀이

이차함수 $y=3(x-1)^2-2$의 그래프를 x축의 방향으로 -2만큼, y축의 방향으로 3만큼 평행이동한 그래프의 식은
$y=3(x+2-1)^2-2+3=3(x+1)^2+1$
이 그래프가 점 $(1, a)$를 지나므로
$a=3\times(1+1)^2+1=13$

답 ④

핵심 예제 8

이차함수 $y=ax^2+q$의 그래프가 오른쪽 그림과 같을 때, 다음 중 옳지 않은 것은? (단, a, q는 상수)

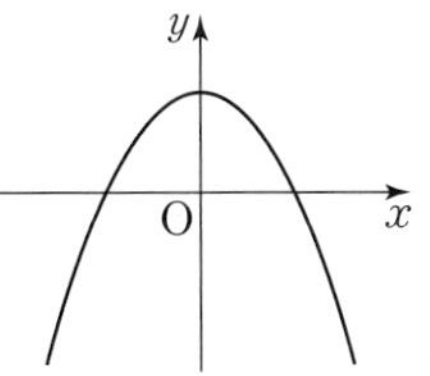

① $a<0$ ② $q>0$
③ $a-q<0$ ④ $aq<0$
⑤ $a+q>0$

전략

(1) 그래프의 볼록한 방향 ➡ a의 부호를 결정한다.
(2) 꼭짓점 (p, q)의 위치 ➡ p, q의 부호를 결정한다.

풀이

① 그래프의 모양이 위로 볼록하므로 $a<0$
② 꼭짓점 $(0, q)$가 x축의 위쪽에 있으므로 $q>0$
③ $a<0$, $q>0$이므로 $a-q<0$
④ $a<0$, $q>0$이므로 $aq<0$
⑤ $a+q>0$인지는 알 수 없다.

답 ⑤

7-1

이차함수 $y=-4(x+3)^2+2$의 그래프를 x축의 방향으로 -1만큼, y축의 방향으로 -1만큼 평행이동한 그래프를 나타내는 이차함수의 식은?

① $y=-4(x+2)^2+3$ ② $y=4(x+3)^2-2$
③ $y=-4(x+4)^2-1$ ④ $y=4(x+4)^2+3$
⑤ $y=-4(x+4)^2+1$

7-2

이차함수 $y=5(x-2)^2$의 그래프를 x축의 방향으로 4만큼, y축의 방향으로 -3만큼 평행이동하면 꼭짓점의 좌표는 (a, b)이고 축의 방정식은 $x=c$이다. 이때 $a+b+c$의 값을 구하시오.

8-1

이차함수 $y=a(x+p)^2+q$의 그래프가 오른쪽 그림과 같을 때, 상수 a, p, q의 부호를 바르게 적은 학생을 찾으시오.

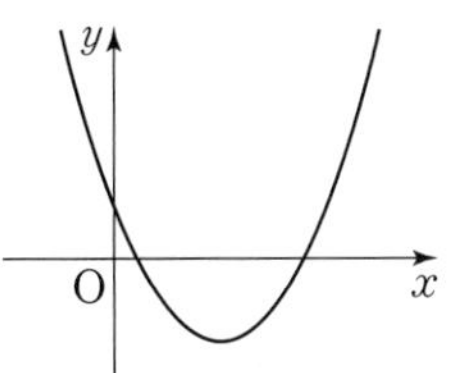

2주 2일 필수 체크 전략 2

1 다음 보기의 이차함수의 그래프에 대한 설명 중 옳은 것을 모두 고르면? (정답 2개)

보기
㉠ $y=2x^2$ ㉡ $y=\frac{3}{4}x^2$ ㉢ $y=3x^2$
㉣ $y=-\frac{1}{2}x^2$ ㉤ $y=4x^2$ ㉥ $y=-3x^2$

① 위로 볼록한 그래프는 ㉠, ㉣, ㉥이다.
② ㉢과 ㉥의 그래프는 x축에 대칭이다.
③ 폭이 가장 넓은 그래프는 ㉤이다.
④ 제3, 4사분면을 지나는 그래프는 ㉣, ㉥이다.
⑤ ㉡의 그래프를 평행이동하면 이차함수 $y=-\frac{3}{4}x^2+1$의 그래프와 포개진다.

Tip
이차함수 $y=ax^2$의 그래프에서
$a>0$이면 ❶ ____ 로 볼록하고, $a<0$이면 ❷ ____ 로 볼록하다.

답 ❶ 아래 ❷ 위

2 이차함수 $y=ax^2$의 그래프가 오른쪽 그림의 색칠한 부분에 그려질 때, 다음 중 상수 a의 값이 될 수 없는 것은?

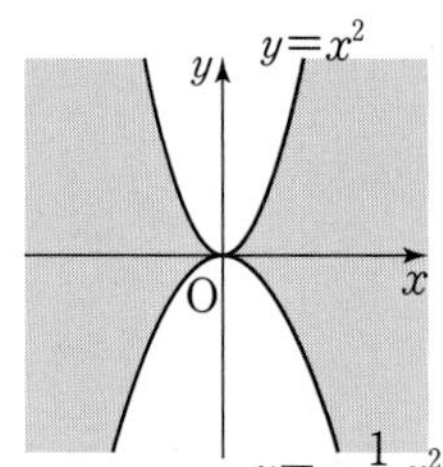

① $-\frac{2}{3}$ ② $-\frac{1}{3}$
③ $\frac{1}{3}$ ④ $\frac{1}{2}$
⑤ $\frac{2}{3}$

Tip
이차함수 $y=ax^2$의 그래프에서 $a>0$일 때와 a ❶ ____ 0일 때로 나누어 생각한다. 이때 a의 ❷ ____ 값이 작을수록 그래프의 폭은 넓어진다.

답 ❶ $<$ ❷ 절댓

3 다음 중 이차함수 $y=4x^2$의 그래프를 y축의 방향으로 $-\frac{1}{3}$만큼 평행이동한 그래프에 대하여 바르게 설명한 학생을 찾으시오.

Tip
이차함수 $y=4x^2$의 그래프를 y축의 방향으로 $-\frac{1}{3}$만큼 평행이동한 그래프의 식은 $y=$ ❶ ____ x^2- ❷ ____

답 ❶ 4 ❷ $\frac{1}{3}$

4 이차함수 $y=ax^2$의 그래프를 x축의 방향으로 -4만큼 평행이동하면 두 점 $(-2, 2)$, $(2, b)$를 지난다고 할 때, ab의 값을 구하시오. (단, a는 상수)

Tip
이차함수 $y=ax^2$의 그래프를 x축의 방향으로 -4만큼 평행이동한 그래프의 식은 $y=$ ❶ ____ $(x+$ ❷ ____ $)^2$

답 ❶ a ❷ 4

5 이차함수 $y=\frac{3}{4}(x-p)^2+3p^2$의 그래프의 꼭짓점이 직선 $y=-x+2$ 위에 있을 때, 상수 p의 값을 구하시오. (단, $p<0$)

Tip

이차함수 $y=a(x-p)^2+q$의 그래프의 꼭짓점 (❶ ☐, q)가 직선 $y=mx+n$ 위에 있다.
➡ $y=mx+n$에 $x=p$, $y=q$를 대입하면 ❷ ☐이 성립한다.

답 ❶ p ❷ 등식

6 다음 두 학생이 말하는 조건을 모두 만족하는 이차함수는?

꼭짓점의 좌표가 $(-2, 1)$이야.
이차함수 $y=x^2$의 그래프보다 폭이 좁아.

① $y=-2(x+2)^2+1$
② $y=-\frac{3}{4}(x+2)^2+1$
③ $y=\frac{1}{2}(x-2)^2+1$
④ $y=\frac{3}{4}(x-2)^2+1$
⑤ $y=2(x-2)^2+1$

Tip

이차함수 $y=a(x-p)^2+q$의 그래프에서 꼭짓점의 좌표는 (p, ❶ ☐)이고, a의 절댓값이 ❷ ☐수록 그래프의 폭이 좁다.

답 ❶ q ❷ 클

7 이차함수 $y=a(x-3)^2+1$의 그래프는 이차함수 $y=-\frac{1}{3}(x+2)^2-5$의 그래프를 x축의 방향으로 m만큼, y축의 방향으로 n만큼 평행이동한 것이다. 이때 amn의 값을 구하시오. (단, a는 상수)

Tip

이차함수 $y=-\frac{1}{3}(x+2)^2-5$의 그래프를 x축의 방향으로 m만큼, y축의 방향으로 n만큼 평행이동한 그래프의 식은
$y=-\frac{1}{3}(x-$ ❶ ☐ $+2)^2-5+$ ❷ ☐

답 ❶ m ❷ n

8 일차함수 $y=ax+b$의 그래프가 오른쪽 그림과 같을 때, 다음 중 이차함수 $y=a(x-b)^2$의 그래프로 적당한 것은? (단, a, b는 상수)

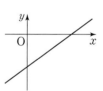

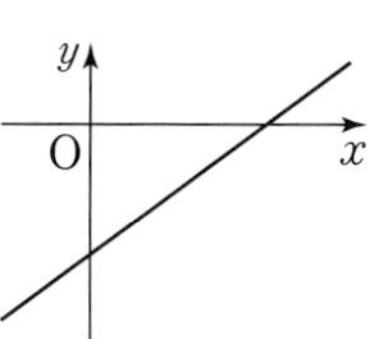

① 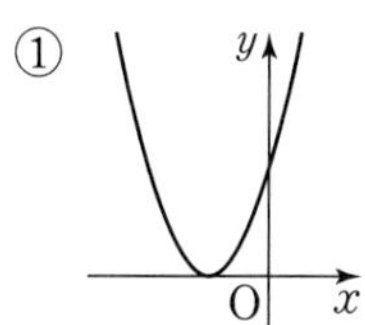
② 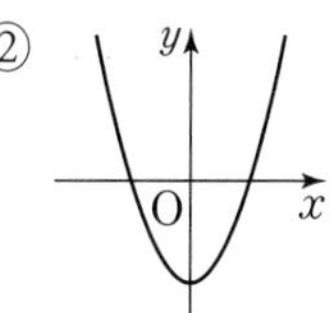
③ 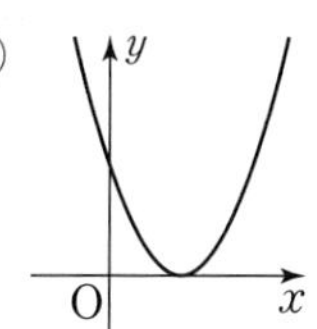
④ 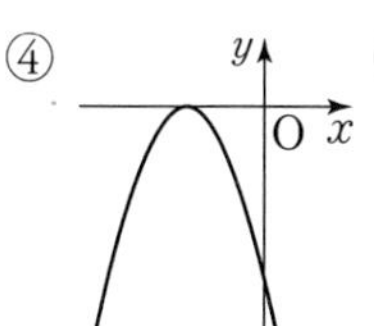
⑤ 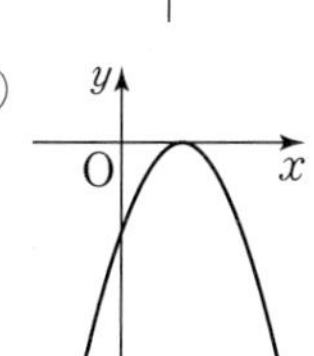

Tip

주어진 일차함수 $y=ax+b$의 그래프에서 a, b의 ❶ ☐를 각각 구한다. 이때 a는 기울기이고 b는 ❷ ☐절편이다.

답 ❶ 부호 ❷ y

2주 3일 필수 체크 전략 1

핵심 예제 1

이차함수 $y=-\frac{1}{3}x^2+4x+k-19$의 그래프의 꼭짓점이 제4사분면 위에 있을 때, 상수 k의 값의 범위는?

① $k<7$ ② $k>7$ ③ $k>9$
④ $k<19$ ⑤ $k>19$

전략

이차함수 $y=ax^2+bx+c$의 그래프는 $y=a(x-p)^2+q$의 꼴로 고쳐서 꼭짓점의 좌표를 구한다.

풀이

$y=-\frac{1}{3}x^2+4x+k-19=-\frac{1}{3}(x-6)^2+k-7$
이므로 꼭짓점의 좌표는 $(6, k-7)$이다.
이 꼭짓점이 제4사분면 위에 있으므로 $k-7<0$ $\therefore k<7$

답 ①

꼭짓점의 좌표를 구하려면 이차함수의 식의 모양을 바꿔야 해.
y=ax²+bx+c
y=a(x-p)²+q

핵심 예제 2

이차함수 $y=-\frac{1}{4}x^2+x-3$의 그래프를 x축의 방향으로 2만큼, y축의 방향으로 1만큼 평행이동하면 점 $(2, a)$를 지날 때, a의 값을 구하시오.

전략

이차함수 $y=ax^2+bx+c$의 그래프의 평행이동은 이차함수의 식을 $y=a(x-p)^2+q$의 꼴로 고친 후 생각한다.

풀이

$y=-\frac{1}{4}x^2+x-3=-\frac{1}{4}(x-2)^2-2$의 그래프를 x축의 방향으로 2만큼, y축의 방향으로 1만큼 평행이동한 그래프의 식은
$y=-\frac{1}{4}(x-2-2)^2-2+1=-\frac{1}{4}(x-4)^2-1$
이 그래프가 점 $(2, a)$를 지나므로
$a=-\frac{1}{4}\times(2-4)^2-1=-2$

답 -2

1-1

다음 이차함수 중 그 그래프의 꼭짓점이 제3사분면 위에 있는 것은?

① $y=-x^2+6x-8$ ② $y=2x^2-4x-1$
③ $y=3x^2+12x+15$ ④ $y=-2x^2-4x-6$
⑤ $y=\frac{1}{2}x^2-2x+3$

1-2

이차함수 $y=2x^2+ax+5$의 그래프의 축의 방정식이 $x=2$일 때, 이 그래프의 꼭짓점의 좌표를 구하시오. (단, a는 상수)

2-1

이차함수 $y=3x^2-12x+16$의 그래프를 x축의 방향으로 -3만큼, y축의 방향으로 a만큼 평행이동하면 점 $(-2, 5)$를 지날 때, a의 값은?

① -4 ② -2 ③ 2
④ 4 ⑤ 6

2-2

이차함수 $y=-2x^2+1$의 그래프를 x축의 방향으로 m만큼, y축의 방향으로 n만큼 평행이동하였더니 이차함수 $y=-2x^2-4x+5$의 그래프와 일치하였다. 이때 $m+n$의 값을 구하시오.

핵심 예제 3

다음 중 이차함수 $y=-2x^2+4x+30$의 그래프에 대한 설명으로 옳지 않은 것은?

① 축의 방정식은 $x=1$이다.
② 함숫값의 범위는 $y\le 32$이다.
③ x축과의 교점의 좌표는 $(-5, 0)$, $(3, 0)$이다.
④ $x>1$일 때, x의 값이 증가하면 y의 값은 감소한다.
⑤ 이차함수 $y=-2x^2$의 그래프를 x축의 방향으로 1만큼, y축의 방향으로 32만큼 평행이동한 것이다.

전략

$y=-2x^2+4x+30$을 $y=a(x-p)^2+q$의 꼴로 고친 후 이차함수의 그래프의 성질을 살펴본다.

풀이

$y=-2x^2+4x+30=-2(x-1)^2+32$

③ $y=-2x^2+4x+30$에 $y=0$을 대입하면
$-2x^2+4x+30=0$, $x^2-2x-15=0$
$(x+3)(x-5)=0$ $\quad \therefore x=-3$ 또는 $x=5$
따라서 x축과의 교점의 좌표는 $(-3, 0)$, $(5, 0)$이다.

답 ③

핵심 예제 4

오른쪽 그림과 같이 이차함수 $y=-x^2+2x+3$의 그래프의 꼭짓점을 A, 그래프가 x축과 만나는 두 점을 각각 B, C라 할 때, △ABC의 넓이는?

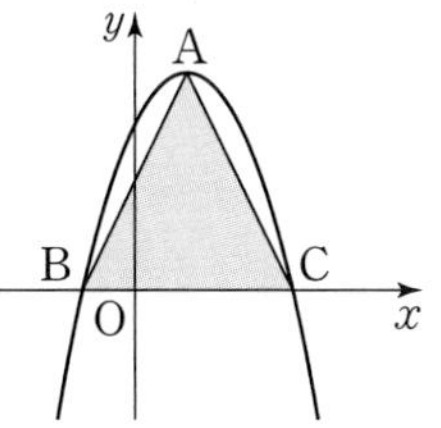

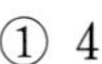

① 4 ② 6 ③ 8
④ 10 ⑤ 12

전략

$\triangle ABC=\frac{1}{2}\times\overline{BC}\times|(\text{점 A의 } y\text{좌표})|$

풀이

$y=-x^2+2x+3=-(x-1)^2+4$이므로 A$(1, 4)$
$y=-x^2+2x+3$에 $y=0$을 대입하면
$-x^2+2x+3=0$, $x^2-2x-3=0$
$(x+1)(x-3)=0$ $\quad \therefore x=-1$ 또는 $x=3$
따라서 B$(-1, 0)$, C$(3, 0)$이므로 $\overline{BC}=3-(-1)=4$
$\therefore \triangle ABC=\frac{1}{2}\times 4\times 4=8$

답 ③

3-1

다음 보기에서 이차함수 $y=\frac{1}{2}x^2-4x-3$의 그래프에 대한 설명으로 옳은 것을 모두 고른 것은?

보기
㉠ 꼭짓점의 좌표는 $(4, -3)$이다.
㉡ $x>4$일 때, x의 값이 증가하면 y의 값도 증가한다.
㉢ y축과 점 $(0, 3)$에서 만난다.
㉣ 점 $(2, -9)$를 지난다.
㉤ 제2사분면을 지나지 않는다.

① ㉠, ㉡ ② ㉠, ㉢ ③ ㉡, ㉢
④ ㉡, ㉣ ⑤ ㉣, ㉤

그래프의 모양을 결정해!
y=ax²+bx+c
y축과의 교점의 y좌표야.

4-1

오른쪽 그림과 같이 이차함수 $y=-\frac{1}{2}x^2+x+2$의 그래프의 꼭짓점을 A, y축과의 교점을 B라 할 때, △ABO의 넓이는? (단, O는 원점)

① 1 ② $\frac{3}{2}$ ③ 2
④ $\frac{5}{2}$ ⑤ 3

△ABO의 넓이는 $\frac{1}{2}\times\overline{BO}\times|(\text{점 A의 } x\text{좌표})|$

핵심 예제 5

이차함수 $y=ax^2+bx+c$의 그래프가 오른쪽 그림과 같을 때, 다음 중 옳은 것은?

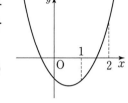

(단, a, b, c는 상수)

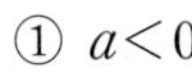

① $a<0$ ② $b>0$

③ $c>0$ ④ $a+b+c>0$

⑤ $4a+2b+c>0$

전략

이차함수 $y=ax^2+bx+c$의 그래프에서 a의 부호는 그래프의 모양에 따라, b의 부호는 축의 위치에 따라, c의 부호는 y축과의 교점의 위치에 따라 결정된다.

풀이

① 그래프가 아래로 볼록하므로 $a>0$

② 축이 y축의 오른쪽에 있으므로 $ab<0$ $\quad\therefore b<0$

③ y축과의 교점이 x축의 아래쪽에 있으므로 $c<0$

④ $x=1$일 때의 함숫값이 음수이므로 $y=ax^2+bx+c$에 $x=1$을 대입하면 $a+b+c<0$

⑤ $x=2$일 때의 함숫값이 양수이므로 $y=ax^2+bx+c$에 $x=2$를 대입하면 $4a+2b+c>0$

답 ⑤

핵심 예제 6

이차함수 $y=ax^2+bx+c$의 그래프가 오른쪽 그림과 같을 때, 상수 a, b, c에 대하여 $a+b+c$의 값을 구하시오.

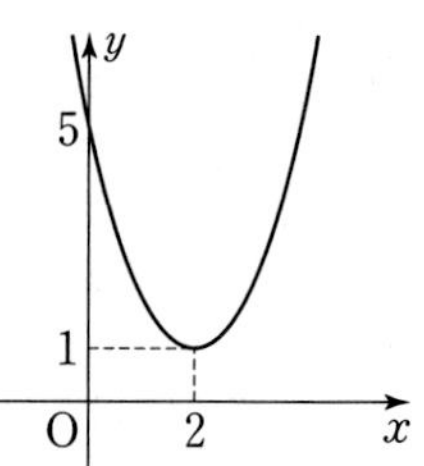

전략

꼭짓점의 좌표가 $(2, 1)$이므로 이차함수의 식을 $y=a(x-2)^2+1$로 놓고 그래프가 지나는 다른 한 점의 좌표를 대입하여 상수 a의 값을 구한다.

풀이

꼭짓점의 좌표가 $(2, 1)$이므로 이차함수의 식을 $y=a(x-2)^2+1$로 놓자. 이 그래프가 점 $(0, 5)$를 지나므로

$5=4a+1$, $4a=4$ $\quad\therefore a=1$

따라서 $y=(x-2)^2+1=x^2-4x+5$이므로

$b=-4$, $c=5$

$\therefore a+b+c=1+(-4)+5=2$

답 2

5-1

이차함수 $y=ax^2+bx+c$의 그래프가 오른쪽 그림과 같을 때, 다음 중 옳지 않은 것은? (단, a, b, c는 상수)

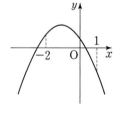

① $a<0$ ② $b<0$

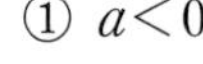

③ $c>0$ ④ $a+b+c>0$

⑤ $4a-2b+c>0$

보기 중 ④, ⑤와 같은 경우는 아래만 알고 있으면 쉽게 해결돼!

이차함수 $y=ax^2+bx+c$의 식의 부호는 그래프에서 함숫값의 부호로 판단한다. ($f(x)=ax^2+bx+c$)

- $a+b+c$ → $x=1$ 대입 ← $f(1)$
- $a-b+c$ → $x=-1$ 대입 ← $f(-1)$
- $4a+2b+c$ → $x=2$ 대입 ← $f(2)$
- $4a-2b+c$ → $x=-2$ 대입 ← $f(-2)$

6-1

이차함수 $y=ax^2+bx+c$의 그래프의 꼭짓점의 좌표가 $(2, -3)$이고 그래프가 점 $(4, 7)$을 지날 때, $2a+b+c$의 값은?

(단, a, b, c는 상수)

① -2 ② $-\frac{1}{2}$ ③ $\frac{3}{2}$

④ 2 ⑤ 4

6-2

꼭짓점의 좌표가 $(1, 3)$이고 점 $(2, 5)$를 지나는 이차함수의 그래프가 y축과 만나는 점의 좌표를 구하시오.

핵심 예제 7

축의 방정식이 $x=-4$이고 두 점 $(-1, 7)$, $(-2, 2)$를 지나는 포물선을 그래프로 하는 이차함수의 식을 $y=ax^2+bx+c$라 할 때, $a+b+c$의 값을 구하시오. (단, a, b, c는 상수)

전략

축의 방정식이 $x=-4$이므로 이차함수의 식을 $y=a(x+4)^2+q$로 놓고 그래프가 지나는 두 점의 좌표를 각각 대입하여 상수 a, q의 값을 구한다.

풀이

축의 방정식이 $x=-4$이므로 이차함수의 식을 $y=a(x+4)^2+q$로 놓자. 이 그래프가 점 $(-1, 7)$을 지나므로

$7=9a+q$ ...... ㉠

또 점 $(-2, 2)$를 지나므로

$2=4a+q$ ...... ㉡

㉠, ㉡을 연립하여 풀면 $a=1, q=-2$

따라서 $y=(x+4)^2-2=x^2+8x+14$이므로 $b=8, c=14$

$\therefore a+b+c=1+8+14=23$

답 23

핵심 예제 8

이차함수 $y=ax^2+bx+c$의 그래프가 세 점 $(0, 1)$, $(1, 2)$, $(2, 7)$을 지날 때, 이 이차함수의 그래프의 꼭짓점의 좌표를 구하시오.

전략

그래프가 점 $(0, 1)$을 지남을 이용하여 상수 c의 값을 먼저 구한다.

풀이

이차함수 $y=ax^2+bx+c$의 그래프가 점 $(0, 1)$을 지나므로 $c=1$

$y=ax^2+bx+1$의 그래프가 점 $(1, 2)$를 지나므로

$2=a+b+1$ $\quad\therefore a+b=1$ ...... ㉠

또 점 $(2, 7)$을 지나므로

$7=4a+2b+1$ $\quad\therefore 4a+2b=6$ ...... ㉡

㉠, ㉡을 연립하여 풀면 $a=2, b=-1$

$\therefore y=2x^2-x+1=2\left(x-\frac{1}{4}\right)^2+\frac{7}{8}$

따라서 이 그래프의 꼭짓점의 좌표는 $\left(\frac{1}{4}, \frac{7}{8}\right)$이다.

답 $\left(\frac{1}{4}, \frac{7}{8}\right)$

7-1

이차함수 $y=-\frac{1}{3}x^2+ax+b$의 그래프는 축의 방정식이 $x=2$이고 점 $(5, 4)$를 지난다. 이때 상수 a, b에 대하여 $a+b$의 값은?

① $\frac{4}{3}$ ② $\frac{17}{3}$ ③ 7
④ $\frac{22}{3}$ ⑤ 9

7-2

다음 세 조건을 모두 만족하는 그래프를 나타내는 이차함수의 식을 $y=ax^2+bx+c$의 꼴로 나타내시오.

(가) 이차함수 $y=2x^2$의 그래프를 평행이동한 것이다.
(나) 축의 방정식은 $x=-1$이다.
(다) 점 $(1, 3)$을 지난다.

8-1

다음은 두 학생이 이차함수의 그래프를 그리고 그 그래프에 대하여 한 가지씩 말한 것이다. 이 이차함수의 그래프가 점 $(3, m)$을 지날 때, m의 값은?

① -8 ② -7 ③ -6
④ -5 ⑤ -4

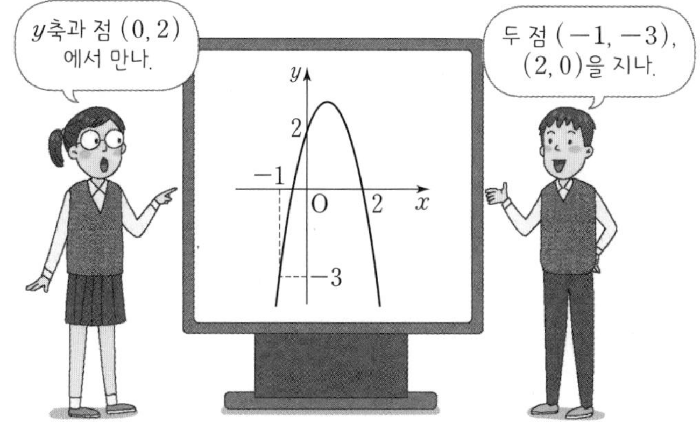

y축과 점 (0, 2)에서 만나.
두 점 (−1, −3), (2, 0)을 지나.
y
2
−1
O
2
x
−3

2주 3일 필수 체크 전략 2

1 이차함수 $y=-2x^2-8x-10$의 그래프의 꼭짓점이 이차함수 $y=\frac{1}{4}x^2-k$의 그래프 위에 있을 때, 상수 k의 값은?

① -3 ② -1 ③ 0
④ 1 ⑤ 3

Tip

$y=-2x^2-8x-10=-2(x+2)^2-$ ❶ 이므로 꼭짓점의 좌표는 $(-2,$ ❷ $)$이다.
이때 꼭짓점의 좌표를 $y=\frac{1}{4}x^2-k$에 대입한다.

답 ❶ 2 ❷ -2

2 다음 중 이차함수 $y=-2x^2+x+6$의 그래프에 대한 설명으로 옳은 것을 모두 고르면? (정답 2개)

① 모든 x의 값에 대하여 $y\le 6$이다.
② 꼭짓점의 좌표는 $\left(\frac{1}{4}, \frac{49}{8}\right)$이다.
③ 이차함수 $y=-x^2+x-1$의 그래프보다 폭이 넓다.
④ 모든 사분면을 지난다.
⑤ $x>\frac{1}{4}$일 때, x의 값이 증가하면 y의 값도 증가한다.

Tip

$y=-2x^2+x+6$을 $y=a(x-p)^2+q$의 꼴로 고친 후 ❶ 를 그려 본다.
이때 증가, 감소하는 범위는 그래프의 ❷ 을 기준으로 생각한다.

답 ❶ 그래프 ❷ 축

3 이차함수 $y=\frac{1}{2}x^2+kx+4$의 그래프에서 $x<2$일 때 x의 값이 증가하면 y의 값은 감소하고, $x>2$일 때 x의 값이 증가하면 y의 값도 증가한다. 이때 이 이차함수의 그래프의 꼭짓점의 좌표를 구하시오. (단, k는 상수)

Tip

$y=\frac{1}{2}x^2+kx+4$를 $y=a(x-p)^2+q$의 꼴로 고쳐서 축의 ❶ 을 구한다.
이때 구한 축의 방정식이 $x=$ ❷ 와 같아야 한다.

답 ❶ 방정식 ❷ 2

이차함수의 그래프에서 축을 기준으로
증가, 감소가 바뀐다는 사실을 기억해!

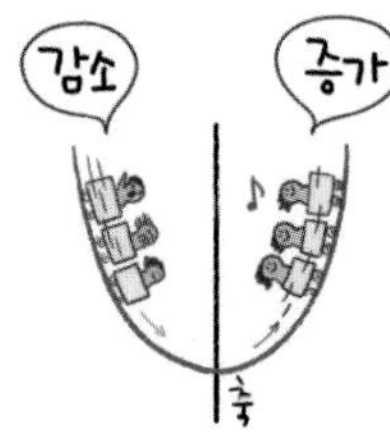

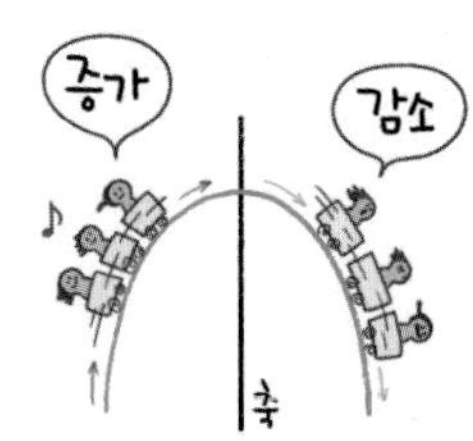

4 오른쪽 그림과 같이 이차함수 $y=-x^2+2x+8$의 그래프의 x축과의 교점을 각각 A, B, y축과의 교점을 C, 꼭짓점을 D라 할 때, △ABC : △ABD를 구하시오.

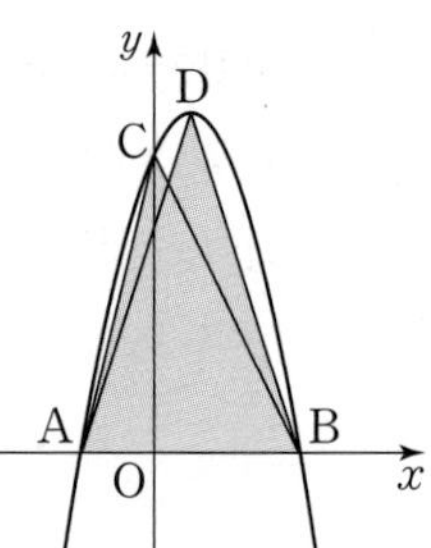

Tip

$\triangle ABC=\frac{1}{2}\times\overline{AB}\times$(점 ❶ 의 y좌표)

$\triangle ABD=\frac{1}{2}\times\overline{AB}\times$(점 ❷ 의 y좌표)

답 ❶ C ❷ D

5 이차함수 $y=ax^2-bx+c$의 그래프가 오른쪽 그림과 같을 때, 다음 중 이차함수 $y=cx^2+bx+a$의 그래프로 적당한 것은? (단, a, b, c는 상수)

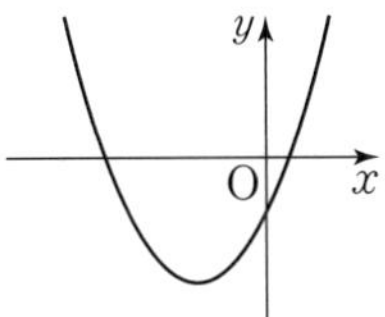

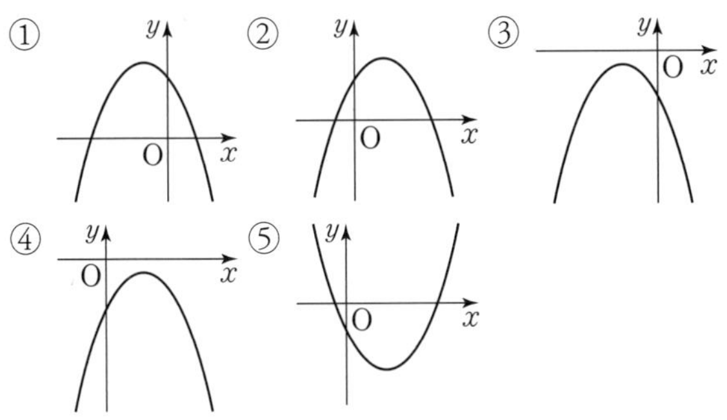

Tip

이차함수 $y=ax^2-bx+c$의 그래프에서
그래프가 아래로 볼록하므로 a ❶ 0
축이 y축의 왼쪽에 있으므로 $a\times(-b)>0$
y축과의 교점이 x축의 아래쪽에 있으므로 c ❷ 0

답 ❶ $>$ ❷ $<$

6 이차함수 $y=2x^2-12x+22$의 그래프와 꼭짓점의 좌표가 같고, 점 $(2, 3)$을 지나는 포물선을 그래프로 하는 이차함수의 식을 $y=a(x-p)^2+q$라 할 때, $a+p+q$의 값을 구하시오. (단, a, p, q는 상수)

Tip

$y=2x^2-12x+22=2(x-m)^2+n$이면 꼭짓점의 좌표가 $(m,$ ❶ $)$이고 점 $(2, 3)$을 지나는 ❷ 의 그래프의 식을 구한다.

답 ❶ n ❷ 이차함수

7 다음 두 학생이 말하는 조건을 모두 만족하는 이차함수의 그래프가 y축과 만나는 점의 좌표를 구하시오.

Tip

$y=3x^2-6x+7=3(x-m)^2+n$이면 구하는 이차함수의 식을 $y=a(x-$ ❶ $)^2+q$로 놓고 지나는 두 점의 ❷ 를 각각 대입하여 a, q의 값을 구한다.

답 ❶ m ❷ 좌표

8 세 점 $(0, -5)$, $(2, -6)$, $(6, 4)$를 지나는 이차함수의 그래프가 x축과 만나는 점을 A, B라 할 때, $\overline{\mathrm{AB}}$의 길이는?

① 4 ② 5 ③ 6
④ 7 ⑤ 8

Tip

이차함수의 그래프가 ❶ 축과 점 $(0, -5)$에서 만나므로 이차함수의 식을 $y=ax^2+bx-$ ❷ 로 놓는다.

답 ❶ y ❷ 5

2주 누구나 합격 전략

01 다음 중 y가 x에 대한 이차함수인 것을 모두 고르면? (정답 2개)

① $y=\frac{1}{x^2}+x$

② $y=-2x(x+3)$

③ $y=2(x-1)^2-2x^2$

④ 반지름의 길이가 x cm인 구의 겉넓이 y cm^2

⑤ 한 면의 넓이가 $2x$ cm^{2}인 정육면체의 겉넓이 y cm^2

02 $y=3x^2-x(ax+1)$이 x에 대한 이차함수일 때, 다음 중 상수 a의 값이 될 수 없는 것은?

① -3 ② 0 ③ 1 ④ 2 ⑤ 3

03 다음 중 옳은 것은?

① 이차함수 $y=x^2$의 그래프는 x축에 대칭이다.

② 이차함수 $y=2x^2$의 그래프는 위로 볼록한 포물선이다.

③ 두 이차함수 $y=3x^2$, $y=-2x^2$의 그래프는 만나지 않는다.

④ 이차함수 $y=-3x^2$의 그래프는 제3사분면과 제4사분면을 지난다.

⑤ 이차함수 $y=-4x^2$의 그래프는 $x<0$일 때, x의 값이 증가하면 y의 값은 감소한다.

04 다음 그림을 보고 물음에 답하시오.

주희가 그린 그래프가 다음 보기의 이차함수의 그래프일 때, 그래프와 이차함수를 옳게 짝 지으시오.

보기

㉠ $y=2x^2$ ㉡ $y=-2x^2$

㉢ $y=\frac{1}{3}x^2$ ㉣ $y=-\frac{1}{3}x^2$

05 다음 중 이차함수 $y=-(x-4)^2$의 그래프에 대한 설명으로 옳지 않은 것은?

① x축에 접한다.

② 꼭짓점의 좌표는 $(-4, 0)$이다.

③ 이차함수 $y=x^2$의 그래프와 폭이 같다.

④ 축의 방정식은 $x=4$이다.

⑤ 이차함수 $y=-x^2$의 그래프를 x축의 방향으로 4만큼 평행이동한 것이다.

06 이차함수 $y=\frac{1}{4}x^2$의 그래프를 x축의 방향으로 -2만큼, y축의 방향으로 3만큼 평행이동한 그래프가 점 $(-8, a)$를 지날 때, a의 값은?

① 11 ② 12 ③ 13
④ 14 ⑤ 15

07 다음 중 이차함수 $y=2x^2$의 그래프를 평행이동하여 완전히 포갤 수 있는 그래프를 나타내는 식을 말한 학생을 찾으시오.

08 다음 이차함수 중 그 그래프가 모든 사분면을 지나는 것은?

① $y=-2x^2+8x-8$ ② $y=-x^2+4x-3$
③ $y=\frac{1}{2}x^2-2x+1$ ④ $y=x^2-2x$
⑤ $y=3x^2-6x-1$

09 꼭짓점의 좌표가 $(4, -1)$이고 점 $(3, -2)$를 지나는 포물선을 그래프로 하는 이차함수의 식은?

① $y=-2x^2-8x-17$ ② $y=-x^2-4x-15$
③ $y=-x^2+8x-17$ ④ $y=x^2+4x+15$
⑤ $y=x^2+8x+6$

10 오른쪽 그림과 같이 축의 방정식이 $x=3$인 포물선을 그래프로 하는 이차함수의 식은?

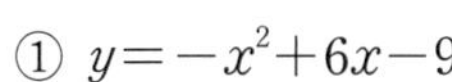

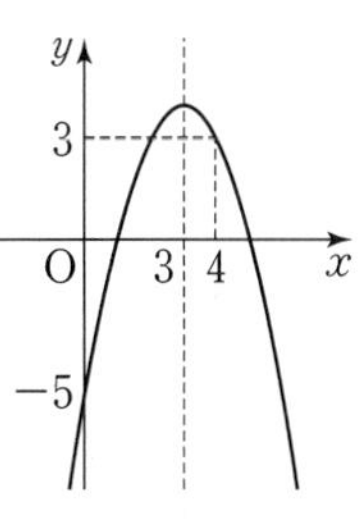

① $y=-x^2+6x-9$
② $y=-x^2+6x-6$
③ $y=-x^2+6x-5$
④ $y=-x^2-6x-5$
⑤ $y=-x^2-6x+4$

2주 창의·융합·코딩 전략 1

1 다음 그림과 같이 정사각형 모양의 카드를 계단 모양으로 배열하였다. x계단을 만드는 데 배열한 카드를 y장이라 할 때, 물음에 답하시오.

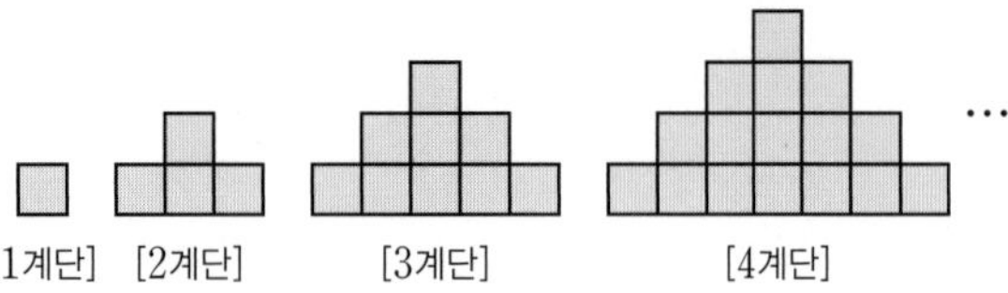

(1) y를 x의 식으로 나타내고, y가 x에 대한 이차함수인지 아닌지 말하시오.

(2) 400장의 카드를 모두 계단 모양으로 배열할 때, 몇 계단을 만들 수 있는지 구하시오.

(3) 카드를 배열하여 15계단을 만들려면 카드는 몇 장이 필요한지 구하시오.

Tip

계단 모양으로 배열할 때 나타나는 x와 y 사이의 ❶ [　　] 을 찾아 y를 x의 ❷ [　　] 으로 나타낸다.

답 ❶ 규칙 ❷ 식

2 다음 만화를 보고 물음에 답하시오.

박사님, 운전자가 사고 당시 속력이 시속 70 km라고 했습니다.
음…. 스키드 마크 길이가 32 m라….
조사해 봐야 알겠지만 운전자가 거짓말을 한 것 같네.

자동차가 달리다가 갑자기 정지할 때 도로에 생긴 타이어 자국을 스키드 마크라 한다. 아래 표는 위 만화에 나온 도로에서 정지하는 순간 속력이 시속 x km일 때, 스키드 마크 길이 y m를 조사하여 나타낸 것이다.

(단, y는 x^2에 정비례한다.)

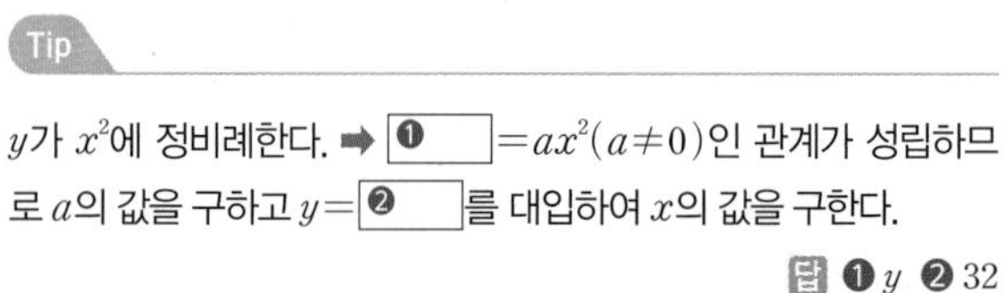

x	0	10	20	30
y	0	0.5	2	4.5

(1) y를 x에 대한 식으로 나타내시오.

(2) 위 만화에서 운전자가 거짓말을 했는지 판단하시오.

Tip

y가 x^2에 정비례한다. ➡ ❶ [　　] $=ax^2(a\neq0)$인 관계가 성립하므로 a의 값을 구하고 $y=$ ❷ [　　] 를 대입하여 x의 값을 구한다.

답 ❶ y ❷ 32

3 **이차함수 $f(x)=x^2+x+17$에서 x가 0부터 15 사이의 정수일 때, x에 대한 함숫값 $f(x)$는 모두 소수가 된다고 알려져 있다. 이 함수는 프랑스의 수학자 르장드르가 발견했다고 한다. 다음 물음에 답하시오.**

(1) $f(16)$의 값을 구하시오.

(2) $f(x)=x^2+x+17=x(x+1)+17$임을 이용하여 $f(16)$의 값이 소수가 아님을 설명하시오.

Tip

$f(x)=x^2+x+17$에 $x=$ ❶ ☐ 을 대입하여 $f(16)$의 값을 구하고 소수는 ❷ ☐ 과 자기 자신만을 약수로 가짐을 이용한다.

답 ❶ 16 ❷ 1

4 **데칼코마니는 아래 그림과 같이 종이를 반으로 접으면 그림이 접은 선을 기준으로 대칭이 됨을 이용한 회화 기법이다.**

데칼코마니를 이용하여 다음과 같은 방법으로 그래프를 그릴 때, 물음에 답하시오.

> (가) 물감을 이용하여 이차함수 $y=-4x^2$의 그래프를 그린다.
> (나) (가)에서 그린 그래프를 x축을 접는 선으로 하여 접은 후에 펼치면 $y=kx^2$의 그래프가 그려진다.
> (단, k는 상수)

(1) k의 값을 구하시오.

(2) 이차함수 $y=ax^2$의 그래프는 아래로 볼록하면서 (나)에서 그려진 이차함수 $y=kx^2$의 그래프보다 폭이 넓다고 한다. 이때 상수 a의 값의 범위를 구하시오.

Tip

이차함수 $y=-4x^2$의 그래프를 x축을 접는 선으로 하여 접었다가 펼치는 것은 이차함수 $y=-4x^2$의 그래프와 ❶ ☐ 축에 대칭인 그래프를 그리는 것과 ❷ ☐ 다.

답 ❶ x ❷ 같

2주 창의·융합·코딩 전략 2

5 민주가 다음과 같이 주어진 문장이 맞으면 '예', 틀리면 '아니오'가 적힌 화살표를 따라갔을 때, 만나게 되는 동물은 무엇인지 말하시오.

Tip

- 이차함수 $y=-\frac{1}{2}x^2$의 그래프는 [❶] 로 볼록하다.
- 이차함수 $y=a(x-p)^2$의 그래프의 꼭짓점의 좌표는 ([❷], 0)이다.

답 ❶ 위 ❷ p

6 다음 그림은 두 이차함수 $y=x^2$, $y=(x-2)^2-4$의 그래프이다. 두 이차함수의 그래프와 직선 $x=2$로 둘러싸인 부분의 넓이를 구하시오.

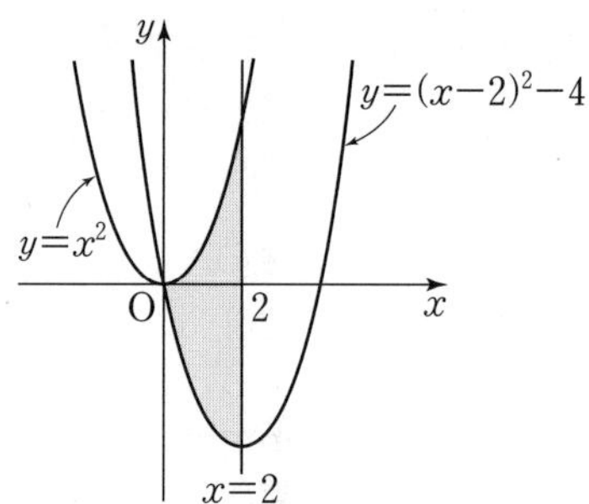

Tip

평행이동한 두 이차함수의 그래프의 모양이 [❶] 음을 이용하여 넓이가 같은 [❷] 을 찾는다.

답 ❶ 같 ❷ 부분

7 다음 만화를 보고 물음에 답하시오.

(1) 오른쪽 그림은 위의 만화에 나온 놀이기구의 포물선 구간이다. 지면을 x축, 포물선의 꼭짓점에서 지면에 내린 수선의 발을 원점 O라 할 때, 이 포물선 구간을 나타내는 이차함수의 식을 구하시오. (단, 점 O에서 오른쪽으로 1 m 떨어진 지점의 좌표를 (1, 0)으로 한다.)

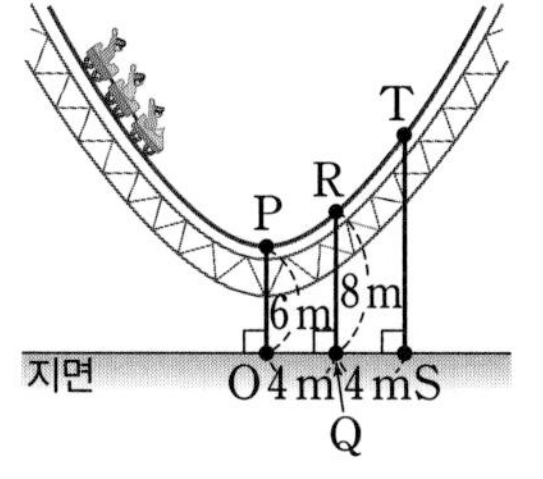

(2) T 지점의 지면으로부터의 높이를 구하시오.

Tip

놀이기구를 나타내는 포물선의 식은 점 P(❶ ___, 6)을 꼭짓점으로 하고 점 R(❷ ___, 8)을 지나는 이차함수의 그래프의 식을 구하면 된다.

답 ❶ 0 ❷ 4

8 불꽃놀이 축제에서 같은 종류의 폭죽 2개를 시간 차를 두고 쏘아 올린다고 한다. 다음 물음에 답하시오.

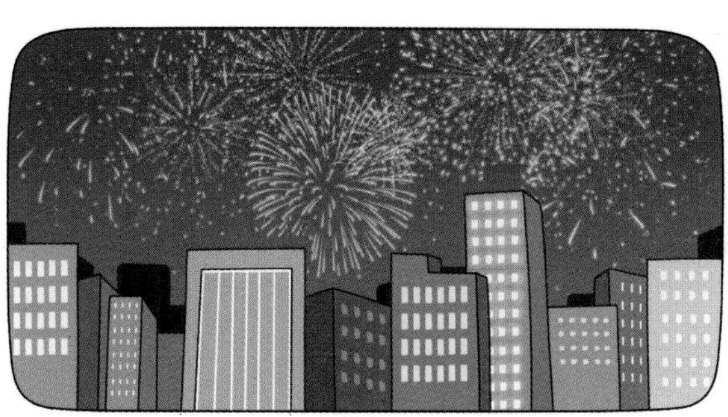

첫 번째 폭죽을 쏘아 올린 지 t초 후의 폭죽의 높이를 h m라 할 때, $h=-5t^2+40t$인 관계가 성립한다. 2초 후에 쏘아 올린 두 번째 폭죽의 높이를 나타내는 함수의 그래프를 이차함수 $h=-5t^2+40t$의 그래프를 이용하여 다음 좌표평면 위에 그리고, 그 함수의 식을 구하시오.

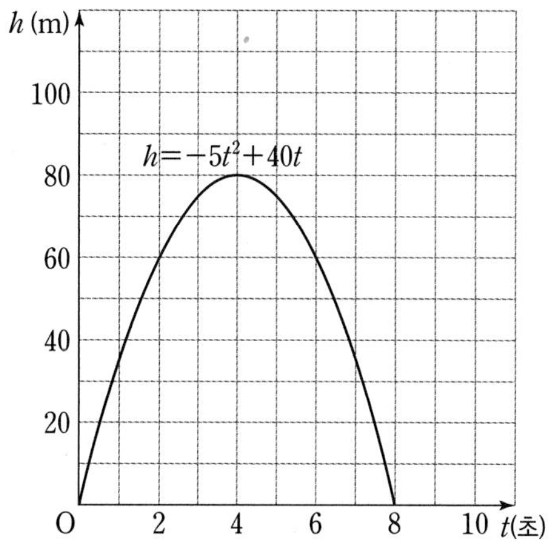

Tip

두 번째 폭죽의 높이를 나타내는 함수의 그래프는 첫 번째 폭죽의 높이를 나타내는 함수의 그래프를 ❶ ___축의 방향으로 ❷ ___만큼 평행이동한 것과 같다.

답 ❶ t ❷ 2

기말고사 마무리 전략

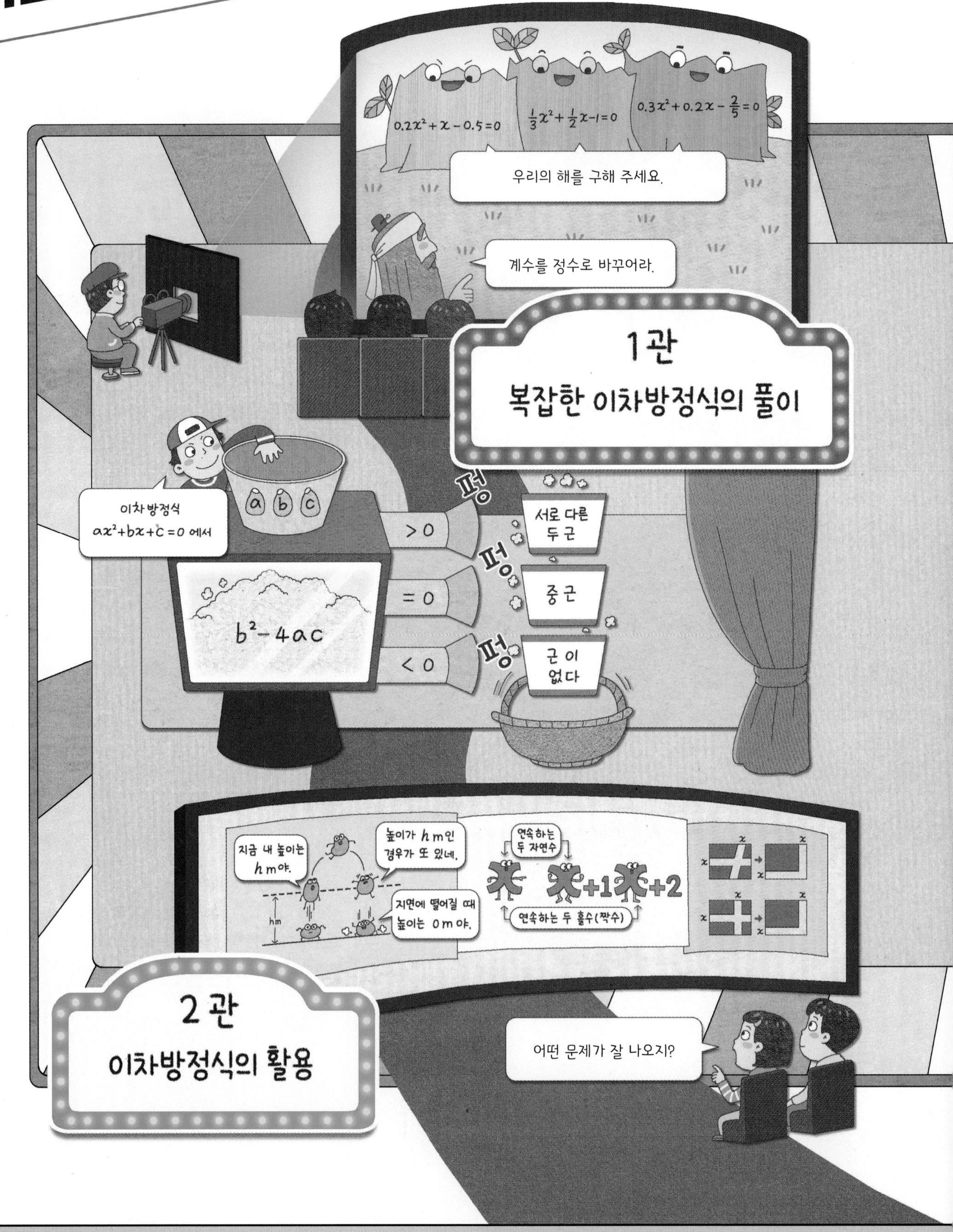

$0.2x^2+x-0.5=0$
$\frac{1}{3}x^2+\frac{1}{2}x-1=0$
$0.3x^2+0.2x-\frac{2}{5}=0$
우리의 해를 구해 주세요.
계수를 정수로 바꾸어라.
1관
복잡한 이차방정식의 풀이
이차방정식 $ax^2+bx+c=0$ 에서
a b c
b^2-4ac
>0
=0
<0
펑
서로 다른 두 근
펑
중근
펑
근이 없다
지금 내 높이는 h m야.
높이가 h m인 경우가 또 있네.
지면에 떨어질 때 높이는 0 m야.
hm
연속하는 두 자연수
x $x+1$ $x+2$
연속하는 두 홀수(짝수)
2관
이차방정식의 활용
어떤 문제가 잘 나오지?

이어서 공부할 내용

❶ 신유형 · 신경향 · 서술형 전략
❷ 고난도 해결 전략

신유형·신경향·서술형 전략

01

두 이차방정식 $x^2+x+a=0$, $x^2+bx+c=0$의 공통인 근이 $x=2$이고 모든 근이 $x=-3, 2, 5$일 때, $a+b+c$의 값은?
(단, a, b, c는 상수)

① -23　　② -15　　③ -3
④ 15　　⑤ 23

Tip

공통인 근이 $x=2$임을 이용하여 [❶ 　] 의 값을 구하고, b와 c의 관계식을 구한다.
이때 이차방정식 $x^2+x+a=0$의 다른 한 [❷ 　] 을 구하여 이차방정식 $x^2+bx+c=0$의 다른 한 근을 구한다.

답 ❶ a ❷근

02

오른쪽 그림에서 점 I는 △ABC의 내심이고 세 점 D, E, F는 접점이다. 내접원 I의 반지름의 길이는 x, △ABC의 세 변의 길이의 합은 $8x-6$이고 △ABC의 넓이가 $3x^2+x+2$일 때, x의 값을 구하시오.

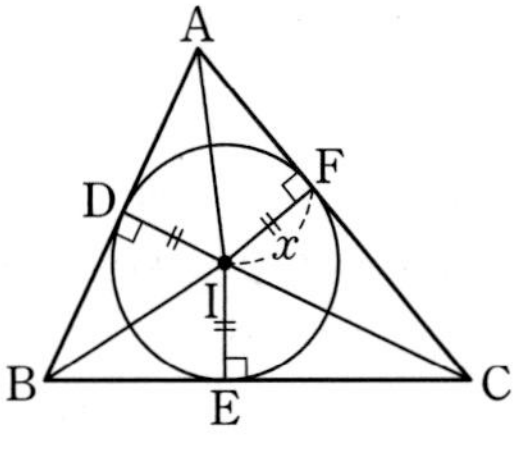

Tip

세 변의 길이가 각각 a, b, c이고 내접원의 반지름의 길이가 [❶ 　] 인 삼각형의 넓이는 $\frac{1}{2}r$([❷ 　])임을 이용한다.

답 ❶ r ❷ $a+b+c$

03

다음을 읽고 물음에 답하시오.

이차방정식 $3x^2+kx+(k-3)=0$
을 푸시오. (단, k는 상수)

음…. 한 근은 $x=2$로군!
어, 아닌데! 덜렁아, x의 계수와 상수항을 바꾸어 풀었네.
앗!

(1) x의 계수와 상수항을 바꾼 이차방정식의 다른 한 근을 구하시오.

(2) 처음 이차방정식의 두 근을 구하시오.

Tip

x의 계수와 상수항을 바꾼 $3x^2+(k-3)x+$[❶ 　]$=0$의 한 근이 $x=$[❷ 　]임을 이용하여 k의 값을 구한다.

답 ❶ k ❷ 2

04

다음을 읽고 물음에 답하시오.

$\frac{1}{16}x^2-x+\frac{1}{4}=0$
이차방정식 $\frac{1}{16}x^2-x+\frac{1}{4}=0$을 완전제곱식을 이용하여 풀어 보자.
태인
주원
둘 다 잘 풀었는데, 풀이 방법이 조금 다르네!

(1) 태인이는 주어진 식을 $(Ax-2)^2=B$의 꼴로 고쳐 풀었다. 이때 두 상수 A, B의 값을 각각 구하시오.

(2) 주원이는 주어진 식을 $(x-C)^2=D$의 꼴로 고쳐 풀었다. 이때 두 상수 C, D의 값을 각각 구하시오.

(3) 이차방정식 $\frac{1}{16}x^2-x+\frac{1}{4}=0$의 해를 구하시오.

Tip

(1) 주어진 이차방정식을 바로 완전 ❶ [　　　] 으로 고친 경우이다.
(2) 주어진 이차방정식의 x^2의 계수를 ❷ [　　] 로 바꾼 후 완전제곱식으로 고친 경우이다.

답 ❶ 제곱식 ❷ 1

05

다음 그림과 같이 가로의 길이가 세로의 길이보다 4 cm가 더 긴 직사각형 모양의 종이 A가 있다. 이 종이의 네 귀퉁이를 각각 한 변의 길이가 2 cm인 정사각형 모양으로 잘라내어 뚜껑이 없는 직육면체 모양의 상자 B를 만들면 상자 B의 부피가 120 cm³가 된다고 한다. 물음에 답하시오.

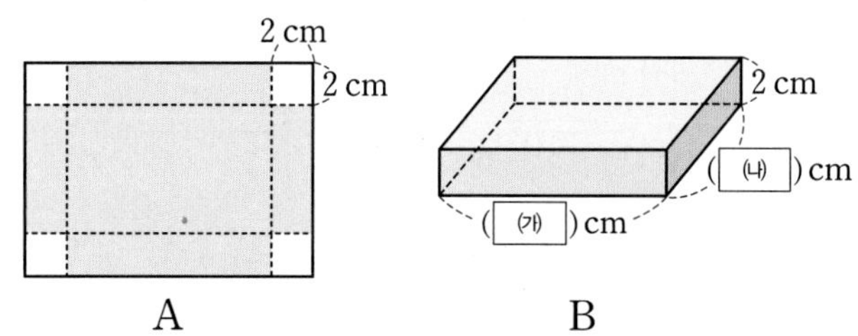

(1) 처음 직사각형 모양의 종이의 가로의 길이를 x cm라 할 때, 세로의 길이를 x의 식으로 나타내시오.

(2) 직육면체 모양의 상자 B에서 (가), (나)에 알맞은 것을 x의 식으로 나타내시오.

(3) x의 값을 구하기 위한 이차방정식을 $x^2+ax+b=0$의 꼴로 나타내시오.

(4) 처음 직사각형 모양의 종이의 가로의 길이를 구하시오.

Tip

직육면체 모양의 상자 B의 가로와 세로의 길이, 높이를 구한 후
(직육면체의 부피)
=(밑면의 ❶ [　　　] 의 길이)×(밑면의 세로의 길이)×(❷ [　　　])
임을 이용하여 식을 세운다.

답 ❶ 가로 ❷ 높이

06

선영이가 다음 규칙에 따라 미로를 이동하여 미로를 탈출하는 데 성공했을 때, (가)~(다) 중 어느 출구로 나가게 되는지 구하시오.

> 규칙
> - 이차함수가 적혀 있는 방으로 들어가면 옆이나 아래로 갈 수 있다.
> - 이차함수가 아닌 함수가 적혀 있는 방으로 들어가면 문이 닫혀 갇히게 된다.

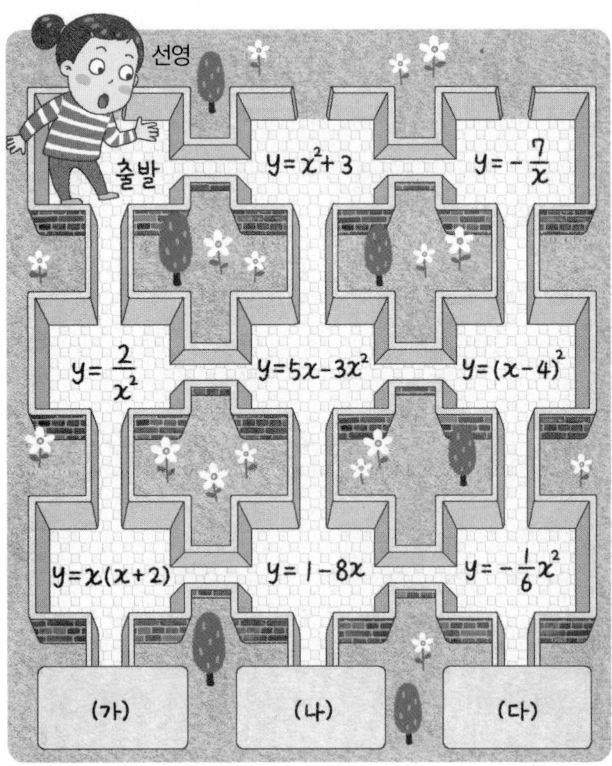

Tip

함수 $y=ax^2+bx+c$에서 a ❶ 0이면 y는 ❷ 에 대한 이차함수이다.

답 ❶ $\neq$ ❷ x

07

다음 그림에서 (가)~(마)에 들어가는 것은 화살표의 시작 부분의 이차함수의 그래프가 화살표가 가리키는 부분의 이차함수의 그래프가 되기 위한 평행이동 조건이다. 예를 들어 (가)에 들어가는 것은 'y축의 방향으로 3만큼 평행이동'이다. 다음 보기에서 옳은 것을 모두 고르시오.

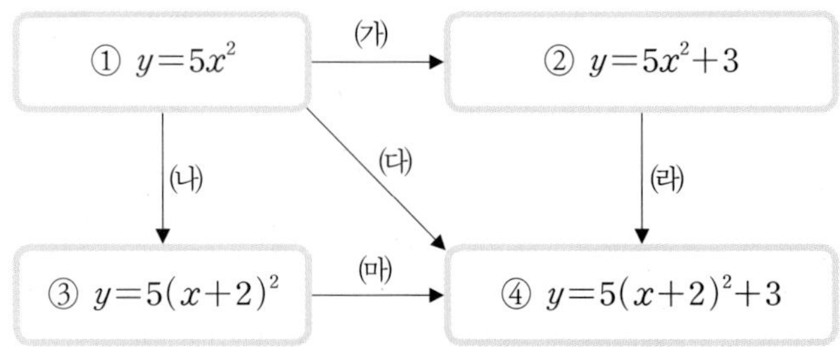

> 보기
> ㉠ ②의 그래프의 꼭짓점의 좌표는 $(0, 3)$이다.
> ㉡ (나)에 들어갈 내용은 'x축의 방향으로 2만큼 평행이동'이다.
> ㉢ ③의 그래프의 축의 방정식은 $x=-2$이다.
> ㉣ (가)와 (마)에 들어갈 내용은 같다.
> ㉤ (나)와 (라)에 들어갈 내용은 같다.
> ㉥ (다)에 들어갈 내용은 'x축의 방향으로 2만큼, y축의 방향으로 3만큼 평행이동'이다.

Tip

이차함수 $y=a(x+p)^2+q$의 그래프

(1) 이차함수 $y=ax^2$의 그래프를 x축의 방향으로 $-p$만큼, y축의 방향으로 ❶ 만큼 평행이동한 것이다.

(2) 꼭짓점의 좌표 : $(-p, q)$, 축의 방정식 : $x=$ ❷

답 ❶ q ❷ $-p$

08

다음은 이차함수 $y=-2x^2+12x-7$의 그래프의 성질을 발표하는 모습이다. 발표한 내용 중 밑줄 친 부분이 옳지 않은 학생을 모두 말하고, 옳지 않은 것은 바르게 고치시오.

Tip

$y=-2x^2+12x-7$을 $y=a(x-p)^2+q$의 꼴로 바꾼다.
이때 꼭짓점의 좌표는 $(p$, ❶ $)$이고, 축의 방정식은 $x=$ ❷ 이다.

답 ❶ q ❷ p

09

A 지점에서 공을 찼더니 다음 그림과 같이 포물선 모양을 그리면서 B 지점에 떨어졌다. 공이 이동한 수평거리가 6 m, 공이 가장 높이 올라갔을 때의 높이가 3 m일 때, 물음에 답하시오.

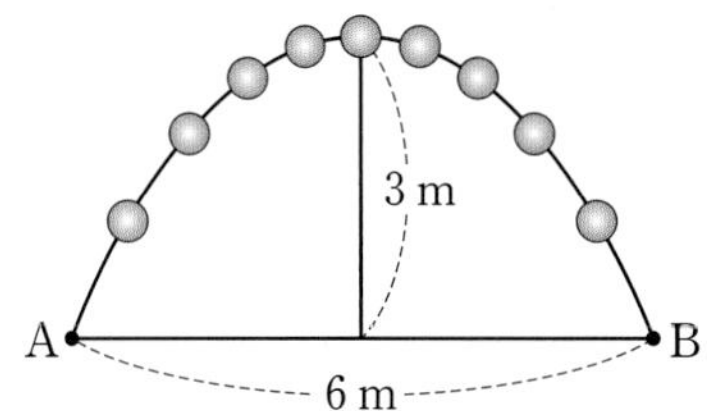

(1) $\overline{AB}$를 x축, 점 A를 원점으로 하여 공이 이동한 경로를 좌표평면 위에 나타낼 때, 이것을 나타내는 이차함수의 식을 $y=a(x-p)^2+q$의 꼴로 나타내시오.
(단, 점 A에서 오른쪽으로 1 m 떨어진 지점의 좌표를 $(1, 0)$으로 한다.)

(2) 점 A에서 점 B의 방향으로 4 m 떨어진 지점에서의 공의 높이를 구하시오.

Tip

공이 이동한 경로인 포물선의 꼭짓점의 좌표는 $(3$, ❶ $)$임을 이용하여 $y=a(x-p)^2+q$에서 p, q의 값을 각각 구한다.
또 포물선이 점 B를 지남을 이용하여 ❷ 의 값을 구한다.

답 ❶ 3 ❷ a

고난도 해결 전략 1회

01 $(a^2-3)x^2+ax+3=2ax^2-2x+1$이 x에 대한 이차방정식이 되기 위한 상수 a의 조건은?

① $a\neq-1$이고 $a\neq3$　② $a\neq-1$ 또는 $a\neq3$
③ $a\neq-1$이고 $a\neq0$　④ $a\neq-1$ 또는 $a\neq0$
⑤ $a\neq\pm\sqrt{3}$

02 이차방정식 $x^2-2px+3q=0$의 한 근이 $x=-2$이고 이차방정식 $3x^2+px+q-1=0$의 한 근이 $x=1$일 때, pq의 값은? (단, p, q는 상수)

① -8　② -4　③ -2
④ 4　⑤ 8

03 이차방정식 $x^2+5x+1=0$의 한 근을 $x=p$라 할 때, $\left(p-\frac{1}{p}\right)^2$의 값을 구하시오.

04 x에 대한 이차방정식
$(a-2)x^2+(a^2+3)x-6a+5=0$의 한 근이 $x=1$일 때, 다른 한 근은? (단, a는 상수)

① $x=-16$　② $x=-15$　③ $x=-14$
④ $x=-13$　⑤ $x=-12$

주어진 식이 x에 대한 이차방정식이므로 $a-2\neq0$이야.

05 한 개의 주사위를 두 번 던져 처음 나온 눈의 수를 a, 나중에 나온 눈의 수를 b라 할 때, 이차방정식 $x^2+2ax+b=0$이 중근을 가질 확률은?

① $\frac{1}{12}$　② $\frac{1}{18}$　③ $\frac{5}{18}$
④ $\frac{1}{36}$　⑤ $\frac{5}{36}$

a, b는 주사위의 눈의 수이므로 $1\leq a\leq6$, $1\leq b\leq6$인 자연수야.

(사건 A가 일어날 확률) $=\frac{(\text{사건 }A\text{가 일어나는 경우의 수})}{(\text{모든 경우의 수})}$

>> 정답과 풀이 53쪽

06 다음 중 이차방정식 $(x-1)^2=5-k$의 근에 대한 설명으로 옳지 않은 것은? (단, k는 상수)

① $k=5$이면 중근을 가진다.
② $k<5$이면 서로 다른 두 근을 가진다.
③ $k=2$이면 무리수인 두 근을 가진다.
④ $k=-4$이면 정수인 두 근을 가진다.
⑤ $k=0$이면 유리수인 두 근을 가진다.

07 일차함수 $y=ax-2$의 그래프가 점 $(3a-1,\ a^2+2a)$를 지나고 제2사분면을 지나지 않을 때, 상수 a의 값은?

① -2　② -1　③ 1
④ 2　⑤ 3

일차함수 $y=ax-2$의 그래프가 제2사분면을 지나지 않으려면 이렇게 그려져야 돼.
y
$y=ax-2$
O
x
-2

08 두 이차방정식 $x^2+ax-a-1=0$과 $x^2+(a+1)x+2(a-1)=0$이 공통인 근을 갖도록 하는 모든 상수 a의 값의 합은?

① -3　② -1　③ 0
④ 1　⑤ 3

09 다음 이차방정식을 푸시오.

$$4x-\frac{x^2-5}{5}=0.2x^2-0.2$$

10 이차방정식 $x^2+4x+2=0$의 두 근 사이에 있는 모든 정수의 합은?

① -10　② -6　③ -5
④ -3　⑤ -2

11 일차함수 $y=ax+b$의 그래프가 오른쪽 그림과 같을 때, 이차방정식 $x^2+ax+b=0$의 두 근의 합은? (단, a, b는 상수)

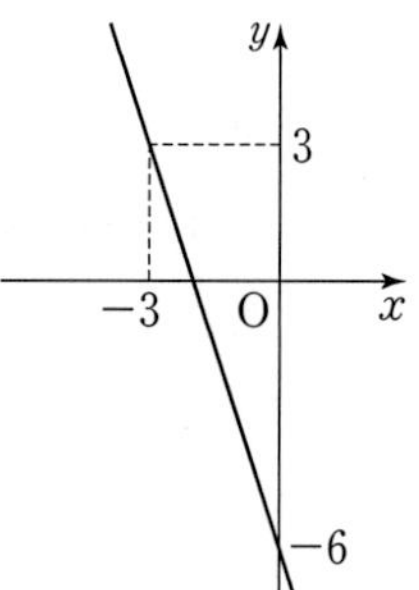

① -6　② -3　③ $-\frac{1}{3}$　④ $\frac{1}{3}$　⑤ 3

일차함수 $y=ax+b$의 그래프에서 a는 기울기이고 b는 y절편이야.

12 이차방정식 $x^2-7x+k=0$의 해가 유리수가 되도록 하는 자연수 k는 모두 몇 개인가?

① 1개　② 2개　③ 3개　④ 4개　⑤ 5개

13 다음은 네 명의 학생이 이차방정식 $3x^2+Ax+B=0$의 근에 대하여 나눈 대화이다. 옳은 말을 한 학생을 모두 고른 것은?

① 승희, 태한　② 승희, 예준　③ 태한, 예준　④ 승희, 수연, 예준　⑤ 승희, 태한, 예준

14 이차방정식 $x^2+px+q=0$의 두 근이 연속하는 양의 정수이고 두 근의 제곱의 차가 13일 때, 상수 p, q에 대하여 $p+q$의 값은?

① 27　② 29　③ 31　④ 33　⑤ 35

15 $(x-y)^2-3(x-y)-10=0$이고 $xy=4$일 때, x^2+y^2의 값을 구하시오. (단, $x<y$)

16 $2+\sqrt{11}$의 정수 부분을 a, 소수 부분을 b라 하면 $x=b$는 이차방정식 $x^2+mx-n=0$의 한 근이다. 이때 $m+n$의 값을 구하시오. (단, m, n은 유리수)

17 1인당 입장료가 1000원인 어떤 박물관에 하루 평균 300명이 다녀간다고 한다. 1인당 입장료를 x원 올렸더니 하루 평균 $\frac{1}{4}x$명이 적게 입장했지만, 하루 평균 입장료 수입은 변함이 없었다고 할 때, x의 값을 구하시오.

하루 평균 입장료 수입은 어떻게 구해?
(1인당 입장료) ×(하루 평균 입장객 수)를 구하면 돼.

18 오른쪽 그림과 같이 3개의 반원으로 이루어진 도형이 있다. 가장 큰 반원의 지름의 길이가 10 cm이고 색칠한 부분의 넓이가 4π cm^{2}일 때, 가장 작은 반원의 반지름의 길이를 구하시오.

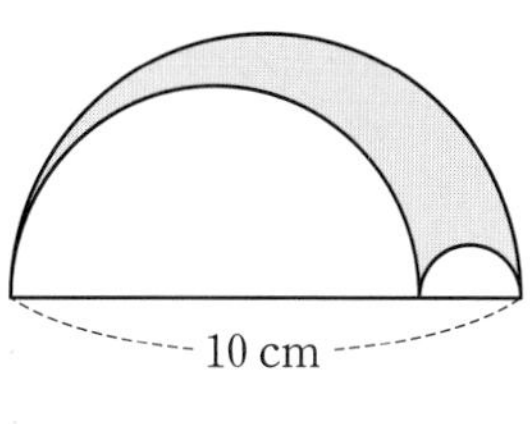
10 cm

19 다음 그림과 같이 $\overline{BC}=24$ cm, $\overline{CD}=16$ cm인 직사각형 ABCD에서 점 P는 점 A에서부터 점 D까지 $\overline{AD}$를 따라 매초 3 cm의 속력으로, 점 Q는 점 D에서부터 점 C까지 $\overline{DC}$를 따라 매초 2 cm의 속력으로 움직인다.
두 점 P, Q가 동시에 출발할 때, 처음으로 △PQD의 넓이가 36 cm^{2}가 되는 것은 출발한 지 몇 초 후인지 구하시오.

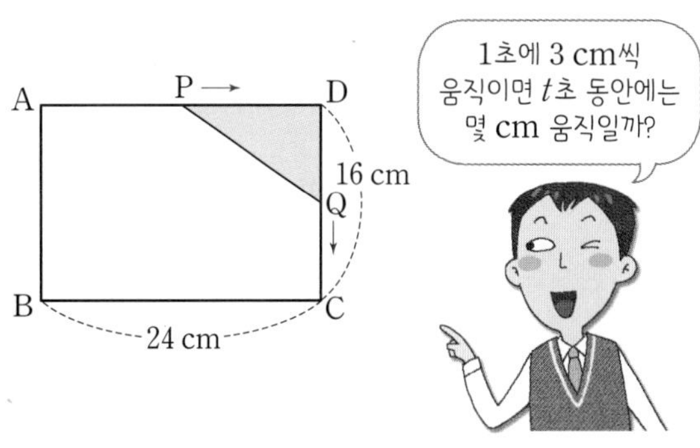
A
P
D
16 cm
Q
B
24 cm
C
1초에 3 cm씩 움직이면 t초 동안에는 몇 cm 움직일까?

고난도 해결 전략 2회

01 $y=(3m+1)x^2+2m^2(2-x)^2$이 x에 대한 이차함수일 때, 다음 중 상수 m의 값이 될 수 <u>없는</u> 것을 모두 고르면? (정답 2개)

① -1 ② $-\frac{1}{2}$ ③ 0
④ $\frac{1}{2}$ ⑤ 1

02 다음 중 아래 이차함수의 그래프 (1)~(4)를 나타내는 식으로 옳은 것은?

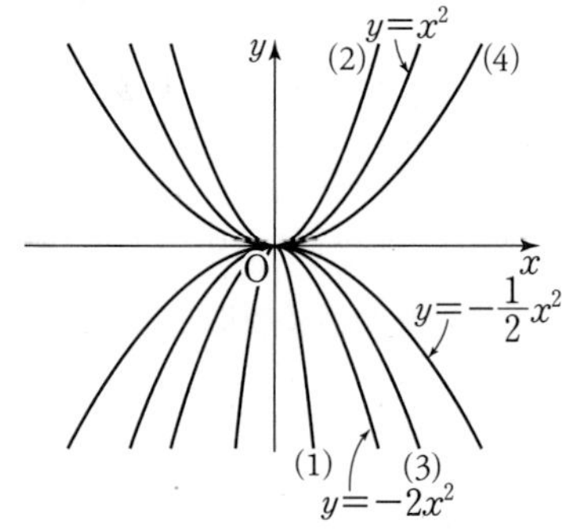

	(1)	(2)	(3)	(4)
①	$y=3x^2$	$y=-3x^2$	$y=-x^2$	$y=\frac{1}{2}x^2$
②	$y=-3x^2$	$y=3x^2$	$y=-x^2$	$y=\frac{1}{2}x^2$
③	$y=-3x^2$	$y=3x^2$	$y=-x^2$	$y=-\frac{1}{2}x^2$
④	$y=-3x^2$	$y=2x^2$	$y=-x^2$	$y=-\frac{1}{2}x^2$
⑤	$y=-3x^2$	$y=2x^2$	$y=-\frac{1}{3}x^2$	$y=\frac{1}{2}x^2$

03 다음 중 보기에 있는 이차함수의 그래프에 대한 설명으로 옳은 말을 한 학생을 찾으시오.

보기
㉠ $y=3x^2$ ㉡ $y=-(x+3)^2$
㉢ $y=-\frac{1}{3}x^2$ ㉣ $y=-3(x+1)^2-2$
㉤ $y=-x^2+2$ ㉥ $y=x^2+2$

하나: 위로 볼록한 그래프는 2개야.
성철: ㉢은 그래프의 폭이 가장 좁아.
고은: 축의 방정식이 같은 그래프는 4개야.
우식: ㉤, ㉥은 x축에 서로 대칭이야.

지우: x축과 한 점에서 만나는 그래프는 2개야.

04 오른쪽 그림과 같이 x축에 평행한 직선이 y축과 만나는 점을 A, 두 이차함수 $y=x^2$, $y=ax^2$의 그래프와 제1사분면에서 만나는 점을 각각 B, C라 하자. $\overline{AB}=\overline{BC}$일 때, 상수 a의 값은?

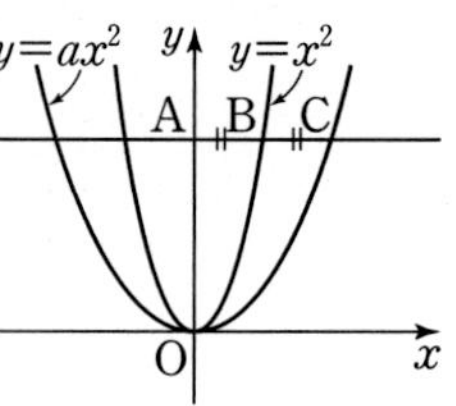

① $\frac{1}{5}$ ② $\frac{1}{4}$ ③ $\frac{1}{3}$
④ $\frac{1}{2}$ ⑤ $\frac{3}{4}$

>> 정답과 풀이 56쪽

05 오른쪽 그림과 같이 이차함수 $y=\frac{1}{2}x^2$의 그래프 위에 두 점 A, B가 있고, 이차함수 $y=-x^2$의 그래프 위에 두 점 C, D가 있다. □ACDB는 정사각형이고 각 변은 x축 또는 y축에 평행할 때, 제2사분면 위에 있는 점 A의 좌표를 구하시오.

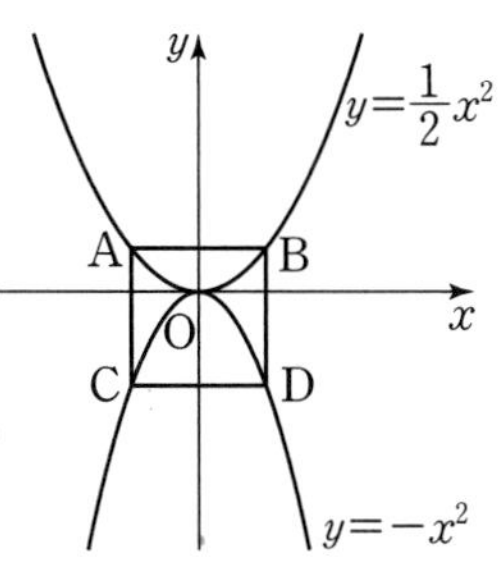

꼭짓점 (p, q)가
어느 사분면 위에
있는지 잘 봐.

06 이차함수 $y=a(x-p)^2+q$의 그래프가 오른쪽 그림과 같을 때, 이차함수 $y=p(x-a)^2+q$의 그래프가 지나는 사분면은? (단, a, p, q는 상수)

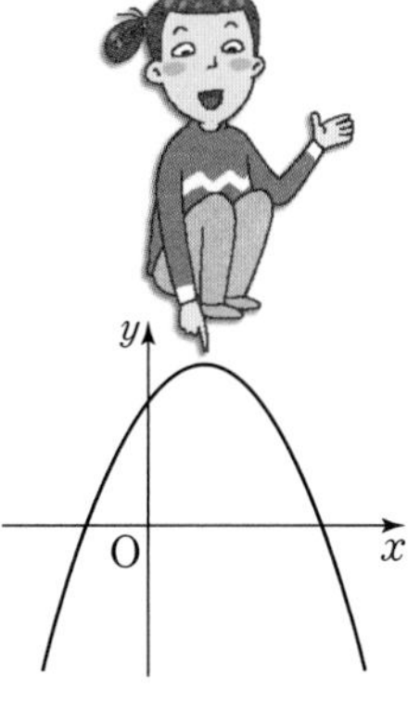

① 제1, 2사분면 ② 제3, 4사분면
③ 제1, 2, 3사분면 ④ 제1, 2, 4사분면
⑤ 모든 사분면을 지난다.

07 이차함수 $y=a(x+2)^2-3$의 그래프가 모든 사분면을 지날 때, 다음 중 상수 a의 값이 될 수 있는 것은?

① -2 ② -1 ③ $\frac{1}{2}$
④ $\frac{3}{2}$ ⑤ 2

08 다음 이차함수의 그래프 중 x축과의 교점의 개수가 나머지 넷과 다른 하나는?

① $y=x^2-4x+3$ ② $y=2x^2-4x-3$
③ $y=-x^2+4$ ④ $y=x^2+x+3$
⑤ $y=-3x^2+x+5$

09 이차함수 $y=-\frac{1}{2}x^2+ax+2a-1$에서 $x<1$이면 x의 값이 증가하면 y의 값도 증가하고, $x>1$이면 x의 값이 증가하면 y의 값은 감소한다. 이 이차함수의 그래프의 꼭짓점의 좌표를 구하시오. (단, a는 상수)

10 다음 중 이차함수 $y=\frac{1}{4}x^2+x-1$의 그래프에 대한 설명으로 옳지 않은 것을 모두 고르면? (정답 2개)

① 꼭짓점의 좌표는 $(-2, -2)$이다.
② x축과 한 점에서 만난다.
③ $y=\frac{1}{4}x^2$의 그래프를 x축의 방향으로 -2만큼, y축의 방향으로 -2만큼 평행이동한 것이다.
④ 제1, 2, 4사분면을 지난다.
⑤ $x>-2$일 때, x의 값이 증가하면 y의 값도 증가한다.

11 일차함수 $y=ax+b$의 그래프가 오른쪽 그림과 같을 때, 이차함수 $y=ax^2+bx-3$의 그래프의 꼭짓점의 좌표와 축의 방정식을 각각 구하면? (단, a, b는 상수)

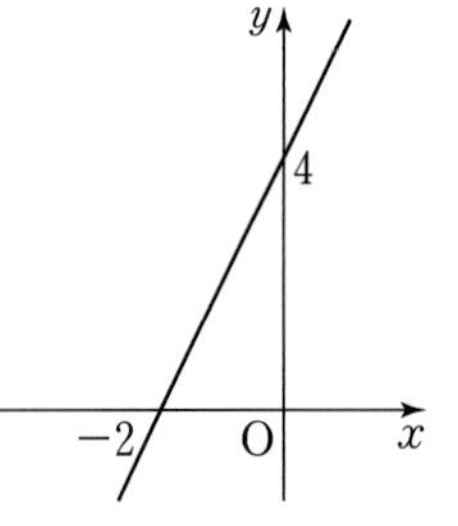

	꼭짓점의 좌표	축의 방정식
①	$(-1, -5)$	$x=-1$
②	$(-1, -3)$	$x=-1$
③	$(-1, 5)$	$x=-1$
④	$(1, 3)$	$x=1$
⑤	$(1, 5)$	$x=1$

12 이차함수 $y=x^2-2(m+1)x+m^2+4m-5$의 그래프의 꼭짓점이 제4사분면 위에 있을 때, 상수 m의 값이 될 수 있는 것은?

① -3 ② -1 ③ 1
④ 3 ⑤ 5

13 다음 그림에서 두 점 A, B는 각각 두 이차함수 $y=-\frac{1}{2}x^2+2x$, $y=-\frac{1}{2}x^2+8x-30$의 그래프의 꼭짓점이다. 이때 색칠한 부분의 넓이를 구하시오.

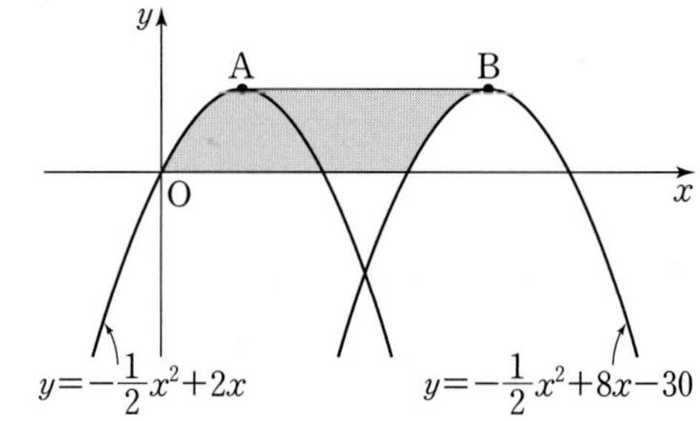

x^2의 계수가 같으므로 두 그래프의 모양과 폭은 같아.

그렇다면 넓이가 같은 부분이 있겠어.

14 오른쪽 그림과 같이 이차함수 $y=-x^2+3x+4$의 그래프가 x축과 만나는 두 점을 A, B라 하고 꼭짓점을 C, y축과 만나는 점을 D라 할 때, 사각형 ABCD의 넓이는?

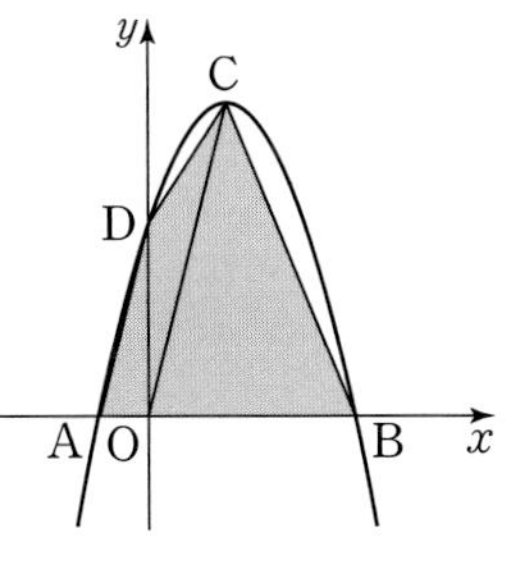

① $\frac{35}{2}$　② $\frac{143}{8}$　③ 18
④ $\frac{58}{3}$　⑤ 22

15 이차함수 $y=ax^2+bx+c$의 그래프가 오른쪽 그림과 같을 때, 다음 중 옳은 것은? (단, a, b, c는 상수)

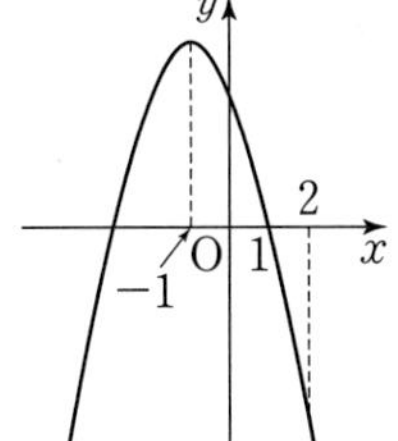

① $ac>0$
② $ab<0$
③ $a+b+c>0$
④ $a-b+c<0$
⑤ $4a+2b+c<0$

16 이차함수 $y=ax^2+bx+c$의 그래프가 오른쪽 그림과 같을 때, 다음 보기에서 옳은 것을 모두 고른 것은? (단, a, b, c는 상수)

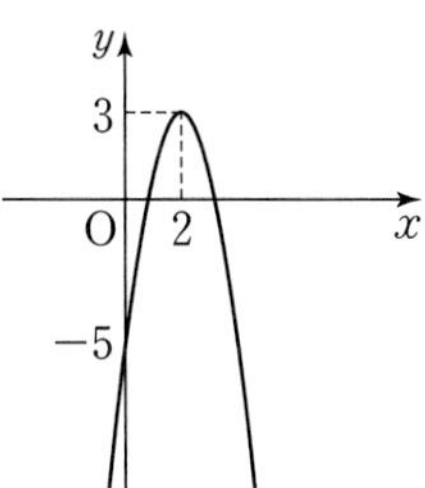

보기
ㄱ 이차함수 $y=-ax^2+bx-c$의 그래프의 꼭짓점의 좌표는 $(-2, -3)$이다.
ㄴ 이차함수 $y=-ax^2+bx-c$의 그래프는 점 $(-1, -5)$를 지난다.
ㄷ 두 이차함수 $y=ax^2+bx+c$, $y=-ax^2-bx+c$의 그래프는 점 $(2, 3)$에서 만난다.

① ㄱ　② ㄴ　③ ㄱ, ㄴ
④ ㄱ, ㄷ　⑤ ㄱ, ㄴ, ㄷ

17 이차함수 $y=x^2+ax+b$의 그래프는 축의 방정식이 $x=1$이고, x축과 만나는 두 점 사이의 거리가 8이다. 이때 $a+b$의 값을 구하시오. (단, a, b는 상수)

memo

정답과 풀이

중간고사 대비

정답과 풀이

1주 제곱근과 실수

1일 개념 돌파 전략 1 확인 문제 8쪽~11쪽

01 (1) $5, -5$ (2) $3, -3$

02 (1) $-a$ (2) $-2a$ (3) $-2a$ (4) $-2a$

03 (1) 5 (2) 3

04 (1) 3 (2) 1

05 (1) $<$ (2) $>$

06 $\sqrt{5}, 2\pi$

07 (1) × (2) ×

08 (1) $>$ (2) $<$

09 (1) $6\sqrt{14}$ (2) $-2\sqrt{3}$

10 $\frac{\sqrt{14}}{6}$

11 $\frac{2\sqrt{70}}{7}$

12 (1) 14.14 (2) 0.04472

13 $2\sqrt{5}+3\sqrt{3}$

14 (1) $\frac{\sqrt{30}-\sqrt{6}}{3}$ (2) $\frac{2\sqrt{5}+\sqrt{10}}{15}$

15 $\frac{\sqrt{6}}{3}-2\sqrt{2}$

16 (1) 정수 부분 : 3, 소수 부분 : $\sqrt{11}-3$
(2) 정수 부분 : 4, 소수 부분 : $\sqrt{2}-1$

01 (2) $(-3)^2=9$이므로 9의 제곱근은 $3, -3$이다.

02 (1) $a<0$이므로 $\sqrt{a^2}=-a$
(2) $2a<0$이므로 $\sqrt{(2a)^2}=-2a$
(3) $-2a>0$이므로 $\sqrt{(-2a)^2}=-2a$
(4) $4a^2=(2a)^2$이고 $2a<0$이므로 $\sqrt{4a^2}=\sqrt{(2a)^2}=-2a$

03 (1) $20=2^2\times5$이므로 $x=5\times(\text{자연수})^2$의 꼴이어야 한다.
따라서 구하는 가장 작은 자연수 x의 값은 5이다.
(2) $\sqrt{\frac{48}{x}}=\sqrt{\frac{2^4\times3}{x}}$이므로
$x=3, 2^2\times3, 2^4\times3$
따라서 구하는 가장 작은 자연수 x의 값은 3이다.

04 (1) $\sqrt{22+x}$가 자연수가 되려면 $22+x$는 22보다 큰 제곱수이어야 하므로
$22+x=25, 36, 49, \cdots$
$\therefore x=3, 14, 27, \cdots$
따라서 구하는 가장 작은 자연수 x의 값은 3이다.
(2) $\sqrt{17-x}$가 자연수가 되려면 $17-x$는 17보다 작은 제곱수이어야 하므로
$17-x=1, 4, 9, 16$
$\therefore x=1, 8, 13, 16$
따라서 구하는 가장 작은 자연수 x의 값은 1이다.

05 (2) $\sqrt{9}>\sqrt{6}$이므로 $3>\sqrt{6}$

06 $\sqrt{0.04}=0.2$이므로 유리수이다.
따라서 무리수인 것은 $\sqrt{5}, 2\pi$이다.

근호가 있다고 해서 모두 무리수인 것은 아니야. 근호 안의 수가 (유리수)^{2}의 꼴이면 근호를 없앨 수 있으므로 무리수가 아니야.

07 (1) 수직선은 실수에 대응하는 점들로 완전히 메울 수 있다.
(2) 1과 3 사이에는 무수히 많은 유리수가 있다.

08 (1) $\sqrt{5}<\sqrt{12}$이므로 $-\sqrt{5}>-\sqrt{12}$
(2) $-\sqrt{10}+6-3=-\sqrt{10}+3=-\sqrt{10}+\sqrt{9}<0$
$\therefore -\sqrt{10}+6<3$

09 (1) $2\sqrt{7}\times3\sqrt{2}=(2\times3)\times\sqrt{7\times2}=6\sqrt{14}$
(2) $4\sqrt{18}\div(-2\sqrt{6})=-\frac{4}{2}\sqrt{\frac{18}{6}}=-2\sqrt{3}$

10 $\frac{\sqrt{7}}{3\sqrt{2}}=\frac{\sqrt{7}\times\sqrt{2}}{3\sqrt{2}\times\sqrt{2}}=\frac{\sqrt{14}}{6}$

11 $\sqrt{2}\times\sqrt{5}\div\frac{\sqrt{7}}{2}=\sqrt{2}\times\sqrt{5}\times\frac{2}{\sqrt{7}}=\frac{2\sqrt{10}}{\sqrt{7}}=\frac{2\sqrt{70}}{7}$

12 (1) $\sqrt{200}=\sqrt{100\times2}=10\sqrt{2}=10\times1.414=14.14$
(2) $\sqrt{0.002}=\sqrt{\frac{2}{1000}}=\sqrt{\frac{20}{10000}}$
$=\frac{\sqrt{20}}{100}=\frac{4.472}{100}=0.04472$

13 $3\sqrt{5}+7\sqrt{3}-\sqrt{5}-4\sqrt{3}=(3-1)\sqrt{5}+(7-4)\sqrt{3}$
$=2\sqrt{5}+3\sqrt{3}$

14 (1) $\frac{\sqrt{10}-\sqrt{2}}{\sqrt{3}}=\frac{(\sqrt{10}-\sqrt{2})\times\sqrt{3}}{\sqrt{3}\times\sqrt{3}}=\frac{\sqrt{30}-\sqrt{6}}{3}$

(2) $\frac{2+\sqrt{2}}{\sqrt{45}}=\frac{2+\sqrt{2}}{3\sqrt{5}}=\frac{(2+\sqrt{2})\times\sqrt{5}}{3\sqrt{5}\times\sqrt{5}}=\frac{2\sqrt{5}+\sqrt{10}}{15}$

15 $\frac{\sqrt{3}}{\sqrt{2}}+\frac{5}{\sqrt{6}}-\sqrt{2}(2+\sqrt{3})=\frac{\sqrt{6}}{2}+\frac{5\sqrt{6}}{6}-2\sqrt{2}-\sqrt{6}$
$=\frac{\sqrt{6}}{3}-2\sqrt{2}$

16 (1) $3<\sqrt{11}<4$이므로 $\sqrt{11}$의 정수 부분은 3, 소수 부분은 $\sqrt{11}-3$이다.

(2) $1<\sqrt{2}<2$이므로 $4<3+\sqrt{2}<5$
따라서 $3+\sqrt{2}$의 정수 부분은 4, 소수 부분은 $(3+\sqrt{2})-4=\sqrt{2}-1$이다.

1일 개념 돌파 전략 2 12쪽~13쪽

1 ①	2 ③	3 ④	4 ④
5 ⑤	6 ④	7 ③	

1 $(-2)^2=4$이므로 4의 양의 제곱근은 $\sqrt{4}=2$
$\therefore a=2$
$5^2=25$의 음의 제곱근은 $-\sqrt{25}=-5$
$\therefore b=-5$
$\therefore a+b=2+(-5)=-3$

2 정아 : $-(-\sqrt{8})^2=-8$
우성 : $-\sqrt{(-0.4)^2}=-0.4$
따라서 옳은 말을 한 학생은 희철, 은아이다.

3 $a<0$일 때, $-3a>0$이므로
$\sqrt{a^2}-\sqrt{(-3a)^2}=-a-(-3a)=-a+3a=2a$

4 ④ $5\sqrt{2}\times(-2\sqrt{13})=-10\sqrt{26}$

5 ① $7\sqrt{2}=\sqrt{7^2\times2}=\sqrt{98}$
② $-3\sqrt{3}=-\sqrt{3^2\times3}=-\sqrt{27}$
③ $\sqrt{\frac{5}{16}}=\sqrt{\frac{5}{4^2}}=\frac{\sqrt{5}}{4}$
④ $\frac{\sqrt{2}}{5}=\frac{\sqrt{2}}{\sqrt{5^2}}=\sqrt{\frac{2}{25}}$
⑤ $\sqrt{0.05}=\sqrt{\frac{5}{100}}=\sqrt{\frac{5}{10^2}}=\frac{\sqrt{5}}{10}$
따라서 옳은 것은 ⑤이다.

6 ① $\sqrt{5}-4\sqrt{5}=-3\sqrt{5}$
② $2\sqrt{5}+3\sqrt{5}=5\sqrt{5}$
③ $\sqrt{9}-\sqrt{4}=3-2=1$
④ $\sqrt{24}+2\sqrt{6}=2\sqrt{6}+2\sqrt{6}=4\sqrt{6}$
⑤ $\sqrt{12}-\sqrt{27}+\sqrt{48}=2\sqrt{3}-3\sqrt{3}+4\sqrt{3}=3\sqrt{3}$
따라서 옳은 것은 ④이다.

7 ① $\sqrt{7}<\sqrt{8}$이므로 $\sqrt{7}<2\sqrt{2}$
② $3-(\sqrt{5}+1)=3-\sqrt{5}-1=2-\sqrt{5}$
$=\sqrt{4}-\sqrt{5}<0$
$\therefore 3<\sqrt{5}+1$
③ $(\sqrt{3}+4)-5=\sqrt{3}-1>0$
$\therefore \sqrt{3}+4>5$
④ $(\sqrt{6}-4)-(-1)=\sqrt{6}-4+1=\sqrt{6}-3$
$=\sqrt{6}-\sqrt{9}<0$
$\therefore \sqrt{6}-4<-1$
⑤ $(6-\sqrt{2})-(6-\sqrt{3})=6-\sqrt{2}-6+\sqrt{3}$
$=-\sqrt{2}+\sqrt{3}>0$
$\therefore 6-\sqrt{2}>6-\sqrt{3}$
따라서 대소 관계가 옳은 것은 ③이다.

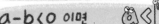

a-b>0 이면 
a-b=0 이면
a-b<0 이면 

중간

2일 필수 체크 전략 1 14쪽~17쪽

1-1 ②	**2-1** ③	**2-2** 2	**3-1** ①, ⑤
3-2 90	**4-1** ④	**4-2** 0	**5-1** ④
5-2 7	**6-1** 수진	**7-1** ①, ③	**8-1** ⑤
8-2 ④			

1-1 $a<0$일 때, $-4a>0$, $3a<0$이므로

$\sqrt{a^2}+\sqrt{(-4a)^2}-\sqrt{9a^2}=\sqrt{a^2}+\sqrt{(-4a)^2}-\sqrt{(3a)^2}$

$=-a+(-4a)-(-3a)$

$=-2a$

2-1 $98=2\times7^2$이므로 $x=2\times(\text{자연수})^2$의 꼴이어야 한다.

즉 $x=2\times1^2, 2\times2^2, 2\times3^2, 2\times4^2, 2\times5^2, \cdots$

따라서 자연수 x의 값이 될 수 없는 것은 ③ 14이다.

2-2 $72=2^3\times3^2$이므로

$x=2, 2^3, 2\times3^2, 2^3\times3^2$

따라서 구하는 가장 작은 자연수 x의 값은 2이다.

3-1 $\sqrt{45+x}$가 자연수가 되려면 $45+x$가 45보다 큰 제곱수이어야 하므로

$45+x=49, 64, 81, \cdots$

$\therefore x=4, 19, 36, \cdots$

따라서 자연수 x의 값을 모두 고르면 ①, ⑤이다.

3-2 $\sqrt{77-x}$가 정수가 되려면 $77-x$가 0 또는 77보다 작은 제곱수이어야 하므로

$77-x=0, 1, 4, 9, 16, 25, 36, 49, 64$

$\therefore x=13, 28, 41, 52, 61, 68, 73, 76, 77$

따라서 $M=77$, $m=13$이므로

$M+m=77+13=90$

4-1 ① $\sqrt{15}<\sqrt{16}$이므로 $\sqrt{15}<4$

② $\sqrt{26}>\sqrt{25}$이므로 $\sqrt{26}>5$

③ $\sqrt{0.01}<\sqrt{0.1}$이므로 $0.1<\sqrt{0.1}$

④ $\sqrt{9}>\sqrt{8}$에서 $-\sqrt{9}<-\sqrt{8}$이므로 $-3<-\sqrt{8}$

⑤ $\sqrt{39}>\sqrt{36}$에서 $-\sqrt{39}<-\sqrt{36}$이므로 $-\sqrt{39}<-6$

따라서 대소 관계가 옳은 것은 ④이다.

4-2 $\sqrt{7}<\sqrt{9}$이므로 $\sqrt{7}<3$

따라서 $3-\sqrt{7}>0$, $\sqrt{7}-3<0$이므로

$\sqrt{(3-\sqrt{7})^2}-\sqrt{(\sqrt{7}-3)^2}=(3-\sqrt{7})-\{-(\sqrt{7}-3)\}$

$=3-\sqrt{7}+\sqrt{7}-3$

$=0$

5-1 $4<\sqrt{x+2}<5$의 각 변을 제곱하면

$16<x+2<25$ $\quad\therefore 14<x<23$

따라서 주어진 부등식을 만족하는 자연수 x는 15, 16, 17, $\cdots$, 22의 8개이다.

5-2 $3<\sqrt{3x}<6$의 각 변을 제곱하면

$9<3x<36$ $\quad\therefore 3<x<12$

따라서 $M=11$, $m=4$이므로

$M-m=11-4=7$

6-1 종훈 : $\overline{AP}=\overline{AC}=\sqrt{1^2+1^2}=\sqrt{2}$이므로 점 P에 대응하는 수는 $2+\sqrt{2}$이다.

수진 : $\overline{BQ}=\overline{BD}=\sqrt{1^2+1^2}=\sqrt{2}$이므로 점 Q에 대응하는 수는 $3-\sqrt{2}$이다.

경태 : □ABCD의 넓이는 $1\times1=1$이다.

주리 : $\overline{BP}$의 길이는 $\overline{AP}-\overline{AB}=\sqrt{2}-1$이다.

따라서 옳지 않은 설명을 한 학생은 수진이다.

7-1 ② 유리수에 대응하는 점만으로는 수직선을 완전히 메울 수 없다.

④ 1에 가장 가까운 무리수는 알 수 없다.

⑤ 서로 다른 두 무리수 사이에는 무수히 많은 유리수도 있다.

따라서 옳은 것은 ①, ③이다.

수직선은 유리수와 무리수로 완전히 메울 수 있어.

빈틈이 없네.

8-1 ① $\sqrt{75}>\sqrt{45}$이므로 $5\sqrt{3}>3\sqrt{5}$

② $(\sqrt{10}+1)-4=\sqrt{10}-3=\sqrt{10}-\sqrt{9}>0$

$\therefore \sqrt{10}+1>4$

③ $(2\sqrt{7}+\sqrt{3})-(\sqrt{3}+5)=2\sqrt{7}+\sqrt{3}-\sqrt{3}-5$

$=2\sqrt{7}-5$

$=\sqrt{28}-\sqrt{25}>0$

$\therefore 2\sqrt{7}+\sqrt{3}>\sqrt{3}+5$

④ $(1-\sqrt{5})-(1-\sqrt{6})=1-\sqrt{5}-1+\sqrt{6}$

$=-\sqrt{5}+\sqrt{6}>0$

$\therefore 1-\sqrt{5}>1-\sqrt{6}$

⑤ $(3-\sqrt{6})-(3-2\sqrt{2})=3-\sqrt{6}-3+2\sqrt{2}$

$=-\sqrt{6}+\sqrt{8}>0$

$\therefore 3-\sqrt{6}>3-2\sqrt{2}$

따라서 대소 관계가 옳지 않은 것은 ⑤이다.

8-2 (i) $a-b=(-\sqrt{12}+2)-(2-\sqrt{10})$

$=-\sqrt{12}+2-2+\sqrt{10}$

$=-\sqrt{12}+\sqrt{10}<0$

$\therefore a<b$

(ii) $a-c=(-\sqrt{12}+2)-(-2)$

$=-\sqrt{12}+2+2$

$=-\sqrt{12}+4$

$=-\sqrt{12}+\sqrt{16}>0$

$\therefore a>c$

(i), (ii)에서 $c<a<b$

2일 필수 체크 전략 2 18쪽~19쪽

1 ⑤	2 ③	3 ④	4 ⑤
5 21	6 ③	7 경태, 효재	8 ①

1 $a>b$이고 $ab<0$이므로 $a>0$, $b<0$

따라서 $a-b>0$, $-a<0$, $b<0$이므로

$\sqrt{(a-b)^2}+\sqrt{(-a)^2}-2\sqrt{b^2}$

$=a-b+\{-(-a)\}-2\times(-b)$

$=a-b+a+2b$

$=2a+b$

2 (i) $\sqrt{124-x}$가 자연수가 되려면 $124-x$가 124보다 작은 제곱수이어야 하므로

$124-x=1, 4, 9, 16, 25, 36, 49, 64, 81, 100, 121$

$\therefore x=3, 24, 43, 60, 75, 88, 99, 108, 115, 120, 123$

(ii) $135=3^3\times5$이므로 $x=3\times5\times(\text{자연수})^2$의 꼴이어야 한다. 즉 $x=3\times5\times1^2, 3\times5\times2^2, 3\times5\times3^2, \cdots$

$\therefore x=15, 60, 135, \cdots$

(i), (ii)에서 $x=60$

3 $\sqrt{16}>\sqrt{5}$이므로 $-\sqrt{16}<-\sqrt{5}$

$\frac{1}{2}=\sqrt{\frac{1}{4}}$, $4=\sqrt{16}$이므로 $\frac{1}{2}<\sqrt{\frac{15}{4}}<\sqrt{8}<4$

$\therefore -\sqrt{16}<-\sqrt{5}<\frac{1}{2}<\sqrt{\frac{15}{4}}<\sqrt{8}<4$

따라서 $a=\sqrt{8}$, $b=-\sqrt{5}$이므로

$a^2+b^2=(\sqrt{8})^2+(-\sqrt{5})^2=13$

4 $\sqrt{16}>\sqrt{10}$이므로 $4>\sqrt{10}$

$\sqrt{10}>\sqrt{9}$이므로 $\sqrt{10}>3$

따라서 $4-\sqrt{10}>0$, $\sqrt{10}-4<0$, $\sqrt{10}-3>0$이므로

$\sqrt{(4-\sqrt{10})^2}-\sqrt{(\sqrt{10}-4)^2}+\sqrt{(\sqrt{10}-3)^2}$

$=(4-\sqrt{10})-\{-(\sqrt{10}-4)\}+(\sqrt{10}-3)$

$=4-\sqrt{10}+\sqrt{10}-4+\sqrt{10}-3$

$=\sqrt{10}-3$

5 $5\le\sqrt{3x-2}<6$의 각 변을 제곱하면 $25\le 3x-2<36$

$27\le 3x<38$ $\quad\therefore 9\le x<\frac{38}{3}$

따라서 $M=12$, $m=9$이므로 $M+m=12+9=21$

6 한 변의 길이가 1인 정사각형의 대각선의 길이는 $\sqrt{2}$이므로

$\mathrm{P}(-2+\sqrt{2})$, $\mathrm{Q}(1-\sqrt{2})$, $\mathrm{R}(2-\sqrt{2})$, $\mathrm{S}(1+\sqrt{2})$

④ $\overline{\mathrm{BQ}}=\overline{\mathrm{AQ}}+\overline{\mathrm{AB}}=\sqrt{2}+1$

⑤ $\overline{\mathrm{BS}}=\overline{\mathrm{AS}}-\overline{\mathrm{AB}}=\sqrt{2}-1$

따라서 옳지 않은 것은 ③이다.

7 경태 : $\sqrt{17}$은 무리수이므로 수직선 위의 점에 대응시킬 수 있다.

수진 : $1<\sqrt{3}<2$, $2<\sqrt{5}<3$이므로 $\sqrt{3}$과 $\sqrt{5}$ 사이에는 자연수 2가 있다.

효재 : 무리수에 대응하는 점만으로는 수직선을 완전히 메울 수 없다.

따라서 댓글 내용이 옳지 않은 학생은 경태, 효재이다.

8 (i) $a-b=(\sqrt{10}+\sqrt{3})-(\sqrt{3}+4)=\sqrt{10}+\sqrt{3}-\sqrt{3}-4$
$=\sqrt{10}-4=\sqrt{10}-\sqrt{16}<0$
$\therefore a<b$

(ii) $b-c=(\sqrt{3}+4)-6=\sqrt{3}-2=\sqrt{3}-\sqrt{4}<0$
$\therefore b<c$

(i), (ii)에서 $a<b<c$

3일 필수 체크 전략 1 20쪽~23쪽

1-1 ②	**1-2** ⑤	**2-1** ④	**2-2** 1
3-1 ④	**3-2** $3\sqrt{5}$	**4-1** ④	**5-1** ①
5-2 $8\sqrt{2}$	**6-1** ③	**6-2** 0	**7-1** ②
7-2 $(2\sqrt{6}+9)$ cm^2		**8-1** ④	

1-1 $\sqrt{180}=\sqrt{2^2\times3^2\times5}=2\times(\sqrt{3})^2\times\sqrt{5}=2a^2b$

1-2 ① $\sqrt{3000}=\sqrt{100\times30}=10\sqrt{30}=10b$
② $\sqrt{30000}=\sqrt{10000\times3}=100\sqrt{3}=100a$
③ $\sqrt{0.3}=\sqrt{\frac{30}{100}}=\frac{\sqrt{30}}{10}=\frac{b}{10}$
④ $\sqrt{0.03}=\sqrt{\frac{3}{100}}=\frac{\sqrt{3}}{10}=\frac{a}{10}$
⑤ $\sqrt{0.003}=\sqrt{\frac{30}{10000}}=\frac{\sqrt{30}}{100}=\frac{b}{100}$
따라서 옳은 것은 ⑤이다.

2-1 ① $\frac{1}{\sqrt{6}}=\frac{1\times\sqrt{6}}{\sqrt{6}\times\sqrt{6}}=\frac{\sqrt{6}}{6}$
② $\frac{9}{\sqrt{18}}=\frac{9}{3\sqrt{2}}=\frac{3}{\sqrt{2}}=\frac{3\times\sqrt{2}}{\sqrt{2}\times\sqrt{2}}=\frac{3\sqrt{2}}{2}$
③ $\frac{\sqrt{2}}{3\sqrt{5}}=\frac{\sqrt{2}\times\sqrt{5}}{3\sqrt{5}\times\sqrt{5}}=\frac{\sqrt{10}}{15}$
④ $\frac{3}{4\sqrt{7}}=\frac{3\times\sqrt{7}}{4\sqrt{7}\times\sqrt{7}}=\frac{3\sqrt{7}}{28}$
⑤ $\frac{2\sqrt{5}}{\sqrt{2}\sqrt{6}}=\frac{2\sqrt{5}}{\sqrt{12}}=\frac{2\sqrt{5}}{2\sqrt{3}}=\frac{\sqrt{5}}{\sqrt{3}}=\frac{\sqrt{5}\times\sqrt{3}}{\sqrt{3}\times\sqrt{3}}=\frac{\sqrt{15}}{3}$
따라서 분모를 유리화한 것으로 옳지 않은 것은 ④이다.

2-2 $\frac{\sqrt{5}}{3\sqrt{2}}=\frac{\sqrt{5}\times\sqrt{2}}{3\sqrt{2}\times\sqrt{2}}=\frac{\sqrt{10}}{6}$이므로 $a=\frac{1}{6}$
$\frac{6}{\sqrt{12}}=\frac{6}{2\sqrt{3}}=\frac{3}{\sqrt{3}}=\frac{3\times\sqrt{3}}{\sqrt{3}\times\sqrt{3}}=\frac{3\sqrt{3}}{3}=\sqrt{3}$이므로
$b=1$
$\therefore 6ab=6\times\frac{1}{6}\times1=1$

3-1 $2\sqrt{\frac{3}{11}}\times3\sqrt{\frac{2}{3}}\div2\sqrt{\frac{50}{33}}=\frac{2\sqrt{3}}{\sqrt{11}}\times\frac{3\sqrt{2}}{\sqrt{3}}\div\frac{2\sqrt{50}}{\sqrt{33}}$
$=\frac{2\sqrt{3}}{\sqrt{11}}\times\frac{3\sqrt{2}}{\sqrt{3}}\times\frac{\sqrt{33}}{10\sqrt{2}}$
$=\frac{3\sqrt{3}}{5}$

3-2 (삼각형의 넓이)$=\frac{1}{2}\times5\sqrt{3}\times2\sqrt{6}=15\sqrt{2}$ (cm^2)
삼각형의 넓이와 직사각형의 넓이가 서로 같으므로
$15\sqrt{2}=x\times\sqrt{10}$
$\therefore x=\frac{15\sqrt{2}}{\sqrt{10}}=\frac{15}{\sqrt{5}}=\frac{15\sqrt{5}}{5}=3\sqrt{5}$

4-1 ① $\sqrt{5.73}=2.394$
② $\sqrt{560}=\sqrt{100\times5.6}=10\sqrt{5.6}=10\times2.366=23.66$
③ $\sqrt{583}=\sqrt{100\times5.83}=10\sqrt{5.83}=10\times2.415=24.15$
⑤ $\sqrt{0.055}=\sqrt{\frac{5.5}{100}}=\frac{\sqrt{5.5}}{10}=\frac{2.345}{10}=0.2345$
따라서 제곱근의 값을 구할 수 없는 것은 ④이다.

5-1 $6\sqrt{2}-\sqrt{80}+\sqrt{5}+\sqrt{32}=6\sqrt{2}-4\sqrt{5}+\sqrt{5}+4\sqrt{2}$
$=10\sqrt{2}-3\sqrt{5}$
따라서 $a=10$, $b=-3$이므로
$ab=10\times(-3)=-30$

5-2 $\frac{\sqrt{18}}{3}-\frac{\sqrt{3}}{2\sqrt{6}}+3\sqrt{8}+\frac{5}{\sqrt{8}}=\frac{3\sqrt{2}}{3}-\frac{\sqrt{18}}{12}+6\sqrt{2}+\frac{5}{2\sqrt{2}}$
$=\sqrt{2}-\frac{\sqrt{2}}{4}+6\sqrt{2}+\frac{5\sqrt{2}}{4}$
$=8\sqrt{2}$

6-1 $\frac{6}{\sqrt{3}}(\sqrt{3}-\sqrt{2})+\sqrt{2}(\sqrt{8}-2\sqrt{3})$
$=2\sqrt{3}(\sqrt{3}-\sqrt{2})+\sqrt{2}(2\sqrt{2}-2\sqrt{3})$
$=6-2\sqrt{6}+4-2\sqrt{6}$
$=10-4\sqrt{6}$

6-2 $\frac{6+\sqrt{12}}{\sqrt{3}}-\frac{\sqrt{20}-10}{\sqrt{5}}$
$=\frac{(6+\sqrt{12})\times\sqrt{3}}{\sqrt{3}\times\sqrt{3}}-\frac{(\sqrt{20}-10)\times\sqrt{5}}{\sqrt{5}\times\sqrt{5}}$
$=\frac{6\sqrt{3}+6}{3}-\frac{10-10\sqrt{5}}{5}$
$=2\sqrt{3}+2-2+2\sqrt{5}$
$=2\sqrt{3}+2\sqrt{5}$
따라서 $a=2$, $b=2$이므로 $a-b=2-2=0$

7-1 $3\sqrt{75}+\sqrt{3}(8\sqrt{3}-\sqrt{2})-\frac{6-3\sqrt{2}}{\sqrt{3}}$
$=15\sqrt{3}+24-\sqrt{6}-\frac{(6-3\sqrt{2})\times\sqrt{3}}{\sqrt{3}\times\sqrt{3}}$
$=15\sqrt{3}+24-\sqrt{6}-\frac{6\sqrt{3}-3\sqrt{6}}{3}$
$=15\sqrt{3}+24-\sqrt{6}-2\sqrt{3}+\sqrt{6}$
$=13\sqrt{3}+24$

7-2 (사다리꼴의 넓이)
$=\frac{1}{2}\times\{(\sqrt{2}+\sqrt{3})+(\sqrt{2}+2\sqrt{3})\}\times\sqrt{12}$
$=\frac{1}{2}\times(2\sqrt{2}+3\sqrt{3})\times2\sqrt{3}$
$=2\sqrt{6}+9\ (\text{cm}^2)$

8-1 $1<\sqrt{3}<2$에서 $-2<-\sqrt{3}<-1$이므로
$2<4-\sqrt{3}<3$ $\quad\therefore a=2$
$3<\sqrt{10}<4$에서 $4<\sqrt{10}+1<5$이므로
$b=(\sqrt{10}+1)-4=\sqrt{10}-3$
$\therefore \sqrt{10}a-b=\sqrt{10}\times2-(\sqrt{10}-3)=\sqrt{10}+3$

3일 필수 체크 전략 2 — 24쪽~25쪽

1 ②	**2** 희철, 정신	**3** ③	**4** ⑤
5 $22+\sqrt{10}$	**6** $-\sqrt{15}+5$	**7** $3\sqrt{2}-2$	**8** $8\sqrt{3}-13$

1 $\sqrt{0.32}=\sqrt{\frac{32}{100}}=\sqrt{\frac{2^5}{2^2\times5^2}}=\sqrt{\frac{2^3}{5^2}}$
$=\frac{(\sqrt{2})^3}{(\sqrt{5})^2}=\frac{a^3}{b^2}$

2 지은 : $\sqrt{a^2b}=a\sqrt{b}$
우정 : $-a\sqrt{b}=-\sqrt{a^2b}$
은채 : $\sqrt{\frac{b^2}{a}}=\frac{b}{\sqrt{a}}=\frac{b\sqrt{a}}{a}$
따라서 옳은 것을 들고 있는 학생은 희철, 정신이다.

3 $a=4\times\sqrt{\frac{7}{2}}\times\sqrt{\frac{3}{28}}=4\times\frac{\sqrt{7}}{\sqrt{2}}\times\frac{\sqrt{3}}{2\sqrt{7}}=\frac{2\sqrt{3}}{\sqrt{2}}=\sqrt{6}$
$b=3\sqrt{2}\times2\sqrt{3}\div\frac{1}{\sqrt{6}}=3\sqrt{2}\times2\sqrt{3}\times\sqrt{6}=36$
$\therefore \frac{b}{a^2}=\frac{36}{(\sqrt{6})^2}=6$

4 ① $\sqrt{0.2}=\sqrt{\frac{1}{5}}=\frac{1}{\sqrt{5}}=\frac{\sqrt{5}}{5}=\frac{2.236}{5}=0.4472$

② $\sqrt{20}=2\sqrt{5}=2\times2.236=4.472$

③ $\sqrt{\frac{5}{4}}=\frac{\sqrt{5}}{2}=\frac{2.236}{2}=1.118$

④ $\sqrt{45}=3\sqrt{5}=3\times2.236=6.708$

따라서 제곱근의 값을 구할 수 없는 것은 ⑤이다.

5 다음 그림과 같이 주어진 도형을 두 개의 직사각형으로 나눈다.

∴ (주어진 도형의 넓이)

$=(2\sqrt{5}-\sqrt{2})\times\sqrt{5}+(3\sqrt{2}+\sqrt{5})\times2\sqrt{2}$

$=10-\sqrt{10}+12+2\sqrt{10}$

$=22+\sqrt{10}$

6 $\sqrt{5}(x-4y)+4\sqrt{3}y$

$=\sqrt{5}x-4\sqrt{5}y+4\sqrt{3}y$

$=\sqrt{5}\left(2\sqrt{3}-\frac{2\sqrt{5}}{5}\right)-4\sqrt{5}\left(\sqrt{3}+\frac{\sqrt{5}}{4}\right)+4\sqrt{3}\left(\sqrt{3}+\frac{\sqrt{5}}{4}\right)$

$=2\sqrt{15}-2-4\sqrt{15}-5+12+\sqrt{15}$

$=-\sqrt{15}+5$

7 (i) $(\sqrt{32}-1)-(3\sqrt{2}+1)=4\sqrt{2}-1-3\sqrt{2}-1$

$=\sqrt{2}-2$

$=\sqrt{2}-\sqrt{4}<0$

∴ $\sqrt{32}-1<3\sqrt{2}+1$

(ii) $\sqrt{32}-1-(2\sqrt{7}-1)=\sqrt{32}-1-2\sqrt{7}+1$

$=\sqrt{32}-\sqrt{28}>0$

∴ $\sqrt{32}-1>2\sqrt{7}-1$

(iii) $2\sqrt{7}-1-3=2\sqrt{7}-4=\sqrt{28}-\sqrt{16}>0$

∴ $2\sqrt{7}-1>3$

(i)~(iii)에서 $3<2\sqrt{7}-1<\sqrt{32}-1<3\sqrt{2}+1$이므로

$a=3\sqrt{2}+1$, $b=3$

∴ $a-b=3\sqrt{2}+1-3=3\sqrt{2}-2$

8 $8<\sqrt{75}<9$이므로 $f(75)=\sqrt{75}-8$

$5<\sqrt{27}<6$이므로 $f(27)=\sqrt{27}-5$

∴ $f(75)+f(27)=(\sqrt{75}-8)+(\sqrt{27}-5)$

$=5\sqrt{3}-8+3\sqrt{3}-5$

$=8\sqrt{3}-13$

누구나 합격 전략 26쪽~27쪽

01 ④ 02 9개

03 점 P에 대응하는 수 : $3-\sqrt{10}$

점 Q에 대응하는 수 : $3+\sqrt{10}$

04 ②, ④ 05 장미 06 체육관 07 ①

08 ⑤ 09 ⑤ 10 ③

01 $a<0$일 때, $6a<0$이므로

$\sqrt{a^2}-\sqrt{36a^2}=\sqrt{a^2}-\sqrt{(6a)^2}$

$=-a-(-6a)$

$=-a+6a$

$=5a$

02 $\sqrt{26}<\sqrt{x}<6$의 각 변을 제곱하면 $26<x<36$

따라서 주어진 부등식을 만족하는 자연수 x는 27, 28, 29, …, 35의 9개이다.

03 $\overline{AB}=\sqrt{3^2+1^2}=\sqrt{10}$이고 $\overline{AP}=\overline{AQ}=\overline{AB}$이므로 점 P에 대응하는 수는 $3-\sqrt{10}$, 점 Q에 대응하는 수는 $3+\sqrt{10}$이다.

04 잉크가 엎질러진 부분에 해당하는 수는 무리수이다.

① 무리수

② $-\sqrt{25}=-5$(유리수)

③ 무리수

④ 유리수

⑤ $\sqrt{\frac{8}{49}}=\frac{2\sqrt{2}}{7}$(무리수)

따라서 무리수가 아닌 것은 ②, ④이다.

05 장미 : 서로 다른 두 유리수 사이에는 무리수도 있다.

06 $2\sqrt{3}+2-(4\sqrt{3}-1)=2\sqrt{3}+2-4\sqrt{3}+1$

$=3-2\sqrt{3}=\sqrt{9}-\sqrt{12}<0$

$\therefore 2\sqrt{3}+2<4\sqrt{3}-1$

따라서 첫 번째 갈림길에서는 $4\sqrt{3}-1$ 쪽으로 이동한다.

$\sqrt{5}-1-(3-\sqrt{5})=\sqrt{5}-1-3+\sqrt{5}$

$=2\sqrt{5}-4$

$=\sqrt{20}-\sqrt{16}>0$

$\therefore \sqrt{5}-1>3-\sqrt{5}$ …… ㉠

$3-\sqrt{5}-(1-\sqrt{5})=3-\sqrt{5}-1+\sqrt{5}$

$=2>0$

$\therefore 3-\sqrt{5}>1-\sqrt{5}$ …… ㉡

㉠, ㉡에서 $1-\sqrt{5}<3-\sqrt{5}<\sqrt{5}-1$이므로 두 번째 갈림길에서는 $\sqrt{5}-1$ 쪽으로 이동한다.

따라서 민성이가 도착하는 장소는 체육관이다.

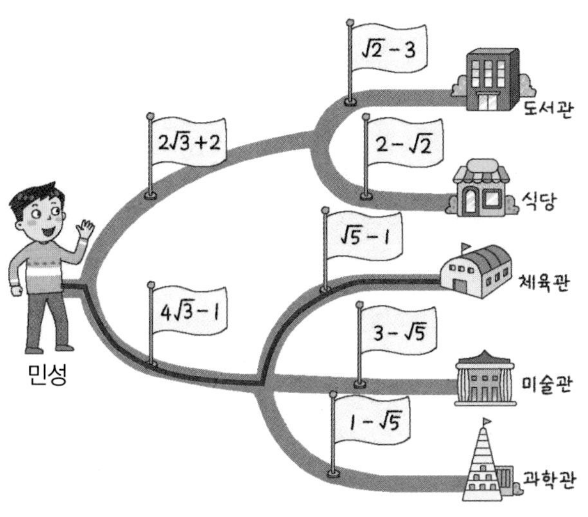

07 $\sqrt{60}=\sqrt{2^2\times3\times5}=2\times\sqrt{3}\times\sqrt{5}=2ab$

08 $\sqrt{a}=311.8=100\times3.118$

$=100\times\sqrt{9.72}$

$=\sqrt{100^2\times9.72}$

$=\sqrt{97200}$

$\therefore a=97200$

$a>0, b>0$일 때, $\sqrt{a^2b}$는 $a\sqrt{b}$로 고칠 수 있으니까 반대로 $a\sqrt{b}$는 $\sqrt{a^2b}$로 고칠 수도 있어.

09 ① $2\sqrt{6}\times3\sqrt{2}\div3=2\sqrt{6}\times3\sqrt{2}\times\frac{1}{3}$

$=2\sqrt{12}=4\sqrt{3}$

② $\sqrt{28}\div\frac{\sqrt{7}}{\sqrt{3}}\times\frac{\sqrt{5}}{2}=2\sqrt{7}\times\frac{\sqrt{3}}{\sqrt{7}}\times\frac{\sqrt{5}}{2}$

$=\sqrt{15}$

③ $\sqrt{32}+2\sqrt{18}-\sqrt{72}=4\sqrt{2}+6\sqrt{2}-6\sqrt{2}$

$=4\sqrt{2}$

④ $\left(\sqrt{84}+\frac{1}{\sqrt{12}}\right)\div\sqrt{3}=\left(2\sqrt{21}+\frac{1}{2\sqrt{3}}\right)\times\frac{1}{\sqrt{3}}$

$=2\sqrt{7}+\frac{1}{6}$

⑤ $\sqrt{24}\times\sqrt{2}-9\sqrt{6}\div3\sqrt{2}=\sqrt{48}-3\sqrt{3}$

$=4\sqrt{3}-3\sqrt{3}$

$=\sqrt{3}$

따라서 옳은 것은 ⑤이다.

10 $(\sqrt{6}-3)\sqrt{2}+\frac{6-2\sqrt{6}}{\sqrt{2}}$

$=\sqrt{12}-3\sqrt{2}+\frac{(6-2\sqrt{6})\times\sqrt{2}}{\sqrt{2}\times\sqrt{2}}$

$=2\sqrt{3}-3\sqrt{2}+\frac{6\sqrt{2}-4\sqrt{3}}{2}$

$=2\sqrt{3}-3\sqrt{2}+3\sqrt{2}-2\sqrt{3}$

$=0$

중간

창의・융합・코딩 전략 28쪽~31쪽

1 (1) $\sqrt{10}$ (2) 풀이 참조　　2 10

3 ㈎ $\sqrt{17}$, $2\sqrt{2}$ ㈏ -2.85, $\frac{1}{9}$ ㈐ $\sqrt{4}$, 2^5, 6 ㈑ $(-1)^3$, $-\sqrt{25}$

4 (1) ㈎ : $\frac{2\sqrt{5}}{7}$, ㈏ : $\frac{\sqrt{5}}{7}$　(2) 2배

5 689일

6 앞에서부터 차례대로 0, $\frac{19\sqrt{3}}{6}$, $4\sqrt{2}$, $-2\sqrt{3}$

7 $12+12\sqrt{2}$　　8 (1) $\sqrt{2}$ (2) $\sqrt{2}$

1 (1) 모눈 한 칸의 넓이는 1이고 집터는 모눈 10칸이므로 집터의 넓이는 $10\times1=10$
이때 변경한 정사각형의 한 변의 길이를 a라 하면
$a^2=10$　$\therefore a=\sqrt{10}$ ($\because a>0$)

(2) 한 변의 길이가 $\sqrt{10}$인 정사각형을 모눈종이 위에 그리면 다음 그림과 같다.

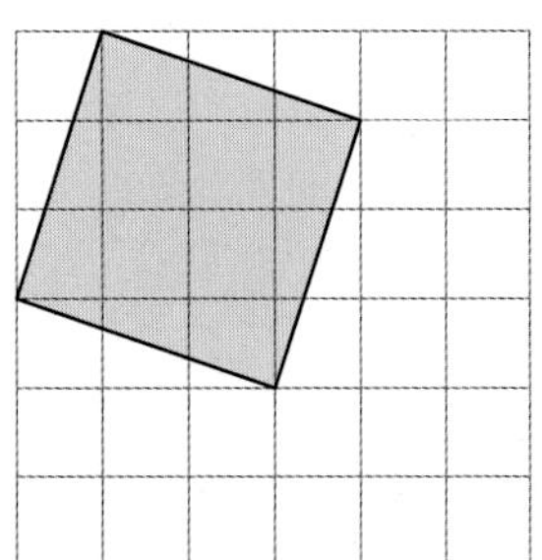

직각을 낀 두 변의 길이가 각각 3, 1인 직각삼각형의 빗변의 길이는 $\sqrt{3^2+1^2}=\sqrt{10}$이야.

2 $v=\sqrt{\frac{98}{5}h}=\sqrt{\frac{2\times7^2\times h}{5}}$가 자연수가 되려면
$h=2\times5\times(\text{자연수})^2$의 꼴이어야 한다.
즉 $h=2\times5\times1^2, 2\times5\times2^2, 2\times5\times3^2, \cdots$
따라서 v가 자연수가 되도록 하는 가장 작은 자연수 h의 값은 10이다.

3 $\sqrt{4}=2$, $2^5=32$, $(-1)^3=-1$, $-\sqrt{25}=-5$이므로
㈎~㈑에 도착하는 수는 각각 다음과 같다.

㈎ $\sqrt{17}$, $2\sqrt{2}$　　㈏ -2.85, $\frac{1}{9}$

㈐ $\sqrt{4}$, 2^5, 6　　㈑ $(-1)^3$, $-\sqrt{25}$

4 (1) $t=\sqrt{\frac{h}{4.9}}$에 $h=2$를 대입하면
$t=\sqrt{\frac{2}{4.9}}=\sqrt{\frac{20}{49}}=\frac{2\sqrt{5}}{7}$
$\therefore$ ㈎ : $\frac{2\sqrt{5}}{7}$

50 cm=0.5 m이므로 $t=\sqrt{\frac{h}{4.9}}$에 $h=0.5$를 대입하면
$t=\sqrt{\frac{0.5}{4.9}}=\sqrt{\frac{5}{49}}=\frac{\sqrt{5}}{7}$
$\therefore$ ㈏ : $\frac{\sqrt{5}}{7}$

(2) $\frac{2\sqrt{5}}{7}\div\frac{\sqrt{5}}{7}=\frac{2\sqrt{5}}{7}\times\frac{7}{\sqrt{5}}=2$
따라서 2 m의 높이에서 공을 떨어뜨렸을 때 공이 바닥에 닿을 때까지 걸린 시간은 50 cm의 높이에서 공을 떨어뜨렸을 때 공이 바닥에 닿을 때까지 걸린 시간의 2배이다.

5 $N=0.2\times\sqrt{R^3}=0.2R\sqrt{R}$이므로 $R=228$을 대입하면
$N=0.2\times228\times\sqrt{228}=45.6\times\sqrt{100\times2.28}$
$=45.6\times10\times\sqrt{2.28}=45.6\times10\times1.510$
$=688.56$
따라서 화성의 일 년은 688.56을 소수점 아래 첫째 자리에서 반올림한 689일이다.

6 (1) $\sqrt{10}\div\sqrt{5}\times\sqrt{14}+4\sqrt{2}-2\sqrt{7}=\sqrt{28}+4\sqrt{2}-2\sqrt{7}$
$=2\sqrt{7}+4\sqrt{2}-2\sqrt{7}$
$=4\sqrt{2}$

(2) $\sqrt{3}\times\sqrt{3}\times\sqrt{6}+2\sqrt{6}-5\sqrt{6}=3\sqrt{6}+2\sqrt{6}-5\sqrt{6}$
$=0$

(3) $\sqrt{5}\times\sqrt{30}\div\sqrt{15}-2\sqrt{3}-\sqrt{10}=\sqrt{10}-2\sqrt{3}-\sqrt{10}$
$=-2\sqrt{3}$

(4) $\sqrt{2}\div2\sqrt{3}\div\sqrt{2}+4\sqrt{3}-\sqrt{3}=\frac{1}{2\sqrt{3}}+4\sqrt{3}-\sqrt{3}$
$=\frac{\sqrt{3}}{6}+3\sqrt{3}$
$=\frac{19\sqrt{3}}{6}$

7 가로의 길이와 세로의 길이가 각각 1인 정사각형의 대각선의 길이는 $\sqrt{1^2+1^2}=\sqrt{2}$이므로 숫자 2 모양 도형의 각 변의 길이를 나타내면 다음과 같다.

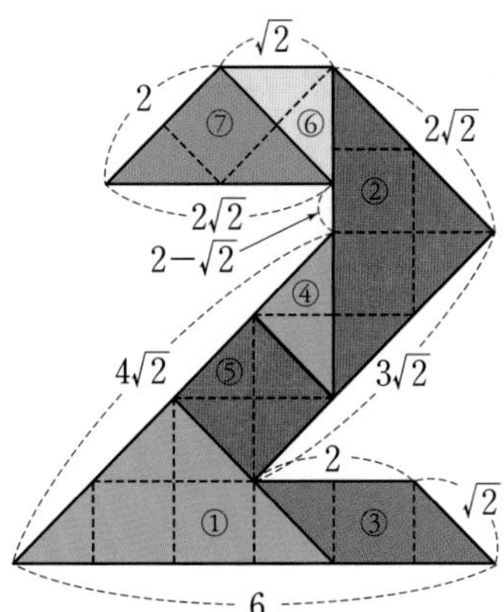

따라서 숫자 2 모양 도형의 둘레의 길이는

$2+\sqrt{2}+2\sqrt{2}+3\sqrt{2}+2+\sqrt{2}+6+4\sqrt{2}+(2-\sqrt{2})+2\sqrt{2}$

$=12+12\sqrt{2}$

8 (1) A3 용지를 반으로 자른 것이 A4 용지이므로 A4 용지의 짧은 변과 긴 변의 길이의 비는 $\frac{1}{2}x:1$이다.

이때 A3 용지와 A4 용지는 닮음이므로

$1:x=\frac{1}{2}x:1$

$\frac{1}{2}x^2=1,\ x^2=2$

$\therefore x=\sqrt{2}\ (\because x>0)$

두 도형이 닮음이면 대응하는 변의 길이의 비가 같아.

(2) $x=\sqrt{2}$이므로 A4 용지의 짧은 변과 긴 변의 길이의 비는

$\frac{1}{2}x:1=\frac{\sqrt{2}}{2}:1=\sqrt{2}:2$

$\therefore a=\sqrt{2}$

2주 다항식의 곱셈과 인수분해

1일 개념 돌파 전략 1 확인 문제 34쪽~37쪽

01 (1) $xy+3x+y+3$ (2) $2ab-2a+3b-3$

02 (1) × (2) ○ (3) ○ (4) ×

03 (1) ㉡, 2304 (2) ㉠, 5184 (3) ㉢, 8099 (4) ㉣, 11124

04 (1) $18-8\sqrt{2}$ (2) 2

05 (1) $\frac{\sqrt{7}+\sqrt{3}}{4}$ (2) $10-5\sqrt{3}$

06 $x^2+2xy+y^2+6x+6y+9$

07 4

08 (1) $x^2+y^2=20,\ (x-y)^2=24$

(2) $x^2+\frac{1}{x^2}=2,\ \left(x-\frac{1}{x}\right)^2=0$

09 ③

10 ④

11 ㉠, ㉢

12 (1) 36 (2) ±6

13 (1) $(x-y)^2(x+y)$ (2) $x(x+5)$

14 (1) $(x+y)(x+3)$ (2) $(x+y+2)(x-y-2)$

15 (1) ㉢, 9200 (2) ㉡, 1600 (3) ㉠, 15000

16 48

02 (1) $(a-2b)^2=a^2-4ab+4b^2$

(4) $(2a-3)(3a-2)=6a^2-13a+6$

03 (1) $48^2=(50-2)^2$

$=50^2-2\times50\times2+2^2$

$=2500-200+4$

$=2304$

➡ ㉡ $(a-b)^2=a^2-2ab+b^2$을 이용

(2) $72^2=(70+2)^2$

$=70^2+2\times70\times2+2^2$

$=4900+280+4$

$=5184$

➡ ㉠ $(a+b)^2=a^2+2ab+b^2$을 이용

(3) $91\times89=(90+1)(90-1)$

$=90^2-1^2$

$=8100-1$

$=8099$

➡ ㉢ $(a+b)(a-b)=a^2-b^2$을 이용

(4) $103\times108=(100+3)(100+8)$
$=100^2+(3+8)\times100+3\times8$
$=10000+1100+24$
$=11124$
➡ ㉣ $(x+a)(x+b)=x^2+(a+b)x+ab$를 이용

04 (1) $(4-\sqrt{2})^2=4^2-2\times4\times\sqrt{2}+(\sqrt{2})^2$
$=16-8\sqrt{2}+2$
$=18-8\sqrt{2}$
(2) $(\sqrt{7}+\sqrt{5})(\sqrt{7}-\sqrt{5})=(\sqrt{7})^2-(\sqrt{5})^2$
$=7-5=2$

05 (1) $\frac{1}{\sqrt{7}-\sqrt{3}}=\frac{1\times(\sqrt{7}+\sqrt{3})}{(\sqrt{7}-\sqrt{3})(\sqrt{7}+\sqrt{3})}$
$=\frac{\sqrt{7}+\sqrt{3}}{7-3}=\frac{\sqrt{7}+\sqrt{3}}{4}$
(2) $\frac{5}{2+\sqrt{3}}=\frac{5\times(2-\sqrt{3})}{(2+\sqrt{3})(2-\sqrt{3})}$
$=\frac{10-5\sqrt{3}}{4-3}=10-5\sqrt{3}$

06 $x+y=A$로 놓으면
$(x+y+3)^2=(A+3)^2$
$=A^2+6A+9$
$=(x+y)^2+6(x+y)+9$
$=x^2+2xy+y^2+6x+6y+9$

07 방법1
$x=1+\sqrt{2}$를 x^2-2x+3에 대입하면
$(1+\sqrt{2})^2-2(1+\sqrt{2})+3$
$=1+2\sqrt{2}+2-2-2\sqrt{2}+3$
$=4$

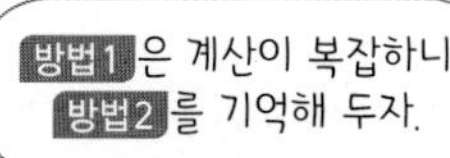
방법1 은 계산이 복잡하니
방법2 를 기억해 두자.

방법2
$x=1+\sqrt{2}$에서 $x-1=\sqrt{2}$
양변을 제곱하면 $(x-1)^2=(\sqrt{2})^2$
$x^2-2x+1=2$, $x^2-2x=1$
$\therefore x^2-2x+3=1+3=4$

08 (1) $x^2+y^2=(x+y)^2-2xy=4^2-2\times(-2)=20$
$(x-y)^2=(x+y)^2-4xy=4^2-4\times(-2)=24$
(2) $x^2+\frac{1}{x^2}=\left(x+\frac{1}{x}\right)^2-2=2^2-2=2$
$\left(x-\frac{1}{x}\right)^2=\left(x+\frac{1}{x}\right)^2-4=2^2-4=0$

09 $5x(x+2y)$의 인수는
1, 5, x, $x+2y$, $5x$, $5(x+2y)$, $x(x+2y)$, $5x(x+2y)$
따라서 $5x(x+2y)$의 인수가 아닌 것은 ③ $2y$이다.

10 ④ $3a^3b-6ab^2=3ab(a^2-2b)$

11 ㉡ $4x^2-25=(2x+5)(2x-5)$
㉣ $5x^2+13x-6=(x+3)(5x-2)$
따라서 보기에서 바르게 인수분해한 것은 ㉠, ㉢이다.

12 (1) $a=\left(\frac{12}{2}\right)^2=36$
(2) $9=3^2$이므로 $a=\pm2\times3=\pm6$

13 (1) $(x-y)x^2-(x-y)y^2=(x-y)(x^2-y^2)$
$=(x-y)(x-y)(x+y)$
$=(x-y)^2(x+y)$
(2) $x+3=A$로 놓으면
$(x+3)^2-(x+3)-6=A^2-A-6$
$=(A+2)(A-3)$
$=(x+3+2)(x+3-3)$
$=x(x+5)$

14 (1) $x^2+xy+3x+3y=x(x+y)+3(x+y)$
$=(x+y)(x+3)$
(2) $x^2-y^2-4y-4=x^2-(y^2+4y+4)$
$=x^2-(y+2)^2$
$=\{x+(y+2)\}\{x-(y+2)\}$
$=(x+y+2)(x-y-2)$

15 (1) $96^2-4^2=(96+4)(96-4)=100\times 92=9200$

➡ ㉢ $a^2-b^2=(a+b)(a-b)$를 이용

(2) $38^2+2\times 38\times 2+4=(38+2)^2=40^2=1600$

➡ ㉡ $a^2+2ab+b^2=(a+b)^2$을 이용

(3) $500\times 13+500\times 17=500\times(13+17)$

$=500\times 30$

$=15000$

➡ ㉠ $ma+mb=m(a+b)$를 이용

16 $x=\dfrac{2+\sqrt{3}}{2-\sqrt{3}}=\dfrac{(2+\sqrt{3})^2}{(2-\sqrt{3})(2+\sqrt{3})}=\dfrac{4+4\sqrt{3}+3}{4-3}=7+4\sqrt{3}$

$\therefore x^2-14x+49=(x-7)^2=(7+4\sqrt{3}-7)$

$=(4\sqrt{3})^2=48$

1일 개념 돌파 전략 2 38쪽~39쪽

1 ③	2 ②	3 ③	4 주환
5 ②	6 ③		

1 주어진 식의 전개식에서 xy항은

$ax\times(-2y)+y\times 3x=(-2a+3)xy$

즉 $-2a+3=-1$이므로

$-2a=-4 \quad \therefore a=2$

2 $(x-5)(x+A)=x^2+(A-5)x-5A$이므로

$A-5=-B,\ -5A=20$

따라서 $A=-4,\ B=9$이므로

$A+B=-4+9=5$

3 직사각형의 넓이는

$(2x+1)(2x-1)=4x^2-1$

4 주환 : $4x^2y,\ 12x^2y^2$의 공통인수는 $4x^2y$이다.

5 $2x^2+13x+15=(x+5)(2x+3)$이므로

$a=5,\ b=3$

$\therefore a-b=5-3=2$

6 $9x^2=(3x)^2,\ 4=2^2$이므로

$Ax=\pm 2\times 3x\times 2=\pm 12x$

그런데 $A>0$이므로 $A=12$

2일 필수 체크 전략 1 40쪽~43쪽

1-1 ⑤	1-2 24	2-1 ③	2-2 264
3-1 ⑤	3-2 1006	4-1 ④	4-2 −2
5-1 ③	5-2 1	6-1 ④	6-2 −39
7-1 ②	7-2 49	8-1 ⑤	8-2 ③

1-1 ① $(x+5)^2=x^2+10x+25$이므로 $=10$

② $\left(3x-\dfrac{4}{3}\right)^2=9x^2-8x+\dfrac{16}{9}$이므로 $=8$

③ $(-2x+1)(-2x-1)=4x^2-1$이므로 $=4$

④ $(-x-y)(-x+6y)=x^2-5xy-6y^2$이므로

$=5$

⑤ $(5x-3)(2x-1)=10x^2-11x+3$이므로

$=11$

따라서 물감이 쏟아진 부분에 들어갈 수가 가장 큰 것은 ⑤이다.

1-2 $3(x-2)^2+(-x+6)(2x-5)$

$=3(x^2-4x+4)+(-2x^2+17x-30)$

$=3x^2-12x+12-2x^2+17x-30$

$=x^2+5x-18$

따라서 $a=1,\ b=5,\ c=-18$이므로

$a+b-c=1+5-(-18)=24$

2-1 $(x-y)(x+y)(x^2+y^2)=(x^2-y^2)(x^2+y^2)$

$=x^4-y^4$

2-2 $(x-2)(x+2)(x^2+4)(x^4+16)$

$=(x^2-4)(x^2+4)(x^4+16)$

$=(x^4-16)(x^4+16)$

$=x^8-256$

따라서 $a=8,\ b=256$이므로

$a+b=8+256=264$

3-1 ① $202^2=(200+2)^2=200^2+2\times200\times2+2^2$
$=40000+800+4=40804$
➡ $(a+b)^2=a^2+2ab+b^2$을 이용
② $299^2=(300-1)^2=300^2-2\times300\times1+1^2$
$=90000-600+1=89401$
➡ $(a-b)^2=a^2-2ab+b^2$을 이용
③ $5.1\times4.9=(5+0.1)(5-0.1)$
$=5^2-0.1^2$
$=25-0.01$
$=24.99$
➡ $(a+b)(a-b)=a^2-b^2$을 이용
④ $0.98^2=(1-0.02)^2=1^2-2\times1\times0.02+0.02^2$
$=1-0.04+0.0004=0.9604$
➡ $(a-b)^2=a^2-2ab+b^2$을 이용
⑤ $304\times296=(300+4)(300-4)$
$=300^2-4^2$
$=90000-16$
$=89984$
➡ $(a+b)(a-b)=a^2-b^2$을 이용
따라서 수의 계산을 가장 편리하게 하기 위하여 이용되는 곱셈 공식이 아닌 것은 ⑤이다.

주어진 수가 정수이면 10의 배수를,
주어진 수가 소수이면 정수를
기준으로 하여 곱셈 공식을 이용해.

3-2 $1006=A$라 하면

$$\frac{1005\times1007+1}{1006}=\frac{(A-1)(A+1)+1}{A}=\frac{A^2-1+1}{A}=\frac{A^2}{A}=A=1006$$

4-1 $\dfrac{\sqrt{2}}{\sqrt{5}-2}-\dfrac{\sqrt{5}}{\sqrt{2}-1}$
$=\dfrac{\sqrt{2}(\sqrt{5}+2)}{(\sqrt{5}-2)(\sqrt{5}+2)}-\dfrac{\sqrt{5}(\sqrt{2}+1)}{(\sqrt{2}-1)(\sqrt{2}+1)}$
$=\sqrt{2}(\sqrt{5}+2)-\sqrt{5}(\sqrt{2}+1)$
$=\sqrt{10}+2\sqrt{2}-\sqrt{10}-\sqrt{5}$
$=2\sqrt{2}-\sqrt{5}$
따라서 $a=2$, $b=-1$이므로
$a-b=2-(-1)=3$

4-2 $\dfrac{\sqrt{5}-\sqrt{3}}{\sqrt{5}+\sqrt{3}}-\dfrac{\sqrt{5}+\sqrt{3}}{\sqrt{5}-\sqrt{3}}$
$=\dfrac{(\sqrt{5}-\sqrt{3})^2}{(\sqrt{5}+\sqrt{3})(\sqrt{5}-\sqrt{3})}-\dfrac{(\sqrt{5}+\sqrt{3})^2}{(\sqrt{5}-\sqrt{3})(\sqrt{5}+\sqrt{3})}$
$=\dfrac{5-2\sqrt{15}+3}{2}-\dfrac{5+2\sqrt{15}+3}{2}$
$=-2\sqrt{15}$
따라서 $a=0$, $b=-2$이므로
$a+b=0+(-2)=-2$

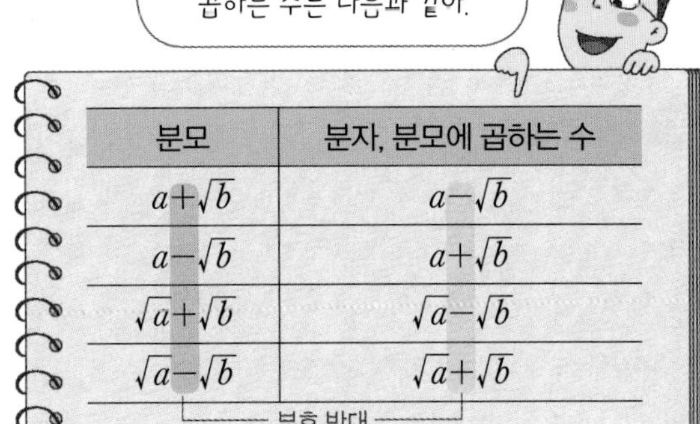
분모가 2개의 항으로 되어 있는
무리수일 때, 분자, 분모에
곱하는 수는 다음과 같아.
부호 반대

분모	분자, 분모에 곱하는 수
$a+\sqrt{b}$	$a-\sqrt{b}$
$a-\sqrt{b}$	$a+\sqrt{b}$
$\sqrt{a}+\sqrt{b}$	$\sqrt{a}-\sqrt{b}$
$\sqrt{a}-\sqrt{b}$	$\sqrt{a}+\sqrt{b}$

5-1 $a-c=A$로 놓으면
$(a-b-c)(a+b-c)=(A-b)(A+b)$
$=A^2-b^2$
$=(a-c)^2-b^2$
$=a^2-2ac+c^2-b^2$

5-2 $2x+y=A$로 놓으면
$(2x+y+1)^2=(A+1)^2$
$=A^2+2A+1$
$=(2x+y)^2+2(2x+y)+1$
$=4x^2+4xy+y^2+4x+2y+1$
따라서 xy의 계수는 4, x의 계수는 4, 상수항은 1이므로
$a=4$, $b=4$, $c=1$
$\therefore a-b+c=4-4+1=1$

6-1 $x(x-2)(x+4)(x+6)$

$=\{x(x+4)\}\{(x-2)(x+6)\}$

$=(x^2+4x)(x^2+4x-12)$

$x^2+4x=A$로 놓으면

(주어진 식)$=A(A-12)$

$=A^2-12A$

$=(x^2+4x)^2-12(x^2+4x)$

$=x^4+8x^3+16x^2-12x^2-48x$

$=x^4+8x^3+4x^2-48x$

6-2 $(x-4)(x-1)(x+2)(x+5)$

$=\{(x-4)(x+5)\}\{(x-1)(x+2)\}$

$=(x^2+x-20)(x^2+x-2)$

$x^2+x=A$로 놓으면

(주어진 식)$=(A-20)(A-2)$

$=A^2-22A+40$

$=(x^2+x)^2-22(x^2+x)+40$

$=x^4+2x^3+x^2-22x^2-22x+40$

$=x^4+2x^3-21x^2-22x+40$

따라서 $a=2$, $b=-21$, $c=-22$, $d=40$이므로

$a-b+c-d=2-(-21)+(-22)-40=-39$

7-1 $x=\sqrt{5}-3$에서 $x+3=\sqrt{5}$이므로

$(x+3)^2=(\sqrt{5})^2$, $x^2+6x+9=5$

$x^2+6x=-4$

$\therefore x^2+6x+10=-4+10=6$

이와 같은 간단한 방법이 생각나지 않을 때에는 x의 값을 직접 대입하여 구하도록 하자.

7-2 $x=\dfrac{1}{7-4\sqrt{3}}=\dfrac{7+4\sqrt{3}}{(7-4\sqrt{3})(7+4\sqrt{3})}=7+4\sqrt{3}$

$x-7=4\sqrt{3}$이므로 $(x-7)^2=(4\sqrt{3})^2$

$x^2-14x+49=48$, $x^2-14x=-1$

$\therefore x^2-14x+50=-1+50=49$

8-1 $(a+b)^2=(a-b)^2+4ab$

$=3^2+4\times2=17$

8-2 $x^2+\dfrac{1}{x^2}=\left(x+\dfrac{1}{x}\right)^2-2=4^2-2=14$

중간

2일 필수 체크 전략 2 44쪽~45쪽

1 ③	**2** ③	**3** -2	
4 $2x^2+10xy+3y^2$		**5** ⑤	**6** 3
7 ④	**8** ③		

1 $(2x+a)^2-(x-3)(x+1)$

$=4x^2+4ax+a^2-(x^2-2x-3)$

$=4x^2+4ax+a^2-x^2+2x+3$

$=3x^2+(4a+2)x+a^2+3$

x의 계수가 10이므로 $4a+2=10$

$4a=8 \quad \therefore a=2$

2 $\left(x-\dfrac{1}{2}\right)\left(x+\dfrac{1}{2}\right)\left(x^2+\dfrac{1}{4}\right)\left(x^4+\dfrac{1}{16}\right)$

$=\left(x^2-\dfrac{1}{4}\right)\left(x^2+\dfrac{1}{4}\right)\left(x^4+\dfrac{1}{16}\right)$

$=\left(x^4-\dfrac{1}{16}\right)\left(x^4+\dfrac{1}{16}\right)$

$=x^8-\dfrac{1}{256}$

따라서 $a=8$, $b=-\dfrac{1}{256}$이므로

$ab=8\times\left(-\dfrac{1}{256}\right)=-\dfrac{1}{32}$

3 $(x+2)(x+A)=x^2-Bx-8$이므로

$2+A=-B$, $2A=-8$

$\therefore A=-4$, $B=2$

$\therefore A+B=-4+2=-2$

4 $A+B+C$
$=(3x+2y)(-x+4y)+(2x-y)(2x+y)+(x-2y)(x+2y)$
$=(-3x^2+10xy+8y^2)+(4x^2-y^2)+(x^2-4y^2)$
$=2x^2+10xy+3y^2$

5 $(3-1)(3+1)(3^2+1)(3^4+1)(3^8+1)$
$=(3^2-1)(3^2+1)(3^4+1)(3^8+1)$
$=(3^4-1)(3^4+1)(3^8+1)$
$=(3^8-1)(3^8+1)$
$=3^{16}-1$
$\therefore a=16$

6 $3x+1=A$로 놓으면
$(3x+ay+1)^2=(A+ay)^2$
$=A^2+2ayA+a^2y^2$
$=(3x+1)^2+2ay(3x+1)+a^2y^2$
$=9x^2+6x+1+6axy+2ay+a^2y^2$
이때 x^2의 계수와 xy의 계수가 서로 같으므로
$9=6a$ $\therefore a=\frac{3}{2}$
따라서 y의 계수는 $2a=2\times\frac{3}{2}=3$

7 $2<\sqrt{6}<3$이므로 $\sqrt{6}$의 정수 부분은 2이고 소수 부분은 $x=\sqrt{6}-2$이다.
$x=\sqrt{6}-2$에서 $x+2=\sqrt{6}$이므로
$(x+2)^2=(\sqrt{6})^2$, $x^2+4x+4=6$
$x^2+4x=2$
$\therefore x^2+4x+8=2+8=10$

8 $x^2-3x+\frac{3}{x}+\frac{1}{x^2}=x^2+\frac{1}{x^2}-3\left(x-\frac{1}{x}\right)$
$=\left(x-\frac{1}{x}\right)^2+2-3\left(x-\frac{1}{x}\right)$
$=5^2+2-3\times5$
$=12$

3일 필수 체크 전략 1 46쪽~49쪽

1-1 ②	**1-2** −8	**2-1** ⑤	**2-2** 12
3-1 ①	**3-2** $-2x$	**4-1** ④	**4-2** 17
5-1 ⑤	**5-2** 8	**6-1** ①	**6-2** $4x$
7-1 ②	**7-2** ②	**8-1** ④	**8-2** ⑤

1-1 $12x^2+41x-15=(3x-1)(4x+15)$
따라서 구하는 두 일차식의 합은
$(3x-1)+(4x+15)=7x+14$

1-2 $9x^2+12x+4=(3x+2)^2$이므로 $a=3$
$-64x^2+25y^2=(-8x+5y)(8x+5y)$이므로
$b=-8$
$8x^2-2x-3=(2x+1)(4x-3)$이므로
$c=-3$
$\therefore a+b+c=3+(-8)+(-3)=-8$

2-1 $(x+2)(x-8)+a=x^2-6x-16+a$
이 식이 완전제곱식이 되려면
$-16+a=\left(\frac{-6}{2}\right)^2=9$
$\therefore a=25$

x^2의 계수가 1일 때 완전제곱식이 되려면 (상수항)$=\left(\frac{x\text{의 계수}}{2}\right)^2$이어야 해.

2-2 x^2+6x+p에서 $p=\left(\frac{6}{2}\right)^2=9$
$\frac{1}{16}x^2-qx+36$에서
$q=2\times\frac{1}{4}\times6=3$ ($\because q>0$)
$\therefore p+q=9+3=12$

3-1 $\sqrt{a^2-6a+9}-\sqrt{a^2+10a+25}$
$=\sqrt{(a-3)^2}-\sqrt{(a+5)^2}$
이때 $-5<a<3$에서 $a-3<0$, $a+5>0$이므로
(주어진 식)$=-(a-3)-(a+5)$
$=-a+3-a-5$
$=-2a-2$

3-2 $\sqrt{x^2-2xy+y^2}+\sqrt{x^2+2xy+y^2}$
$=\sqrt{(x-y)^2}+\sqrt{(x+y)^2}$
이때 $x<y<0$에서 $x-y<0$, $x+y<0$이므로
(주어진 식)$=-(x-y)-(x+y)$
$=-x+y-x-y$
$=-2x$

4-1 $8x^2+ax-3=(2x-1)(4x+m)$(m은 상수)으로 놓으면
$2m-4=a$, $-m=-3$
$\therefore m=3, a=2$

4-2 $x^2-x+a=(x-5)(x+m)$(m은 상수)으로 놓으면
$-5+m=-1$, $-5m=a$
$\therefore m=4, a=-20$
$2x^2+bx-35=(x-5)(2x+n)$(n은 상수)으로 놓으면
$-10+n=b$, $-5n=-35$
$\therefore n=7, b=-3$
$\therefore b-a=-3-(-20)=17$

5-1 $2x-y=A$로 놓으면
$(2x-y+2)(2x-y-6)-20$
$=(A+2)(A-6)-20$
$=A^2-4A-32$
$=(A+4)(A-8)$
$=(2x-y+4)(2x-y-8)$

5-2 $4x-5=A$, $3x-2=B$로 놓으면
$(4x-5)^2-(3x-2)^2$
$=A^2-B^2=(A+B)(A-B)$
$=\{(4x-5)+(3x-2)\}\{(4x-5)-(3x-2)\}$
$=(7x-7)(x-3)$
$=7(x-1)(x-3)$
따라서 $a=7$, $b=-1$이므로 $a-b=7-(-1)=8$

6-1 $2ab-2a-3b+3=2a(b-1)-3(b-1)$
$=(b-1)(2a-3)$

6-2 $4x^2-y^2+2y-1=4x^2-(y^2-2y+1)$
$=(2x)^2-(y-1)^2$
$=(2x+y-1)(2x-y+1)$
따라서 두 일차식의 합은
$(2x+y-1)+(2x-y+1)=4x$

7-1 $\dfrac{102\times72-102\times56}{53^2-49^2}=\dfrac{102\times(72-56)}{(53+49)(53-49)}$
$=\dfrac{102\times16}{102\times4}=4$

7-2 (주어진 식)
$=(1+2)(1-2)+(3+4)(3-4)+(5+6)(5-6)$
$+(7+8)(7-8)+(9+10)(9-10)$
$=-3+(-7)+(-11)+(-15)+(-19)$
$=-55$

8-1 $x^2-4y^2=(x+2y)(x-2y)=-4\times\sqrt{3}=-4\sqrt{3}$

8-2 $x^2-2xy+y^2=(x-y)^2$
이때
$x-y=(3\sqrt{2}+2\sqrt{3})-(3\sqrt{2}-2\sqrt{3})$
$=3\sqrt{2}+2\sqrt{3}-3\sqrt{2}+2\sqrt{3}$
$=4\sqrt{3}$
이므로 $(x-y)^2=(4\sqrt{3})^2=48$

3일 필수 체크 전략 2

50쪽~51쪽

1 ②	**2** ①	**3** $3x-10$	**4** ③
5 $x-y+3$	**6** ④	**7** ③	**8** ⑤

1 $a^2+2a-3=(a+3)(a-1)$
$a^2-1=(a+1)(a-1)$
$a^2-3a+2=(a-1)(a-2)$
따라서 세 다항식의 공통인수는 $a-1$이다.

2 $x^2-3x-18=(x+3)(x-6)$,
$x^2-36=(x+6)(x-6)$
이므로 x^2-4x+a는 $x-6$을 인수로 가진다.
$x^2-4x+a=(x-6)(x+m)$(m은 상수)으로 놓으면
$-6+m=-4$, $-6m=a$
$\therefore m=2, a=-12$

3 $\sqrt{x^2-6x+9}+\sqrt{(3-x)^2}-\sqrt{x^2-8x+16}$
$=\sqrt{(x-3)^2}+\sqrt{(3-x)^2}-\sqrt{(x-4)^2}$
$3<x<4$일 때, $x-3>0$, $3-x<0$, $x-4<0$이므로
$$\begin{aligned}(\text{주어진 식})&=(x-3)+\{-(3-x)\}-\{-(x-4)\}\\&=x-3-3+x+x-4\\&=3x-10\end{aligned}$$

4 민아는 x^2의 계수와 상수항은 제대로 보았으므로
$(x-2)(x+7)=x^2+5x-14$
에서 처음 이차식의 x^2의 계수는 1, 상수항은 -14이다.
현우는 x^2의 계수와 x의 계수는 제대로 보았으므로
$(x+2)(x-15)=x^2-13x-30$
에서 처음 이차식의 x^2의 계수는 1, x의 계수는 -13이다.
따라서 처음 이차식은 $x^2-13x-14$이므로 인수분해하면
$x^2-13x-14=(x+1)(x-14)$

5 $x^2-2xy+y^2-9=(x-y)^2-3^2$
$=(x-y+3)(x-y-3)$
$(x+2)^2-(y-1)^2$에서 $x+2=A$, $y-1=B$로 놓으면
$(x+2)^2-(y-1)^2$
$=A^2-B^2=(A+B)(A-B)$
$=\{(x+2)+(y-1)\}\{(x+2)-(y-1)\}$
$=(x+y+1)(x-y+3)$
따라서 두 다항식의 공통인수는 $x-y+3$이다.

6 $$\begin{aligned}2^{16}-1&=(2^8+1)(2^8-1)\\&=(2^8+1)(2^4+1)(2^4-1)\\&=(2^8+1)\times17\times15\end{aligned}$$
이때 $10<b<a<20$이므로 $a=17$, $b=15$
$\therefore a+b=17+15=32$

7 $$\begin{aligned}x^3+y^3+x^2y+xy^2&=x^2(x+y)+y^2(x+y)\\&=(x+y)(x^2+y^2)\\&=(x+y)\{(x+y)^2-2xy\}\\&=3\times(3^2-2\times2)\\&=3\times5=15\end{aligned}$$

8 도형 ㉠의 넓이는
$(3x+1)(2x-3)+2\times2=6x^2-7x+1$
도형 ㉡의 가로의 길이를 A라 하면 도형 ㉡의 넓이는
$A\times(x-1)$
이때 두 도형 ㉠, ㉡의 넓이가 서로 같으므로
$6x^2-7x+1=A\times(x-1)$
$(6x-1)(x-1)=A\times(x-1)$
$\therefore A=6x-1$
따라서 도형 ㉡의 둘레의 길이는
$2\{(6x-1)+(x-1)\}=2(7x-2)=14x-4$

누구나 합격 전략 52쪽~53쪽

01 ③	02 ④	03 ④	04 ④
05 ②	06 ②	07 ⑤	08 ③
09 ③	10 종훈, 경태		

01 $(a-b)(-a+b)=(a-b)\{-(a-b)\}$
$=-(a-b)^2$
$=-(a^2-2ab+b^2)$
$=-a^2+2ab-b^2$

① $(a+b)^2=a^2+2ab+b^2$
② $(a-b)^2=a^2-2ab+b^2$
③ $-(a-b)^2=-(a^2-2ab+b^2)=-a^2+2ab-b^2$
④ $(a+b)(a-b)=a^2-b^2$
⑤ $-(a+b)(a-b)=-(a^2-b^2)=-a^2+b^2$

따라서 주어진 식과 전개식이 같은 것은 ③이다.

02 ① $(-x+2y)^2=x^2-4xy+4y^2$
② $\left(\frac{3}{4}x+\frac{1}{2}\right)^2=\frac{9}{16}x^2+\frac{3}{4}x+\frac{1}{4}$
③ $(x-8)(x+5)=x^2-3x-40$
⑤ $(2x-1)\left(\frac{1}{2}x+\frac{3}{2}\right)=x^2+\frac{5}{2}x-\frac{3}{2}$

따라서 옳은 것은 ④이다.

03 $99.8\times100.2=(100-0.2)(100+0.2)$
$=100^2-0.2^2$
$=10000-0.04$
$=9999.96$

따라서 ④ $(a+b)(a-b)=a^2-b^2$을 이용하는 것이 가장 편리하다.

04 새로운 직사각형의 가로의 길이는 $4x-2$, 세로의 길이는 $4x+5$이므로 그 넓이는
$(4x-2)(4x+5)=16x^2+12x-10$

05 $\frac{2}{\sqrt{5}+\sqrt{3}}-\frac{4}{\sqrt{5}-\sqrt{3}}$
$=\frac{2(\sqrt{5}-\sqrt{3})}{(\sqrt{5}+\sqrt{3})(\sqrt{5}-\sqrt{3})}-\frac{4(\sqrt{5}+\sqrt{3})}{(\sqrt{5}-\sqrt{3})(\sqrt{5}+\sqrt{3})}$
$=\frac{2\sqrt{5}-2\sqrt{3}}{2}-\frac{4\sqrt{5}+4\sqrt{3}}{2}$
$=\frac{-6\sqrt{3}-2\sqrt{5}}{2}$
$=-3\sqrt{3}-\sqrt{5}$

따라서 $a=-3$, $b=1$이므로
$a+b=-3+1=-2$

06 ① $x^2+3x=x(x+3)$
② $x^2-5x+6=(x-2)(x-3)$
③ $x^2-x-12=(x+3)(x-4)$
④ $x^2+6x+9=(x+3)^2$
⑤ $3x^2+7x-6=(x+3)(3x-2)$

따라서 $x+3$을 인수로 갖지 않는 것은 ②이다.

07 ① $A=\left(\frac{4}{2}\right)^2=4$
② $A=\pm2\times\sqrt{36}=\pm12$ $\quad\therefore A=12\ (\because A>0)$
③ $-16=-2\times\sqrt{A}\times2$이므로 $\sqrt{A}=4$ $\quad\therefore A=16$
④ $A=\pm2\times\sqrt{36}\times\sqrt{\frac{1}{9}}=\pm4$ $\quad\therefore A=4\ (\because A>0)$
⑤ $A=\pm2\times\sqrt{4}\times\sqrt{25}=\pm20$ $\quad\therefore A=20\ (\because A>0)$

따라서 양수 A의 값이 가장 큰 것은 ⑤이다.

08 $3x^2+Ax-10=(x+2)(3x+B)$에서
$B+6=A$, $2B=-10$
$\therefore B=-5$, $A=1$
$\therefore A+B=1+(-5)=-4$

09 [그림 1]의 도형의 넓이는 a^2-b^2
[그림 2]의 도형은 가로의 길이가 $a+b$, 세로의 길이가 $a-b$인 직사각형이므로 그 넓이는
$(a+b)(a-b)$
이때 두 도형의 넓이가 서로 같으므로
$a^2-b^2=(a+b)(a-b)$

10 종훈 : $41^2-39^2=(41+39)(41-39)$
$=80\times2=160$

수진 : $56^2+2\times56\times44+44^2=(56+44)^2$
$=100^2=10000$

경태 : $501\times2+\frac{500^2-1}{499}\times98$
$=501\times2+\frac{(500+1)(500-1)}{499}\times98$
$=501\times2+\frac{501\times499}{499}\times98$
$=501\times2+501\times98$
$=501\times(2+98)$
$=501\times100=50100$

따라서 수의 계산을 바르게 한 학생은 종훈, 경태이다.

창의 • 융합 • 코딩 전략 54쪽~57쪽

1 ㉠ : $25x^2+20xy+4y^2$, ㉡ : $6x^2-xy-2y^2$
2 (1) ① $2(a+b)=20$ ② $ab=20$ (2) 120
3 (1) $2n+1$ (2) 170 (3) 170, 171
4 $-2x^2+7xy-6y^2$
5 (1) A : $x+3$, B : $2x+1$, C : $x-1$ (2) $2x^2-x-1$
6 11, 13
7 (1) ㉢ (2) 소수가 아니다.
8 가로의 길이 : 10, 세로의 길이 : 12

1 A에서 출발하는 경우
$(3x-2y)\times(2x+y)=6x^2-xy-2y^2$
$\therefore$ ㉡ : $6x^2-xy-2y^2$
C에서 출발하는 경우
$(-5x-2y)^2=(5x+2y)^2=25x^2+20xy+4y^2$
$\therefore$ ㉠ : $25x^2+20xy+4y^2$

2 (1) □ABCD는 직사각형이므로
① □ABCD의 둘레의 길이는 $2(a+b)=20$
② □ABCD의 넓이는 $ab=20$
(2) 상자 도안에서 색칠한 부분은 한 변의 길이가 a인 정사각형 2개, 한 변의 길이가 b인 정사각형 2개이므로 그 넓이는 $2a^2+2b^2$이다.
이때 (1)에서 $a+b=10$, $ab=20$이므로
$2a^2+2b^2=2(a^2+b^2)$
$=2\{(a+b)^2-2ab\}$
$=2\times(10^2-2\times20)$
$=120$

곱셈 공식의 변형을 알고
있는지 묻는 문제야.
$a^2+b^2=(a+b)^2-2ab$
$=(a-b)^2+2ab$

3 (1) $(n+1)^2-n^2=n^2+2n+1-n^2$
$=2n+1$
(2) $2n+1=341$에서 $2n=340$
$\therefore n=170$
(3) 영철이가 생각한 두 수는 170, 171이다.

4 □ABFE는 정사각형이므로
$\overline{AE}=\overline{AB}=y$
□EGHD는 정사각형이므로
$\overline{EG}=\overline{ED}=\overline{AD}-\overline{AE}=x-y$
$\therefore \overline{GF}=\overline{EF}-\overline{EG}=\overline{AB}-\overline{EG}$
$=y-(x-y)=2y-x$
□IJCH는 정사각형이므로
$\overline{IH}=\overline{IJ}=\overline{GF}=2y-x$
$\therefore \overline{GI}=\overline{GH}-\overline{IH}=\overline{ED}-\overline{IH}$
$=x-y-(2y-x)=2x-3y$
따라서 사각형 GFJI의 넓이는
$\overline{GF}\times\overline{GI}=(2y-x)(2x-3y)$
$=-2x^2+7xy-6y^2$

5 (1) $2x^2+7x+3=(x+3)(2x+1)$
$x^2+2x-3=(x+3)(x-1)$
따라서 두 다항식의 공통인수가 A 카드 뒷면에 적힌 일차식이므로 세 장의 카드 A, B, C의 뒷면에 적힌 일차식은 각각 $x+3$, $2x+1$, $x-1$이다.
(2) $(2x+1)(x-1)=2x^2-x-1$

6 $x^2+cx+30=(x+a)(x+b)$이므로 $ab=30$
$ab=30$을 만족하는 a, b의 순서쌍 (a, b)는
$(3, 10)$, $(5, 6)$
따라서 $c=a+b$에서
$c=3+10=13$ 또는 $c=5+6=11$

7 (1) $2491=2500-9=50^2-3^2=(50+3)(50-3)$
따라서 가장 적당한 인수분해 공식은 ㉢이다.
(2) $2491=2500-9=50^2-3^2$
$=(50+3)(50-3)$
$=53\times47$
즉 2491은 53과 47의 곱이므로
소수가 아니다.

소수는 1과 자기 자신만을 약수로 갖는 수야.

8 10단계에서 ㈎의 넓이는 11^2-1이고
$11^2-1=(11-1)(11+1)=10\times12$이므로
㈏에 들어갈 직사각형의 가로의 길이는 10, 세로의 길이는 12이다.

중간고사 마무리

신유형·신경향·서술형 전략 60쪽~63쪽

01 수진
02 (1) 10 cm (2) $2\sqrt{13}$ cm (3) $(22+2\sqrt{13})$ cm
03 (1) $-\sqrt{2}$, -1, $\sqrt{5}-2$, $\sqrt{(-2)^2}$, $\sqrt{3}+1$, π
(2) $\sqrt{(-2)^2}$, 0, -1, 0, $-\sqrt{2}$ / $1-\sqrt{2}$
04 $27-10\sqrt{2}$
05 (1) $(15a^2-11a-1)$ m^2 (2) (a^2+2a+1) m^2
(3) $(16a^2-9a)$ m^2
06 $\frac{49}{2}$
07 (1)

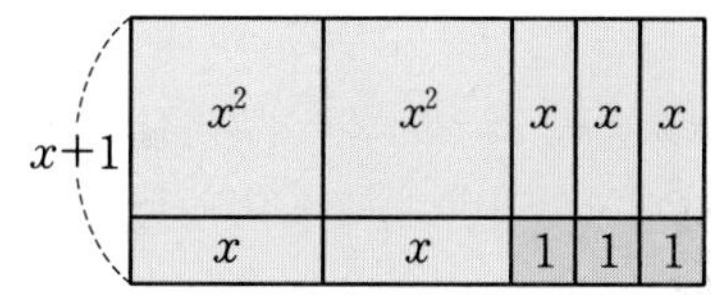

(2) 넓이 : $(x+1)(2x+3)$
둘레의 길이 : $6x+8$
08 1123
09 540π cm^3

01 종훈이는 다음에서 큰 수를 따라간다.
$\sqrt{\frac{1}{4}}<\sqrt{\frac{1}{2}}$이므로 $\frac{1}{2}<\sqrt{\frac{1}{2}}$
$\sqrt{16}>\sqrt{15}$이므로 $4>\sqrt{15}$
$-\sqrt{16}=-4$이므로 $-\sqrt{16}<-3$
즉 '출발 ➡ $\sqrt{\frac{1}{2}}$ ➡ 4 ➡ -3' 쪽으로 가서 보물이 2개인 곳으로 도착한다.
수진이는 다음에서 작은 수를 따라간다.
$\sqrt{\frac{1}{4}}<\sqrt{\frac{1}{2}}$이므로 $\frac{1}{2}<\sqrt{\frac{1}{2}}$
$\sqrt{0.01}<\sqrt{0.1}$이므로 $-\sqrt{0.01}>-\sqrt{0.1}$
즉 $-0.1>-\sqrt{0.1}$
$\sqrt{(-2)^2}=2$, $-\sqrt{2^2}=-2$이므로 $\sqrt{(-2)^2}>-\sqrt{2^2}$
즉 '출발 ➡ $\frac{1}{2}$ ➡ $-\sqrt{0.1}$ ➡ $-\sqrt{2^2}$' 쪽으로 가서 보물이 3개인 곳으로 도착한다.
따라서 수진이의 보물의 개수가 더 많으므로 수진이가 이긴다.

중간

02 (1) $\triangle$ABC에서 $\overline{AB}=\sqrt{8^2+6^2}=10$ (cm)

$\therefore \overline{EB}=\overline{AB}=10$ cm

(2) $\triangle$ACD에서 $\overline{AD}=\sqrt{4^2+6^2}=2\sqrt{13}$ (cm)

$\therefore \overline{DF}=\overline{AD}=2\sqrt{13}$ cm

(3) $\overline{EF}=\overline{EB}+\overline{BC}+\overline{CD}+\overline{DF}$

$=10+8+4+2\sqrt{13}$

$=22+2\sqrt{13}$ (cm)

03 (1) $\sqrt{(-2)^2}=2$

$1<\sqrt{3}<2$이므로 $2<\sqrt{3}+1<3$

$2<\sqrt{5}<3$이므로 $0<\sqrt{5}-2<1$

따라서 주어진 수를 작은 수부터 크기순으로 나열하면

$-\sqrt{2}$, -1, 0, $\sqrt{5}-2$, $\sqrt{(-2)^2}$, $\sqrt{3}+1$, π

이므로 음에 대응시키면 다음과 같다.

도 : $-\sqrt{2}$, 레 : -1, 미 : 0, 파 : $\sqrt{5}-2$, 솔 : $\sqrt{(-2)^2}$, 라 : $\sqrt{3}+1$, 시 : π

(2) 주어진 악보의 음이 솔, 미, 레, 미, 도이므로 각 계이름에 해당하는 수는 다음과 같다.

솔 : $\sqrt{(-2)^2}$, 미 : 0, 레 : -1, 미 : 0, 도 : $-\sqrt{2}$

따라서 이 수들을 합하면

$\sqrt{(-2)^2}+0+(-1)+0+(-\sqrt{2})$

$=2+0+(-1)+0+(-\sqrt{2})$

$=1-\sqrt{2}$

04 세 정사각형 A, B, C의 한 변의 길이를 각각 a, b, c라 하면

$a^2:b^2:c^2=2:4:1$이므로

$a:b:c=\sqrt{2}:2:1$

즉 $a=\sqrt{2}k$, $b=2k$, $c=k$

$(k>0)$로 놓으면 주어진 도형의 둘레의 길이가 46이므로

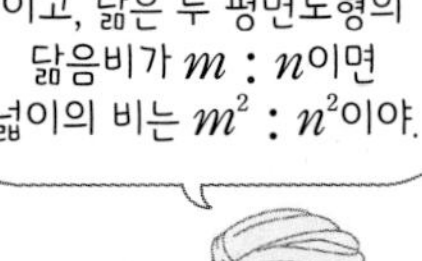

정사각형끼리는 닮은 도형이고, 닮은 두 평면도형의 닮음비가 $m:n$이면 넓이의 비는 $m^2:n^2$이야.

$2a+4b+2c=2\sqrt{2}k+8k+2k$

$=(10+2\sqrt{2})k$

$=46$

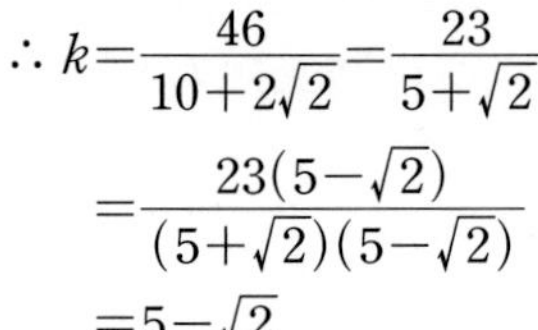

$\therefore k=\dfrac{46}{10+2\sqrt{2}}=\dfrac{23}{5+\sqrt{2}}$

$=\dfrac{23(5-\sqrt{2})}{(5+\sqrt{2})(5-\sqrt{2})}$

$=5-\sqrt{2}$

따라서 정사각형 A와 정사각형 C의 넓이의 차는

$a^2-c^2=2k^2-k^2=k^2$

$=(5-\sqrt{2})^2=27-10\sqrt{2}$

05 (1) $(3a-1)(5a-2)-2\times\dfrac{3}{2}$

$=15a^2-11a+2-3$

$=15a^2-11a-1$ (m^2)

(2) $(a+1)(a+1)=(a+1)^2=a^2+2a+1$ (m^2)

(3) $(15a^2-11a-1)+(a^2+2a+1)=16a^2-9a$ (m^2)

06 $(x+a)(x-3)=x^2+bx-15$이므로

$-3a=-15$, $a-3=b$

$\therefore a=5$, $b=2$

주어진 정사각형의 한 변의 길이를 x라 하면 대각선의 길이가 $a+b=7$이므로

$x^2+x^2=7^2$, $2x^2=49$

$\therefore x^2=\dfrac{49}{2}$

따라서 정사각형의 넓이는 $\dfrac{49}{2}$이다.

07 (2) (1)에서 만든 하나의 큰 직사각형의 넓이를 x의 식으로 나타내면

$x^2+x^2+x+x+x+x+x+1+1+1$

$=2x^2+5x+3$

$=(x+1)(2x+3)$

즉 직사각형의 가로의 길이는 $2x+3$이므로 둘레의 길이는

$2\{(x+1)+(2x+3)\}=6x+8$

08 $x^2+Ax-2=(x+2)(x-B)$에서

$A=2-B$, $-2=-2B$

$\therefore A=1$, $B=1$

$4x^2-8x+3=(2x-1)(2x-3)$이므로

$C=2$, $D=3$

따라서 새로 바뀐 현관문의 비밀번호는 1123이다.

09 (화장지가 감긴 부분의 부피)
$=$(바깥쪽 원기둥의 부피)$-$(안쪽 원기둥의 부피)
$=\pi\times7.5^2\times10-\pi\times1.5^2\times10$
$=10\pi(7.5^2-1.5^2)$
$=10\pi(7.5+1.5)(7.5-1.5)$
$=10\pi\times9\times6$
$=540\pi\ (\text{cm}^3)$
따라서 화장지가 감긴 부분의 부피는 $540\pi\ \text{cm}^3$이다.

고난도 해결 전략 1회 64쪽~67쪽

01 ③	02 ②	03 ③	04 ③
05 ②	06 ②	07 ②, ⑤	08 138
09 재호	10 ⑤	11 $4-\sqrt{5}$	12 ④
13 ③	14 ②	15 ③	16 ④
17 ②	18 ②		

01 전략 제곱근을 구하려는 수를 먼저 간단히 한다.
㉠ $\sqrt{64}=8$의 제곱근은 $\pm\sqrt{8}$이다.
㉢ $\sqrt{4}=2$의 양의 제곱근은 $\sqrt{2}$이다.
㉣ x가 a의 제곱근이면 $x^2=a$이다.
㉥ $a<0$, $b>0$일 때, $\sqrt{a^2b}=-a\sqrt{b}$이다.
따라서 옳은 것은 ㉡, ㉤이다.

02 전략 $\sqrt{x^2}=\begin{cases} x\ (x\ge0) \\ -x\ (x<0)\end{cases}$임을 이용한다.
$0<a<1$이므로 $\frac{1}{a}>1$
즉 $0<a<1<\frac{1}{a}$이므로
$a+\frac{1}{a}>0$, $a-\frac{1}{a}<0$, $-3a<0$
$\therefore \sqrt{\left(a+\frac{1}{a}\right)^2}-\sqrt{\left(a-\frac{1}{a}\right)^2}-\sqrt{(-3a)^2}$
$=\left(a+\frac{1}{a}\right)-\left\{-\left(a-\frac{1}{a}\right)\right\}-\{-(-3a)\}$
$=a+\frac{1}{a}+a-\frac{1}{a}-3a$
$=-a$

03 전략 근호 안이 제곱수가 되는 x, y의 값을 각각 찾는다.
$\sqrt{300-x}-\sqrt{100+y}$가 가장 큰 정수가 되려면 $\sqrt{300-x}$는 가장 큰 자연수, $\sqrt{100+y}$는 가장 작은 자연수가 되어야 한다.
$\sqrt{300-x}$가 가장 큰 자연수가 되려면 $300-x$가 300보다 작은 제곱수 중 가장 큰 수가 되어야 하므로
$300-x=289 \qquad \therefore x=11$
$\sqrt{100+y}$가 가장 작은 자연수가 되려면 $100+y$가 100보다 큰 제곱수 중 가장 작은 수가 되어야 하므로
$100+y=121 \qquad \therefore y=21$
$\therefore x+y=11+21=32$

04 전략 24를 소인수분해하여 소인수의 지수가 모두 짝수가 되도록 하는 ab의 값을 정한다.
모든 경우의 수는 $6\times6=36$
$\sqrt{24ab}=\sqrt{2^3\times3\times ab}$가 자연수가 되려면
$ab=2\times3\times$(자연수)^{2}의 꼴이어야 한다.
이때 $1\le a\le6$, $1\le b\le6$이므로 $1\le ab\le36$
$\therefore ab=2\times3,\ 2\times3\times2^2$
따라서 이를 만족하는 a, b의 순서쌍 (a, b)는
(i) $ab=2\times3=6$인 경우
$(1, 6)$, $(2, 3)$, $(3, 2)$, $(6, 1)$의 4개
(ii) $ab=2\times3\times2^2=24$인 경우
$(4, 6)$, $(6, 4)$의 2개
(i), (ii)에서 조건을 만족하는 순서쌍 (a, b)의 개수는
$4+2=6$이므로 구하는 확률은 $\frac{6}{36}=\frac{1}{6}$

(사건 A가 일어날 확률)
$=\frac{(\text{사건 } A\text{가 일어나는 경우의 수})}{(\text{일어나는 모든 경우의 수})}$

05 전략 $n\le\sqrt{x}<n+1$(n은 자연수)이면 $f(x)=n$임을 이용한다.
$\sqrt{1}=1$이므로 $f(1)=1$
$1<\sqrt{3}<2$이므로 $f(3)=1$
$2<\sqrt{5}<3$이므로 $f(5)=2$
$2<\sqrt{7}<3$이므로 $f(7)=2$
$\sqrt{9}=3$이므로 $f(9)=3$
$\therefore f(1)+f(3)+f(5)+f(7)+f(9)$
$=1+1+2+2+3=9$

06 전략 $a>0$, $b>0$일 때, $a<b$이면 $\sqrt{a}<\sqrt{b}$임을 이용한다.

① $0<x<1$

② $0<x^2<1$이므로 $\frac{1}{x^2}>1$

③ $0<\sqrt{x}<1$

④ $\frac{1}{x}>1$

⑤ $\sqrt{\frac{1}{x}}>1$

이때 $\sqrt{\frac{1}{x}}<\frac{1}{x}<\frac{1}{x^2}$이므로 값이 가장 큰 것은 ② $\frac{1}{x^2}$이다.

확인 $x=\frac{1}{4}$이라 하면 $\frac{1}{x^2}=16$, $\sqrt{x}=\frac{1}{2}$, $\frac{1}{x}=4$, $\sqrt{\frac{1}{x}}=2$이므로 $x<\sqrt{x}<\sqrt{\frac{1}{x}}<\frac{1}{x}<\frac{1}{x^2}$임을 알 수 있다.

07 전략 (유리수)+(무리수)=(무리수), (유리수)−(무리수)=(무리수)임을 이용한다.

① $a=0$, $b=\sqrt{2}$이면
$a+b^2=0+(\sqrt{2})^2=0+2=2$(유리수)

② (유리수)−(무리수)=(무리수)이므로
$a-b=$(무리수)

③ $a=0$, $b=\sqrt{2}$이면 $\frac{a}{b}=\frac{0}{\sqrt{2}}=0$(유리수)

④ $a=0$, $b=\sqrt{2}$이면 $ab=0\times\sqrt{2}=0$(유리수)

⑤ $a^2+b=$(유리수)$^2+$(무리수)
$=$(유리수)+(무리수)
$=$(무리수)

따라서 항상 무리수인 것은 ②, ⑤이다.

08 전략 $\sqrt{x}$가 무리수가 되려면 x가 제곱수가 아니어야 함을 이용한다.

$\sqrt{x}$가 무리수가 되려면 x가 제곱수가 아니어야 한다.
이때 150 이하의 제곱수는 1, 4, 9, 16, ⋯, 144의 12개이므로 무리수에 대응하는 점의 개수는
$150-12=138$

09 전략 피타고라스 정리를 이용하여 $\overline{CD}$, $\overline{EF}$의 길이를 각각 구한다.

피타고라스 정리에 의하여 $\overline{CD}=\sqrt{2^2+1^2}=\sqrt{5}$
$\overline{PD}=\overline{CD}=\sqrt{5}$이고 점 P에 대응하는 수가 $1-\sqrt{5}$이므로 점 D에 대응하는 수는
$(1-\sqrt{5})+\sqrt{5}=1$
피타고라스 정리에 의하여 $\overline{EF}=\sqrt{2^2+2^2}=2\sqrt{2}$
$\overline{DE}=3$이므로 점 E에 대응하는 수는 $1+3=4$
$\overline{EQ}=\overline{EF}=2\sqrt{2}$이고 점 E에 대응하는 수가 4이므로 점 Q에 대응하는 수는 $4+2\sqrt{2}$이다.

10 전략 서로 다른 두 실수 사이에는 무수히 많은 실수가 있다.

① $\frac{1}{3}$과 $\frac{1}{2}$ 사이에는 무수히 많은 무리수가 있다.

② $\sqrt{3}$과 $\sqrt{5}$ 사이에는 무수히 많은 유리수가 있다.

③ 1과 2 사이에는 무수히 많은 무리수가 있다.

④ $-2<-\sqrt{2}<-1$, $1<\sqrt{2}<2$이므로 $-\sqrt{2}$와 $\sqrt{2}$ 사이에 있는 정수는 -1, 0, 1의 3개이다.

따라서 옳은 것은 ⑤이다.

11 전략 주어진 수를 크기가 작은 것부터 차례대로 나열한다.

$2<\sqrt{5}<3$이므로 $-3<-\sqrt{5}<-2$
$\therefore 1<4-\sqrt{5}<2$, $-1<2-\sqrt{5}<0$
$1<\sqrt{3}<2$이므로 $-2<-\sqrt{3}<-1$
$\therefore 2<-\sqrt{3}+4<3$
$2<\sqrt{6}<3$이므로 $-3<-\sqrt{6}<-2$
$\therefore 0<-\sqrt{6}+3<1$
따라서 주어진 수를 크기가 작은 것부터 차례대로 나열하면 $2-\sqrt{5}$, $-\sqrt{6}+3$, $4-\sqrt{5}$, 2, $-\sqrt{3}+4$이므로 이 수들을 수직선 위에 나타낼 때, 왼쪽에서 세 번째에 오는 수는 $4-\sqrt{5}$이다.

12 전략 175, 2.8을 7 또는 70의 곱으로 나타낼 수 있도록 변형한다.

$\sqrt{175}=\sqrt{5^2\times7}=5\sqrt{7}=5a$
$\sqrt{2.8}=\sqrt{\frac{280}{100}}=\sqrt{\frac{4\times70}{100}}=\frac{2\sqrt{70}}{10}=\frac{\sqrt{70}}{5}=\frac{b}{5}$
$\therefore \sqrt{175}+\sqrt{2.8}=5a+\frac{b}{5}$

13 전략 $x>0, y>0$일 때, $x\sqrt{y}=\sqrt{x^2y}$임을 이용하여 근호 안에 ab의 꼴이 나타나도록 변형한다.

$$a\sqrt{\frac{5b}{a}}+b\sqrt{\frac{20a}{b}}=\sqrt{a^2\times\frac{5b}{a}}+\sqrt{b^2\times\frac{20a}{b}}$$
$$=\sqrt{5ab}+\sqrt{20ab}$$
$$=\sqrt{5\times4}+\sqrt{20\times4}$$
$$=2\sqrt{5}+4\sqrt{5}$$
$$=6\sqrt{5}$$

14 전략 정사각형 A의 넓이를 이용하여 정사각형 B, C, D의 넓이를 각각 구한다.

정사각형의 A의 넓이가 1 cm^2이므로

(정사각형 B의 넓이)$=\frac{1}{2}\times$(정사각형 A의 넓이)
$=\frac{1}{2}\times1$
$=\frac{1}{2}\ (\text{cm}^2)$

(정사각형 C의 넓이)$=\frac{1}{2}\times$(정사각형 B의 넓이)
$=\frac{1}{2}\times\frac{1}{2}$
$=\frac{1}{4}\ (\text{cm}^2)$

(정사각형 D의 넓이)$=\frac{1}{2}\times$(정사각형 C의 넓이)
$=\frac{1}{2}\times\frac{1}{4}$
$=\frac{1}{8}\ (\text{cm}^2)$

정사각형 D의 한 변의 길이를 x cm라 하면

$x^2=\frac{1}{8}$ $\quad\therefore x=\sqrt{\frac{1}{8}}=\frac{1}{2\sqrt{2}}=\frac{\sqrt{2}}{4}\ (\because x>0)$

따라서 정사각형 D의 한 변의 길이는 $\frac{\sqrt{2}}{4}$ cm이다.

15 전략 a, b가 유리수이고 $\sqrt{m}$이 무리수일 때, $a+b\sqrt{m}$이 유리수가 될 조건은 $b=0$이다.

$$\sqrt{24}\left(\frac{1}{\sqrt{3}}-\frac{1}{\sqrt{6}}\right)+\frac{a}{\sqrt{2}}(\sqrt{8}-2)=2\sqrt{2}-2+2a-\sqrt{2}a$$
$$=-2+2a+(2-a)\sqrt{2}$$

이때 유리수가 되려면 $2-a=0$이어야 하므로

$a=2$

16 전략 넓이가 $a\text{ cm}^2$인 정사각형의 한 변의 길이는 $\sqrt{a}$ cm임을 이용하여 세 정사각형의 한 변의 길이를 각각 구한다.

세 정사각형의 한 변의 길이는 각각

$\sqrt{12}=2\sqrt{3}$ (cm), $\sqrt{18}=3\sqrt{2}$ (cm), $\sqrt{48}=4\sqrt{3}$ (cm)

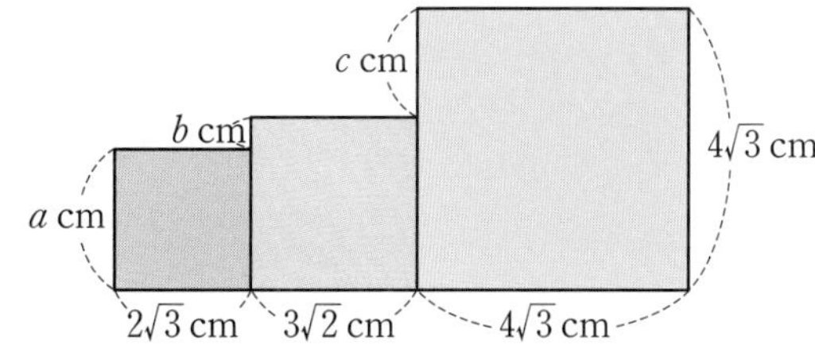

따라서 위의 그림에서

(도형의 둘레의 길이)
$=(2\sqrt{3}+3\sqrt{2}+4\sqrt{3})\times2+4\sqrt{3}+(a+b+c)$
$=(6\sqrt{3}+3\sqrt{2})\times2+4\sqrt{3}+4\sqrt{3}$
$=12\sqrt{3}+6\sqrt{2}+8\sqrt{3}$
$=20\sqrt{3}+6\sqrt{2}$ (cm)

17 전략 분배법칙을 이용하여 괄호를 푼 후 덧셈과 뺄셈을 한다.

$$\frac{2}{\sqrt{5}}(\sqrt{2}+\sqrt{5})-\left(\sqrt{12}+\frac{3\sqrt{60}}{5}\right)\div\sqrt{6}-\frac{\sqrt{8}-2}{\sqrt{2}}$$
$$=\frac{2\sqrt{2}}{\sqrt{5}}+2-\left(\sqrt{2}+\frac{3\sqrt{10}}{5}\right)-(\sqrt{4}-\sqrt{2})$$
$$=\frac{2\sqrt{10}}{5}+2-\sqrt{2}-\frac{3\sqrt{10}}{5}-2+\sqrt{2}$$
$$=-\frac{\sqrt{10}}{5}$$

18 전략 $2\sqrt{2}=\sqrt{8}$임을 이용하여 $2\sqrt{2}$의 소수 부분을 구한다. 이때 $2\sqrt{2}$의 정수 부분이 x이면 소수 부분은 $2\sqrt{2}-x$이다.

$2\sqrt{2}=\sqrt{8}$이고 $2<\sqrt{8}<3$이므로 $2\sqrt{2}$의 정수 부분은 2이다.

$\therefore a=2\sqrt{2}-2$ $\quad\cdots\cdots$ ㉠

$11<\sqrt{128}<12$에서 $\sqrt{128}$의 정수 부분은 11이므로

$b=\sqrt{128}-11=8\sqrt{2}-11$

이때 ㉠에서 $\sqrt{2}=\frac{a+2}{2}$이므로

$b=8\sqrt{2}-11=8\times\frac{a+2}{2}-11$
$=4(a+2)-11=4a-3$

중간

고난도 해결 전략 2회 68쪽~71쪽

01 ③	02 ⑤	03 ⑤	04 ④
05 ⑤	06 ⑤	07 $-1+2\sqrt{10}$	
08 ④	09 32	10 ②	11 ①
12 ④	13 경민	14 $\frac{11}{20}$	15 280
16 ④	17 ③	18 $\frac{5}{2}$	

01 전략 $<a, b>=(a+b)^2$임을 이용하여 주어진 식을 변형한다.

$<2x, -3y>-2<-x, 2y>$
$=(2x-3y)^2-2(-x+2y)^2$
$=4x^2-12xy+9y^2-2(x^2-4xy+4y^2)$
$=4x^2-12xy+9y^2-2x^2+8xy-8y^2$
$=2x^2-4xy+y^2$

02 전략 $(x+a)(x+b)=x^2+(a+b)x+ab$임을 이용한다.

$(x+a)(x+b)=x^2+(a+b)x+ab$이므로
$a+b=c$, $ab=8$
$ab=8$을 만족하는 정수 a, b의 순서쌍 (a, b)는
$(1, 8)$, $(2, 4)$, $(4, 2)$, $(8, 1)$, $(-1, -8)$, $(-2, -4)$, $(-4, -2)$, $(-8, -1)$

(i) (a, b)가 $(1, 8)$, $(8, 1)$일 때
$c=1+8=9$
(ii) (a, b)가 $(2, 4)$, $(4, 2)$일 때
$c=2+4=6$
(iii) (a, b)가 $(-1, -8)$, $(-8, -1)$일 때
$c=-1+(-8)=-9$
(iv) (a, b)가 $(-2, -4)$, $(-4, -2)$일 때
$c=-2+(-4)=-6$

(i)~(iv)에서 c의 값이 될 수 없는 것은 ⑤ 14이다.

03 전략 $(x+2)(x+A)$, $(Cx+1)(x-3)$을 각각 전개한 후 주어진 전개식과 비교한다.

$(x+2)(x+A)=x^2+(2+A)x+2A$이므로
$2+A=6$, $2A=-B$
$\therefore A=4$, $B=-8$
$(Cx+1)(x-3)=Cx^2+(-3C+1)x-3$이므로
$-3C+1=7$ $\quad\therefore C=-2$
$\therefore A+B+C=4+(-8)+(-2)=-6$

04 전략 사각형 GFCH의 가로의 길이와 세로의 길이를 각각 x, y의 식으로 나타낸다.

사각형 ABFE가 정사각형이므로 $\overline{AE}=\overline{AB}=y$
사각형 EGHD가 정사각형이므로
$\overline{GH}=\overline{DH}=\overline{ED}=\overline{AD}-\overline{AE}=x-y$

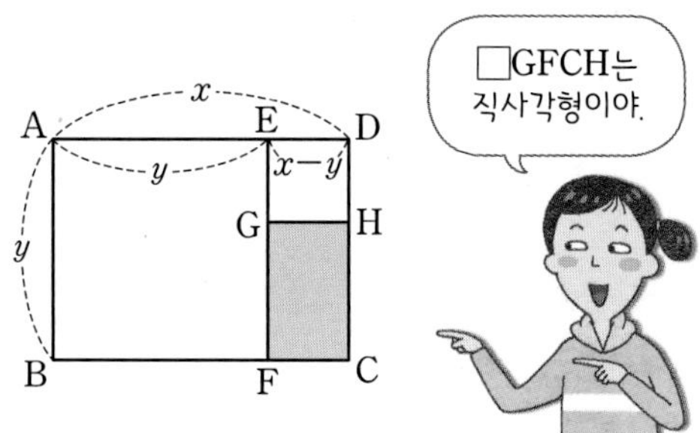

$\therefore \overline{HC}=\overline{DC}-\overline{DH}=y-(x-y)=-x+2y$
따라서 사각형 GFCH의 넓이는
$\overline{GH}\times\overline{HC}=(x-y)(-x+2y)$
$=-x^2+3xy-2y^2$

05 전략 $4=5-1$이므로 $(a-b)(a+b)=a^2-b^2$을 여러 번 이용한다.

$4(5+1)(5^2+1)(5^4+1)(5^8+1)$
$=(5-1)(5+1)(5^2+1)(5^4+1)(5^8+1)$
$=(5^2-1)(5^2+1)(5^4+1)(5^8+1)$
$=(5^4-1)(5^4+1)(5^8+1)$
$=(5^8-1)(5^8+1)$
$=5^{16}-1$
$\therefore a=16$

06 전략 $a^nb^n=(ab)^n$임을 이용한다.

$(2-\sqrt{3})^{100}(2+\sqrt{3})^{102}$
$=(2-\sqrt{3})^{100}(2+\sqrt{3})^{100}(2+\sqrt{3})^2$
$=\{(2-\sqrt{3})(2+\sqrt{3})\}^{100}(2+\sqrt{3})^2$
$=1^{100}(2+\sqrt{3})^2=(2+\sqrt{3})^2$
$=4+4\sqrt{3}+3=7+4\sqrt{3}$
따라서 $a=7$, $b=4$이므로
$a+b=7+4=11$

07 전략 분모를 유리화한 후 규칙을 찾는다.

$$f(x)=\frac{1}{\sqrt{x+1}+\sqrt{x}}$$
$$=\frac{\sqrt{x+1}-\sqrt{x}}{(\sqrt{x+1}+\sqrt{x})(\sqrt{x+1}-\sqrt{x})}$$
$$=\sqrt{x+1}-\sqrt{x}$$

$\therefore f(1)+f(2)+f(3)+\cdots+f(39)$
$=(\sqrt{2}-1)+(\sqrt{3}-\sqrt{2})+(\sqrt{4}-\sqrt{3})+\cdots$
$+(\sqrt{39}-\sqrt{38})+(\sqrt{40}-\sqrt{39})$
$=-1+\sqrt{40}=-1+2\sqrt{10}$

08 전략 x의 계수가 같아지도록 두 개씩 짝을 지어 전개한다.

$(x+2)(x+3)(x-4)(x-5)-11$
$=\{(x+2)(x-4)\}\{(x+3)(x-5)\}-11$
$=(x^2-2x-8)(x^2-2x-15)-11$
이때 $x^2-2x-5=0$에서 $x^2-2x=5$
$\therefore$ (주어진 식)$=(5-8)\times(5-15)-11$
$=-3\times(-10)-11$
$=30-11=19$

09 전략 $x\neq0$이므로 $x^2-4x-1=0$의 양변을 x로 나누어 $x-\frac{1}{x}$의 값을 구한다.

$x\neq0$이므로 $x^2-4x-1=0$의 양변을 x로 나누면
$x-4-\frac{1}{x}=0 \qquad \therefore x-\frac{1}{x}=4$
$\therefore 2x^2-x+\frac{1}{x}+\frac{2}{x^2}=2\left(x^2+\frac{1}{x^2}\right)-\left(x-\frac{1}{x}\right)$
$=2\left\{\left(x-\frac{1}{x}\right)^2+2\right\}-\left(x-\frac{1}{x}\right)$
$=2\times(4^2+2)-4$
$=36-4=32$

10 전략 근호 안의 식을 인수분해한 후, 부호에 주의하여 근호를 없앤다.

$x-y<0$에서 $x<y$이고, $xy<0$이므로 $x<0, y>0$
$\therefore \sqrt{x^2-4xy+4y^2}+\sqrt{y^2+6y+9}-\sqrt{x^2}$
$=\sqrt{(x-2y)^2}+\sqrt{(y+3)^2}-\sqrt{x^2}$
이때 $x<0, y>0$이므로 $x-2y<0, y+3>0$
$\therefore$ (주어진 식)$=-(x-2y)+(y+3)-(-x)$
$=-x+2y+y+3+x$
$=3y+3$

11 전략 $a+b=6$을 만족하는 자연수 a, b의 값을 먼저 구한다.

$(x+a)(x+b)=x^2+(a+b)x+ab$이므로
$a+b=6, ab=k$
$a+b=6$을 만족하는 자연수 a, b의 순서쌍 (a, b)는
$(1, 5), (2, 4), (3, 3), (4, 2), (5, 1)$
(i) (a, b)가 $(1, 5), (5, 1)$일 때, $k=ab=5$
(ii) (a, b)가 $(2, 4), (4, 2)$일 때, $k=ab=8$
(iii) (a, b)가 $(3, 3)$일 때, $k=ab=9$
(i)~(iii)에서 상수 k의 값 중 가장 작은 수는 5이다.

12 전략 $3x+y=A, x+2y=B$로 놓고 인수분해한다.

$3x+y=A, x+2y=B$로 놓으면
$2(3x+y)^2-3(3x+y)(x+2y)-5(x+2y)^2$
$=2A^2-3AB-5B^2$
$=(A+B)(2A-5B)$
$A=3x+y, B=x+2y$를 대입하면
(주어진 식)
$=\{(3x+y)+(x+2y)\}\{2(3x+y)-5(x+2y)\}$
$=(4x+3y)(6x+2y-5x-10y)$
$=(4x+3y)(x-8y)$
$=(x-8y)(4x+3y)$
따라서 $a=-8, b=4, c=3$이므로
$a+bc=-8+4\times3=4$

13 전략 공통인수가 생기도록 2개씩 짝을 지은 후 인수분해한다.

$a^2b+a+b+ab^2=a^2b+ab^2+a+b$
$=ab(a+b)+a+b$
$=(a+b)(ab+1)$
$a^2-b^2-a-b=(a+b)(a-b)-(a+b)$
$=(a+b)(a-b-1)$
따라서 주어진 두 다항식의 공통인수는 $a+b$이므로
선생님의 질문에 바르게 답한 학생은 경민이다.

14 전략 $a^2-b^2=(a-b)(a+b)$임을 이용하여 수를 계산한다.

$\left(1-\frac{1}{2^2}\right)\times\left(1-\frac{1}{3^2}\right)\times\left(1-\frac{1}{4^2}\right)\times\cdots\times\left(1-\frac{1}{10^2}\right)$

$=\left(1-\frac{1}{2}\right)\left(1+\frac{1}{2}\right)\left(1-\frac{1}{3}\right)\left(1+\frac{1}{3}\right)\left(1-\frac{1}{4}\right)\left(1+\frac{1}{4}\right)\cdots\left(1-\frac{1}{10}\right)\left(1+\frac{1}{10}\right)$

$=\frac{1}{2}\times\frac{3}{2}\times\frac{2}{3}\times\frac{4}{3}\times\frac{3}{4}\times\frac{5}{4}\times\cdots\times\frac{9}{10}\times\frac{11}{10}$

$=\frac{1}{2}\times\frac{11}{10}=\frac{11}{20}$

15 전략 인수분해 공식을 이용하여 수를 계산한다.

$A=15.5^2+9\times15.5+4.5^2$

$=15.5^2+2\times15.5\times4.5+4.5^2$

$=(15.5+4.5)^2=20^2=400$

$B=\sqrt{136^2-64^2}$

$=\sqrt{(136+64)(136-64)}$

$=\sqrt{200\times72}$

$=\sqrt{2\times100\times36\times2}$

$=2\times10\times6=120$

$\therefore A-B=400-120=280$

16 전략 $a^2-b^2=(a+b)(a-b)$임을 여러 번 이용한다.

$25^4-1=5^8-1$

$=(5^4+1)(5^4-1)$

$=(5^4+1)(5^2+1)(5^2-1)$

$=(5^4+1)(5^2+1)(5+1)(5-1)$

$=626\times26\times6\times4$

따라서 나누어떨어지게 하는 수가 아닌 것은 ④ 25이다.

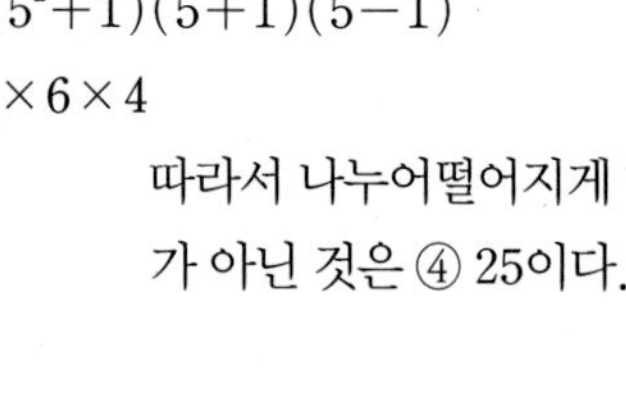

26=2×13이므로
13도 25^4-1을 나누어
떨어지게 하는 수야.

17 전략 $\sqrt{2}+1$의 정수 부분이 a이면 소수 부분은 $b=(\sqrt{2}+1)-a$

$1<\sqrt{2}<2$에서 $2<\sqrt{2}+1<3$이므로

$a=2$, $b=(\sqrt{2}+1)-2=\sqrt{2}-1$

$\therefore a^2-b^2-4b-4$

$=a^2-(b^2+4b+4)$

$=a^2-(b+2)^2$

$=(a+b+2)(a-b-2)$

$=\{2+(\sqrt{2}-1)+2\}\{2-(\sqrt{2}-1)-2\}$

$=(2+\sqrt{2}-1+2)(2-\sqrt{2}+1-2)$

$=(3+\sqrt{2})(1-\sqrt{2})$

$=3-2\sqrt{2}-2=1-2\sqrt{2}$

18 전략 (원의 넓이)$=\pi\times$(반지름의 길이)^{2}임을 이용하여 식을 세운다.

큰 원의 반지름의 길이는 $2x+y$, 작은 원의 반지름의 길이는 $\frac{y}{2}$이므로

(색칠한 부분의 넓이)=(큰 원의 넓이)−(작은 원의 넓이)

$=\pi(2x+y)^2-\pi\left(\frac{y}{2}\right)^2$

$=\pi\left\{(2x+y)^2-\left(\frac{y}{2}\right)^2\right\}$

$=\pi\left(2x+y+\frac{y}{2}\right)\left(2x+y-\frac{y}{2}\right)$

$=\pi\left(2x+\frac{3}{2}y\right)\left(2x+\frac{y}{2}\right)$

따라서 $a=\frac{3}{2}$, $b=\frac{1}{2}$ 또는 $a=\frac{1}{2}$, $b=\frac{3}{2}$이므로

$a^2+b^2=\frac{9}{4}+\frac{1}{4}=\frac{5}{2}$

memo

memo

정답과 풀이

기말고사 대비

정답과 풀이

1주 이차방정식

1일 개념 돌파 전략 1 확인 문제 8쪽~11쪽

01 ㉠, ㉣ 02 ③ 03 ③
04 (1) $x=\pm\frac{\sqrt{5}}{3}$ (2) $x=1\pm\sqrt{7}$ 05 ④
06 $(x+2)^2=6$, $x=-2\pm\sqrt{6}$
07 (1) $x=\frac{-3\pm\sqrt{5}}{2}$ (2) $x=\frac{-1\pm\sqrt{13}}{3}$
08 (1) $x=\frac{-5\pm\sqrt{35}}{2}$ (2) $x=\frac{-3\pm\sqrt{57}}{4}$
09 (1) 0 (2) 2
10 (1) $x^2+3x-4=0$ (2) $2x^2+12x+18=0$
11 (1) 5 (2) 3
12 (1) $1-\sqrt{2}$ (2) $-2+\sqrt{3}$
13 (1) $x^2=5x+24$ (2) $x=-3$ 또는 $x=8$ (3) 8
14 (1) $x^2+(x+1)^2=85$ (2) $x=-7$ 또는 $x=6$ (3) 6, 7
15 1초 또는 7초
16 8 cm

01 ㉡ 일차방정식
㉢ 이차식
㉣ $2x^3+3x=2x^3-x^2$에서 $x^2+3x=0$ ➡ 이차방정식
따라서 x에 대한 이차방정식인 것은 ㉠, ㉣이다.

02 ①~⑤의 이차방정식에 $x=3$을 대입하면 다음과 같다.
① $3^2-9=0$
② $3\times(3-2)=3$
③ $2\times3^2-3\times3+1\neq0$
④ $4\times3^2-9=9\times3$
⑤ $(3-10)^2=49$
따라서 $x=3$을 해로 갖지 않는 것은 ③이다.

03 ① $(x-1)(x-2)=0$에서 $x=1$ 또는 $x=2$
② $x^2-4=0$에서 $(x+2)(x-2)=0$
$\therefore x=-2$ 또는 $x=2$
③ $(x-1)^2=0$에서 $x=1$
④ $x^2=1$에서 $x^2-1=0$
$(x+1)(x-1)=0$ $\therefore x=-1$ 또는 $x=1$
⑤ $(x-1)^2=4$에서 $x^2-2x-3=0$
$(x+1)(x-3)=0$ $\therefore x=-1$ 또는 $x=3$
따라서 중근을 갖는 것은 ③이다.

04 (1) $9x^2-5=0$에서 $9x^2=5$
$x^2=\frac{5}{9}$ $\therefore x=\pm\frac{\sqrt{5}}{3}$
(2) $6(x-1)^2=42$에서 $(x-1)^2=7$
$x-1=\pm\sqrt{7}$ $\therefore x=1\pm\sqrt{7}$

05 $b>0$이면 서로 다른 두 근을, $b=0$이면 중근을 가지므로 해를 가질 조건은 ④ $b\geq0$이다.

06 $x^2+4x-2=0$에서 $x^2+4x=2$
$x^2+4x+4=2+4$, $(x+2)^2=6$
$x+2=\pm\sqrt{6}$ $\therefore x=-2\pm\sqrt{6}$

07 (1) $x^2+3x+1=0$에서 $a=1$, $b=3$, $c=1$이므로
$x=\frac{-3\pm\sqrt{3^2-4\times1\times1}}{2\times1}$
$=\frac{-3\pm\sqrt{5}}{2}$
(2) $3x^2+2x-4=0$에서 $a=3$, $b'=1$, $c=-4$이므로
$x=\frac{-1\pm\sqrt{1^2-3\times(-4)}}{3}$
$=\frac{-1\pm\sqrt{13}}{3}$

08 (1) 양변에 10을 곱하면 $2x^2+10x-5=0$
$\therefore x=\frac{-5\pm\sqrt{5^2-2\times(-5)}}{2}=\frac{-5\pm\sqrt{35}}{2}$
(2) 양변에 6을 곱하면 $2x^2+3x-6=0$
$\therefore x=\frac{-3\pm\sqrt{3^2-4\times2\times(-6)}}{2\times2}=\frac{-3\pm\sqrt{57}}{4}$

양변에 같은 수를 곱할 때에는 모든 항에 빠짐없이 곱해야 돼.

09 (1) $(-1)^2-4\times1\times1=-3<0$이므로 근이 없다.
따라서 근의 개수는 0이다.
(2) $(-2)^2-4\times1\times(-5)=24>0$이므로 서로 다른 두 근을 가진다.
따라서 근의 개수는 2이다.

10 (1) $(x-1)(x+4)=0$에서 $x^2+3x-4=0$
(2) $2(x+3)^2=0$에서 $2x^2+12x+18=0$

13 (1) 어떤 자연수 x를 제곱한 수는 x^2, 그 수를 5배한 것보다 24만큼 더 큰 수는 $5x+24$이므로
$x^2=5x+24$
(2) $x^2=5x+24$에서 $x^2-5x-24=0$
$(x+3)(x-8)=0$ $\quad\therefore x=-3$ 또는 $x=8$
(3) x는 자연수이므로 어떤 자연수는 8이다.

14 (1) 연속하는 두 자연수 중 작은 수를 x로 놓으면 큰 수는 $x+1$이므로
$x^2+(x+1)^2=85$
(2) $x^2+(x+1)^2=85$에서 $x^2+x^2+2x+1=85$
$2x^2+2x-84=0$, $x^2+x-42=0$
$(x+7)(x-6)=0$ $\quad\therefore x=-7$ 또는 $x=6$
(3) x는 자연수이므로 $x=6$
따라서 연속하는 두 자연수는 6, 7이다.

15 $40x-5x^2=35$에서 $-5x^2+40x-35=0$
$x^2-8x+7=0$, $(x-1)(x-7)=0$
$\therefore x=1$ 또는 $x=7$
따라서 공의 높이가 35 m가 되는 것은 공을 던진 지 1초 후 또는 7초 후이다.

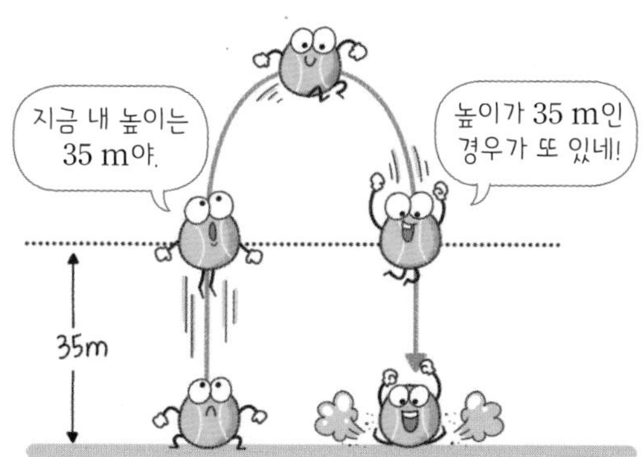

16 삼각형의 밑변의 길이를 x cm라 하면 높이가 $(x+4)$ cm이므로 $\frac{1}{2}x(x+4)=48$
$x(x+4)=96$, $x^2+4x-96=0$
$(x-8)(x+12)=0$ $\quad\therefore x=8$ 또는 $x=-12$
이때 $x>0$이므로 $x=8$
따라서 삼각형의 밑변의 길이는 8 cm이다.

1일 개념 돌파 전략 2 — 12쪽~13쪽

1 ⑤	2 ①	3 ⑤	4 -5
5 ③	6 ④	7 ④	

1 $2ax^2-x+3=6x^2-8x+4$에서
$(2a-6)x^2+7x-1=0$
이 식이 x에 대한 이차방정식이 되려면 $2a-6\neq0$이어야 하므로 $a\neq3$
따라서 a의 값이 될 수 없는 것은 ⑤이다.

2 $x=-1$을 $x^2+4x-a=0$에 대입하면
$(-1)^2+4\times(-1)-a=0$ $\quad\therefore a=-3$

3 $x^2-12x=-27$에서 $x^2-12x+27=0$
$(x-3)(x-9)=0$ $\quad\therefore x=3$ 또는 $x=9$

4 이차방정식 $x^2+8x+11-a=0$이 중근을 가지므로
$11-a=\left(\frac{8}{2}\right)^2$, $11-a=16$ $\quad\therefore a=-5$

다른 풀이

$8^2-4\times1\times(11-a)=0$에서 $4a+20=0$
$4a=-20$ $\quad\therefore a=-5$

5 $x^2-6x+2=0$에서 $x^2-6x=\boxed{①\ -2}$
$x^2-6x+\boxed{②\ 9}=\boxed{①\ -2}+\boxed{②\ 9}$
$(x-\boxed{③\ 3})^2=\boxed{④\ 7}$
$x-\boxed{③\ 3}=\pm\sqrt{\boxed{④\ 7}}$
$\therefore x=\boxed{⑤\ 3\pm\sqrt{7}}$
따라서 ①~⑤에 들어갈 수로 알맞지 않은 것은 ③이다.

기말

6 $x^2-7x+4=0$에서

$x=\dfrac{-(-7)\pm\sqrt{(-7)^2-4\times1\times4}}{2\times1}=\dfrac{7\pm\sqrt{33}}{2}$

따라서 $a=7$, $b=33$이므로

$a+b=7+33=40$

7 ① $(-5)^2-4\times1\times3=13>0$이므로 서로 다른 두 근을 가진다.

② $x^2=2x-1$에서 $x^2-2x+1=0$

$(-2)^2-4\times1\times1=0$이므로 한 근(중근)을 가진다.

③ $(-6)^2-4\times3\times(-5)=96>0$이므로 서로 다른 두 근을 가진다.

④ $1^2-4\times1\times1=-3<0$이므로 근이 없다.

⑤ $(-1)^2-4\times2\times(-3)=25>0$이므로 서로 다른 두 근을 가진다.

따라서 근이 없는 것은 ④이다.

2일 필수 체크 전략 1 14쪽~17쪽

1-1 ②	**1-2** 2
2-1 ④	**2-2** (1) 3 (2) 7
3-1 ④	**3-2** $x=-3$ 또는 $x=1$
4-1 ①	**4-2** 3
5-1 ④	**5-2** 3
6-1 ①	**6-2** 4
7-1 ⑤	**7-2** 2
8-1 ④	**8-2** $x=\frac{5}{3}$

1-1 $x=-1$을 $x^2-(2a+1)x+3a+2=0$에 대입하면

$1+(2a+1)+3a+2=0$

$5a+4=0$ $\therefore 5a=-4$

1-2 $x=-3$을 $x^2+ax-12=0$에 대입하면

$9-3a-12=0$, $-3a=3$ $\therefore a=-1$

$x=-3$을 $3x^2+10x-b=0$에 대입하면

$27-30-b=0$, $-b=3$ $\therefore b=-3$

$\therefore a-b=-1-(-3)=2$

2-1 $x=a$를 $x^2+5x-1=0$에 대입하면

$a^2+5a-1=0$ $\therefore a^2+5a=1$

$x=b$를 $2x^2+3x-6=0$에 대입하면

$2b^2+3b-6=0$ $\therefore 2b^2+3b=6$

$\therefore (a^2+5a+4)(2b^2+3b-3)$

$=(1+4)\times(6-3)=15$

2-2 (1) $x=\alpha$를 $x^2-3x+1=0$에 대입하면 $\alpha^2-3\alpha+1=0$

$\alpha\neq0$이므로 양변을 α로 나누면

$\alpha-3+\dfrac{1}{\alpha}=0$ $\therefore \alpha+\dfrac{1}{\alpha}=3$

(2) $\alpha^2+\dfrac{1}{\alpha^2}=\left(\alpha+\dfrac{1}{\alpha}\right)^2-2=3^2-2=7$

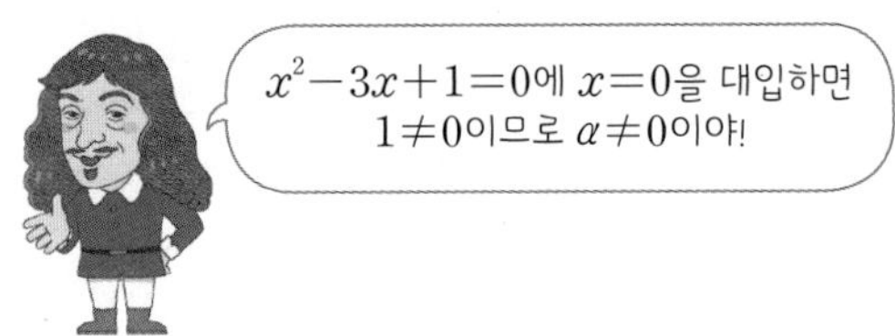
$x^2-3x+1=0$에 $x=0$을 대입하면
$1\neq0$이므로 $\alpha\neq0$이야!

3-1 $3x^2-x-2=5(1-x)$에서 $3x^2-x-2=5-5x$

$3x^2+4x-7=0$, $(3x+7)(x-1)=0$

$\therefore x=-\dfrac{7}{3}$ 또는 $x=1$

$x(x-7)=-6$에서 $x^2-7x=-6$

$x^2-7x+6=0$, $(x-1)(x-6)=0$

$\therefore x=1$ 또는 $x=6$

따라서 두 이차방정식의 공통인 근은 $x=1$이다.

3-2 $(x+1)(x-2)=-2x+4$에서 $x^2-x-2=-2x+4$

$x^2+x-6=0$, $(x+3)(x-2)=0$

$\therefore x=-3$ 또는 $x=2$

이때 $m>n$이므로 $m=2$, $n=-3$

따라서 $x^2+mx+n=0$, 즉 $x^2+2x-3=0$에서

$(x+3)(x-1)=0$ $\therefore x=-3$ 또는 $x=1$

4-1 $x^2-2x-35=0$에서 $(x+5)(x-7)=0$

$\therefore x=-5$ 또는 $x=7$

이때 두 근 중 양수인 근은 $x=7$이므로

$x=7$을 $x^2-ax+7=0$에 대입하면
$49-7a+7=0$, $-7a=-56$
$\therefore a=8$

4-2 $x=3$을 $(a-1)x^2-7x+3=0$에 대입하면
$9(a-1)-21+3=0$, $9a-9-21+3=0$
$9a=27$ $\quad\therefore a=3$
$a=3$을 $(a-1)x^2-7x+3=0$에 대입하면
$2x^2-7x+3=0$, $(2x-1)(x-3)=0$
$\therefore x=\frac{1}{2}$ 또는 $x=3$
따라서 $b=\frac{1}{2}$이므로 $2ab=2\times3\times\frac{1}{2}=3$

5-1 $2(x+2)^2=a$에서 $(x+2)^2=\frac{a}{2}$ $\quad\therefore x=-2\pm\sqrt{\frac{a}{2}}$
이것이 $x=b\pm\sqrt{7}$과 같으므로 $b=-2$, $\frac{a}{2}=7$
$\therefore a=14$, $b=-2$
$\therefore a-b=14-(-2)=16$

5-2 $-3x^2+6x+9=0$에서 $x^2-2x-3=0$
$x^2-2x=3$, $x^2-2x+1=3+1$
$\therefore (x-1)^2=4$
이것이 $(x+a)^2=b$와 같으므로 $a=-1$, $b=4$
$\therefore a+b=-1+4=3$

6-2 이차방정식 $(x-3)^2=k-7$이 중근을 가지려면
$k-7=0$ $\quad\therefore k=7$
$k=7$을 $(x-3)^2=k-7$에 대입하면 $(x-3)^2=0$
$\therefore x=3$, 즉 $a=3$
$\therefore k-a=7-3=4$

7-1 $3x^2+ax+b=0$에서 $x=\frac{-a\pm\sqrt{a^2-12b}}{6}$
이것이 $x=\frac{5\pm\sqrt{13}}{6}$과 같으므로
$-a=5$, $a^2-12b=13$ $\quad\therefore a=-5$, $b=1$
$\therefore b-a=1-(-5)=6$

7-2 $x^2-4x-7=0$에서 $x=2\pm\sqrt{11}$
이때 두 근 중 큰 근은 $x=2+\sqrt{11}$이므로 $k=2+\sqrt{11}$
$\therefore k-\sqrt{11}=2+\sqrt{11}-\sqrt{11}=2$

8-1 $0.2x^2-\frac{2}{5}x-\frac{1}{10}=0$의 양변에 10을 곱하면
$2x^2-4x-1=0$ $\quad\therefore x=\frac{2\pm\sqrt{6}}{2}$

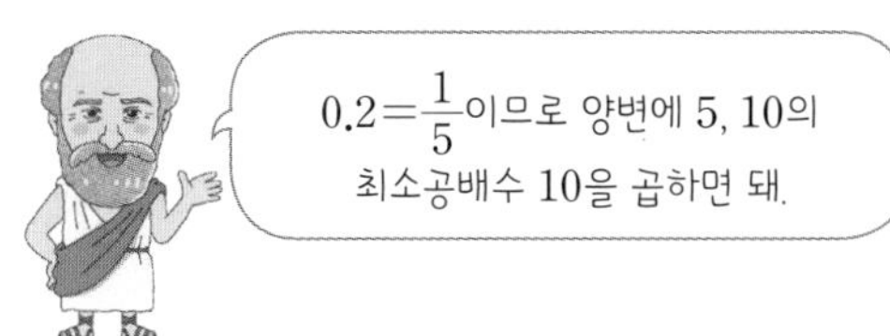
$0.2=\frac{1}{5}$이므로 양변에 5, 10의
최소공배수 10을 곱하면 돼.

8-2 $0.3x^2+0.1x-1=0$의 양변에 10을 곱하면
$3x^2+x-10=0$, $(x+2)(3x-5)=0$
$\therefore x=-2$ 또는 $x=\frac{5}{3}$
$\frac{1}{2}x^2-\frac{1}{3}x-\frac{5}{6}=0$의 양변에 6을 곱하면
$3x^2-2x-5=0$, $(x+1)(3x-5)=0$
$\therefore x=-1$ 또는 $x=\frac{5}{3}$
따라서 두 이차방정식의 공통인 근은 $x=\frac{5}{3}$이다.

2일 필수 체크 전략 2 18쪽~19쪽

1 ①	**2** -5	**3** ④	**4** ②
5 ③	**6** 찬미, 기범	**7** ⑤	**8** ⑤

1 $x=2$를 $x^2+ax+b=0$에 대입하면
$4+2a+b=0$ $\quad\therefore 2a+b=-4$ ······ ㉠
$x=-6$을 $x^2+ax+b=0$에 대입하면
$36-6a+b=0$ $\quad\therefore 6a-b=36$ ······ ㉡
㉠, ㉡을 연립하여 풀면 $a=4$, $b=-12$
$\therefore a+b=4+(-12)=-8$

2 (가) $x=m$을 $x^2-4x-10=0$에 대입하면
$m^2-4m-10=0$ $\quad\therefore m^2-4m=10$
(나) $x=n$을 $x^2-5x+2=0$에 대입하면
$n^2-5n+2=0$ $\quad\therefore n^2-5n=-2$

$\therefore \dfrac{m^2-4m+10}{2n^2-10n}=\dfrac{m^2-4m+10}{2(n^2-5n)}$

$=\dfrac{10+10}{2\times(-2)}=\dfrac{20}{-4}=-5$

3 $6x^2+7x-20=0$에서 $(2x+5)(3x-4)=0$

$\therefore x=-\dfrac{5}{2}$ 또는 $x=\dfrac{4}{3}$

따라서 두 근 사이에 있는 정수는 $-2, -1, 0, 1$이므로

그 합은 $(-2)+(-1)+0+1=-2$

4 $x=-5$를 $x^2-2px-5=0$에 대입하면

$25+10p-5=0,\ 10p=-20 \qquad \therefore p=-2$

$p=-2$를 $x^2-2px-5=0$에 대입하면

$x^2+4x-5=0,\ (x+5)(x-1)=0$

$\therefore x=-5$ 또는 $x=1$

따라서 $x=1$이 이차방정식 $x^2+(q-2)x+3q=0$을 만족하므로 $x=1$을 $x^2+(q-2)x+3q=0$에 대입하면

$1+(q-2)+3q=0,\ 4q=1 \qquad \therefore q=\dfrac{1}{4}$

5 $(x-4)(x+1)=3x-6$에서 $x^2-3x-4=3x-6$

$x^2-6x=-2,\ x^2-6x+9=-2+9$

$(x-3)^2=7 \qquad \therefore x=3\pm\sqrt{7}$

따라서 $a=-3, b=7, c=3, d=7$이므로

$a+b+c+d=(-3)+7+3+7=14$

완전제곱식을 이용한다는 건…
$(x-p)^2=q$의 꼴로 만들기
제곱근 이용

6 정세 : $a=2$이면 $(x-4)^2=3 \qquad \therefore x=4\pm\sqrt{3}$

즉 서로 다른 두 근을 가진다.

찬미 : $a=-1$이면 $(x-4)^2=0$이므로 중근 $x=4$를 가진다.

기범 : $a=0$이면 $(x-4)^2=1 \qquad \therefore x=3$ 또는 $x=5$

즉 서로 다른 두 근을 가진다.

따라서 바르게 말한 학생은 찬미, 기범이다.

7 $(x-2)(x+3)=5x-4$에서 $x^2+x-6=5x-4$

$x^2-4x-2=0 \qquad \therefore x=2\pm\sqrt{6}$

따라서 $p=2, q=6$이므로

$p+q=2+6=8$

8 $3x-\dfrac{x^2-1}{2}=0.5(x-1)$의 양변에 2를 곱하면

$6x-(x^2-1)=x-1$

$x^2-5x-2=0 \qquad \therefore x=\dfrac{5\pm\sqrt{33}}{2}$

3일 필수 체크 전략 1 (20쪽~23쪽)

1-1 ④	**1-2** -2
2-1 ②	**2-2** $x=\dfrac{-3\pm\sqrt{11}}{2}$
3-1 ②	**3-2** ⑤
4-1 ④	**4-2** 10
5-1 ④	**5-2** 7
6-1 ②	**6-2** 144
7-1 ②	**8-1** ③

1-1 $2x+1=A$로 놓으면 $A^2-4A+3=0$

$(A-1)(A-3)=0 \qquad \therefore A=1$ 또는 $A=3$

즉 $2x+1=1$ 또는 $2x+1=3$이므로

$2x=0$ 또는 $2x=2 \qquad \therefore x=0$ 또는 $x=1$

1-2 $a-b=A$로 놓으면 $A(A-3)=10$

$A^2-3A-10=0,\ (A+2)(A-5)=0$

$\therefore A=-2$ 또는 $A=5$

$\therefore a-b=-2\ (\because a<b)$

2-1 $x^2+2kx+2-k=0$이 중근을 가지므로

$(2k)^2-4\times1\times(2-k)=0$

$k^2+k-2=0,\ (k+2)(k-1)=0$

$\therefore k=-2$ 또는 $k=1$

따라서 모든 k의 값의 합은 $-2+1=-1$

2-2 $x^2+4x+k-3=0$이 중근을 가지므로
$4^2-4\times1\times(k-3)=0$
$-4k+28=0 \qquad \therefore k=7$
$k=7$을 $(k-5)x^2+6x-1=0$에 대입하면
$2x^2+6x-1=0 \qquad \therefore x=\dfrac{-3\pm\sqrt{11}}{2}$

3-1 $x^2-6x+k-1=0$이 서로 다른 두 근을 가지므로
$(-6)^2-4\times1\times(k-1)>0$, $-4k+40>0$
$-4k>-40 \qquad \therefore k<10$

3-2 $x^2+(2k-3)x+k^2+1=0$의 해가 없으므로
$(2k-3)^2-4\times1\times(k^2+1)<0$
$-12k+5<0$, $-12k<-5 \qquad \therefore k>\dfrac{5}{12}$
따라서 k의 값이 될 수 있는 것은 ⑤ $\dfrac{2}{3}$이다.

4-1 한 근이 다른 한 근의 3배이므로 두 근을 α, $3\alpha(\alpha\neq0)$로 놓으면 x^2의 계수가 3이고 두 근이 α, 3α인 이차방정식은
$3(x-\alpha)(x-3\alpha)=0$, $3(x^2-4\alpha x+3\alpha^2)=0$
$3x^2-12\alpha x+9\alpha^2=0$
이 식이 $3x^2-4x-m^2+2m=0$과 같으므로
$-12\alpha=-4$에서 $\alpha=\dfrac{1}{3}$
$9\alpha^2=-m^2+2m$에서 $1=-m^2+2m$
$m^2-2m+1=0$, $(m-1)^2=0 \qquad \therefore m=1$

4-2 두 근의 비가 1 : 2이므로 두 근을 α, $2\alpha(\alpha\neq0)$로 놓으면 x^2의 계수가 1이고 두 근이 α, 2α인 이차방정식은
$(x-\alpha)(x-2\alpha)=0$, $x^2-3\alpha x+2\alpha^2=0$
이 식이 $x^2-(m+5)x+5m=0$과 같으므로
$-3\alpha=-(m+5)$에서 $m=3\alpha-5$ ⋯⋯ ㉠
$2\alpha^2=5m$ ⋯⋯ ㉡
㉠을 ㉡에 대입하면 $2\alpha^2=5(3\alpha-5)$
$2\alpha^2-15\alpha+25=0$, $(2\alpha-5)(\alpha-5)=0$
$\therefore \alpha=\dfrac{5}{2}$ 또는 $\alpha=5$
$\alpha=\dfrac{5}{2}$를 ㉠에 대입하면 $m=3\times\dfrac{5}{2}-5=\dfrac{5}{2}$
$\alpha=5$를 ㉠에 대입하면 $m=3\times5-5=10$
이때 m은 정수이므로 $m=10$

5-1 $2<\sqrt{5}<3$이므로 $-3<-\sqrt{5}<-2$
$\therefore 1<4-\sqrt{5}<2$
이때 $4-\sqrt{5}$의 정수 부분이 1이므로 소수 부분은
$(4-\sqrt{5})-1=3-\sqrt{5}$
따라서 이차방정식 $ax^2+bx+c=0$(a, b, c는 유리수)의 한 근이 $3-\sqrt{5}$이므로 다른 한 근은 $3+\sqrt{5}$이다.

5-2 계수와 상수항이 모두 유리수인 이차방정식의 한 근이 $3-\sqrt{3}$이므로 다른 한 근은 $3+\sqrt{3}$이다.
x^2의 계수가 1이고 두 근이 $3-\sqrt{3}$, $3+\sqrt{3}$인 이차방정식은 $\{x-(3-\sqrt{3})\}\{x-(3+\sqrt{3})\}=0$
$x^2-6x+6=0$
이 식이 $x^2-6x+k-1=0$과 같으므로
$k-1=6 \qquad \therefore k=7$

6-1 연속하는 두 홀수를 x, $x+2(x\geq1)$라 하면
$x^2+(x+2)^2=x(x+2)+39$
$x^2+x^2+4x+4=x^2+2x+39$
$x^2+2x-35=0$, $(x+7)(x-5)=0$
$\therefore x=-7$ 또는 $x=5$
그런데 $x\geq1$이므로 $x=5$
따라서 두 홀수는 5, 7이므로 그 곱은 $5\times7=35$

6-2 어떤 자연수를 x라 하면
$x(x-7)=18$
$x^2-7x-18=0$
$(x+2)(x-9)=0$
$\therefore x=-2$ 또는 $x=9$
그런데 x는 자연수이므로 $x=9$
따라서 처음에 곱해야 했던 두 수는
9, $9+7=16$이므로 그 곱은 $9\times16=144$

어떤 자연수를 x라 하면 그 수보다 7만큼 작은 자연수는 $x-7$이야.

기말

7-1 $-4t^2+16t+1=17$에서 $-4t^2+16t-16=0$
$t^2-4t+4=0$, $(t-2)^2=0$
$\therefore t=2$
따라서 야구공이 17 m의 높이에 도달하는 것은 야구공을 친 지 2초 후이다.

8-1 길의 폭을 x m라 하면 길을 제외한 꽃밭의 넓이는 가로의 길이가 $(21-x)$ m, 세로의 길이가 $(14-x)$ m인 직사각형의 넓이와 같으므로
$(21-x)(14-x)=198$
$x^2-35x+294=198$, $x^2-35x+96=0$
$(x-3)(x-32)=0$ $\quad\therefore x=3$ 또는 $x=32$
그런데 $0<x<14$이므로 $x=3$
따라서 길의 폭은 3 m이다.

3일 필수 체크 전략 2 24쪽~25쪽

1 ④	**2** ④	**3** ③	**4** ③
5 ①	**6** 26	**7** ③	**8** 105 m^2

1 $2x-y=A$로 놓으면 $A^2-7A-30=0$
$(A+3)(A-10)=0$ $\quad\therefore A=-3$ 또는 $A=10$
그런데 $x>y>0$이므로 $2x-y>0$ $\quad\therefore A=10$
따라서 연립방정식 $\begin{cases} x-y=3 \\ 2x-y=10 \end{cases}$을 풀면 $x=7$, $y=4$
$\therefore x+y=7+4=11$

2 $3x^2-3x-2=mx^2-mx$에서
$(3-m)x^2+(m-3)x-2=0$
이 이차방정식이 중근을 가지므로
$(m-3)^2-4\times(3-m)\times(-2)=0$
$m^2-14m+33=0$, $(m-3)(m-11)=0$
$\therefore m=3$ 또는 $m=11$
이때 $m\neq3$이므로 $m=11$
→ (x^2의 계수) $\neq 0$

3 $4x^2-6x+k-5=0$이 해를 가지므로
$(-6)^2-4\times4\times(k-5)\geq0$, $-16k+116\geq0$
$-16k\geq-116$ $\quad\therefore k\leq\frac{29}{4}$ $\quad\cdots\cdots$ ㉠
$(k+2)x^2+4x+1=0$이 해를 갖지 않으므로
$4^2-4\times(k+2)\times1<0$, $-4k+8<0$
$-4k<-8$ $\quad\therefore k>2$ $\quad\cdots\cdots$ ㉡
㉠, ㉡에서 $2<k\leq\frac{29}{4}=7.25$
따라서 자연수 k는 3, 4, 5, 6, 7의 5개이다.

4 두 근의 비가 2 : 3이므로 두 근을 2α, $3\alpha(\alpha\neq0)$로 놓으면
x^2의 계수가 1이고 두 근이 2α, 3α인 이차방정식은
$(x-2\alpha)(x-3\alpha)=0$, $x^2-5\alpha x+6\alpha^2=0$
이 식이 $x^2+5x+4k-2=0$과 같으므로
$-5\alpha=5$에서 $\alpha=-1$
$6\alpha^2=4k-2$에서 $6=4k-2$
$4k=8$ $\quad\therefore k=2$

5 $2<\sqrt{7}<3$이므로 $\sqrt{7}$의 소수 부분은 $\sqrt{7}-2$
따라서 이차방정식 $x^2+4x+k=0$(k는 유리수)의 한 근이 $-2+\sqrt{7}$이므로 다른 한 근은 $-2-\sqrt{7}$이다.
x^2의 계수가 1이고 두 근이 $-2+\sqrt{7}$, $-2-\sqrt{7}$인 이차방정식은 $\{x-(-2+\sqrt{7})\}\{x-(-2-\sqrt{7})\}=0$
$x^2+4x-3=0$
이 식이 $x^2+4x+k=0$과 같으므로 $k=-3$

무리수 $\sqrt{a}$에 대하여
$n<\sqrt{a}<n+1$(n은 정수)
이면 $\sqrt{a}$의 소수 부분은
$\sqrt{a}-n$이야.

6 십의 자리의 숫자를 x, 일의 자리의 숫자를 y라 하면
$x+y=8$ $\quad\cdots\cdots$ ㉠
$10x+y=xy+14$ $\quad\cdots\cdots$ ㉡
㉠에서 $y=8-x$ $\quad\cdots\cdots$ ㉢
㉢을 ㉡에 대입하면 $10x+(8-x)=x(8-x)+14$
$x^2+x-6=0$, $(x+3)(x-2)=0$
$\therefore x=-3$ 또는 $x=2$

그런데 x는 한 자리의 자연수이므로 $x=2$

$x=2$를 ㉢에 대입하면 $y=8-2=6$

따라서 구하는 두 자리의 자연수는 26이다.

7 $25t-5t^2=20$에서 $-5t^2+25t-20=0$

$t^2-5t+4=0$, $(t-1)(t-4)=0$

$\therefore t=1$ 또는 $t=4$

따라서 공이 20 m보다 높은 위치에 머무는 시간은 1초부터 4초까지이므로 $4-1=3$(초) 동안이다.

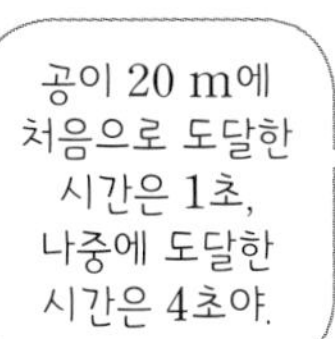
공이 20 m에
처음으로 도달한
시간은 1초,
나중에 도달한
시간은 4초야.

8 작은 정사각형의 한 변의 길이를 x m라 하면 큰 정사각형의 한 변의 길이는 $(x+5)$ m이므로

$x^2+(x+5)^2=233$, $x^2+5x-104=0$

$(x+13)(x-8)=0$ $\therefore x=-13$ 또는 $x=8$

그런데 $x>0$이므로 $x=8$

따라서 작은 정사각형의 한 변의 길이는 8 m, 큰 정사각형의 한 변의 길이는 $8+5=13$ (m)이므로 두 정사각형의 넓이의 차는 $13^2-8^2=169-64=105$ (m^2)

누구나 합격 전략 26쪽~27쪽

01 ②	02 ④	03 ⑤	04 ③
05 ④	06 ①	07 ③	08 ②
09 15	10 ①		

01 $3(x^2-1)-x^2=ax^2-2x+2$에서

$(2-a)x^2+2x-5=0$

이 식이 x에 대한 이차방정식이 되려면 $2-a\neq0$이어야 하므로 $a\neq2$

02 $x=-2$를 $x^2-2x+k=0$에 대입하면

$4+4+k=0$ $\therefore k=-8$

$k=-8$을 $x^2-2x+k=0$에 대입하면

$x^2-2x-8=0$, $(x+2)(x-4)=0$

$\therefore x=-2$ 또는 $x=4$

따라서 다른 한 근은 $x=4$이다.

03 $x=p$를 $x^2-6x+3=0$에 대입하면

$p^2-6p+3=0$, $p^2-6p=-3$

$\therefore p^2-6p+7=-3+7=4$

04 $x^2-x+6=6(x-1)$에서 $x^2-7x+12=0$

$(x-3)(x-4)=0$ $\therefore x=3$ 또는 $x=4$

$2x^2-18=0$에서 $x^2-9=0$

$(x+3)(x-3)=0$ $\therefore x=-3$ 또는 $x=3$

따라서 두 이차방정식의 공통인 근은 $x=3$이다.

05 ④ $\pm\dfrac{\sqrt{b^2-4ac}}{2a}$

06 $2x^2-6x+a=0$에서

$x=\dfrac{-(-3)\pm\sqrt{(-3)^2-2a}}{2}=\dfrac{3\pm\sqrt{9-2a}}{2}$

따라서 $9-2a=23$이므로 $-2a=14$

$\therefore a=-7$

07 $0.2x^2+0.1x=\dfrac{3}{2}$의 양변에 10을 곱하면

$2x^2+x=15$, $2x^2+x-15=0$

$(x+3)(2x-5)=0$ $\therefore x=-3$ 또는 $x=\dfrac{5}{2}$

08 $x^2+(a-5)x-5a=0$이 중근을 가지므로

$(a-5)^2-4\times1\times(-5a)=0$

$a^2+10a+25=0$, $(a+5)^2=0$

$\therefore a=-5$

09 현우가 태어난 날을 x일이라 하면 정우가 태어난 날은 $(x+7)$일이므로 $x(x+7)=330$

$x^2+7x-330=0$, $(x+22)(x-15)=0$

$\therefore x=-22$ 또는 $x=15$

그런데 x는 $1\leq x\leq30$인 자연수이므로 $x=15$

따라서 □ 안에 알맞은 수는 15이다.

10 처음 원의 넓이는 $\pi\times5^2=25\pi$ (cm^2)
$\pi\times(5-x)^2=25\pi-9\pi$이므로
$x^2-10x+25=16$, $x^2-10x+9=0$
$(x-1)(x-9)=0$　　$\therefore x=1$ 또는 $x=9$
그런데 $0<x<5$이므로 $x=1$

창의 · 융합 · 코딩 전략　28쪽~31쪽

1 정아 : B팀, 해준 : C팀　**2** -13
3 대기만성　**4** (1) $x=1$ (2) $a=7$
5 (1) $x+3$ (2) 7, 10
6 (1) $b=2a$ (2) $ab=10a+b-16$ (3) 72
7 12 또는 24　**8** $\frac{1+\sqrt{5}}{2}$ m

1 정아 : $x=2$를 $x^2=4$에 대입하면 $2^2=4$
즉 $x=2$는 $x^2=4$의 해이므로 파란 화살표를 따라간다.
$x=2$를 $x^2+6x-16=0$에 대입하면
$2^2+6\times2-16=0$
즉 $x=2$는 $x^2+6x-16=0$의 해이므로 파란 화살표를 따라간다.
$x=2$를 $3x^2+10x-8=0$에 대입하면
$3\times2^2+10\times2-8\neq0$
즉 $x=2$는 $3x^2+10x-8=0$의 해가 아니므로 빨간 화살표를 따라간다.
따라서 정아가 속하게 되는 팀은 B팀이다.
해준 : $x=-1$을 $x^2-2=0$에 대입하면 $(-1)^2-2\neq0$
즉 $x=-1$은 $x^2-2=0$의 해가 아니므로 빨간 화살표를 따라간다.
$x=-1$을 $x^2+6x-16=0$에 대입하면
$(-1)^2+6\times(-1)-16\neq0$
즉 $x=-1$은 $x^2+6x-16=0$의 해가 아니므로 빨간 화살표를 따라간다.
$x=-1$을 $2x^2-3x=5$에 대입하면
$2\times(-1)^2-3\times(-1)=5$
즉 $x=-1$은 $2x^2-3x=5$의 해이므로 파란 화살표를 따라간다.
따라서 해준이가 속하게 되는 팀은 C팀이다.

2 $x=1$을 $x^2+ax-3=0$에 대입하면
$1+a-3=0$　　$\therefore a=2$
$x=1$을 $bx^2+10x-8=0$에 대입하면
$b+10-8=0$　　$\therefore b=-2$
$x=-3$을 $x^2+cx+d=0$에 대입하면
$9-3c+d=0$　　$\therefore 3c-d=9$　　…… ㉠
$x=4$를 $x^2+cx+d=0$에 대입하면
$16+4c+d=0$　　$\therefore 4c+d=-16$　　…… ㉡
㉠, ㉡을 연립하여 풀면 $c=-1$, $d=-12$
$\therefore a+b+c+d=2+(-2)+(-1)+(-12)=-13$

$x=4$를 $bx^2+10x-8=0$에 대입해도 b의 값을 구할 수 있어.

3 (1) $x^2+6x+8=0$에서 $(x+2)(x+4)=0$
$\therefore x=-2$ 또는 $x=-4$ ➡ 대
(2) $2x^2-11x+12=0$에서 $(2x-3)(x-4)=0$
$\therefore x=\frac{3}{2}$ 또는 $x=4$ ➡ 기
(3) $(3x+2)(x-5)=-6x+10$에서
$3x^2-7x-20=0$, $(3x+5)(x-4)=0$
$\therefore x=-\frac{5}{3}$ 또는 $x=4$ ➡ 만
(4) $x-1=A$로 놓으면 $A^2+A-6=0$
$(A+3)(A-2)=0$　　$\therefore A=-3$ 또는 $A=2$
즉 $x-1=-3$ 또는 $x-1=2$이므로
$x=-2$ 또는 $x=3$ ➡ 성

4 (1) $15+x^2+(x+10)=15+(2x+7)+3$에서
$x^2-x=0$, $x(x-1)=0$　　$\therefore x=0$ 또는 $x=1$
그런데 x는 자연수이므로 $x=1$
(2) $x=1$을 $15+(2x+7)+3=(x+10)+(2x+7)+a$에 대입하면 $15+9+3=11+9+a$　　$\therefore a=7$

5 (2) $x^2+(x+3)^2=149$에서 $x^2+x^2+6x+9=149$
$2x^2+6x-140=0$, $x^2+3x-70=0$

$(x+10)(x-7)=0$ $\quad \therefore x=-10$ 또는 $x=7$
그런데 x는 자연수이므로 $x=7$
따라서 두 자연수는 각각 7, 10이다.

6 (3) $b=2a$를 $ab=10a+b-16$에 대입하면
$2a^2=10a+2a-16$, $2a^2-12a+16=0$
$a^2-6a+8=0$, $(a-2)(a-4)=0$
$\therefore a=2$ 또는 $a=4$
$a=2$일 때, $b=2\times2=4$
$a=4$일 때, $b=2\times4=8$
따라서 두 자리 자연수는 24 또는 48이므로 그 합은
$24+48=72$

7 숲 전체 원숭이의 수를 x라 하면
$x-\left(\frac{1}{6}x\right)^2=8$, $\frac{1}{36}x^2-x+8=0$
$x^2-36x+288=0$, $(x-12)(x-24)=0$
$\therefore x=12$ 또는 $x=24$
따라서 숲 전체 원숭이의 수로 가능한 수는 12 또는 24이다.

8 학급 게시판의 세로의 길이를 x m라 하면

<알림난>이 학급 게시판 전체와 닮은 도형이므로
$x:(x+1)=1:x$, $x^2=x+1$
$x^2-x-1=0$ $\quad \therefore x=\frac{1\pm\sqrt{5}}{2}$
그런데 $x>0$이므로 $x=\frac{1+\sqrt{5}}{2}$
따라서 학급 게시판의 세로의 길이는 $\frac{1+\sqrt{5}}{2}$ m이다.

2주 이차함수

1일 개념 돌파 전략 1 확인 문제 34쪽~37쪽

01 ④
02 (1) 위 (2) 4 (3) 증가
03 ㉡, ㉢
04 (1) $y=3x^2+1$, $(0, 1)$, $x=0$
(2) $y=-4x^2-5$, $(0, -5)$, $x=0$
05 (1) $y=5(x-3)^2$, $(3, 0)$, $x=3$
(2) $y=-2(x+3)^2$, $(-3, 0)$, $x=-3$
06 6
07 $(4, 3)$
08 $p<0$, $q>0$
09 $y=3(x-1)^2+4$, $(1, 4)$, $x=1$
10 $(-4, 0)$, $(2, 0)$
11 (1) $>$ (2) $>$, $>$ (3) $>$
12 $y=(x+3)^2$
13 $y=(x+1)^2-2$
14 $y=x^2-6x+8$
15 $y=\frac{1}{2}x^2-x-\frac{3}{2}$

01 ① 이차방정식이다.
② 이차식이다.
③ $y=x^2+2x-x^2=2x$ ➡ 일차함수이다.
④ $y=x(x-1)+x=x^2$ ➡ 이차함수이다.
⑤ 분모에 x^2이 있으므로 이차함수가 아니다.
따라서 y가 x에 대한 이차함수인 것은 ④이다.

03 $y=ax^2$에서 $a>0$이면 그 그래프가 아래로 볼록하므로
㉡ $y=\frac{3}{2}x^2$, ㉢ $y=4x^2$이다.

06 이차함수 $y=2(x+3)^2+7$의 그래프는 이차함수 $y=2x^2$의 그래프를 x축의 방향으로 -3만큼, y축의 방향으로 7만큼 평행이동한 것이므로
$a=2$, $p=-3$, $q=7$
$\therefore a+p+q=2+(-3)+7=6$

기말

07 평행이동한 그래프의 식이
$y=-(x-3-1)^2+1+2=-(x-4)^2+3$
이므로 꼭짓점의 좌표는 $(4, 3)$이다.

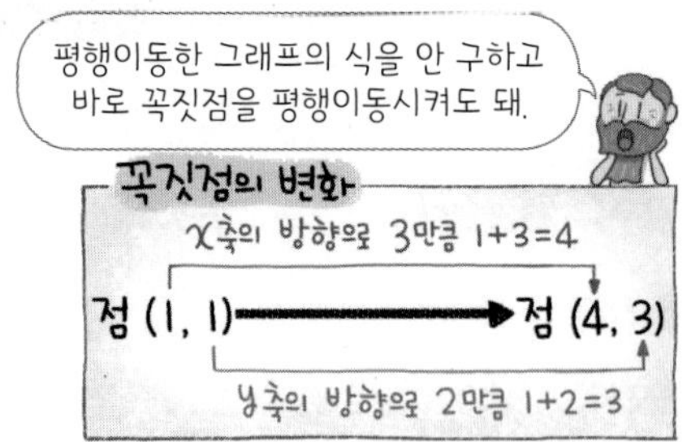

평행이동한 그래프의 식을 안 구하고 바로 꼭짓점을 평행이동시켜도 돼.
꼭짓점의 변화
x축의 방향으로 3만큼 1+3=4
점 (1, 1)
점 (4, 3)
y축의 방향으로 2만큼 1+2=3

08 이차함수 $y=3(x-p)^2+q$의 그래프의 꼭짓점의 좌표는 (p, q)이다.
이때 꼭짓점이 제2사분면 위에 있으므로 $p<0$, $q>0$

09 $y=3x^2-6x+7$
$=3(x^2-2x+1-1)+7$
$=3(x-1)^2+4$
따라서 꼭짓점의 좌표는 $(1, 4)$이고, 축의 방정식은 $x=1$이다.

10 $y=x^2+2x-8$에 $y=0$을 대입하면
$x^2+2x-8=0$, $(x+4)(x-2)=0$
$\therefore x=-4$ 또는 $x=2$
따라서 x축과의 교점의 좌표는 $(-4, 0)$, $(2, 0)$이다.

12 구하는 이차함수의 식을 $y=a(x+3)^2$으로 놓으면
그래프가 점 $(-1, 4)$를 지나므로
$4=a\times(-1+3)^2$, $4a=4$ $\quad\therefore a=1$
따라서 구하는 이차함수의 식은 $y=(x+3)^2$

13 구하는 이차함수의 식을 $y=a(x+1)^2+q$로 놓으면
그래프가 점 $(1, 2)$를 지나므로
$2=a\times(1+1)^2+q$ $\quad\therefore 4a+q=2$ ⋯⋯ ㉠
또 점 $(-2, -1)$을 지나므로
$-1=a\times(-2+1)^2+q$ $\quad\therefore a+q=-1$ ⋯⋯ ㉡
㉠, ㉡을 연립하여 풀면 $a=1$, $q=-2$
따라서 구하는 이차함수의 식은 $y=(x+1)^2-2$

14 그래프가 점 $(0, 8)$을 지나므로 구하는 이차함수의 식을 $y=ax^2+bx+8$로 놓자.
그래프가 점 $(1, 3)$을 지나므로
$3=a\times1^2+b\times1+8$ $\quad\therefore a+b=-5$ ⋯⋯ ㉠
또 점 $(2, 0)$을 지나므로
$0=a\times2^2+b\times2+8$ $\quad\therefore 4a+2b=-8$ ⋯⋯ ㉡
㉠, ㉡을 연립하여 풀면 $a=1$, $b=-6$
따라서 구하는 이차함수의 식은
$y=x^2-6x+8$

15 구하는 이차함수의 식을 $y=a(x+1)(x-3)$으로 놓으면
그래프가 점 $(1, -2)$를 지나므로
$-2=a\times(1+1)\times(1-3)$
$-4a=-2$ $\quad\therefore a=\frac{1}{2}$
따라서 구하는 이차함수의 식은
$y=\frac{1}{2}(x+1)(x-3)=\frac{1}{2}(x^2-2x-3)=\frac{1}{2}x^2-x-\frac{3}{2}$

1일 개념 돌파 전략 2 38쪽~39쪽

1 연진, 석진	**2** ③	**3** $x=-2$	**4** ③, ④
5 ④, ⑤	**6** ②		

1 희서 : $y=2x$ ➡ y는 x에 대한 일차함수이다.
연진 : $y=\frac{1}{2}(x+5)\times x=\frac{1}{2}x^2+\frac{5}{2}x$
➡ y는 x에 대한 이차함수이다.
석진 : $y=5x^2$ ➡ y는 x에 대한 이차함수이다.
지훈 : (거리)=(속력)×(시간)이므로 $y=10x$
➡ y는 x에 대한 일차함수이다.
따라서 y가 x에 대한 이차함수인 것을 말한 학생은 연진, 석진이다.

2 주어진 이차함수의 그래프 중 아래로 볼록한 그래프는 x^2의 계수가 양수인 ③ $y=x^2$, ④ $y=\frac{4}{3}x^2$, ⑤ $y=3x^2$이다.
이 중 그래프의 폭이 가장 넓은 것은 x^2의 계수의 절댓값이 가장 작은 것이므로 ③ $y=x^2$이다.

3 $y=-3(x+p)^2$에 $x=-1$, $y=-3$을 대입하면
$-3=-3\times(-1+p)^2$, $(-1+p)^2=1$
$-1+p=\pm 1$ $\quad\therefore p=0$ 또는 $p=2$
그런데 $p>0$이므로 $p=2$
따라서 이차함수 $y=-3(x+2)^2$의 그래프의 축의 방정식은 $x=-2$이다.

4 ③ 이차함수 $y=\frac{1}{2}x^2$의 그래프를 y축의 방향으로 -3만큼 평행이동하면 $y=\frac{1}{2}x^2-3$의 그래프와 포개진다.
④ 이차함수 $y=\frac{1}{2}x^2$의 그래프를 x축의 방향으로 -5만큼 평행이동하면 $y=\frac{1}{2}(x+5)^2$의 그래프와 포개진다.
따라서 평행이동하여 완전히 포갤 수 있는 것은 ③, ④이다.

5 ④ 축의 방정식은 $x=1$이다.
⑤ $y=x^2+4x-1=(x+2)^2-5$이므로
축의 방정식은 $x=-2$이다.
따라서 그래프의 축의 방정식을 잘못 연결한 것은 ④, ⑤이다.

6 $y=\frac{1}{2}x^2-2x+1=\frac{1}{2}(x-2)^2-1$
에서 x^2의 계수가 양수이므로 그래프는 아래로 볼록한 모양이다. 또 꼭짓점의 좌표가 $(2, -1)$, y축과의 교점의 좌표가 $(0, 1)$이므로 그래프는 오른쪽 그림과 같다.

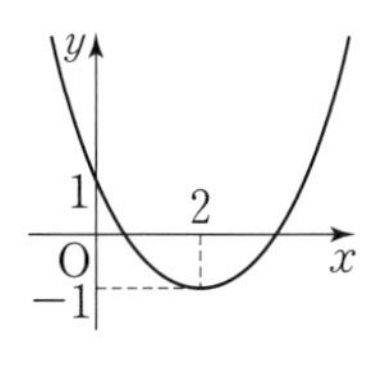

식의 꼴을 바꾸면 그래프를 쉽게 그릴 수 있어.
y=a(x-p)²+q
y=ax²+bx+c

2일 필수 체크 전략 40쪽~43쪽

1-1 ④	**1-2** $k\neq-3$
2-1 ③	**2-2** -20
3-1 ③	**4-1** ②
4-2 6	**5-1** ②
6-1 ①	**7-1** ⑤
7-2 9	**8-1** 희철

1-1 ① $y=3x-\frac{1}{4}x^2$ ➡ 이차함수이다.
② $y=-3x(x+1)-1=-3x^2-3x-1$
➡ 이차함수이다.
③ $y=4x^2-x(x+2)=3x^2-2x$ ➡ 이차함수이다.
④ $y=x^3-(x+1)^2=x^3-x^2-2x-1$
➡ 이차함수가 아니다.
⑤ $y=(x+1)(x+3)=x^2+4x+3$ ➡ 이차함수이다.
따라서 y가 x에 대한 이차함수가 아닌 것은 ④이다.

1-2 $y=3x^2-4-kx(1-x)$
$=3x^2-4-kx+kx^2$
$=(k+3)x^2-kx-4$
이 함수가 x에 대한 이차함수가 되려면 $k+3\neq0$이어야 하므로 $k\neq-3$

내가 0이어도 되겠지?
y=ax²+bx+c
안 돼! 네가 0이면 나는 사라진다고! 내가 없으면 우리는 이차함수가 될 수 없어!

2-1 ③ 이차함수 $y=x^2$의 그래프보다 폭이 넓다.
④ $y=-\frac{1}{4}x^2$에 $x=4$를 대입하면 $y=-\frac{1}{4}\times4^2=-4$
즉 점 $(4, -4)$를 지난다.
따라서 옳지 않은 것은 ③이다.

기말

2-2 이차함수 $y=5x^2$의 그래프와 x축에 대칭인 그래프를 나타내는 식은 $y=-5x^2$
이 그래프가 점 $(-2, k)$를 지나므로
$k=-5\times(-2)^2=-20$

3-1 점선으로 나타나는 포물선을 그래프로 하는 이차함수의 식을 $y=ax^2$이라 하면
포물선이 위로 볼록하므로 $a<0$ …… ㉠
또 이차함수 $y=-x^2$의 그래프보다 폭이 넓으므로
$|a|<|-1|=1$ …… ㉡
따라서 ㉠, ㉡을 만족하는 이차함수의 식이 될 수 있는 것은 ③ $y=-\frac{1}{5}x^2$이다.

4-1 이차함수 $y=5x^2$의 그래프를 y축의 방향으로 -2만큼 평행이동한 그래프의 식은 $y=5x^2-2$
이 그래프가 점 $(1, a)$를 지나므로
$a=5\times1^2-2=3$

4-2 이차함수 $y=-2x^2$의 그래프를 y축의 방향으로 3만큼 평행이동한 그래프의 식은 $y=-2x^2+3$이므로
$f(x)=-2x^2+3$
따라서 $f(1)=-2\times1^2+3=1$,
$f(-2)=-2\times(-2)^2+3=-5$
이므로 $f(1)-f(-2)=1-(-5)=6$

5-1 이차함수 $y=a(x-p)^2$의 그래프의 축의 방정식이 $x=p$이므로 $p=-4$
이차함수 $y=a(x+4)^2$의 그래프가 점 $(0, 8)$을 지나므로
$8=a\times(0+4)^2$, $16a=8$ $\quad\therefore a=\frac{1}{2}$
$\therefore ap=\frac{1}{2}\times(-4)=-2$

6-1 이차함수 $y=-\frac{3}{4}x^2$의 그래프를 x축의 방향으로 2만큼, y축의 방향으로 -7만큼 평행이동한 그래프의 식은
$y=-\frac{3}{4}(x-2)^2-7$
이 그래프가 점 $(-2, a)$를 지나므로
$a=-\frac{3}{4}\times(-2-2)^2-7=-19$

7-1 $y=-4(x+1+3)^2+2-1=-4(x+4)^2+1$

7-2 이차함수 $y=5(x-2)^2$의 그래프를 x축의 방향으로 4만큼, y축의 방향으로 -3만큼 평행이동한 그래프의 식은
$y=5(x-4-2)^2-3=5(x-6)^2-3$
따라서 이 그래프의 꼭짓점의 좌표는 $(6, -3)$이고 축의 방정식은 $x=6$이므로
$a=6, b=-3, c=6$
$\therefore a+b+c=6+(-3)+6=9$

8-1 그래프의 모양이 아래로 볼록하므로 $a>0$
꼭짓점 $(-p, q)$가 제4사분면 위에 있으므로
$-p>0, q<0$ $\quad\therefore p<0, q<0$
따라서 a, p, q의 부호를 바르게 적은 학생은 희철이다.

2일 필수 체크 전략 2 44쪽~45쪽

1 ②, ④	**2** ①	**3** 호석	**4** 9
5 -1	**6** ①	**7** -10	**8** ①

1 ① 위로 볼록한 그래프는 x^2의 계수가 음수인
㉣ $y=-\frac{1}{2}x^2$, ㉥ $y=-3x^2$이다.
③ $\left|-\frac{1}{2}\right|<\left|\frac{3}{4}\right|<|2|<|3|=|-3|<|4|$이므로
폭이 가장 넓은 그래프는 ㉣ $y=-\frac{1}{2}x^2$이다.
④ 제3, 4사분면을 지나는 그래프는 x^2의 계수가 음수인
㉣ $y=-\frac{1}{2}x^2$, ㉥ $y=-3x^2$이다.
⑤ 이차함수 $y=\frac{3}{4}x^2$의 그래프를 x축 또는 y축의 방향으로 평행이동하여도 이차함수 $y=-\frac{3}{4}x^2+1$의 그래프와 포개지지 않는다.
따라서 옳은 것은 ②, ④이다.

2 이차함수 $y=ax^2$의 그래프가 색칠한 부분에 그려지려면 $0<a<1$ 또는 $-\frac{1}{2}<a<0$이어야 한다.

따라서 상수 a의 값이 될 수 없는 것은 ① $-\frac{2}{3}$이다.

3 이차함수 $y=4x^2$의 그래프를 y축의 방향으로 $-\frac{1}{3}$만큼 평행이동한 그래프의 식은 $y=4x^2-\frac{1}{3}$

승봉 : 꼭짓점의 좌표는 $\left(0, -\frac{1}{3}\right)$이다.

정민 : x^2의 계수가 양수이므로 아래로 볼록한 포물선이다.

연아 : 이차함수 $y=4x^2-\frac{1}{3}$의 그래프가 오른쪽 그림과 같으므로 모든 사분면을 지난다.

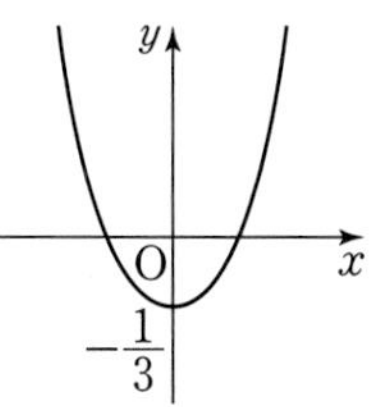

y
O
x
$-\frac{1}{3}$

호석 : $y=4x^2-\frac{1}{3}$에 $x=\frac{1}{2}$을 대입하면

$y=4\times\left(\frac{1}{2}\right)^2-\frac{1}{3}=\frac{2}{3}$

즉 점 $\left(\frac{1}{2}, \frac{2}{3}\right)$를 지난다.

따라서 바르게 말한 학생은 호석이다.

4 이차함수 $y=ax^2$의 그래프를 x축의 방향으로 -4만큼 평행이동한 그래프의 식은 $y=a(x+4)^2$

이 그래프가 점 $(-2, 2)$를 지나므로

$2=a\times(-2+4)^2$, $4a=2$

$\therefore a=\frac{1}{2}$

또 이차함수 $y=\frac{1}{2}(x+4)^2$의 그래프가 점 $(2, b)$를 지나므로 $b=\frac{1}{2}\times(2+4)^2=18$

$\therefore ab=\frac{1}{2}\times 18=9$

5 이차함수 $y=\frac{3}{4}(x-p)^2+3p^2$의 그래프의 꼭짓점의 좌표는 $(p, 3p^2)$이다.

이 꼭짓점이 직선 $y=-x+2$ 위에 있으므로

$3p^2=-p+2$, $3p^2+p-2=0$

$(p+1)(3p-2)=0$

$\therefore p=-1$ 또는 $p=\frac{2}{3}$

그런데 $p<0$이므로 $p=-1$

꼭짓점의 좌표를
$y=-x+2$에 대입
하면 이차방정식을
세울 수 있지!

6 꼭짓점의 좌표가 $(-2, 1)$인 것은 ①, ②이다.

이 중 이차함수 $y=x^2$의 그래프보다 폭이 좁은 것은 x^2의 계수의 절댓값이 1보다 큰 ①이다.

7 이차함수 $y=-\frac{1}{3}(x+2)^2-5$의 그래프를 x축의 방향으로 m만큼, y축의 방향으로 n만큼 평행이동한 그래프의 식은 $y=-\frac{1}{3}(x-m+2)^2-5+n$

이것이 $y=a(x-3)^2+1$과 같으므로

$a=-\frac{1}{3}$, $-m+2=-3$, $-5+n=1$

$\therefore a=-\frac{1}{3}$, $m=5$, $n=6$

$\therefore amn=-\frac{1}{3}\times 5\times 6=-10$

8 주어진 일차함수 $y=ax+b$의 그래프가 오른쪽 위로 향하므로 $a>0$

또 y축과의 교점이 x축의 아래쪽에 있으므로 $b<0$

따라서 이차함수 $y=a(x-b)^2$의 그래프는

(i) $a>0$이므로 아래로 볼록하다.

(ii) 꼭짓점의 좌표가 $(b, 0)$이고 $b<0$이므로 꼭짓점은 x축의 음의 부분 위에 있다.

(i), (ii)에서 이차함수 $y=a(x-b)^2$의 그래프로 적당한 것은 ①이다.

기말

3일 필수 체크 전략 1 46쪽~49쪽

1-1 ④	**1-2** $(2, -3)$
2-1 ②	**2-2** 5
3-1 ④	**4-1** ①
5-1 ④	**6-1** ④
6-2 $(0, 5)$	**7-1** ③
7-2 $y=2x^2+4x-3$	**8-1** ②

1-1 ① $y=-x^2+6x-8=-(x-3)^2+1$이므로 그래프의 꼭짓점의 좌표는 $(3, 1)$이다.

② $y=2x^2-4x-1=2(x-1)^2-3$이므로 그래프의 꼭짓점의 좌표는 $(1, -3)$이다.

③ $y=3x^2+12x+15=3(x+2)^2+3$이므로 그래프의 꼭짓점의 좌표는 $(-2, 3)$이다.

④ $y=-2x^2-4x-6=-2(x+1)^2-4$이므로 그래프의 꼭짓점의 좌표는 $(-1, -4)$이다.

⑤ $y=\frac{1}{2}x^2-2x+3=\frac{1}{2}(x-2)^2+1$이므로 그래프의 꼭짓점의 좌표는 $(2, 1)$이다.

따라서 꼭짓점이 제3사분면 위에 있는 것은 ④이다.

1-2 $y=2x^2+ax+5=2\left(x+\frac{a}{4}\right)^2-\frac{a^2}{8}+5$

이므로 그래프의 축의 방정식은 $x=-\frac{a}{4}$이다.

$-\frac{a}{4}=2$에서 $a=-8$

따라서 꼭짓점의 좌표는 $\left(-\frac{a}{4}, -\frac{a^2}{8}+5\right)$, 즉 $(2, -3)$이다.

2-1 $y=3x^2-12x+16=3(x-2)^2+4$의 그래프를 x축의 방향으로 -3만큼, y축의 방향으로 a만큼 평행이동한 그래프의 식은

$y=3(x+3-2)^2+4+a=3(x+1)^2+4+a$

이 그래프가 점 $(-2, 5)$를 지나므로

$5=7+a \qquad \therefore a=-2$

2-2 이차함수 $y=-2x^2+1$의 그래프를 x축의 방향으로 m만큼, y축의 방향으로 n만큼 평행이동한 그래프의 식은

$y=-2(x-m)^2+1+n$

이 그래프가 $y=-2x^2-4x+5=-2(x+1)^2+7$의 그래프와 일치하므로 $-m=1$, $1+n=7$

따라서 $m=-1$, $n=6$이므로 $m+n=-1+6=5$

3-1 $y=\frac{1}{2}x^2-4x-3=\frac{1}{2}(x-4)^2-11$

㉠ 꼭짓점의 좌표는 $(4, -11)$이다.

㉢ y축과 점 $(0, -3)$에서 만난다.

㉣ $y=\frac{1}{2}x^2-4x-3$에 $x=2$를 대입하면

$y=\frac{1}{2}\times 2^2-4\times 2-3=-9$

즉 점 $(2, -9)$를 지난다.

㉤ 이차함수 $y=\frac{1}{2}x^2-4x-3$의 그래프가 오른쪽 그림과 같으므로 모든 사분면을 지난다.

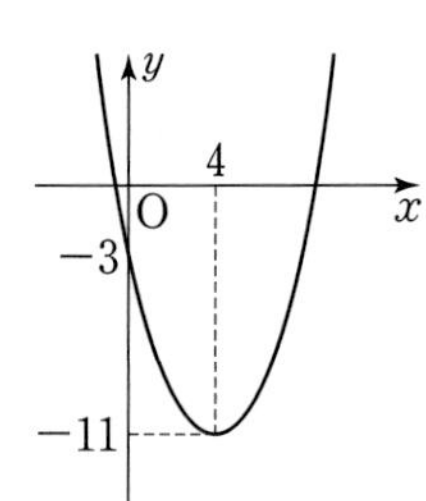

따라서 옳은 것은 ㉡, ㉣이다.

4-1 $y=-\frac{1}{2}x^2+x+2=-\frac{1}{2}(x-1)^2+\frac{5}{2}$

이므로 $A\left(1, \frac{5}{2}\right)$

$y=-\frac{1}{2}x^2+x+2$에 $x=0$을 대입하면

$y=2 \qquad \therefore B(0, 2)$

$\therefore \triangle ABO=\frac{1}{2}\times\overline{BO}\times$(점 A의 x좌표)

$=\frac{1}{2}\times 2\times 1=1$

5-1 ① 그래프가 위로 볼록하므로 $a<0$

② 축이 y축의 왼쪽에 있으므로 $ab>0$

이때 $a<0$이므로 $b<0$

③ y축과의 교점이 x축의 위쪽에 있으므로 $c>0$

④ $x=1$일 때의 함숫값이 음수이므로

$y=ax^2+bx+c$에 $x=1$을 대입하면

$a+b+c<0$

⑤ $x=-2$일 때의 함숫값이 양수이므로

$y=ax^2+bx+c$에 $x=-2$를 대입하면

$4a-2b+c>0$

따라서 옳지 않은 것은 ④이다.

6-1 꼭짓점의 좌표가 $(2,\ -3)$이므로 이차함수의 식을 $y=a(x-2)^2-3$으로 놓자.
이 그래프가 점 $(4, 7)$을 지나므로 $7=4a-3$
$4a=10 \quad \therefore a=\frac{5}{2}$
따라서 $y=\frac{5}{2}(x-2)^2-3=\frac{5}{2}x^2-10x+7$이므로
$b=-10, c=7$
$\therefore 2a+b+c=2\times\frac{5}{2}+(-10)+7=2$

6-2 꼭짓점의 좌표가 $(1, 3)$이므로 이차함수의 식을 $y=a(x-1)^2+3$으로 놓자.
이 그래프가 점 $(2, 5)$를 지나므로
$5=a+3 \quad \therefore a=2$
따라서 $y=2(x-1)^2+3=2x^2-4x+5$이므로 이 그래프가 y축과 만나는 점의 좌표는 $(0, 5)$이다.

7-1 $y=-\frac{1}{3}x^2+ax+b$의 그래프의 축의 방정식이 $x=2$이므로 $y=-\frac{1}{3}(x-2)^2+q$로 놓을 수 있다.
이 그래프가 점 $(5, 4)$를 지나므로
$4=-3+q \quad \therefore q=7$
따라서 $y=-\frac{1}{3}(x-2)^2+7=-\frac{1}{3}x^2+\frac{4}{3}x+\frac{17}{3}$이므로
$a=\frac{4}{3}, b=\frac{17}{3}$
$\therefore a+b=\frac{4}{3}+\frac{17}{3}=\frac{21}{3}=7$

7-2 이차함수 $y=2x^2$의 그래프를 평행이동한 그래프이고 축의 방정식이 $x=-1$이므로 이차함수의 식을 $y=2(x+1)^2+q$로 놓자.
이 그래프가 점 $(1, 3)$을 지나므로 $3=8+q \quad \therefore q=-5$
따라서 구하는 이차함수의 식은
$y=2(x+1)^2-5$
$=2x^2+4x-3$

평행이동한
그래프끼리는 x^2의
계수가 같아.

8-1 y축과의 교점이 $(0, 2)$이므로 이차함수의 식을 $y=ax^2+bx+2$로 놓자.
이 그래프가 점 $(-1,\ -3)$을 지나므로
$-3=a-b+2 \quad \therefore a-b=-5$ ······ ㉠
또 점 $(2, 0)$을 지나므로
$0=4a+2b+2 \quad \therefore 2a+b=-1$ ······ ㉡
㉠, ㉡을 연립하여 풀면 $a=-2, b=3$
따라서 $y=-2x^2+3x+2$의 그래프가 점 $(3, m)$을 지나므로
$m=-18+9+2=-7$

3일 필수 체크 전략 2 50쪽~51쪽

1 ⑤	**2** ②, ④	**3** $(2, 2)$	**4** 8 : 9
5 ①	**6** 6	**7** $\left(0, -\frac{3}{2}\right)$	**8** ④

1 $y=-2x^2-8x-10=-2(x+2)^2-2$이므로
꼭짓점의 좌표는 $(-2,\ -2)$이다.
이때 꼭짓점 $(-2,\ -2)$가 이차함수 $y=\frac{1}{4}x^2-k$의 그래프 위에 있으므로
$-2=1-k \quad \therefore k=3$

2 $y=-2x^2+x+6=-2\left(x-\frac{1}{4}\right)^2+\frac{49}{8}$
① 모든 x의 값에 대하여 $y\le\frac{49}{8}$이다.
③ x^2의 계수의 절댓값이 더 크므로 이차함수 $y=-x^2+x-1$의 그래프보다 폭이 좁다.
④ 이차함수 $y=-2x^2+x+6$의 그래프가 오른쪽 그림과 같으므로 모든 사분면을 지난다.

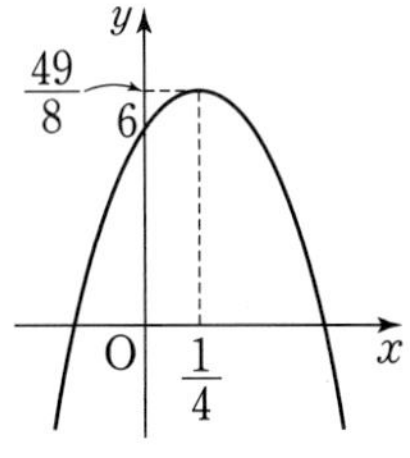
y
49/8
6
O
1/4
x

⑤ $x>\frac{1}{4}$일 때, x의 값이 증가하면 y의 값은 감소한다.
따라서 옳은 것은 ②, ④이다.

기말

3 $y=\frac{1}{2}x^2+kx+4=\frac{1}{2}(x+k)^2-\frac{1}{2}k^2+4$
이므로 축의 방정식은 $x=-k$이다.
$-k=2$에서 $k=-2$
따라서 꼭짓점의 좌표는 $\left(-k, -\frac{1}{2}k^2+4\right)$, 즉 $(2, 2)$이다.

4 $y=-x^2+2x+8$에 $x=0$을 대입하면 $y=8$
$\therefore$ C$(0, 8)$
$y=-x^2+2x+8=-(x-1)^2+9$이므로 꼭짓점의 좌표는 $(1, 9)$이다. $\therefore$ D$(1, 9)$
$\therefore$ $\triangle ABC : \triangle ABD$
$=\left(\frac{1}{2}\times\overline{AB}\times 8\right) : \left(\frac{1}{2}\times\overline{AB}\times 9\right)$
$=8 : 9$

$\triangle$ABC와 $\triangle$ABD의 밑변의 길이가 $\overline{AB}$로 같으므로 넓이의 비는 높이의 비와 같다. 즉
$\triangle ABC : \triangle ABD$
$=|$(점 C의 y좌표)$| : |$(점 D의 y좌표)$|$
$=8 : 9$

5 이차함수 $y=ax^2-bx+c$의 그래프가
아래로 볼록하므로 $a>0$
축이 y축의 왼쪽에 있으므로 $a\times(-b)>0$, 즉 $ab<0$
이때 $a>0$이므로 $b<0$
y축과의 교점이 x축의 아래쪽에 있으므로 $c<0$
따라서 이차함수 $y=cx^2+bx+a$의 그래프는
$c<0$이므로 위로 볼록하고
$b<0$, $c<0$에서 $cb>0$이므로 축이 y축의 왼쪽에 있고
$a>0$이므로 y축과의 교점이 x축의 위쪽에 있다.
따라서 그래프로 적당한 것은 ①이다.

6 $y=2x^2-12x+22=2(x-3)^2+4$이므로 꼭짓점의 좌표는 $(3, 4)$이다.
따라서 이차함수 $y=a(x-p)^2+q$에서 $p=3$, $q=4$
즉 이차함수 $y=a(x-3)^2+4$의 그래프가 점 $(2, 3)$을 지나므로 $3=a+4$ $\therefore$ $a=-1$
$\therefore$ $a+p+q=-1+3+4=6$

7 $y=3x^2-6x+7=3(x-1)^2+4$이므로 축의 방정식은 $x=1$이다.
축의 방정식이 $x=1$인 이차함수의 식을
$y=a(x-1)^2+q$로 놓으면 이 그래프가 점 $(-3, 6)$을 지나므로 $6=16a+q$ ······ ㉠
또 점 $(3, 0)$을 지나므로 $0=4a+q$ ······ ㉡
㉠, ㉡을 연립하여 풀면 $a=\frac{1}{2}$, $q=-2$
따라서 $y=\frac{1}{2}(x-1)^2-2$에 $x=0$을 대입하면
$y=\frac{1}{2}\times(0-1)^2-2=-\frac{3}{2}$
즉 y축과 만나는 점의 좌표는 $\left(0, -\frac{3}{2}\right)$이다.

8 이차함수의 식을 $y=ax^2+bx-5$로 놓으면
이 그래프가 점 $(2, -6)$을 지나므로
$-6=4a+2b-5$ $\therefore$ $4a+2b=-1$ ······ ㉠
또 점 $(6, 4)$를 지나므로
$4=36a+6b-5$ $\therefore$ $12a+2b=3$ ······ ㉡
㉠, ㉡을 연립하여 풀면 $a=\frac{1}{2}$, $b=-\frac{3}{2}$
따라서 $y=\frac{1}{2}x^2-\frac{3}{2}x-5$에 $y=0$을 대입하면
$\frac{1}{2}x^2-\frac{3}{2}x-5=0$, $x^2-3x-10=0$
$(x+2)(x-5)=0$ $\therefore$ $x=-2$ 또는 $x=5$
즉 A$(-2, 0)$, B$(5, 0)$ 또는 A$(5, 0)$, B$(-2, 0)$이므로
$\overline{AB}=|-2-5|=7$

누구나 합격 전략 52쪽~53쪽

01 ②, ④　02 ⑤　03 ④
04 ①-㉠, ②-㉢, ③-㉡, ④-㉣　05 ②
06 ②　07 재호　08 ⑤　09 ③
10 ③

01 ① 분모에 x^2이 있으므로 이차함수가 아니다.
② $y=-2x(x+3)=-2x^2-6x$이므로 y는 x에 대한 이차함수이다.
③ $y=2(x-1)^2-2x^2=-4x+2$이므로 y는 x에 대한 일차함수이다.
④ $y=4\pi x^2$이므로 y는 x에 대한 이차함수이다.
⑤ $y=6\times 2x=12x$이므로 y는 x에 대한 일차함수이다.
따라서 y가 x에 대한 이차함수인 것은 ②, ④이다.

02 $y=3x^2-x(ax+1)=(3-a)x^2-x$
이 함수가 x에 대한 이차함수가 되려면 $3-a\neq0$이어야 하므로 $a\neq3$
따라서 a의 값이 될 수 없는 것은 ⑤ 3이다.

03 ① 이차함수 $y=x^2$의 그래프는 y축에 대칭이다.
② 이차함수 $y=2x^2$의 그래프는 아래로 볼록한 포물선이다.
③ 두 이차함수 $y=3x^2$, $y=-2x^2$의 그래프는 점 $(0, 0)$에서 만난다.
⑤ 이차함수 $y=-4x^2$의 그래프는 $x<0$일 때, x의 값이 증가하면 y의 값도 증가한다.
따라서 옳은 것은 ④이다.

04 이차함수 $y=ax^2$의 그래프에서 $a>0$인 것은 ①, ②이고 $a<0$인 것은 ③, ④이다.
이때 a의 절댓값이 클수록 그래프의 폭이 좁으므로
①-㉠, ②-㉢, ③-㉡, ④-㉣이다.

05 ② 꼭짓점의 좌표는 $(4, 0)$이다.
③ x^2의 계수의 절댓값이 같으므로 이차함수 $y=x^2$의 그래프와 폭이 같다.
따라서 옳지 않은 것은 ②이다.

06 이차함수 $y=\frac{1}{4}x^2$의 그래프를 x축의 방향으로 -2만큼, y축의 방향으로 3만큼 평행이동한 그래프의 식은
$y=\frac{1}{4}(x+2)^2+3$
이 그래프가 점 $(-8, a)$를 지나므로
$a=\frac{1}{4}\times(-8+2)^2+3=12$

07 이차함수 $y=2x^2$의 그래프를 평행이동하여 완전히 포개지려면 x^2의 계수가 2이어야 한다.
따라서 그래프를 평행이동하여 포갤 수 있는 식을 말한 학생은 x^2의 계수가 2인 식을 말한 재호이다.

08 ① $y=-2x^2+8x-8$
$=-2(x-2)^2$
② $y=-x^2+4x-3$
$=-(x-2)^2+1$
③ $y=\frac{1}{2}x^2-2x+1$
$=\frac{1}{2}(x-2)^2-1$
④ $y=x^2-2x$
$=(x-1)^2-1$
⑤ $y=3x^2-6x-1$
$=3(x-1)^2-4$

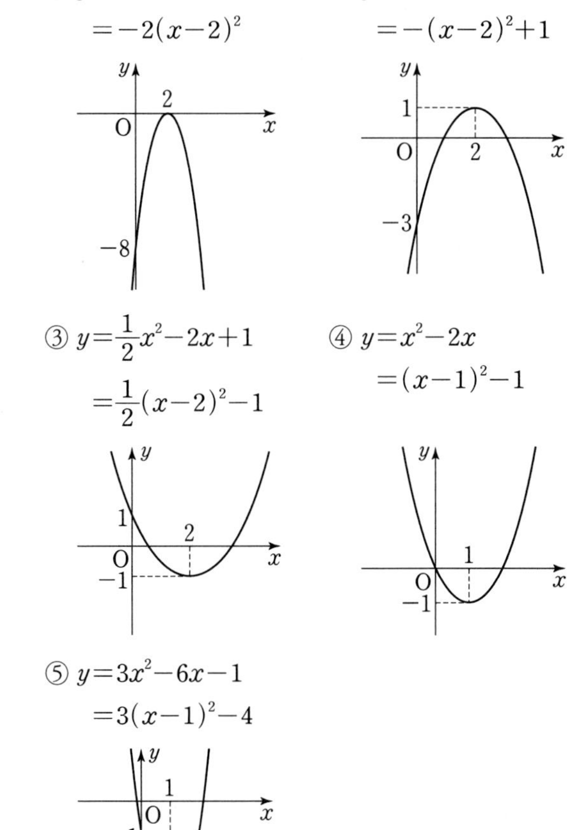

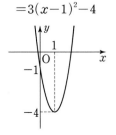

따라서 그래프가 모든 사분면을 지나는 것은 ⑤이다.

기말

09 꼭짓점의 좌표가 $(4,\ -1)$이므로 이차함수의 식을
$y=a(x-4)^2-1$로 놓자.
이 그래프가 점 $(3,\ -2)$를 지나므로
$-2=a-1 \quad \therefore a=-1$
따라서 구하는 이차함수의 식은
$y=-(x-4)^2-1=-x^2+8x-17$

10 축의 방정식이 $x=3$이므로 이차함수의 식을
$y=a(x-3)^2+q$로 놓자.
이 그래프가 점 $(4, 3)$을 지나므로
$3=a+q$ ...... ㉠
또 점 $(0,\ -5)$를 지나므로
$-5=9a+q$ ...... ㉡
㉠, ㉡을 연립하여 풀면 $a=-1,\ q=4$
따라서 구하는 이차함수의 식은
$y=-(x-3)^2+4=-x^2+6x-5$

창의・융합・코딩 전략 54쪽~57쪽

1 (1) $y=x^2$, 이차함수이다. (2) 20계단 (3) 225장
2 (1) $y=\frac{1}{200}x^2$ (2) 거짓말을 했다.
3 (1) 289 (2) 풀이 참조
4 (1) 4 (2) $0<a<4$
5 곰
6 8
7 (1) $y=\frac{1}{8}x^2+6$ (2) 14 m
8 그래프는 풀이 참조, $h=-5(t-6)^2+80$

1 (1) 1계단을 만들려면 1장
2계단을 만들려면 $1+3=4=2^2$(장)
3계단을 만들려면 $1+3+5=9=3^2$(장)
4계단을 만들려면 $1+3+5+7=16=4^2$(장)
⋮
의 카드를 배열해야 하므로 x계단을 만들려면 x^2장의 카드를 배열해야 한다.
따라서 y를 x의 식으로 나타내면 $y=x^2$이고 y는 x에 대한 이차함수이다.

(2) $y=x^2$에 $y=400$을 대입하면
$400=x^2 \quad \therefore x=20\ (\because x>0)$
따라서 20계단을 만들 수 있다.

(3) $y=x^2$에 $x=15$를 대입하면
$y=15^2=225$
따라서 15계단을 만들려면 카드는 225장이 필요하다.

2 (1) y가 x^2에 정비례하므로 구하는 식을 $y=ax^2(a\neq0)$으로 놓자.
$x=20,\ y=2$를 대입하면
$2=400a \quad \therefore a=\frac{1}{200}$
따라서 구하는 식은 $y=\frac{1}{200}x^2$이다.

(2) $y=32$를 $y=\frac{1}{200}x^2$에 대입하면
$32=\frac{1}{200}x^2,\ x^2=6400$
$\therefore x=80\ (\because x\geq0)$
따라서 운전자의 속력은 시속 80 km였으므로 운전자는 거짓말을 했다.

3 (1) $f(16)=16^2+16+17=289$
(2) $f(16)=16\times(16+1)+17$
$=16\times17+17$
$=(16+1)\times17=17^2$
따라서 $f(16)=289=17^2$이므로 $f(16)$의 값은 소수가 아니다.

4 (1) (나)에서 그려진 그래프는 이차함수 $y=-4x^2$의 그래프와 x축에 대칭이므로 이차함수 $y=4x^2$의 그래프이다.
$\therefore k=4$
(2) 이차함수 $y=ax^2$의 그래프는 아래로 볼록하므로 $a>0$
또 이차함수 $y=ax^2$의 그래프는 이차함수 $y=kx^2$, 즉 $y=4x^2$의 그래프보다 폭이 넓으므로 $a<4$
$\therefore 0<a<4$

5 • 이차함수 $y=-\frac{1}{2}x^2$의 그래프는 위로 볼록하면서 이차함수 $y=-\frac{1}{4}x^2$의 그래프보다 폭이 좁다. (예)
• 이차함수 $y=\frac{1}{2}(x-2)^2$의 그래프의 꼭짓점의 좌표는 $(2, 0)$이다. (예)

• 이차함수 $y=\frac{1}{3}(x+2)^2-4$의 그래프는 오른쪽 그림과 같으므로 제4사분면을 지난다. (아니오)

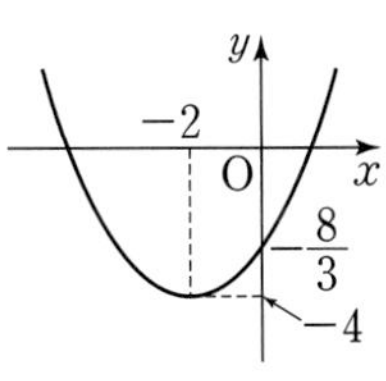

따라서 민주가 만나게 되는 동물은 곰이다.

6 이차함수 $y=x^2$의 그래프를 x축의 방향으로 2만큼, y축의 방향으로 −4만큼 평행이동하면 이차함수 $y=(x-2)^2-4$의 그래프와 포개지므로 ㉠의 넓이와 ㉡의 넓이는 같다.

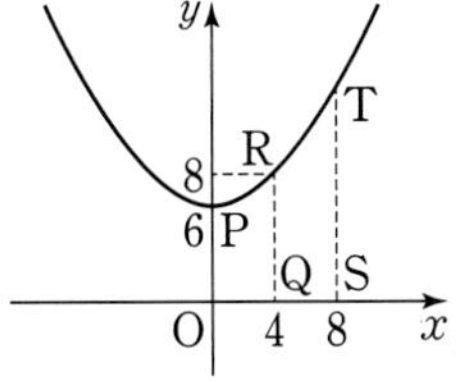

따라서 구하는 넓이는
□ABOC의 넓이와 같다.
$y=x^2$에 $x=2$를 대입하면 $y=4$
$\therefore$ A(2, 4)
$\therefore$ □ABOC$=2\times4=8$

7 (1) 포물선 구간을 오른쪽 그림과 같이 좌표평면 위에 나타내면 꼭짓점의 좌표가 (0, 6)이므로 포물선 구간을 나타내는 이차함수의 식을 $y=ax^2+6$으로 놓자.

이 그래프가 점 (4, 8)을 지나므로
$8=16a+6$, $16a=2$
$\therefore a=\frac{1}{8}$
따라서 포물선 구간을 나타내는 이차함수의 식은
$y=\frac{1}{8}x^2+6$

(2) $y=\frac{1}{8}x^2+6$에 $x=8$을 대입하면
$y=\frac{1}{8}\times8^2+6=14$
따라서 T 지점의 지면으로부터의 높이는 14 m이다.

8 같은 종류의 폭죽 2개를 2초의 시간 차를 두고 쏘아 올리는 것이므로 두 번째 폭죽의 높이를 나타내는 함수의 그래프는 첫 번째 폭죽의 높이를 나타내는 함수의 그래프를 t축의 방향으로 2만큼 평행이동한 것과 같다. 즉 두 번째 폭죽의 높이를 나타내는 함수의 그래프는 다음 그림과 같다.

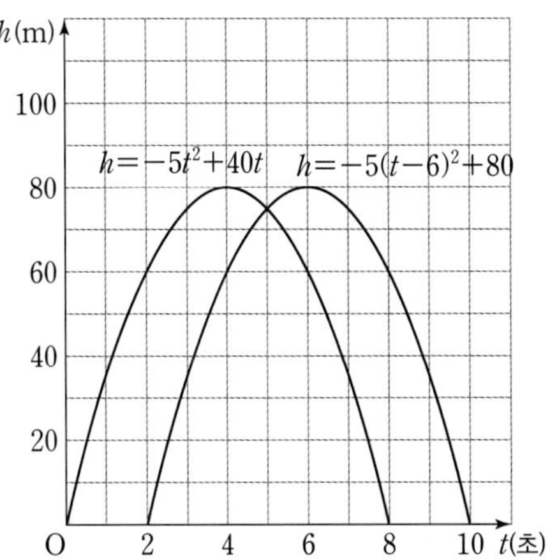

이 그래프의 꼭짓점의 좌표는 (6, 80)이므로 함수의 식은 $h=-5(t-6)^2+80$이다.

$h=-5t^2+40t=-5(t-4)^2+80$
의 그래프를 t축의 방향으로 2만큼 평행이동한 그래프의 식은
$h=-5(t-2-4)^2+80$
$=-5(t-6)^2+80$
이다.

기말

기말고사 마무리

신유형 · 신경향 · 서술형 전략 60쪽~63쪽

01 ③ **02** $2+\sqrt{6}$

03 (1) $x=-\frac{1}{3}$ (2) $x=-1$ 또는 $x=\frac{5}{3}$

04 (1) $A=\frac{1}{4}$, $B=\frac{15}{4}$ (2) $C=8$, $D=60$ (3) $x=8\pm2\sqrt{15}$

05 (1) $(x-4)$ cm (2) ㈎ $x-4$ ㈏ $x-8$
(3) $x^2-12x-28=0$ (4) 14 cm

06 ㈐ **07** ㉠, ㉢, ㉣, ㉤

08 지혜, 동철, 풀이 참조

09 (1) $y=-\frac{1}{3}(x-3)^2+3$ (2) $\frac{8}{3}$ m

01 두 이차방정식의 공통인 근이 $x=2$이므로
$x=2$를 $x^2+x+a=0$에 대입하면
$4+2+a=0$ $\therefore a=-6$
$x=2$를 $x^2+bx+c=0$에 대입하면
$4+2b+c=0$ $\therefore 2b+c=-4$ …… ㉠
이때 이차방정식 $x^2+x-6=0$을 풀면
$(x+3)(x-2)=0$ $\therefore x=-3$ 또는 $x=2$
따라서 이차방정식 $x^2+bx+c=0$의 다른 한 근은 $x=5$이다.
$x=5$를 $x^2+bx+c=0$에 대입하면
$25+5b+c=0$ $\therefore 5b+c=-25$ …… ㉡
㉠, ㉡을 연립하여 풀면 $b=-7$, $c=10$
$\therefore a+b+c=-6+(-7)+10=-3$

02 $\triangle ABC=\frac{1}{2}\times$(내접원의 반지름의 길이)
$\times$($\triangle$ABC의 세 변의 길이의 합)
이므로
$\frac{1}{2}x(8x-6)=3x^2+x+2$
$x^2-4x-2=0$ $\therefore x=2\pm\sqrt{6}$
이때 $x>0$이므로 $x=2+\sqrt{6}$

03 (1) x의 계수와 상수항을 바꾼 이차방정식은
$3x^2+(k-3)x+k=0$
이 식에 $x=2$를 대입하면 $12+2(k-3)+k=0$
$3k=-6$ $\therefore k=-2$
$k=-2$를 $3x^2+(k-3)x+k=0$에 대입하면
$3x^2-5x-2=0$, $(3x+1)(x-2)=0$
$\therefore x=-\frac{1}{3}$ 또는 $x=2$
따라서 다른 한 근은 $x=-\frac{1}{3}$이다.
(2) $k=-2$이므로 처음 이차방정식 $3x^2-2x-5=0$을 풀면 $(x+1)(3x-5)=0$
$\therefore x=-1$ 또는 $x=\frac{5}{3}$

04 (1) $\frac{1}{16}x^2-x+\frac{1}{4}=0$에서 $\frac{1}{16}x^2-x=-\frac{1}{4}$
$\frac{1}{16}x^2-x+4=-\frac{1}{4}+4$, $\left(\frac{1}{4}x-2\right)^2=\frac{15}{4}$
$\therefore A=\frac{1}{4}$, $B=\frac{15}{4}$
(2) $\frac{1}{16}x^2-x+\frac{1}{4}=0$의 양변에 16을 곱하면
$x^2-16x+4=0$, $x^2-16x=-4$
$x^2-16x+64=-4+64$, $(x-8)^2=60$
$\therefore C=8$, $D=60$
(3) $\frac{1}{16}x^2-x+\frac{1}{4}=0$에서 $(x-8)^2=60$
$x-8=\pm2\sqrt{15}$ $\therefore x=8\pm2\sqrt{15}$

05 (1) 가로의 길이가 세로의 길이보다 4 cm 더 길므로 세로의 길이는 $(x-4)$ cm이다.
(2) 가로의 길이 x cm에서 양옆을 2 cm씩 잘라냈으므로 ㈎에 알맞은 식은
$x-2\times2=x-4$ (cm)
세로의 길이 $(x-4)$ cm에서 양옆을 2 cm씩 잘라냈으므로 ㈏에 알맞은 식은
$(x-4)-2\times2=x-8$ (cm)
(3) 상자 B의 부피가 120 cm^{3}이므로
$(x-4)\times(x-8)\times2=120$
$\therefore x^2-12x-28=0$
(4) $x^2-12x-28=0$에서 $(x+2)(x-14)=0$
$\therefore x=-2$ 또는 $x=14$
그런데 $x>8$이므로 $x=14$
따라서 처음 직사각형 모양의 종이의 가로의 길이는 14 cm이다.

06 선영이가 이동하는 경로는 다음과 같다.

따라서 (다) 출구로 나가게 된다.

07 ㉡, ㉤ (나)와 (라)에 들어갈 내용은 'x축의 방향으로 -2만큼 평행이동'으로 그 내용이 같다.

㉣ (가)와 (마)에 들어갈 내용은 'y축의 방향으로 3만큼 평행이동'으로 그 내용이 같다.

㉥ (다)에 들어갈 내용은 'x축의 방향으로 -2만큼, y축의 방향으로 3만큼 평행이동'이다.

따라서 보기에서 옳은 것은 ㉠, ㉢, ㉣, ㉤이다.

08 $y=-2x^2+12x-7=-2(x-3)^2+11$

지혜 : 꼭짓점의 좌표는 $(3, 11)$이고 위로 볼록한 포물선이다.

지선 : 이차함수 $y=-2x^2+12x-7$의 그래프가 오른쪽 그림과 같으므로 제2사분면을 지나지 않는다.

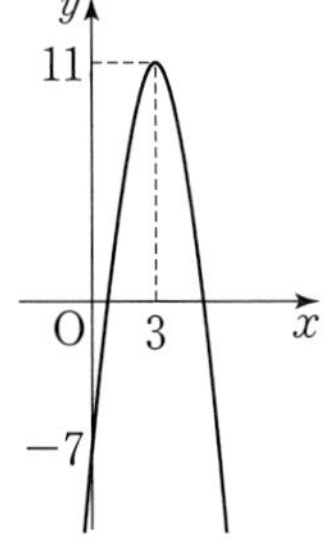

동철 : 이차함수 $y=-2x^2$의 그래프를 x축의 방향으로 3만큼, y축의 방향으로 11만큼 평행이동한 그래프이다.

09 (1) 공이 이동한 경로를 좌표평면 위에 나타내면 오른쪽 그림과 같다.

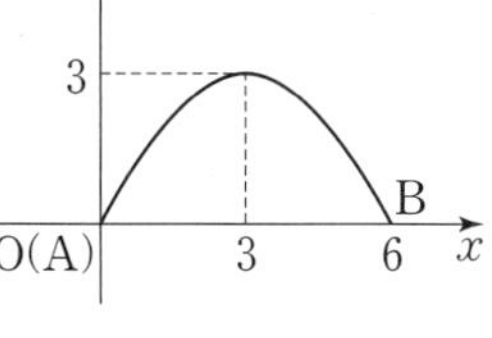

구하는 이차함수의 식을 $y=a(x-3)^2+3$이라 하면 이 그래프가 점 $B(6, 0)$을 지나므로

$0=a\times(6-3)^2+3,\ 9a+3=0 \qquad \therefore a=-\frac{1}{3}$

따라서 구하는 이차함수의 식은

$y=-\frac{1}{3}(x-3)^2+3$

(2) 점 A에서 점 B의 방향으로 4 m 떨어진 지점의 x좌표는 4이므로 $x=4$를 $y=-\frac{1}{3}(x-3)^2+3$에 대입하면

$y=-\frac{1}{3}\times(4-3)^2+3=\frac{8}{3}$

따라서 구하는 공의 높이는 $\frac{8}{3}$ m이다.

고난도 해결 전략 1회

64쪽~67쪽

01 ①	**02** ①	**03** 21	**04** ④
05 ②	**06** ⑤	**07** ④	**08** ④
09 $x=5\pm2\sqrt{7}$		**10** ②	**11** ⑤
12 ③	**13** ②	**14** ②	**15** 12
16 8	**17** 200	**18** 1 cm	**19** 2초

01 전략 x에 대한 이차방정식의 x^2의 계수는 0이 아님을 이용한다.

$(a^2-3)x^2+ax+3=2ax^2-2x+1$에서

$(a^2-2a-3)x^2+(a+2)x+2=0$

이 등식이 x에 대한 이차방정식이 되려면

$a^2-2a-3\neq0,\ (a+1)(a-3)\neq0$

$\therefore a\neq-1$이고 $a\neq3$

02 전략 주어진 해를 각 이차방정식에 대입하여 p, q 사이의 관계식을 구한다.

$x=-2$를 $x^2-2px+3q=0$에 대입하면

$4+4p+3q=0 \qquad \therefore 4p+3q=-4$ ······ ㉠

$x=1$을 $3x^2+px+q-1=0$에 대입하면

$3+p+q-1=0 \qquad \therefore p+q=-2$ ······ ㉡

㉠, ㉡을 연립하여 풀면 $p=2,\ q=-4$

$\therefore pq=2\times(-4)=-8$

기말

03 전략 주어진 이차방정식에 $x=p$를 대입하여 $p+\frac{1}{p}$의 값을 구한다.

$x=p$를 $x^2+5x+1=0$에 대입하면

$p^2+5p+1=0$

이때 $p\neq0$이므로 양변을 p로 나누면

$p+5+\frac{1}{p}=0$ $\quad\therefore p+\frac{1}{p}=-5$

$\therefore \left(p-\frac{1}{p}\right)^2=\left(p+\frac{1}{p}\right)^2-4=(-5)^2-4=21$

04 전략 주어진 근을 이차방정식에 대입하여 미지수 a의 값을 구한 후 다른 한 근을 구한다.

$x=1$을 $(a-2)x^2+(a^2+3)x-6a+5=0$에 대입하면

$a-2+a^2+3-6a+5=0$

$a^2-5a+6=0$, $(a-2)(a-3)=0$

$\therefore a=2$ 또는 $a=3$

이때 $a\neq2$이므로 $a=3$

즉 주어진 이차방정식은 $x^2+12x-13=0$이므로

$(x+13)(x-1)=0$ $\quad\therefore x=-13$ 또는 $x=1$

따라서 다른 한 근은 $x=-13$이다.

05 전략 $x^2+2ax+b=0$이 중근을 가지려면 $b=a^2$이어야 한다.

모든 경우의 수는 $6\times6=36$

$x^2+2ax+b=0$이 중근을 가지려면 $b=\left(\frac{2a}{2}\right)^2=a^2$이어야 하므로 $a^2=b$를 만족하는 자연수 a, b를 순서쌍 (a, b)로 나타내면 $(1, 1)$, $(2, 4)$의 2개이다.

따라서 구하는 확률은 $\frac{2}{36}=\frac{1}{18}$

06 전략 k의 값을 이차방정식에 대입한 후 근을 구한다.

① $(x-1)^2=0$이므로 중근을 가진다.

② $5-k>0$이므로 서로 다른 두 근을 가진다.

③ $(x-1)^2=3$에서 $x=1\pm\sqrt{3}$이므로 무리수인 두 근을 가진다.

④ $(x-1)^2=9$에서 $x-1=\pm3$

$\therefore x=-2$ 또는 $x=4$

따라서 정수인 두 근을 가진다.

⑤ $(x-1)^2=5$에서 $x=1\pm\sqrt{5}$이므로 무리수인 두 근을 가진다.

따라서 옳지 않은 것은 ⑤이다.

07 전략 일차함수 $y=ax-2$의 그래프가 제2사분면을 지나지 않으려면 $a>0$이어야 한다.

일차함수 $y=ax-2$의 그래프가 점 $(3a-1,\ a^2+2a)$를 지나므로

$a^2+2a=a(3a-1)-2$, $2a^2-3a-2=0$

$(2a+1)(a-2)=0$ $\quad\therefore a=-\frac{1}{2}$ 또는 $a=2$

이때 일차함수 $y=ax-2$의 그래프는 기울기가 a이고 점 $(0, -2)$를 지나므로 이 그래프가 제2사분면을 지나지 않으려면 $a>0$이어야 한다. $\quad\therefore a=2$

08 전략 인수분해를 이용하여 주어진 두 이차방정식의 근을 각각 구한 후 공통인 근이 생기도록 a의 값을 정한다.

$x^2+ax-a-1=0$에서 $(x-1)(x+a+1)=0$

$\therefore x=1$ 또는 $x=-a-1$

$x^2+(a+1)x+2(a-1)=0$에서

$(x+2)(x+a-1)=0$

$\therefore x=-2$ 또는 $x=-a+1$

두 이차방정식이 공통인 근을 가지고 $-a-1\neq-a+1$이므로

$-a-1=-2$ 또는 $-a+1=1$

$\therefore a=1$ 또는 $a=0$

따라서 모든 상수 a의 값의 합은

$1+0=1$

09 전략 주어진 이차방정식의 양변에 적당한 수를 곱하여 계수를 정수로 고친다.

$4x-\frac{x^2-5}{5}=0.2x^2-0.2$의 양변에 5를 곱하면

$20x-(x^2-5)=x^2-1$

$20x-x^2+5=x^2-1$, $2x^2-20x-6=0$

$x^2-10x-3=0$

$\therefore x=5\pm\sqrt{28}=5\pm2\sqrt{7}$

10 전략 근의 공식을 이용하여 주어진 이차방정식의 두 근을 구한 후 두 근 사이에 있는 정수를 구한다.

$x^2+4x+2=0$에서 $x=-2\pm\sqrt{2}$

이때 $1<\sqrt{2}<2$이므로

$-4<-2-\sqrt{2}<-3$, $-1<-2+\sqrt{2}<0$

즉 두 근 $-2-\sqrt{2}$와 $-2+\sqrt{2}$ 사이에 있는 정수는 -3, -2, -1이다.

따라서 구하는 합은 $-3+(-2)+(-1)=-6$

11 전략 일차함수 $y=ax+b$에서 a는 기울기를 나타내고 b는 y절편을 나타낸다.

주어진 일차함수의 그래프가 두 점 $(-3, 3)$, $(0, -6)$을 지나므로

$a=\frac{-6-3}{0-(-3)}=-3$, $b=-6$

이차방정식 $x^2-3x-6=0$을 풀면

$x=\frac{3\pm\sqrt{33}}{2}$

따라서 이차방정식 $x^2-3x-6=0$의 두 근의 합은

$\frac{3+\sqrt{33}}{2}+\frac{3-\sqrt{33}}{2}=\frac{6}{2}=3$

12 전략 근의 공식을 이용하여 주어진 이차방정식의 해를 구한다. 이때 근호 안의 수가 제곱수이어야 해가 유리수가 된다.

$x^2-7x+k=0$에서 $x=\frac{7\pm\sqrt{49-4k}}{2}$

이때 주어진 이차방정식의 해가 유리수가 되려면 $49-4k$는 0 또는 49보다 작은 제곱수이어야 한다.

즉 $49-4k=0, 1, 4, 9, 16, 25, 36$이므로

$k=\frac{49}{4}, 12, \frac{45}{4}, 10, \frac{33}{4}, 6, \frac{13}{4}$

따라서 자연수 k는 6, 10, 12의 3개이다.

13 전략 이차방정식 $ax^2+bx+c=0$의 근의 개수는 b^2-4ac의 부호에 따라 결정됨을 이용한다.

$3x^2+Ax+B=0$의 근의 개수는 A^2-12B의 부호에 따라 결정된다.

승희 : $A^2-12B=3^2-12\times(-2)=33>0$이므로 서로 다른 두 근을 가진다.

수연 : $A^2-12B=(-12)^2-12\times6=72>0$이므로 서로 다른 두 근을 가진다.

태한 : $A=0$이면 $A^2-12B=-12B$이므로 $B=0$일 때에만 중근을 가진다.

예준 : $B<0$이면 $A^2-12B>0$이므로 서로 다른 두 근을 가진다.

따라서 옳은 말을 한 학생은 승희, 예준이다.

14 전략 두 근이 연속하는 양의 정수이므로 두 근을 α, $\alpha+1(\alpha>0)$로 놓는다.

$x^2+px+q=0$의 두 근을 α, $\alpha+1(\alpha>0)$로 놓으면

$(\alpha+1)^2-\alpha^2=13$, $2\alpha=12$ $\quad\therefore \alpha=6$

x^2의 계수가 1이고 두 근이 6, 7인 이차방정식은

$(x-6)(x-7)=0$

$\therefore x^2-13x+42=0$

이 식이 $x^2+px+q=0$과 같으므로

$p=-13$, $q=42$

$\therefore p+q=-13+42=29$

15 전략 $x-y=A$로 놓고 A에 대한 이차방정식으로 나타낸 후 A의 값을 구한다.

$x-y=A$로 놓으면 $A^2-3A-10=0$

$(A+2)(A-5)=0$ $\quad\therefore A=-2$ 또는 $A=5$

이때 $x<y$이므로 $x-y<0$, 즉 $A<0$

따라서 $A=-2$이므로 $x-y=-2$

$\therefore x^2+y^2=(x-y)^2+2xy=(-2)^2+2\times4=12$

16 전략 $n<2+\sqrt{11}<n+1$이면 $a=n$이고 $b=(2+\sqrt{11})-n$이다.

$3<\sqrt{11}<4$에서 $5<2+\sqrt{11}<6$이므로

$a=5$, $b=(2+\sqrt{11})-5=-3+\sqrt{11}$

즉 $x^2+mx-n=0$의 한 근이 $-3+\sqrt{11}$이고 m, n은 유리수이므로 다른 한 근은 $-3-\sqrt{11}$이다.

x^2의 계수가 1이고 두 근이 $-3-\sqrt{11}$, $-3+\sqrt{11}$인 이차방정식은

$\{x-(-3-\sqrt{11})\}\{x-(-3+\sqrt{11})\}=0$

$\therefore x^2+6x-2=0$

이 식이 $x^2+mx-n=0$과 같으므로

$m=6$, $n=2$

$\therefore m+n=6+2=8$

17 전략 (입장료 수입)=(1인당 입장료)×(입장객 수)

입장료 인상 전의 입장료 수입은

$1000\times300=300000$(원)

1인당 입장료를 x원 올렸을 때의 입장료 수입은

$(1000+x)\left(300-\frac{1}{4}x\right)$원

기말

이때 입장료 수입은 변함이 없으므로

$(1000+x)\left(300-\frac{1}{4}x\right)=300000$

$\frac{1}{4}x^2-50x=0$, $x^2-200x=0$

$x(x-200)=0$ $\therefore x=0$ 또는 $x=200$

그런데 $x>0$이므로 $x=200$

18 전략 가장 작은 반원의 반지름의 길이를 x cm라 하면 두 번째로 큰 반원의 반지름의 길이는 $\frac{10-2x}{2}$ cm이다.

가장 작은 반원의 반지름의 길이를 x cm라 하면 두 번째로 큰 반원의 반지름의 길이는 $\frac{10-2x}{2}=5-x$ (cm)이므로

$\frac{1}{2}\pi\times5^2-\frac{1}{2}\pi(5-x)^2-\frac{1}{2}\pi x^2=4\pi$

$x^2-5x+4=0$, $(x-1)(x-4)=0$

$\therefore x=1$ 또는 $x=4$

이때 $0<x<\frac{5}{2}$이므로 $x=1$

따라서 가장 작은 반원의 반지름의 길이는 1 cm이다.

$5<10-2x<10$에서
$-5<-2x<0$
$\therefore 0<x<\frac{5}{2}$

19 전략 매초 a cm씩 변하는 선분의 길이는 t초 후 at cm만큼 변한다.

점 P가 1초에 3 cm씩 움직이므로 t초 후에

$\overline{AP}=3t$ cm, $\overline{PD}=(24-3t)$ cm

또 점 Q가 1초에 2 cm씩 움직이므로 t초 후에

$\overline{DQ}=2t$ cm

t초 후에 △PQD의 넓이가 36 cm^{2}가 된다고 하면

$\frac{1}{2}(24-3t)\times2t=36$, $t^2-8t+12=0$

$(t-2)(t-6)=0$ $\therefore t=2$ 또는 $t=6$

따라서 처음으로 △PQD의 넓이가 36 cm^{2}가 되는 것은 출발한 지 2초 후이다.

고난도 해결 전략 2회

68쪽~71쪽

01 ①, ②	02 ②	03 고은	04 ②
05 $\left(-\frac{4}{3}, \frac{8}{9}\right)$	06 ①	07 ③	08 ④
09 $\left(1, \frac{3}{2}\right)$	10 ②, ④	11 ①	12 ③
13 12	14 ①	15 ⑤	16 ①
17 -17			

01 전략 $y=ax^2+bx+c$의 꼴로 정리하였을 때, x^2의 계수 a가 0이 아니면 y는 x에 대한 이차함수이다.

$y=(3m+1)x^2+2m^2(2-x)^2$

$=(2m^2+3m+1)x^2-8m^2x+8m^2$

이 함수가 x에 대한 이차함수가 되려면 x^2의 계수가 0이 아니어야 하므로

$2m^2+3m+1\neq0$, $(m+1)(2m+1)\neq0$

$\therefore m\neq-1$이고 $m\neq-\frac{1}{2}$

따라서 m의 값이 될 수 없는 것은 -1, $-\frac{1}{2}$이다.

02 전략 이차함수 $y=ax^2$에서 a의 절댓값이 클수록 그래프의 폭이 좁아진다.

주어진 이차함수의 그래프가 모두 원점을 지나므로 그래프를 나타내는 식을 각각

(1) $y=ax^2$, (2) $y=bx^2$, (3) $y=cx^2$, (4) $y=dx^2$

이라 하자.

이때 (1), (3)의 그래프는 위로 볼록하므로 $a<0$, $c<0$이고 x^2의 계수의 절댓값이 클수록 폭이 좁아지므로

$a<-2$, $-2<c<-\frac{1}{2}$ …… ㉠

또 (2), (4)의 그래프는 아래로 볼록하므로 $b>0$, $d>0$이고 x^2의 계수의 절댓값이 클수록 폭이 좁아지므로

$b>1$, $0<d<1$ …… ㉡

따라서 주어진 보기 중 ㉠, ㉡을 모두 만족하는 것은 ②이다.

03 전략 이차함수 $y=a(x-p)^2+q$의 그래프에서 꼭짓점의 좌표는 (p, q)이고, 축의 방정식은 $x=p$이다.

하나 : 위로 볼록한 그래프는 x^2의 계수가 음수인 ㉡, ㉢, ㉣, ㉤의 4개이다.

성철 : ㉢은 x^2의 계수의 절댓값이 가장 작으므로 그래프의 폭이 가장 넓다.

고은 : 보기의 각 이차함수의 그래프의 축의 방정식을 구하면 다음과 같다.

㉠ $x=0$ ㉡ $x=-3$ ㉢ $x=0$

㉣ $x=-1$ ㉤ $x=0$ ㉥ $x=0$

따라서 축의 방정식이 같은 그래프는 ㉠, ㉢, ㉤, ㉥의 4개이다.

우식 : ㉤ $y=-x^2+2$의 그래프와 x축에 대칭인 그래프의 식은 $y=x^2-2$이다.

지우 : x축과 한 점에서 만나는 그래프는 꼭짓점이 x축 위에 있는 ㉠, ㉡, ㉢의 3개이다.

따라서 옳은 말을 한 학생은 고은이다.

04 전략 점 B의 x좌표를 $k(k>0)$라 하면 $\overline{AB}=\overline{BC}$이므로 점 C의 x좌표는 $2k$이다.

점 B의 x좌표를 $k(k>0)$라 하면 $\overline{AB}=\overline{BC}$이므로 점 C의 x좌표는 $2k$이다.

점 B는 이차함수 $y=2x^2$의 그래프 위의 점이므로

$B(k, k^2)$

점 C는 이차함수 $y=ax^2$의 그래프 위의 점이므로

$C(2k, 4ak^2)$

이때 점 B와 점 C의 y좌표는 서로 같으므로

$k^2=4ak^2 \quad \therefore a=\frac{1}{4}$

05 전략 점 B의 x좌표를 a로 놓고 나머지 세 점 A, C, D의 좌표를 a의 식으로 나타낸다.

점 B의 x좌표를 $a(a>0)$라 하면

$A\left(-a, \frac{1}{2}a^2\right)$, $B\left(a, \frac{1}{2}a^2\right)$, $C(-a, -a^2)$, $D(a, -a^2)$

$\overline{AB}=\overline{BD}$에서 $2a=\frac{1}{2}a^2+a^2$

$3a^2-4a=0$, $a(3a-4)=0$

$\therefore a=0$ 또는 $a=\frac{4}{3}$

그런데 $a>0$이므로 $a=\frac{4}{3}$

따라서 점 A의 좌표는 $\left(-\frac{4}{3}, \frac{8}{9}\right)$이다.

06 전략 이차함수 $y=a(x-p)^2+q$의 그래프에서 그래프의 모양으로 a의 부호를 결정하고, 꼭짓점의 위치로 p, q의 부호를 결정한다.

이차함수의 그래프가 위로 볼록하므로 $a<0$

꼭짓점 (p, q)가 제1사분면 위에 있으므로 $p>0$, $q>0$

따라서 이차함수 $y=p(x-a)^2+q$의 그래프는 아래로 볼록하고 꼭짓점 (a, q)가 제2사분면 위에 있으므로 오른쪽 그림과 같다. 즉 그래프가 지나는 사분면은 제1, 2사분면이다.

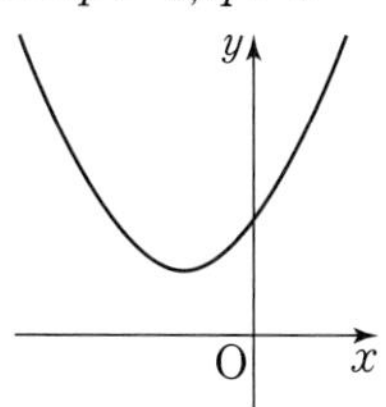

각 사분면 위의 점의 좌표의 부호는 다음과 같아! 잊지 않았지?

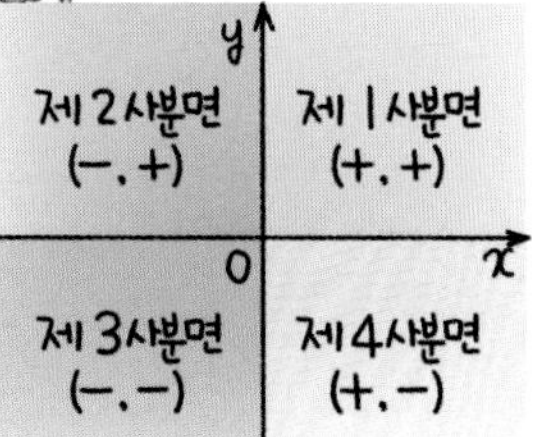

07 전략 꼭짓점의 좌표를 이용하여 조건을 만족하는 이차함수의 그래프의 모양을 생각해 본다.

꼭짓점의 좌표가 $(-2, -3)$이므로 꼭짓점은 제3사분면 위에 있다. 이때 그래프가 모든 사분면을 지나려면

아래로 볼록해야 하므로 $a>0$ ······ ㉠

$y=a(x+2)^2-3$에 $x=0$을 대입하면 $y=4a-3$

y축과의 교점이 x축의 아래쪽에 있어야 하므로

$4a-3<0 \quad \therefore a<\frac{3}{4}$ ······ ㉡

㉠, ㉡에서 a의 값이 될 수 있는 것은 ③ $\frac{1}{2}$이다.

08 전략 그래프를 그려 x축과의 교점의 개수를 확인한다.

① $y=x^2-4x+3$
$=(x-2)^2-1$

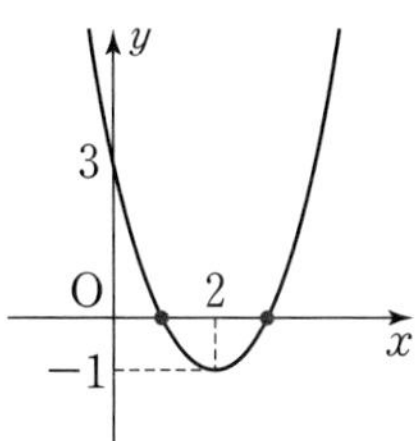

➡ 두 점에서 만난다.

② $y=2x^2-4x-3$
$=2(x-1)^2-5$

➡ 두 점에서 만난다.

③ $y=-x^2+4$

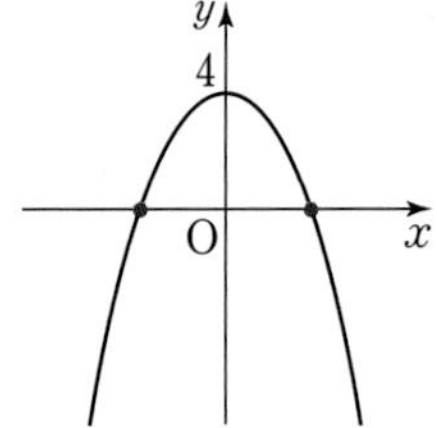

➡ 두 점에서 만난다.

④ $y=x^2+x+3$

$=\left(x+\frac{1}{2}\right)^2+\frac{11}{4}$

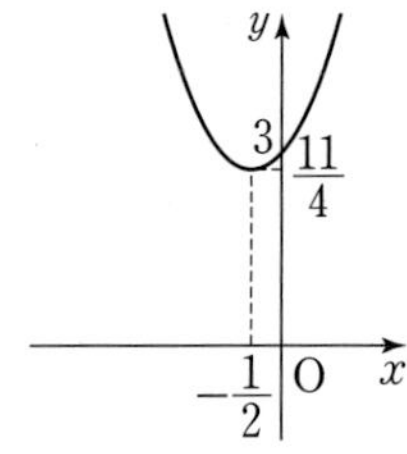

➡ 만나지 않는다.

⑤ $y=-3x^2+x+5$

$=-3\left(x-\frac{1}{6}\right)^2+\frac{61}{12}$

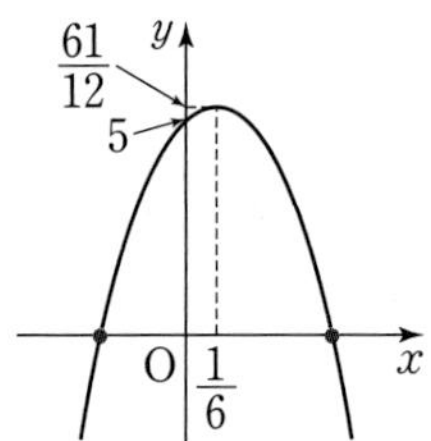

➡ 두 점에서 만난다.

따라서 x축과의 교점의 개수가 나머지 넷과 다른 하나는 ④이다.

$y=ax^2+bx+c$의 그래프와 x축과의 교점의 개수는 $y=ax^2+bx+c$를 $y=a(x-p)^2+q$의 꼴로 고친 후 꼭짓점의 y좌표인 q의 부호를 이용하여 구한다.

x축과 한 점에서 만난다.	$a>0$, $q=0$	$a<0$, $q=0$
x축과 두 점에서 만난다.	$a>0$, $q<0$	$a<0$, $q>0$
x축과 만나지 않는다.	$a>0$, $q>0$	$a<0$, $q<0$

09 전략 주어진 이차함수의 그래프의 축의 방정식이 $x=1$임을 이용한다.

$y=-\frac{1}{2}x^2+ax+2a-1=-\frac{1}{2}(x-a)^2+\frac{1}{2}a^2+2a-1$

이 그래프의 축의 방정식이 $x=1$이므로 $a=1$

따라서 $\frac{1}{2}a^2+2a-1=\frac{1}{2}+2-1=\frac{3}{2}$이므로 구하는 꼭짓점의 좌표는 $\left(1, \frac{3}{2}\right)$이다.

10 전략 주어진 이차함수의 식을 $y=a(x-p)^2+q$의 꼴로 고쳐 그래프를 그려 본다.

$y=\frac{1}{4}x^2+x-1$

$=\frac{1}{4}(x+2)^2-2$

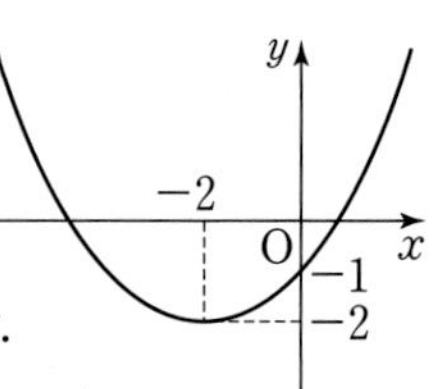

이므로 그래프는 오른쪽 그림과 같다.

② x축과 두 점에서 만난다.

④ 모든 사분면을 지난다.

따라서 옳지 않은 것은 ②, ④이다.

11 전략 주어진 일차함수의 그래프를 이용하여 a, b의 값을 구하고, 주어진 이차함수의 식을 $y=a(x-p)^2+q$의 꼴로 변형한다.

주어진 일차함수의 그래프가 두 점 $(-2, 0)$, $(0, 4)$를 지나므로

$a=\frac{4-0}{0-(-2)}=2$, $b=4$

$a=2$, $b=4$를 $y=ax^2+bx-3$에 대입하면

$y=2x^2+4x-3=2(x+1)^2-5$

따라서 이 그래프의 꼭짓점의 좌표는 $(-1, -5)$, 축의 방정식은 $x=-1$이다.

12 전략 주어진 이차함수의 식을 $y=a(x-p)^2+q$의 꼴로 변형하여 꼭짓점의 좌표를 m의 식으로 나타낸다.

$y=x^2-2(m+1)x+m^2+4m-5$

$=\{x-(m+1)\}^2+2m-6$

이므로 이 그래프의 꼭짓점의 좌표는 $(m+1, 2m-6)$

이 꼭짓점이 제4사분면 위에 있으려면

$m+1>0$ $\quad\therefore m>-1$ ······ ㉠

$2m-6<0$ $\quad\therefore m<3$ ······ ㉡

㉠, ㉡에서 상수 m의 값이 될 수 있는 것은 ③ 1이다.

13 전략 두 그래프의 모양과 폭이 같음을 이용하여 넓이가 같은 부분을 찾는다.

$y=-\frac{1}{2}x^2+2x=-\frac{1}{2}(x-2)^2+2$,

$y=-\frac{1}{2}x^2+8x-30=-\frac{1}{2}(x-8)^2+2$

이므로 이차함수 $y=-\frac{1}{2}x^2+8x-30$의 그래프는

이차함수 $y=-\frac{1}{2}x^2+2x$의 그래프를 x축의 방향으로 6만큼 평행이동한 것이다.

따라서 아래의 그림에서 두 점 A, B에서 x축에 내린 수선의 발을 각각 C, D라 하면 빗금 친 두 부분의 넓이가 같으므로 색칠한 부분의 넓이는 가로의 길이가 $8-2=6$, 세로의 길이가 2인 직사각형 ACDB의 넓이와 같다.

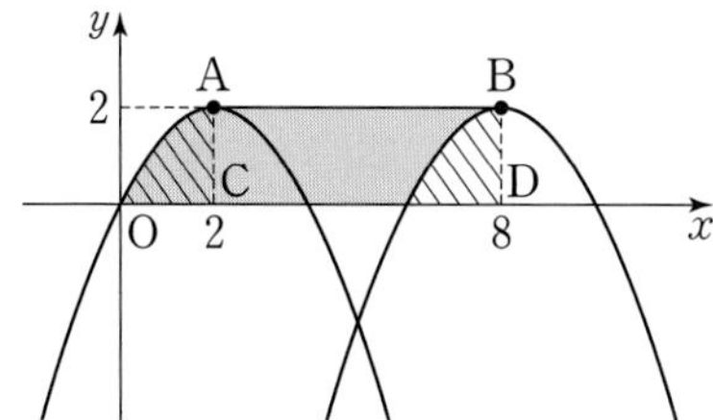

$\therefore$ (색칠한 부분의 넓이)$=\square\text{ACDB}=6\times2=12$

14 전략 각 점의 좌표를 구한 후 □ABCD를 3개의 삼각형으로 나누어 넓이를 구한다.

$y=-x^2+3x+4=-\left(x-\frac{3}{2}\right)^2+\frac{25}{4}$이므로

$\text{C}\left(\frac{3}{2}, \frac{25}{4}\right)$, D$(0, 4)$

$y=-x^2+3x+4$에 $y=0$을 대입하면

$-x^2+3x+4=0$, $x^2-3x-4=0$

$(x+1)(x-4)=0$ $\quad\therefore x=-1$ 또는 $x=4$

$\therefore$ A$(-1, 0)$, B$(4, 0)$

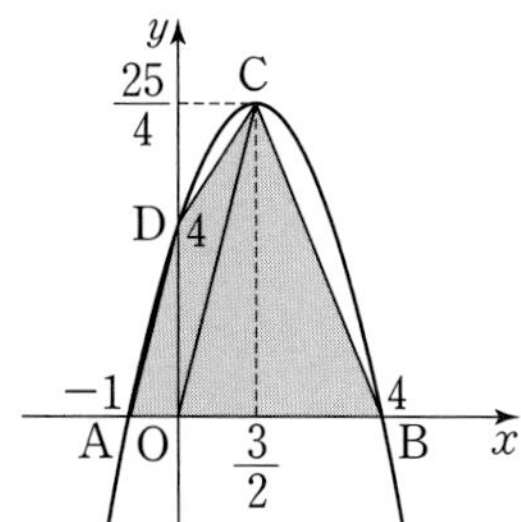

$\therefore \square\text{ABCD}=\triangle\text{AOD}+\triangle\text{CDO}+\triangle\text{COB}$

$=\frac{1}{2}\times1\times4+\frac{1}{2}\times4\times\frac{3}{2}+\frac{1}{2}\times4\times\frac{25}{4}$

$=2+3+\frac{25}{2}=\frac{35}{2}$

15 전략 주어진 이차함수의 식의 x에 적당한 값을 대입하여 부호를 확인한다.

① 그래프가 위로 볼록하므로 $a<0$
y축과의 교점이 x축의 위쪽에 있으므로 $c>0$
$\therefore ac<0$

② 축이 y축의 왼쪽에 있으므로 $ab>0$

③ $x=1$일 때, $a+b+c=0$

④ $x=-1$일 때, $a-b+c>0$

⑤ $x=2$일 때, $4a+2b+c<0$

따라서 옳은 것은 ⑤이다.

16 전략 주어진 이차함수의 그래프의 꼭짓점의 좌표가 $(2, 3)$이므로 이차함수의 식을 $y=a(x-2)^2+3$으로 놓는다.

이차함수의 식을 $y=a(x-2)^2+3$으로 놓으면 그래프가 점 $(0, -5)$를 지나므로 $-5=4a+3$

$-4a=8$ $\quad\therefore a=-2$

즉 $y=-2(x-2)^2+3=-2x^2+8x-5$이므로

$a=-2$, $b=8$, $c=-5$

㉠ $y=2x^2+8x+5=2(x+2)^2-3$이므로 꼭짓점의 좌표는 $(-2, -3)$이다.

㉡ $y=2x^2+8x+5$에 $x=-1$을 대입하면
$y=2\times(-1)^2+8\times(-1)+5=-1\neq-5$
즉 점 $(-1, -5)$를 지나지 않는다.

㉢ $-2x^2+8x-5=2x^2-8x-5$에서 $4x^2-16x=0$
$x(x-4)=0$ $\quad\therefore x=0$ 또는 $x=4$
즉 두 이차함수 $y=-2x^2+8x-5$, $y=2x^2-8x-5$의 그래프는 두 점 $(0, -5)$, $(4, -5)$에서 만난다.

따라서 옳은 것은 ㉠이다.

17 전략 그래프가 직선 $x=1$에 대칭임을 이용하여 x축과 만나는 두 점의 좌표를 구한다.

축의 방정식이 $x=1$이고 x축과 만나는 두 점 사이의 거리가 8이므로 두 점 $(1-4, 0)$, $(1+4, 0)$, 즉 $(-3, 0)$, $(5, 0)$을 지난다.

또 x^2의 계수가 1이므로 주어진 이차함수의 식은

$y=(x+3)(x-5)=x^2-2x-15$

따라서 $a=-2$, $b=-15$이므로

$a+b=-2+(-15)=-17$

기말

memo

정답은
이안에
있어!

시험에 잘 나오는

대표 유형 ZIP

중학 수학 3-1

BOOK 1

중간고사 대비

특목고 대비

일등 전략

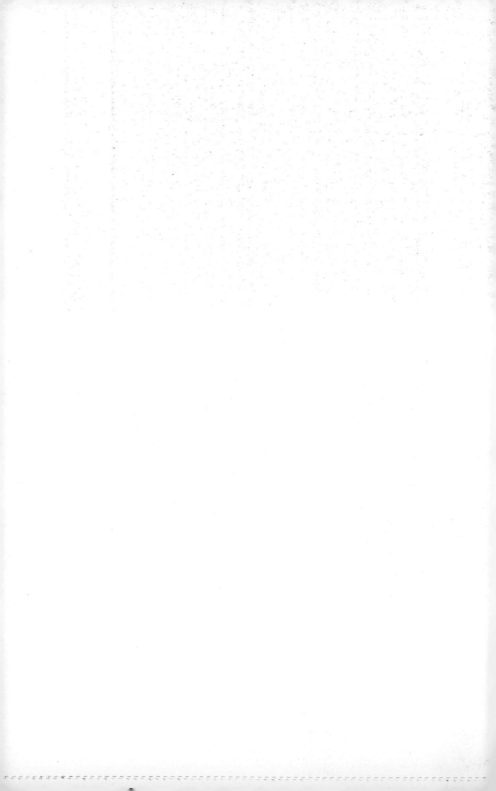

시험에 잘 나오는

대표 유형 ZIP

중학 수학
3-1
중 간 고 사 대 비

이 책의 차례

시험에 잘 나오는
대표 유형을
기출 문제로 확인해 봐.

01 제곱근의 이해

다음 중 옳은 것은?

① 7은 $\sqrt{49}$의 양의 제곱근이다.

② -3은 -9의 음의 제곱근이다.

③ $(-8)^2$의 음의 제곱근은 $-\sqrt{8}$이다.

④ $\sqrt{81}$의 제곱근은 ± 9이다.

⑤ 제곱근 25는 5이다.

Tip

a의 제곱근과 제곱근 a의 차이점을 정리해 줄게.
시험에 잘 나오니까 반드시 기억해야 해!

a의 제곱근 → $\pm\sqrt{a}$ → 제곱하여 a가 되는 수

제곱근 a → $\sqrt{a}$ → a의 양의 제곱근

(제곱근 → $\sqrt{\ }$, a → a) → $\sqrt{a}$

풀이 답 | ⑤

① $\sqrt{49}=$(49의 양의 제곱근)$=7$이고
7의 양의 제곱근은 $\sqrt{7}$이다.

② $(-3)^2=9$이므로 -3은 9의 ❶ ____ 의 제곱근이다.
또 음수의 제곱근은 없으므로 -9의 제곱근은 ❷ ____.

③ $(-8)^2=64$이고 64의 음의 제곱근은 -8이다.

④ $\sqrt{81}=9$이고 9의 제곱근은 ❸ ____ 이다.

따라서 옳은 것은 ⑤이다.

답 ❶ 음 ❷ 없다 ❸ ± 3

02 제곱근의 성질을 이용한 식의 계산

다음 중 계산 결과가 가장 큰 것은?

① $(-\sqrt{2})^2-\sqrt{7^2}$

② $(-\sqrt{12})^2\div\sqrt{3^2}$

③ $\sqrt{100}-\sqrt{(-13)^2}+(-\sqrt{2})^2$

④ $(-\sqrt{0.2})^2\times(-\sqrt{5})^2\div(-\sqrt{0.1})^2$

⑤ $\sqrt{2^2}+(-\sqrt{3})^2-\sqrt{(-5)^2}+\sqrt{64}$

Tip

제곱근의 성질을 이용하여 근호를 없앤 후 계산한다.

➡ 제곱근의 성질 : $a>0$일 때

① $(\sqrt{a})^2=a$, $(-\sqrt{a})^2=a$

② $\sqrt{a^2}=a$, $\sqrt{(-a)^2}=a$

풀이 답 | ④

① $(-\sqrt{2})^2-\sqrt{7^2}=2-7=-5$

② $(-\sqrt{12})^2\div\sqrt{3^2}=12\div3=4$

③ $\sqrt{100}-\sqrt{(-13)^2}+(-\sqrt{2})^2$

$=10-$ ❶ $\boxed{}$ $+2=-1$

④ $(-\sqrt{0.2})^2\times(-\sqrt{5})^2\div(-\sqrt{0.1})^2$

$=0.2\times5\div0.1=$ ❷ $\boxed{}$

⑤ $\sqrt{2^2}+(-\sqrt{3})^2-\sqrt{(-5)^2}+\sqrt{64}$

$=2+3-5+$ ❸ $\boxed{}$ $=8$

따라서 계산 결과가 가장 큰 것은 ④이다.

곱셈, 나눗셈이 섞여 있을 때에는 나눗셈을 역수의 곱셈으로 바꾼 후 앞에서부터 차례대로 계산해야 돼.

답 ❶ 13 ❷ 10 ❸ 8

03 $\sqrt{a^2}$의 꼴을 포함한 식을 간단히 하기

$a<0$, $b>0$일 때, $\sqrt{a^2}-\sqrt{(-5a)^2}+\sqrt{16b^2}-\sqrt{(-b)^2}$을 간단히 하면?

① $-4a-3b$　② $-4a+3b$　③ $4a+3b$
④ $4a+5b$　⑤ $6a+17b$

Tip

$\sqrt{(\quad)^2}$의 꼴이 나오면
(　) 안의 부호를 조사해!
(　) 안이 $+$이면?
$\sqrt{(\quad)^2}=(\quad)$
(　) 안이 $-$이면?
$\sqrt{(\quad)^2}=-(\quad)$

풀이 답 | ③

$a<0$, $b>0$일 때, $-5a>0$, $4b>0$, $-b$ ❶ ☐ 0이므로

$\sqrt{a^2}-\sqrt{(-5a)^2}+\sqrt{16b^2}-\sqrt{(-b)^2}$

$=\sqrt{a^2}-\sqrt{(-5a)^2}+\sqrt{(4b)^2}-\sqrt{(-b)^2}$

$=-a-($❷ ☐$)+4b-\{-(-b)\}$

$=-a+5a+4b-b$

$=$❸ ☐$a+3b$

주의 $\sqrt{16b^2}=\sqrt{(4b)^2}=4b$ (○), $\sqrt{16b^2}=16b$ (×)

답 ❶ $<$ ❷ $-5a$ ❸ 4

04 $\sqrt{Ax}$, $\sqrt{\dfrac{A}{x}}$의 꼴을 자연수로 만들기

$\sqrt{252a}$가 자연수가 되도록 하는 가장 작은 자연수 a와 $\sqrt{\dfrac{560}{b}}$이 자연수가 되도록 하는 가장 작은 자연수 b에 대하여 $a+b$의 값은?

① 12 ② 14 ③ 35 ④ 42 ⑤ 63

252를 소인수분해하면 $252=2^2\times3^2\times7$이야.

그럼 소인수의 지수를 짝수가 되게 하는 a의 값을 찾으면 되겠네.

Tip

$\sqrt{Ax}$, $\sqrt{\dfrac{A}{x}}$가 자연수가 되려면 Ax, $\dfrac{A}{x}$가 제곱수이어야 한다.

1 A를 소인수분해한다.

2 소인수의 지수가 짝수가 되도록 하는 x의 값을 구한다.

이때 $\sqrt{\dfrac{A}{x}}$에서 x는 A의 약수이다.

풀이 답 | ④

$\sqrt{252a}$에서 $252=2^2\times3^2\times7$이므로 $a=7\times$(자연수)^{2}의 꼴이어야 한다.

즉 $a=7\times1^2, 7\times2^2, 7\times3^2, \cdots$

따라서 가장 작은 자연수 a의 값은 $a=$ ❶

$\sqrt{\dfrac{560}{b}}$에서 $560=2^4\times5\times7$이므로

$b=5\times7\times1^2, 5\times7\times2^2, 5\times7\times2^4$

따라서 가장 작은 자연수 b의 값은 $b=$ ❷

$\therefore a+b=$ ❸

답 ❶ 7 ❷ 35 ❸ 42

05 $\sqrt{A+x}$, $\sqrt{A-x}$의 꼴을 자연수로 만들기

다음 두 조건을 모두 만족하는 a, b에 대하여 $a-b$의 값을 구하시오.

> (가) $\sqrt{81+x}$가 자연수가 되도록 하는 가장 작은 자연수 x의 값은 a이다.
> (나) $\sqrt{34-2x}$가 정수가 되도록 하는 자연수 x의 값은 b개이다.

Tip

(1) $\sqrt{A+x}$(A는 자연수)의 꼴을 자연수로 만들기

➡ A보다 큰 제곱수를 찾은 후 자연수 x의 값을 구한다.

(2) $\sqrt{A-x}$(A는 자연수)의 꼴을 자연수 만들기

➡ A보다 작은 제곱수를 찾은 후 자연수 x의 값을 구한다.

풀이 답 | 16

(가) $\sqrt{81+x}$가 자연수가 되려면 $81+x$가 81보다 큰 제곱수이어야 하므로

$81+x=100, 121, 144, \cdots$

$\therefore x=19$, ❶ [   ], $63, \cdots$

따라서 구하는 가장 작은 자연수 x의 값은 19이므로 $a=19$

(나) $\sqrt{34-2x}$가 정수가 되려면 $34-2x$는 ❷ [   ]

또는 34보다 작은 제곱수이어야 하므로

$34-2x=0, 1, 4, 9, 16, 25$

$\therefore x=17, \frac{33}{2}, 15, \frac{25}{2}$, ❸ [   ], $\frac{9}{2}$

따라서 조건을 만족하는 자연수 x의 값은

9, 15, 17의 3개이다. $\therefore b=3$

$\therefore a-b=19-3=16$

$\sqrt{34-2x}$가 정수가 되어야 하므로 $34-2x$가 0인 경우도 빠뜨리지 않도록 주의!

답 ❶ 40 ❷ 0 ❸ 9

06 제곱근의 대소 관계

다음 중 두 수의 대소 관계가 옳지 않은 것은?

① $-\sqrt{35}>-6$ ② $-\frac{1}{3}<-\sqrt{\frac{1}{8}}$ ③ $\sqrt{0.2}>0.2$

④ $\sqrt{\frac{3}{4}}>\sqrt{\frac{2}{3}}$ ⑤ $-\frac{1}{2}<-\sqrt{\frac{1}{5}}$

Tip

(1) $a>0$, $b>0$일 때

① $a<b$이면 $\sqrt{a}<\sqrt{b}$, $-\sqrt{b}<-\sqrt{a}$

② $\sqrt{a}<\sqrt{b}$이면 $a<b$

(2) a와 $\sqrt{b}$의 대소 비교 (단, $a>0$, $b>0$)

근호가 없는 수를 근호가 있는 수로 바꾸어 비교한다. ➡ $\sqrt{a^2}$과 $\sqrt{b}$의 대소를 비교한다.

3이니까 2보다 크겠지?
흣!
근호를 씌워 봐. 4가 3보다 커!

풀이 답 | ②

① $6=\sqrt{36}$이므로 $-\sqrt{35}>-\sqrt{36}$, 즉 $-\sqrt{35}>-6$

② $\frac{1}{3}=\sqrt{\frac{1}{9}}$이므로 $-\sqrt{\frac{1}{9}}$ ❶ $-\sqrt{\frac{1}{8}}$, 즉 $-\frac{1}{3}>-\sqrt{\frac{1}{8}}$

③ $0.2=\sqrt{0.04}$이고 $\sqrt{0.2}>\sqrt{❷\ \ \ }$이므로 $\sqrt{0.2}>0.2$

④ $\frac{3}{4}=\frac{9}{12}$, $\frac{2}{3}=\frac{❸}{12}$이고 $\sqrt{\frac{9}{12}}>\sqrt{\frac{8}{12}}$이므로 $\sqrt{\frac{3}{4}}>\sqrt{\frac{2}{3}}$

⑤ $\frac{1}{2}=\sqrt{\frac{1}{4}}$이므로 $-\sqrt{\frac{1}{4}}<-\sqrt{\frac{1}{5}}$ $\therefore -\frac{1}{2}<-\sqrt{\frac{1}{5}}$

따라서 옳지 않은 것은 ②이다.

답 ❶ $>$ ❷ 0.04 ❸ 8

07 제곱근의 성질과 대소 관계

$\sqrt{(3-\sqrt{6})^2}+\sqrt{(2-\sqrt{6})^2}$을 간단히 하면?

① $1+2\sqrt{6}$　② 1　③ -1

④ $2\sqrt{6}$　⑤ $-2\sqrt{6}$

근호 안이 문자가 아니라 숫자면 헷갈려.
$A>0$이면 $\sqrt{A^2}=A$, $A<0$이면 $\sqrt{A^2}=-A$이므로 $3-\sqrt{6}$과 $2-\sqrt{6}$의 부호를 확인하면 돼.

Tip

$\sqrt{(a-b)^2}$의 꼴을 간단히 할 때에는 먼저 두 수 a, b의 대소를 비교한다.

(1) $a>b$이면 $a-b>0$이므로 $\sqrt{(a-b)^2}=a-b$

(2) $a<b$이면 $a-b<0$이므로 $\sqrt{(a-b)^2}=-(a-b)$

풀이 답 | ②

$\sqrt{9}>\sqrt{6}$이므로 $3>\sqrt{6}$　$\therefore 3-\sqrt{6}>0$

$\sqrt{4}<\sqrt{6}$이므로 $2<\sqrt{6}$　$\therefore 2-\sqrt{6}<0$

$\therefore \sqrt{(3-\sqrt{6})^2}+\sqrt{(2-\sqrt{6})^2}=(3-\sqrt{6})$ ❶ ☐ $(2-\sqrt{6})$

$=3-\sqrt{6}-2$ ❷ ☐ $\sqrt{6}$

$=$ ❸ ☐

답 ❶ $-$ ❷ $+$ ❸ 1

08 제곱근을 포함한 부등식

다음 두 식을 동시에 만족하는 정수 x는 몇 개인가?

$$3<\sqrt{2x}<4, \qquad \sqrt{10}<x<\sqrt{30}$$

① 1개 ② 2개 ③ 3개 ④ 4개 ⑤ 5개

Tip

제곱근을 포함한 부등식의 각 변이 모두 양수이면 각 변을 제곱해도 부등호의 방향은 바뀌지 않는다.

➡ $a>0$, $b>0$일 때, $a<\sqrt{x}<b$이면 $a^2<x<b^2$

주의 음의 부호가 있을 때에는 음의 부호를 먼저 없앤다.

예 $-3\le-\sqrt{x}<-1$을 만족하는 자연수 x의 개수를 구해 보자.

$-3\le-\sqrt{x}<-1$의 각 변에 -1을 곱하면

$1<\sqrt{x}\le3$

각 변을 제곱하면 $1<x\le9$

따라서 자연수 x는 2, 3, 4, 5, 6, 7, 8, 9의 8개이다.

부등식의 양변에 음수를
곱하면 부등호의 방향이
바뀜에 주의해야 해!

풀이 답 | ①

$3<\sqrt{2x}<4$에서 각 변을 제곱하면 $9<2x<16$

$\therefore \frac{9}{2}<x<$ ❶ ☐

즉 $3<\sqrt{2x}<4$를 만족하는 정수 x는 ❷ ☐, 6, 7

$\sqrt{10}<x<\sqrt{30}$에서 $3<\sqrt{10}<4$, $5<\sqrt{30}<6$이므로

$\sqrt{10}<x<\sqrt{30}$를 만족하는 정수 x는 4, 5

따라서 두 식을 동시에 만족하는 정수 x는 ❸ ☐의 1개이다.

답 ❶ 8 ❷ 5 ❸ 5

09 무리수의 이해

다음 보기에서 옳은 것을 모두 고르시오.

보기
㉠ 근호를 사용하여 나타낸 수는 모두 무리수이다.
㉡ 정수가 아닌 유리수는 유한소수로만 나타낼 수 있다.
㉢ 유리수와 무리수를 더하면 반드시 무리수이다.
㉣ 무리수는 $\frac{b}{a}$의 꼴로 나타낼 수 없다. (단, $a \neq 0$, a, b는 정수)

Tip

소수 { 유한소수 — 유리수; 무한소수 { 순환소수 — 유리수; 순환소수가 아닌 무한소수 — 무리수 } }

① 유리수는 분수 꼴로 나타낼 수 있지만 무리수는 분수 꼴로 나타낼 수 없다.
② 유리수이면서 무리수인 수는 없다.

풀이 답 | ㉢, ㉣

㉠ $\sqrt{4}$는 근호를 사용하여 나타낸 수이지만 $\sqrt{4}=2$이므로 ❶ ______ 수이다.

㉡ $\frac{1}{3}$은 정수가 아닌 유리수이지만 $\frac{1}{3}=0.\dot{3}$ 이므로 순환소수로 나타낼 수 있다.
즉 정수가 아닌 유리수는 유한소수 또는 ❷ ______ 소수로 나타낼 수 있다.

따라서 옳은 것은 ❸ ______, ㉣이다.

주어진 내용에서
거짓인 예가 있는지
확인하면 돼!

답 ❶ 유리 ❷ 순환 ❸ ㉢

10 실수의 분류

다음 흐름도에 따라 각 수를 분류할 때, ㉠, ㉡, ㉢에 오는 수를 구하시오.

$-3.75,\quad \sqrt{9},\quad 3^3,\quad \sqrt{15},\quad \frac{1}{8},\quad 7,\quad 3\sqrt{2},\quad -\sqrt{36}$

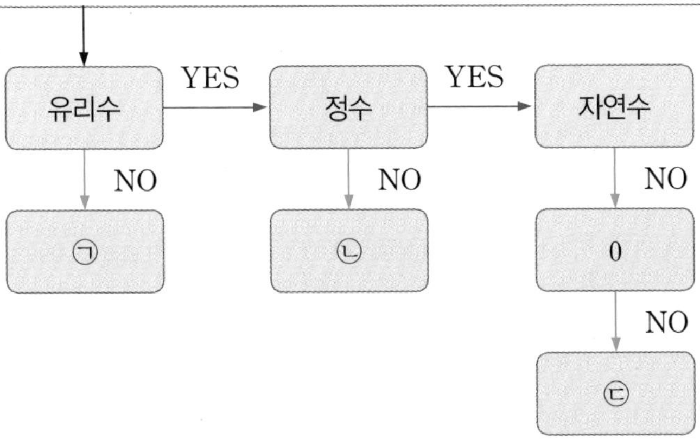

유리수 —YES→ 정수 —YES→ 자연수

유리수 —NO→ ㉠

정수 —NO→ ㉡

자연수 —NO→ 0 —NO→ ㉢

Tip

실수
- 유리수
  - 정수
    - 양의 정수(자연수) : $1, 2, 3, \cdots$
    - 0
    - 음의 정수 : $-1, -2, -3, \cdots$
  - 정수가 아닌 유리수 : $0.5, -\frac{1}{3}, 3.\dot{2}\dot{1}, \cdots$
- 무리수 : $\sqrt{2}, -\sqrt{5}, \pi, \cdots$

풀이 답 | ㉠ $\sqrt{15}, 3\sqrt{2}$ ㉡ $-3.75, \frac{1}{8}$ ㉢ $-\sqrt{36}$

$\sqrt{9}=3,\ 3^3=27,\ -\sqrt{36}=-6$

㉠ 유리수가 아닌 수는 무리수이므로 $\sqrt{15}$, ❶ ____

㉡ 정수가 아닌 유리수이므로 -3.75, ❷ ____

㉢ 음의 정수이므로 ❸ ____

답 ❶ $3\sqrt{2}$ ❷ $\frac{1}{8}$ ❸ $-\sqrt{36}$

11 무리수를 수직선 위에 나타내기

다음 그림은 한 눈금의 길이가 1인 모눈종이 위에 직각삼각형 ABC와 수직선을 그린 것이다. 점 A를 중심으로 하고 $\overline{AC}$를 반지름으로 하는 원을 그려 수직선과 만나는 두 점을 각각 P, Q라 할 때, 다음 중 옳지 않은 것은?

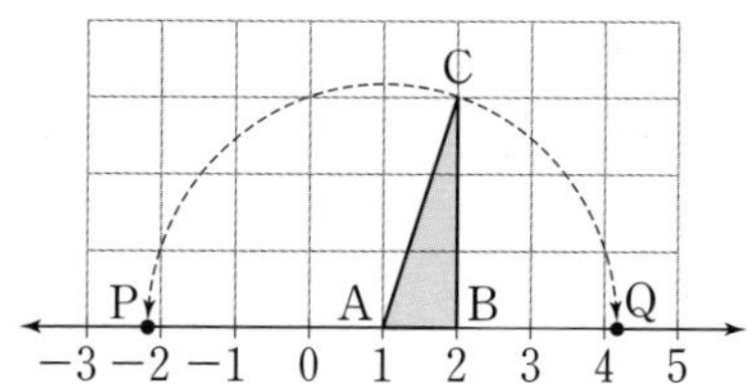

① $\overline{AC}=\sqrt{10}$　② $\overline{AQ}=\sqrt{10}$　③ $P(1-\sqrt{10})$
④ $Q(1+\sqrt{10})$　⑤ $\overline{BQ}=1-\sqrt{10}$

Tip

직각삼각형의 빗변의 길이가 $\sqrt{a}$일 때, 기준점을 중심으로 하고 반지름의 길이가 $\sqrt{a}$인 원을 그려 수직선과 만나는 점을 찾으면 그 점에 대응하는 수는 다음과 같다.

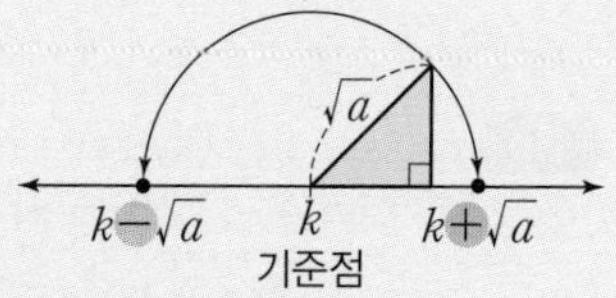

(1) 대응하는 수가 기준점의 오른쪽에 있으면 ➡ (기준점의 좌표)$+\sqrt{a}$
(2) 대응하는 수가 기준점의 왼쪽에 있으면 ➡ (기준점의 좌표)$-\sqrt{a}$

풀이 답 | ⑤

① △ABC에서 $\overline{AC}=\sqrt{1^2+3^2}=\sqrt{10}$
② $\overline{AQ}=\overline{AC}=$ ❶ ____
③, ④ 점 A에 대응하는 수가 1이므로 P(1 ❷ ____ $\sqrt{10}$), $Q(1+\sqrt{10})$
⑤ $\overline{BQ}=\overline{AQ}-\overline{AB}=\sqrt{10}-$ ❸ ____

따라서 옳지 않은 것은 ⑤이다.

답 ❶ $\sqrt{10}$ ❷ $-$ ❸ 1

12 실수와 수직선

다음 중 옳게 말한 학생을 모두 찾으시오.

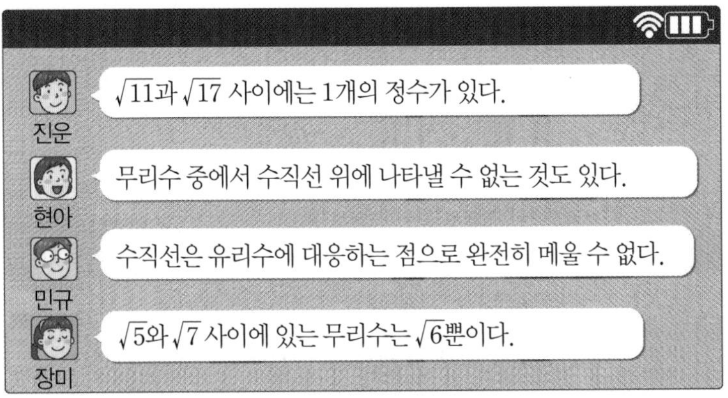
진운
$\sqrt{11}$과 $\sqrt{17}$ 사이에는 1개의 정수가 있다.
현아
무리수 중에서 수직선 위에 나타낼 수 없는 것도 있다.
민규
수직선은 유리수에 대응하는 점으로 완전히 메울 수 없다.
장미
$\sqrt{5}$와 $\sqrt{7}$ 사이에 있는 무리수는 $\sqrt{6}$뿐이다.

Tip

(1) 수직선은 실수에 대응하는 점들로 완전히 메울 수 있다.

➡ 유리수 (또는 무리수)에 대응하는 점만으로는 수직선을 완전히 메울 수 없다.

(2) 한 실수는 수직선 위의 한 점에 대응하고, 수직선 위의 한 점은 한 실수에 대응한다.

(3) 서로 다른 두 실수 사이에는 무수히 많은 실수가 있다.

풀이 답 | 진운, 민규

진운 : $3<\sqrt{11}<4<\sqrt{17}<5$이므로 $\sqrt{11}$과 $\sqrt{17}$ 사이에는 정수 ❶ ______ 가 있다.

현아 : 무리수는 모두 수직선 위에 나타낼 수 있다.

민규 : 수직선은 유리수와 무리수, 즉 ❷ ______ 에 대응하는 점들로 완전히 메워진다. 따라서 수직선은 유리수만으로는 완전히 메울 수 없다.

장미 : $\sqrt{5}$와 $\sqrt{7}$ 사이에는 ❸ ______ 많은 무리수가 있다.

따라서 옳게 말한 학생은 진운, 민규이다.

답 ❶ 4 ❷ 실수 ❸ 무수히

13 실수의 대소 관계

다음 세 실수 a, b, c의 대소 관계를 바르게 나타낸 것은?

$$a=\sqrt{10}-3, \qquad b=\sqrt{6}-3, \qquad c=3$$

① $a<b<c$　② $a<c<b$　③ $b<a<c$
④ $c<a<b$　⑤ $c<b<a$

Tip

누가 더 큰지 비교해 볼까?

$a-b>0$ 이면 $a>b$

$a-b=0$ 이면 $a=b$

$a-b<0$ 이면 $a<b$

풀이 답 | ③

(i) $a-b=(\sqrt{10}-3)-(\sqrt{6}-3)=\sqrt{10}-3-\sqrt{6}+3=\sqrt{10}-\sqrt{6}>0$

　$\therefore a$ ❶ b

(ii) $b-c=(\sqrt{6}-3)-3=\sqrt{6}-6=\sqrt{6}-\sqrt{❷\quad}<0$

　$\therefore b<c$

(iii) $a-c=(\sqrt{10}-3)-3=\sqrt{10}-6=\sqrt{10}-\sqrt{36}<0$

　$\therefore a<c$

(i), (ii), (iii)에서 ❸

답 ❶ $>$ ❷ 36 ❸ $b<a<c$

14 문자를 사용한 제곱근의 표현

$\sqrt{3}=a$, $\sqrt{7}=b$일 때, $\sqrt{252}$를 a, b를 사용하여 나타내면?

① ab　　② $\sqrt{2}ab$　　③ $2ab$
④ $2a^2b$　　⑤ $4a^2b$

Tip

1 근호 안의 수를 소인수분해한다.
2 $\sqrt{a^2b}=a\sqrt{b}$임을 이용하여 근호 안의 제곱인 인수를 근호 밖으로 꺼낸다.
3 주어진 문자로 나타낸다.

근호 안의 식이 소수인
경우에는 분수로 고쳐 생각해.

예 $\sqrt{3}=a$, $\sqrt{7}=b$일 때, $\sqrt{1.47}$을 a, b를 사용하여 나타내면

$$\sqrt{1.47}=\sqrt{\frac{147}{100}}=\frac{\sqrt{147}}{10}=\frac{\sqrt{3\times 7^2}}{10}=\frac{\sqrt{3}\times(\sqrt{7})^2}{10}=\frac{ab^2}{10}$$

풀이 답 | ④

$$\begin{aligned}\sqrt{252}&=\sqrt{2^2\times \boxed{❶\quad}^2\times 7}\\&=\sqrt{2^2}\times\sqrt{\boxed{❷\quad}^2}\times\sqrt{7}\\&=2\times(\boxed{❸\quad})^2\times\sqrt{7}\\&=2a^2b\end{aligned}$$

답 ❶ 3 ❷ 3 ❸ $\sqrt{3}$

15 분모의 유리화

$\dfrac{\sqrt{3}}{4\sqrt{2}}=a\sqrt{6}$, $\dfrac{\sqrt{7}}{\sqrt{18}}=b\sqrt{14}$일 때, $4a+3b$의 값은? (단, a, b는 유리수)

① $\dfrac{1}{6}$ ② $\dfrac{1}{3}$ ③ $\dfrac{1}{2}$ ④ 1 ⑤ $\dfrac{3}{2}$

Tip

$a>0$이고 a, b, c가 유리수일 때

① $\dfrac{b}{\sqrt{a}}=\dfrac{b\times\sqrt{a}}{\sqrt{a}\times\sqrt{a}}=\dfrac{b\sqrt{a}}{a}$

② $\dfrac{\sqrt{b}}{\sqrt{a}}=\dfrac{\sqrt{b}\times\sqrt{a}}{\sqrt{a}\times\sqrt{a}}=\dfrac{\sqrt{ab}}{a}$

③ $\dfrac{c}{b\sqrt{a}}=\dfrac{c\times\sqrt{a}}{b\sqrt{a}\times\sqrt{a}}=\dfrac{c\sqrt{a}}{ab}$

분모를 유리화할 때에는
반드시 분자, 분모에 모두
같은 수를 곱해야 해!

참고 분모가 $\sqrt{a^2b}$의 꼴이면 $\sqrt{a^2b}$를 $a\sqrt{b}$로 바꾼 후, 분모와 분자에 각각 $\sqrt{b}$를 곱하여 분모를 유리화하는 것이 더 편리하다.

풀이 답 | ④

$\dfrac{\sqrt{3}}{4\sqrt{2}}=\dfrac{\sqrt{3}\times\boxed{❶\quad}}{4\sqrt{2}\times\sqrt{2}}=\dfrac{\sqrt{6}}{8}$ $\quad\therefore a=\dfrac{1}{8}$

$\dfrac{\sqrt{7}}{\sqrt{18}}=\dfrac{\sqrt{7}}{\boxed{❷\quad}\sqrt{2}}=\dfrac{\sqrt{7}\times\sqrt{2}}{3\sqrt{2}\times\sqrt{2}}=\dfrac{\sqrt{14}}{6}$ $\quad\therefore b=\dfrac{1}{6}$

$\therefore 4a+3b=4\times\dfrac{1}{8}+3\times\dfrac{1}{6}=\boxed{❸\quad}$

답 ❶ $\sqrt{2}$ ❷ 3 ❸ 1

16 제곱근의 곱셈과 나눗셈의 혼합 계산

다음을 만족하는 유리수 a에 대하여 $7a$의 값은?

$$\frac{24}{\sqrt{15}} \div \sqrt{\frac{12}{5}} \div \frac{\sqrt{7}}{\sqrt{54}} \times \frac{\sqrt{2}}{\sqrt{3}} = a\sqrt{7}$$

① 20 ② 21 ③ 22 ④ 23 ⑤ 24

Tip

1. 나눗셈은 역수의 곱셈으로 고친다.
2. 앞에서부터 차례대로 계산한다.
3. 제곱근의 성질과 분모의 유리화를 이용한다.

풀이 답 | ⑤

$$\frac{24}{\sqrt{15}} \div \sqrt{\frac{12}{5}} \div \frac{\sqrt{7}}{\sqrt{54}} \times \frac{\sqrt{2}}{\sqrt{3}}$$

나눗셈을 역수의 곱셈으로 고친다.

$$= \frac{24}{\sqrt{15}} \times \frac{\sqrt{5}}{\sqrt{12}} \text{ ❶ } \boxed{} \frac{\sqrt{54}}{\sqrt{7}} \times \frac{\sqrt{2}}{\sqrt{3}}$$

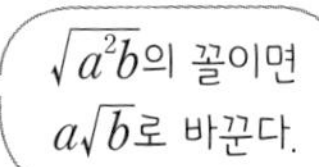

$\sqrt{a^2b}$의 꼴이면
$a\sqrt{b}$로 바꾼다.

$$= \frac{24}{\sqrt{15}} \times \frac{\sqrt{5}}{2\sqrt{3}} \times \frac{\text{❷ } \boxed{}}{\sqrt{7}} \times \frac{\sqrt{2}}{\sqrt{3}}$$

$$= \frac{24}{\sqrt{7}} = \frac{\text{❸ } \boxed{}}{7}$$

분모의 유리화

따라서 $a = \frac{24}{7}$이므로 $7a = 7 \times \frac{24}{7} = 24$

답 ❶ $\times$ ❷ $3\sqrt{6}$ ❸ $24\sqrt{7}$

17 제곱근표에 없는 수의 제곱근의 값

다음 대화를 읽고 물음에 답하시오.

날씨가 맑아서인지
아주 멀리까지 잘 보여요!
아주 맑은 날 높이가 h m인
곳에서 사람의 눈으로 볼 수 있는
최대 거리를 d km라 하면
$d=\sqrt{12.6h}$인 관계가
성립한다는구나!

아주 맑은 날에 높이가 1500 m인 곳에서 볼 수 있는 최대 거리는 몇 km인지 구하시오. (단, $\sqrt{1.89}=1.375$, $\sqrt{18.9}=4.347$로 계산한다.)

Tip

제곱근표에 없는 수의 제곱근의 값을 구할 때에는 근호 안의 수를

$a\times10^n$ 또는 $a\times\frac{1}{10^n}$ (a는 제곱근표에 있는 수, n은 짝수)

의 꼴로 변형한다.

풀이 **답** | 137.5 km

$d=\sqrt{12.6h}$에 $h=1500$을 대입하면

$d=\sqrt{12.6\times1500}=\sqrt{18900}$

$=\sqrt{100^2\times \boxed{❶\quad}}=\boxed{❷\quad}\sqrt{1.89}$

$=100\times1.375=137.5$

따라서 아주 맑은 날에 높이가 1500 m인 곳에서 볼 수 있는 최대 거리는 137.5 km이다.

답 ❶ 1.89 ❷ 100

18 제곱근의 덧셈과 뺄셈

$\sqrt{54}-4\sqrt{20}-\dfrac{\sqrt{10}}{\sqrt{2}}+\dfrac{12}{\sqrt{6}}$를 간단히 하면 $a\sqrt{5}+b\sqrt{6}$일 때, 유리수 a, b에 대하여 $a+b$의 값은?

① -4 ② -2 ③ -1 ④ 2 ⑤ 4

Tip

(1) 제곱근의 덧셈과 뺄셈은 근호 안의 수가 같은 것끼리 묶어서 계산한다.

예 $3\sqrt{2}+2\sqrt{3}+2\sqrt{2}-3\sqrt{3}=(3+2)\sqrt{2}+(2-3)\sqrt{3}$
$=5\sqrt{2}-\sqrt{3}$

(2) 근호 안에 제곱인 인수가 있으면 제곱인 인수를 근호 밖으로 꺼낸 후 계산한다.

예 $3\sqrt{8}+\sqrt{32}$
$=3\times2\sqrt{2}+4\sqrt{2}$
$=6\sqrt{2}+4\sqrt{2}=10\sqrt{2}$

(3) 분모가 무리수이면 분모를 유리화한다.

➡ $b>0$일 때, $\dfrac{a}{\sqrt{b}}=\dfrac{a\times\sqrt{b}}{\sqrt{b}\times\sqrt{b}}=\dfrac{a\sqrt{b}}{b}$

풀이 답 | ①

$\sqrt{54}-4\sqrt{20}-\dfrac{\sqrt{10}}{\sqrt{2}}+\dfrac{12}{\sqrt{6}}=3\sqrt{6}-4\times$ ❶ ☐ $-\sqrt{5}+\dfrac{12\times\sqrt{6}}{\sqrt{6}\times\sqrt{6}}$

$=3\sqrt{6}-$ ❷ ☐ $-\sqrt{5}+2\sqrt{6}$

$=-9\sqrt{5}+$ ❸ ☐ $\sqrt{6}$

따라서 $a=-9$, $b=5$이므로

$a+b=-4$

답 ❶ $2\sqrt{5}$ ❷ $8\sqrt{5}$ ❸ 5

19 분배법칙과 분모의 유리화를 이용한 식의 계산

다음 식을 간단히 하면?

$$\frac{2\sqrt{3}+\sqrt{6}}{\sqrt{2}}-\frac{3\sqrt{2}-2\sqrt{3}}{\sqrt{6}}$$

① $2\sqrt{6}-6\sqrt{2}$ ② $2\sqrt{6}-3\sqrt{2}$ ③ $\sqrt{6}-\sqrt{2}$
④ $\sqrt{6}+\sqrt{2}$ ⑤ $\sqrt{6}+2\sqrt{3}+\sqrt{2}$

Tip

(1) 분배법칙을 이용한 식의 계산

$a>0$, $b>0$, $c>0$일 때

① $\sqrt{a}(\sqrt{b}\pm\sqrt{c})=\sqrt{a}\sqrt{b}\pm\sqrt{a}\sqrt{c}=\sqrt{ab}\pm\sqrt{ac}$ (복호동순)

② $(\sqrt{a}\pm\sqrt{b})\sqrt{c}=\sqrt{a}\sqrt{c}\pm\sqrt{b}\sqrt{c}=\sqrt{ac}\pm\sqrt{bc}$ (복호동순)

(2) 분모의 유리화를 이용한 식의 계산

$a>0$, $b>0$, $c>0$일 때

$$\frac{\sqrt{b}+\sqrt{c}}{\sqrt{a}}=\frac{(\sqrt{b}+\sqrt{c})\times\sqrt{a}}{\sqrt{a}\times\sqrt{a}}=\frac{\sqrt{ab}+\sqrt{ac}}{a}$$

풀이 답 | ④

$$\frac{2\sqrt{3}+\sqrt{6}}{\sqrt{2}}-\frac{3\sqrt{2}-2\sqrt{3}}{\sqrt{6}}=\frac{(2\sqrt{3}+\sqrt{6})\times\sqrt{2}}{\sqrt{2}\times\sqrt{2}}-\frac{(3\sqrt{2}-2\sqrt{3})\times \boxed{❶\quad}}{\sqrt{6}\times\sqrt{6}}$$

$$=\frac{2\sqrt{6}+\sqrt{12}}{2}-\frac{3\sqrt{12}-2\sqrt{18}}{6}$$

$$=\frac{2\sqrt{6}+2\sqrt{3}}{2}-\frac{6\sqrt{3}-\boxed{❷\quad}}{6}$$

$$=\sqrt{6}+\sqrt{3}-\sqrt{3}\,\boxed{❸\quad}\,\sqrt{2}$$

$$=\sqrt{6}+\sqrt{2}$$

답 ❶ $\sqrt{6}$ ❷ $6\sqrt{2}$ ❸ $+$

20 근호를 포함한 식의 혼합 계산

종훈, 수진, 경태는 근호를 포함한 식의 혼합 계산을 연습하기 위해 숫자 카드 네 개 사이에 연산 카드 세 개를 다르게 배치하여 각각 계산 과정을 발표하기로 하였다. 세 학생이 각각 풀어야 하는 식을 쓰고, 간단히 하시오.

3 ① √6 ② √2 ③ √12

	①	②	③
종훈	×	−	÷
수진	÷	−	×
경태	×	÷	−

Tip

곱셈, 나눗셈, 덧셈, 뺄셈이 섞여 있을 때에는 곱셈, 나눗셈을 먼저 계산한 후 근호 안의 수가 같은 것끼리 덧셈, 뺄셈을 계산한다.

풀이 답 | 풀이 참조

종훈 : $3\times\sqrt{6}-\sqrt{2}\div\sqrt{12}=3\sqrt{6}-\frac{1}{\sqrt{6}}=3\sqrt{6}-\frac{\sqrt{6}}{6}=\frac{\boxed{❶\quad}\sqrt{6}}{6}$

수진 : $3\div\sqrt{6}-\sqrt{2}\times\sqrt{12}=\frac{3}{\sqrt{6}}-\sqrt{2}\times\boxed{❷\quad}\sqrt{3}$

$=\frac{\sqrt{6}}{2}-2\sqrt{6}=-\frac{3\sqrt{6}}{2}$

경태 : $3\times\sqrt{6}\div\sqrt{2}-\sqrt{12}=\boxed{❸\quad}\sqrt{3}-2\sqrt{3}=\sqrt{3}$

답 ❶ 17 ❷ 2 ❸ 3

21 근호를 포함한 복잡한 식의 계산

$2\sqrt{72}+\sqrt{2}(5\sqrt{2}-\sqrt{3})-\dfrac{8-4\sqrt{3}}{\sqrt{2}}$을 간단히 하면?

① $4\sqrt{2}+10$ ② $8\sqrt{2}+10+\sqrt{6}$ ③ $12\sqrt{2}+10$

④ $8\sqrt{2}-2\sqrt{6}$ ⑤ $8\sqrt{2}+10-\sqrt{6}$

Tip

1 괄호가 있으면 분배법칙을 이용하여 괄호를 푼다.

2 $\sqrt{a^2b}$의 꼴은 $a\sqrt{b}$의 꼴로 고친다.

3 분모에 무리수가 있으면 분모를 유리화한다.

4 곱셈, 나눗셈을 먼저 계산한 후 근호 안의 수가 같은 것끼리 덧셈, 뺄셈을 계산한다.

풀이 답 | ②

$2\sqrt{72}+\sqrt{2}(5\sqrt{2}-\sqrt{3})-\dfrac{8-4\sqrt{3}}{\sqrt{2}}$

$=2\times$ ❶ $\boxed{}\sqrt{2}+10-\sqrt{6}-\dfrac{(8-4\sqrt{3})\times\sqrt{2}}{\sqrt{2}\times\sqrt{2}}$

$=$ ❷ $\boxed{}\sqrt{2}+10-\sqrt{6}-\dfrac{8\sqrt{2}-4\sqrt{6}}{2}$

$=12\sqrt{2}+10-\sqrt{6}-4\sqrt{2}+$ ❸ $\boxed{}$

$=\underline{8\sqrt{2}+10+\sqrt{6}}$

나는 근호 밖으로!
√a²b=a√b

우리부터 계산해.
×, ÷ 다음은 우리 차례야.

근호 안의 수가 다르므로 더 이상 계산할 수 없어!

답 ❶ 6 ❷ 12 ❸ $2\sqrt{6}$

22 무리수의 정수 부분과 소수 부분

$5-\sqrt{3}$의 정수 부분을 a, $\sqrt{24}-3$의 소수 부분을 b라 할 때, $a+b$의 값은?

① $2\sqrt{6}-3$　② $2\sqrt{6}-1$　③ $2\sqrt{6}+1$
④ $2\sqrt{3}-3$　⑤ $2\sqrt{3}-1$

Tip

무리수 $\sqrt{a}$에 대하여 $n<\sqrt{a}<n+1$($n\geq 0$인 정수)이면
(1) $\sqrt{a}$의 정수 부분 ➡ n　(2) $\sqrt{a}$의 소수 부분 ➡ $\sqrt{a}-n$

그럼 이제
√2의 소수 부분을
구해 볼까?
정수 부분은
1이요!
1<2<4 이므로 √1 < √2 < √4
∴ 1<√2<2
따라서 √2는 1과 2 사이의 수이므로
정수 부분은 1이다.

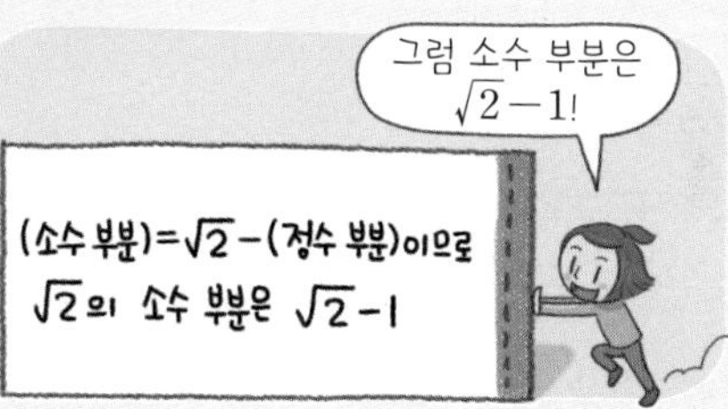

그럼 소수 부분은
√2−1!
(소수 부분)=√2−(정수 부분)이므로
√2의 소수 부분은 √2−1

풀이 답 | ②

$1<\sqrt{3}<2$에서 $-2<-\sqrt{3}<-1$이므로 $3<5-\sqrt{3}<4$　$\therefore a=$ ❶ [　　]
$4<\sqrt{24}<5$에서 $1<\sqrt{24}-3<2$
이때 $\sqrt{24}-3$의 정수 부분이 1이므로 소수 부분은
$b=(\sqrt{24}-3)-$ ❷ [　　] $=\sqrt{24}-4=$ ❸ [　　] -4
$\therefore a+b=3+(2\sqrt{6}-4)=2\sqrt{6}-1$

답 ❶ 3 ❷ 1 ❸ $2\sqrt{6}$

23 곱셈 공식

$(3x-2)^2-(2x+5)(-x+1)=ax^2+bx+c$일 때, $a-b+c$의 값은?

(단, a, b, c는 상수)

① 1 ② 5 ③ 10 ④ 15 ⑤ 19

Tip

곱셈 공식

(1) $(a+b)^2=a^2+2ab+b^2$ ⬅ 합의 제곱

(2) $(a-b)^2=a^2-2ab+b^2$ ⬅ 차의 제곱

(3) $(a+b)(a-b)=a^2-b^2$ ⬅ 합과 차의 곱

(4) $(x+a)(x+b)=x^2+(a+b)x+ab$

(5) $(ax+b)(cx+d)=acx^2+(ad+bc)x+bd$

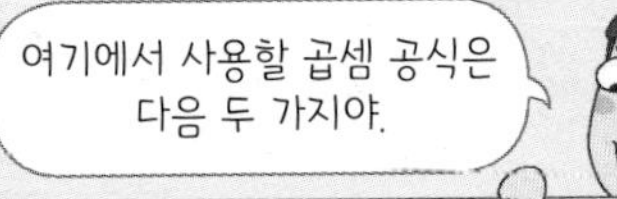

여기에서 사용할 곱셈 공식은
다음 두 가지야.

- $(a-b)^2=a^2-2ab+b^2$
- $(ax+b)(cx+d)=acx^2+(ad+bc)x+bd$

풀이 답 | ⑤

$(3x-2)^2-(2x+5)(-x+1)$

$=9x^2-$ ❶ $x+4-(-2x^2-3x+5)$

$=9x^2-12x+4+2x^2+3x-$ ❷

$=11x^2-9x-$ ❸

따라서 $a=11$, $b=-9$, $c=-1$이므로

$a-b+c=11-(-9)+(-1)=19$

답 ❶ 12 ❷ 5 ❸ 1

24 곱셈 공식과 도형의 넓이

다음 그림에서 스웨덴 국기의 파란색 부분의 넓이를 a의 식으로 나타내시오.

Tip

노란 십자 모양을 한쪽으로 이동시킨 후 생각한다.

풀이 답 | $40a^2-26a+4$

노란 십자 모양으로 나누어진 네 직사각형을 붙이면 오른쪽 그림과 같은 직사각형이 된다. 이때 노란 십자 모양을 제외한 파란색 부분은 가로의 길이가 $8a-2$, 세로의 길이가 $5a-$ ❶ ☐ 인 직사각형이다.

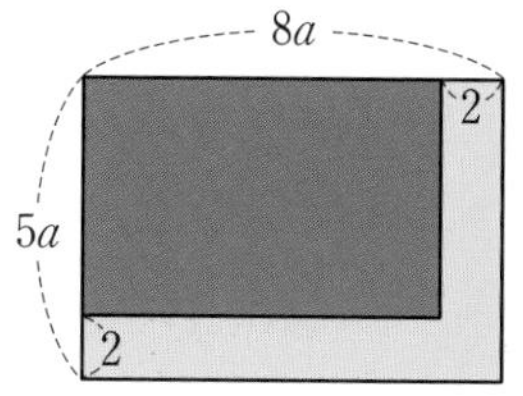

∴ (파란색 부분의 넓이)$=(8a-2)(5a-$ ❷ ☐ $)$

$=40a^2+(-16-10)a+4$

$=40a^2-$ ❸ ☐ $a+4$

답 ❶ 2 ❷ 2 ❸ 26

25 연속한 합과 차의 곱

다음 등식에서 □ 안에 알맞은 수는?

$$(a-1)(a+1)(a^2+1)(a^4+1)(a^8+1)=a^{\square}-1$$

① 2　　② 4　　③ 6　　④ 8　　⑤ 16

Tip

예 $(a-b)(a+b)(a^2+b^2)$
$=(a^2-b^2)(a^2+b^2)$
$=a^4-b^4$

풀이 답 | ⑤

$(a-1)(a+1)(a^2+1)(a^4+1)(a^8+1)$
$=(a^2-1)(a^2+1)(a^4+1)(a^8+1)$
$=(a^4-$ ❶ $)(a^4+1)(a^8+1)$
$=(a^8-$ ❷ $)(a^8+1)$
$=$ ❸
$\therefore \square=16$

답 ❶ 1 ❷ 1 ❸ $a^{16}-1$

26 곱셈 공식을 이용한 수의 계산

다음 중 주어진 수의 계산을 가장 편리하게 하기 위하여 이용하는 곱셈 공식의 연결이 옳지 않은 것은?

① 502^2 ➡ $(a+b)^2=a^2+2ab+b^2$

② 9.8^2 ➡ $(a-b)^2=a^2-2ab+b^2$

③ 105×98 ➡ $(a+b)(a-b)=a^2-b^2$

④ 6.1×6.3 ➡ $(x+a)(x+b)=x^2+(a+b)x+ab$

⑤ 298×302 ➡ $(a+b)(a-b)=a^2-b^2$

Tip

(1) 수의 제곱의 계산

➡ $(a+b)^2=a^2+2ab+b^2$ 또는

$(a-b)^2=a^2-2ab+b^2$을 이용한다.

(2) 두 수의 곱의 계산

➡ $(a+b)(a-b)=a^2-b^2$ 또는

$(x+a)(x+b)=x^2+(a+b)x+ab$를 이용한다.

주어진 수가 정수이면 10의 배수를, 주어진 수가 소수이면 정수를 기준으로 하여 곱셈 공식을 이용해.

풀이 답 | ③

① $502^2=(500+2)^2$ ➡ $(a+b)^2=a^2+2ab+b^2$

② $9.8^2=(10-$ ❶ $\square)^2$ ➡ $(a-b)^2=a^2-2ab+b^2$

③ $105\times98=(100+5)(100-2)$ ➡ $(x+a)(x+b)=x^2+(a+b)x+ab$

④ $6.1\times6.3=(6+0.1)(6+$ ❷ $\square)$

➡ $(x+a)(x+b)=x^2+(a+b)x+ab$

⑤ $298\times302=(300-2)(300+$ ❸ $\square)$ ➡ $(a+b)(a-b)=a^2-b^2$

따라서 옳지 않은 것은 ③이다.

답 ❶ 0.2 ❷ 0.3 ❸ 2

27 곱셈 공식을 이용한 분모의 유리화

$\frac{2-\sqrt{3}}{2+\sqrt{3}}+\frac{\sqrt{3}}{2-\sqrt{3}}$을 계산하면 $a+b\sqrt{3}$일 때, 유리수 a, b에 대하여 $a+b$의 값은?

① -8 ② -4 ③ 4 ④ 8 ⑤ 12

Tip

분모가 2개의 항으로 되어 있는 무리수일 때
➡ $(a+b)(a-b)=a^2-b^2$을 이용하여 분모를 유리화한다.

분모	분자, 분모에 곱하는 수
$a+\sqrt{b}$	$a-\sqrt{b}$
$a-\sqrt{b}$	$a+\sqrt{b}$
$\sqrt{a}+\sqrt{b}$	$\sqrt{a}-\sqrt{b}$
$\sqrt{a}-\sqrt{b}$	$\sqrt{a}+\sqrt{b}$

부호 반대

풀이 답 | ④

$\frac{2-\sqrt{3}}{2+\sqrt{3}}+\frac{\sqrt{3}}{2-\sqrt{3}}$

$=\frac{(2-\sqrt{3})^2}{(2+\sqrt{3})(2-\sqrt{3})}+\frac{\sqrt{3}(2+\sqrt{3})}{(2-\sqrt{3})(2+\sqrt{3})}$

$=\frac{4-\boxed{❶\quad}\sqrt{3}+3}{4-3}+\frac{2\sqrt{3}+3}{4-3}$

$(2-\sqrt{3})^2$은 $a=2, b=\sqrt{3}$으로 생각하고 곱셈 공식을 적용해 봐.

$=7-4\sqrt{3}+2\sqrt{3}+3$

$=10-\boxed{❷\quad}\sqrt{3}$

따라서 $a=\boxed{❸\quad}$, $b=-2$이므로

$a+b=10+(-2)=8$

$(2+\sqrt{3})(2-\sqrt{3})$은 $a=2, b=\sqrt{3}$으로 생각하고 곱셈 공식을 적용해 봐.

답 ❶ 4 ❷ 2 ❸ 10

28 공통부분이 있는 식의 전개

$(x+y-2)(x-y+2)$를 전개하면?

① x^2+y^2+2y-4
② x^2+y^2-2y+4
③ x^2+y^2+4y-4
④ x^2-y^2+4y+4
⑤ x^2-y^2+4y-4

Tip

공통부분이 있는 식의 전개는 다음과 같은 순서로 한다.

1 공통부분을 한 문자로 놓는다.
2 곱셈 공식을 이용하여 전개한다.
3 2의 식에 원래의 식을 대입하여 정리한다.

풀이 답 | ⑤

$(x+y-2)(\underline{x-y+2})=(x+y-2)\{\underline{x-(y-2)}\}$

음의 부호를 이용해 묶는다.

$y-2=A$로 놓으면

(주어진 식)$=(x+A)(x-A)$

$=x^2-$ ❶ $\square^2$

$=x^2-($ ❷ $\square)^2$

$=x^2-(y^2-4y+4)$

$=x^2-y^2+$ ❸ $\square$

한 문자로 놓지 않고 직접 전개해도 같은 답이 나와. 그러나 한 문자로 놓으면 실수를 줄이고 보다 쉽게 풀 수 있어!

답 ❶ A ❷ $y-2$ ❸ $4y-4$

29 (   )(   )(   )(   )의 전개

$(x+1)(x+3)(x+5)(x+7)$의 전개식에서 x^2의 계수를 a, x의 계수를 b라 할 때, $b-a$의 값은?

① 86 ② 90 ③ 92 ④ 94 ⑤ 96

Tip

네 개의 일차식의 곱은 다음과 같은 순서로 구한다.

1 공통부분이 나오도록 두 개씩 짝을 지어 전개한다.

2 공통부분을 한 문자로 놓고 전개한다.

참고 $(x+a)(x+b)(x+c)(x+d)$에서 상수항의 합 또는 곱이 같아지도록 일차식을 두 개씩 짝 지어야 공통부분이 생긴다.

풀이 답 | ②

$(x+1)(x+3)(x+5)(x+7)$

$=\{(x+1)(x+7)\}\{(x+3)(x+5)\}$

$=(x^2+8x+7)(x^2+8x+15)$

상수항이 합이 같아
지도록 짝 지어야
공통부분이 생겨.

$x^2+8x=A$로 놓으면

(주어진 식)$=(A+7)(A+15)$

$=A^2+22A+105$

$=(x^2+8x)^2+22($❶ $\boxed{\quad\quad}$$)+105$

$=x^4+16x^3+64x^2+22x^2+176x+105$

$=x^4+16x^3+$❷ $\boxed{\quad\quad}$ $x^2+176x+105$

따라서 $a=86$, $b=$❸ $\boxed{\quad\quad}$ 이므로

$b-a=176-86=90$

답 ❶ x^2+8x ❷ 86 ❸ 176

30 곱셈 공식을 이용한 식의 값

$x=4+\sqrt{7}$일 때, x^2-8x+5의 값은?

① -6 ② -4 ③ -2 ④ 2 ⑤ 4

Tip

$x=a\pm\sqrt{b}$의 값이 주어진 경우 식의 값 구하기

방법 1 x의 값을 직접 대입하여 식의 값을 구한다.

방법 2 $x=a\pm\sqrt{b}$를 $x-a=\pm\sqrt{b}$로 변형한 후 양변을 제곱하여 정리한다.

풀이 답 | ②

방법 1

$x=4+\sqrt{7}$을 x^2-8x+5에 대입하면

$$\begin{aligned}x^2-8x+5&=(4+\sqrt{7})^2-8(4+\sqrt{7})+5\\&=16+8\sqrt{7}+7-32-8\sqrt{7}+5\\&=-4\end{aligned}$$

방법 2

$x=4+\sqrt{7}$에서 $x-4=\sqrt{7}$

양변을 제곱하면 $(x-4)^2=(\sqrt{7})^2$

x^2-8x+ ❶ $\square$ $=7$ $\therefore x^2-8x=$ ❷ $\square$

$\therefore x^2-8x+5=$ ❸ $\square$ $+5=-4$

방법 1 은 계산이 복잡하니
방법 2 를 기억해 두자.

답 ❶ 16 ❷ -9 ❸ -9

31 곱셈 공식의 변형 (1)

$a+b=-2$, $(a-b)^2=6$일 때, 다음 식의 값을 구하시오.

(1) ab (2) a^2+b^2 (3) $\frac{b}{a}+\frac{a}{b}$

Tip

(1) $a^2+b^2=(a+b)^2-2ab=(a-b)^2+2ab$

(2) $(a-b)^2=(a+b)^2-4ab$

(3) $(a+b)^2=(a-b)^2+4ab$

풀이 답 | (1) $-\frac{1}{2}$ (2) 5 (3) -10

(1) $(a+b)^2=(a-b)^2+4ab$이므로

$(-2)^2=6+4ab$

$4ab=$ ❶ $\therefore ab=-\frac{1}{2}$

(2) $a^2+b^2=(a+b)^2-$ ❷ ab

$=(-2)^2-2\times\left(-\frac{1}{2}\right)$

$=5$

(3) $\frac{b}{a}+\frac{a}{b}=\frac{❸}{ab}$

$=5\div\left(-\frac{1}{2}\right)$

$=5\times(-2)$

$=-10$

$(a+b)^2$
$=(a-b)^2+4ab$
+가 −가 됐네!
+4ab도 생겼어!

답 ❶ -2 ❷ 2 ❸ a^2+b^2

32 곱셈 공식의 변형 (2)

$x+\frac{1}{x}=4$일 때, 다음 식의 값을 구하시오.

(1) $x^2+\frac{1}{x^2}$ (2) $\left(x-\frac{1}{x}\right)^2$ (3) $x^4+\frac{1}{x^4}$

Tip

$x+\frac{1}{x}$ 또는 $x-\frac{1}{x}$의 값이 주어질 때

(1) $x^2+\frac{1}{x^2}=\left(x+\frac{1}{x}\right)^2-2=\left(x-\frac{1}{x}\right)^2+2$

(2) $\left(x+\frac{1}{x}\right)^2=\left(x-\frac{1}{x}\right)^2+4$

(3) $\left(x-\frac{1}{x}\right)^2=\left(x+\frac{1}{x}\right)^2-4$

곱셈 공식의 변형 (1)에서 $a=x, b=\frac{1}{x}$인 경우야.

풀이 **답|** (1) 14 (2) 12 (3) 194

(1) $x^2+\frac{1}{x^2}=\left(x+\frac{1}{x}\right)^2-$ ❶ ____

$=4^2-2=14$

(2) $\left(x-\frac{1}{x}\right)^2=\left(x+\frac{1}{x}\right)^2-$ ❷ ____

$=4^2-4=12$

(3) $x^4+\frac{1}{x^4}=\left(x^2+\frac{1}{x^2}\right)^2-2$

$=14^2-2=$ ❸ ____

답 ❶ 2 ❷ 4 ❸ 194

33 곱셈 공식의 활용

다음 두 학생의 대화를 읽고 물음에 답하시오.

$4^2-2^2=12$,
$6^2-4^2=20$,
$8^2-6^2=28$, …
연속하는 두 짝수의 제곱의 차를 생각해 보고 있어.
계산 결과가
12, 20, 28, …
이렇게 4의 배수가 되는데 계속해 봐도 4의 배수가 나올까?

(1) n이 자연수일 때, 연속하는 두 짝수를 n을 사용하여 나타내시오.

(2) 연속하는 두 짝수의 제곱의 차는 4의 배수임을 곱셈 공식을 이용하여 설명하시오.

Tip

(1) 짝수는 2의 배수이다.

(2) 연속하는 두 짝수는 x, $x+2$(x는 짝수)로 놓을 수 있다.

풀이 **답 |** (1) $2n$, $2n+2$ (2) 풀이 참조

(1) 연속하는 두 짝수를 n을 사용하여 나타내면 $2n$, $2n+$ ❶ [ ] 이다.

(2) $(2n+2)^2-(2n)^2=4n^2+8n+4-$ ❷ [ ]

$=8n+4$

$=$ ❸ [ ] $(2n+1)$

따라서 연속하는 두 짝수의 제곱의 차는 4의 배수이다.

답 ❶ 2 ❷ $4n^2$ ❸ 4

34 공통인수를 이용한 인수분해

다음 보기에서 $xy(3x-6y)-xy(y-2x)$의 인수가 아닌 것을 모두 고른 것은?

보기

㉠ x	㉡ y	㉢ xy
㉣ $3x-6y$	㉤ $x(5x-7y)$	㉥ $y(y-2x)$

① ㉠, ㉡　② ㉠, ㉣　③ ㉡, ㉢
④ ㉢, ㉣　⑤ ㉣, ㉥

Tip

다항식에 공통인수가 있을 때에는 분배법칙을 이용하여 공통인수를 묶어 내어 인수분해한다.

➡ $ma+mb-mc=m(a+b-c)$

참고 공통인수로 묶을 때에는 수는 최대공약수로, 문자는 차수가 낮은 것으로 묶는다.

풀이 답 | ⑤

$xy(3x-6y)-xy(y-2x)$

$=xy\{(3x-6y)-(y-2x)\}$

$=xy(5x-$ ❶ $\square$ $)$

따라서 주어진 다항식의 인수는

x, y, $5x-7y$, ❷ $\square$, $x(5x-7y)$, $y(5x-7y)$,

❸ $\square$ $(5x-7y)$

이므로 인수가 아닌 것은 ㉣, ㉥이다.

x, y, $5x-7y$뿐만 아니라 이들 인수끼리의 곱도 인수야.

답 ❶ $7y$ ❷ xy ❸ xy

35 인수분해 공식

다음 중 인수분해가 바르게 된 것을 모두 고르면? (정답 2개)

① $4x^2-25y^2=(2x-5y)^2$

② $6x^2+x-2=(3x+2)(2x+1)$

③ $3x^2-xy-10y^2=(3x+5y)(x-2y)$

④ $x^3-4x=x(x+2)(x-2)$

⑤ $2x^2-4x-30=2(x+5)(x-3)$

Tip

인수분해 공식

① $a^2+2ab+b^2=(a+b)^2$

$a^2-2ab+b^2=(a-b)^2$

② $a^2-b^2=(a+b)(a-b)$

③ $x^2+(a+b)x+ab=(x+a)(x+b)$

④ $acx^2+(ad+bc)x+bd$

$=(ax+b)(cx+d)$

풀이 답 | ③, ④

① $4x^2-25y^2=(2x+5y)(2x-5y)$

② $6x^2+x-2=(3x+2)(2x-$ ❶ $)$

③ $3x^2-xy-10y^2=(3x+$ ❷ $y)(x-2y)$

④ $x^3-4x=$ ❸ $(x^2-4)=x(x+2)(x-2)$

⑤ $2x^2-4x-30=2(x^2-2x-15)=2(x-5)(x+3)$

따라서 바르게 인수분해한 것은 ③, ④이다.

답 ❶ 1 ❷ 5 ❸ x

36 완전제곱식이 되도록 하는 미지수의 값 구하기

다음 식이 모두 완전제곱식이 되도록 할 때, $\blacksquare$ 안에 알맞은 양수 중 가장 큰 것은?

① $a^2+6a+\blacksquare$　　② $a^2+\blacksquare a+1$

③ $\blacksquare x^2-16x+4$　　④ $9y^2+\blacksquare y+\frac{1}{9}$

⑤ $4x^2+\blacksquare xy+25y^2$

Tip

(1) $x^2+ax+\blacksquare$가 완전제곱식이 되려면 ➡ $\blacksquare=\left(\frac{a}{2}\right)^2$

(2) $x^2+\blacksquare x+b^2$이 완전제곱식이 되려면 ➡ $\blacksquare=\pm 2b$

(3) $(ax)^2+\blacksquare x+b^2$이 완전제곱식이 되려면 ➡ $\blacksquare=\pm 2ab$

풀이 답 | ⑤

① $\blacksquare=\left(\frac{6}{2}\right)^2=9$

② $1=1^2$이므로 $\blacksquare=\pm 2\times 1=\pm 2$　　$\therefore \blacksquare=2(\because \blacksquare>0)$

③ $\blacksquare x^2=(\sqrt{\blacksquare}x)^2$, $4=2^2$이므로 $-16x=-2\times\sqrt{\blacksquare}x\times 2=-4\sqrt{\blacksquare}x$

$\sqrt{\blacksquare}=4$　　$\therefore \blacksquare=16$

④ $9y^2=(3y)^2$, $\frac{1}{9}=\left(\frac{1}{3}\right)^2$이므로 $\blacksquare y=\pm 2\times 3y\times$ ❶ $\square$ $=\pm 2y$

$\therefore \blacksquare=2(\because \blacksquare>0)$

⑤ $4x^2=(2x)^2$, $25y^2=$ ❷ $\square$ 이므로 $\blacksquare xy=\pm 2\times 2x\times$ ❸ $\square$ $=\pm 20xy$

$\therefore \blacksquare=20(\because \blacksquare>0)$

따라서 $\blacksquare$ 안에 알맞은 양수 중 가장 큰 것은 ⑤이다.

답 ❶ $\frac{1}{3}$ ❷ $(5y)^2$ ❸ $5y$

37 근호 안이 완전제곱식으로 인수분해되는 식

$-1<x<5$일 때, $\sqrt{x^2-10x+25}+\sqrt{x^2+2x+1}$을 간단히 하면?

① -4　② 2　③ 6　④ $-2x+4$　⑤ $2x-4$

Tip

근호 안의 식을 완전제곱식으로 인수분해한 후 부호에 주의하여 근호를 없앤다.

➡ $\sqrt{A^2}=\begin{cases} A\ (A\geq 0) \\ -A\ (A<0) \end{cases}$

모자를 벗기 전에
A의 값의 범위를 생각해 봐.
A≥0이면 그냥 A,
A<0이면 −A!

풀이 답 | ③

$\sqrt{x^2-10x+25}+\sqrt{x^2+2x+1}$

$=\sqrt{(x-5)^2}+\sqrt{(x+1)^2}$

이때 $-1<x<5$에서 $x+1$ ❶ ☐ 0, $x-5<0$이므로

(주어진 식)$=-(x-5)$ ❷ ☐ $(x+1)$

$=-x+5+x+1$

$=$ ❸ ☐

√ 안이 완전제곱식이
되도록 먼저
인수분해를 해 봐.

답 ❶ $>$ ❷ $+$ ❸ 6

38 인수가 주어진 이차식의 미지수의 값 구하기

두 다항식 x^2+8x+a, $3x^2+bx-4$의 공통인수가 $x-2$일 때, 상수 a, b에 대하여 $a-b$의 값은?

① -24　② -16　③ -12
④ -10　⑤ -8

Tip

이차식 ax^2+bx+c가 일차식 $mx+n$을 인수로 가진다.
➡ $ax^2+bx+c=\underbrace{(mx+n)}_{\text{주어진 인수}}\underbrace{(●x+▲)}_{\text{다른 한 인수}}$로 놓을 수 있다.

B가 A의 인수라고 하면 A는 B로 나누어떨어진다는 뜻이야. 즉 $A=B\times$(몫)으로 나타낼 수 있지.

풀이 답 | ②

$x^2+8x+a=(x-2)(x+m)$ (m은 상수)으로 놓으면

$-2+m=8$, $-2m=a$

$\therefore m=10$, $a=$ ❶ ☐

$3x^2+bx-4=(x-2)($❷ ☐ $x+n)$ (n은 상수)으로 놓으면

$n-$ ❸ ☐ $=b$, $-2n=-4$

$\therefore n=2$, $b=-4$

$\therefore a-b=-20-(-4)=-16$

답 ❶ -20 ❷ 3 ❸ 6

39 계수 또는 상수항을 잘못 보고 푼 경우

다음 두 학생의 대화를 읽고, 시험 문제에 주어진 x^2의 계수가 1인 이차식을 바르게 인수분해하시오.

이번 시험의 인수분해 문제에서 x의 계수를 잘못 보고 $(x-1)(x-4)$로 인수분해해 버렸어.
나는 상수항을 잘못 보고 $(x-1)(x+5)$로 인수분해했어.
성하
준서

Tip

잘못 본 수를 제외한 나머지 값은 세대로 본 것이므로

(i) x의 계수를 잘못 본 경우 ➡ x^2+ax+b

잘못 본 수 ← a, b → 제대로 본 수

(ii) 상수항을 잘못 본 경우 ➡ x^2+cx+d

제대로 본 수 ← c, d → 잘못 본 수

따라서 처음 이차식은 x^2+cx+b이다.

풀이 답 | $(x+2)^2$

성하가 인수분해한 식을 전개하면 $(x-1)(x-4)=x^2-5x+4$

성하는 상수항은 제대로 보았으므로 처음 이차식의 상수항은 ❶ ☐ 이다.

준서가 인수분해한 식을 전개하면 $(x-1)(x+5)=x^2+4x-5$

준서는 x의 계수는 제대로 보았으므로 처음 이차식의 x의계수는 ❷ ☐ 이다.

따라서 처음 이차식은 x^2+4x+4이고

이 식을 인수분해하면 $x^2+4x+4=(x+$ ❸ ☐ $)^2$

답 ❶ 4 ❷ 4 ❸ 2

40 도형을 이용한 인수분해 공식

다음 그림의 모든 직사각형을 겹치지 않게 이어 붙여 새로운 직사각형을 만들 때, 새로운 직사각형의 가로의 길이와 세로의 길이의 합을 구하시오.

Tip

1 주어진 모든 직사각형의 넓이의 합을 이차식으로 나타낸다.

2 1에서 구한 식을 인수분해한다.

풀이 답 | $2x+4$

새로운 직사각형의 넓이는 8개의 직사각형의 넓이의 합과 같으므로

$x^2+x+x+x+x+1+1+1$

$=x^2+4x+3=(x+1)(x+$ ❶ $)$

따라서 새로운 직사각형의 가로의 길이와 세로의 길이는 각각 $x+1$, $x+3$ 또는 $x+3$, ❷ 이므로 구하는 합은

$(x+1)+(x+3)=$ ❸

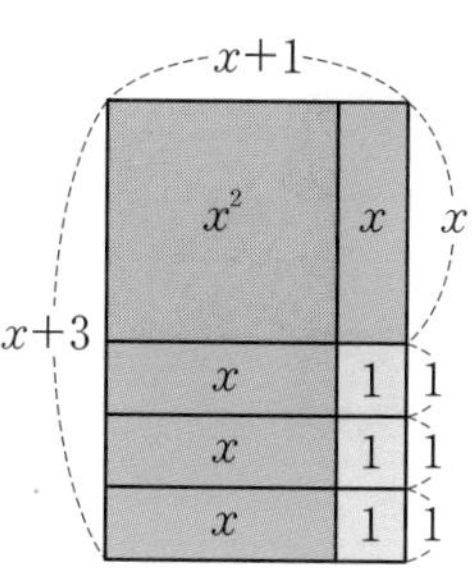

답 ❶ 3 ❷ $x+1$ ❸ $2x+4$

41 공통부분이 있는 경우의 인수분해

다항식 $(x+4)^2-2(x+4)y-15y^2$을 인수분해하면?

① $(x+y+4)(x-3y+4)$ ② $(x-5y+4)(x+3y+4)$

③ $(x+5y+4)(x-4y+4)$ ④ $(x-6y+4)(x+3y+4)$

⑤ $(x+6y+4)(x-4y+4)$

Tip

공통부분이 있는 식의 인수분해는 다음과 같은 순서로 한다.

1 공통부분을 한 문자 A로 놓는다.

2 인수분해 공식을 이용하여 인수분해한다.

3 2의 식의 A에 원래의 식을 대입하여 정리한다.

풀이 답 | ②

$x+4=A$로 놓으면

$$
\begin{aligned}
(x+4)^2-2(x+4)y-15y^2 &= A^2-2Ay-15y^2 \\
&= (A-5y)(A+\boxed{❶\quad}) \\
&= (x+4-5y)(\boxed{❷\quad}+3y) \\
&= (x-5y+4)(\boxed{❸\quad})
\end{aligned}
$$

답을 쓸 때, $(A-5y)(A+3y)$로 써서 종종 틀렸어.

공통부분을 한 문자로 놓고 인수분해한 후에는 반드시 원래의 식을 대입해야 돼.

답 ❶ $3y$ ❷ $x+4$ ❸ $x+3y+4$

42 항이 4개인 경우의 인수분해 - 두 항씩 묶기

다음 중 $a^3+b-a-a^2b$의 인수가 아닌 것은?

① $a-1$　　② $a+1$　　③ $a-b$

④ $a+b$　　⑤ a^2-1

Tip

공통부분이 생기도록 2개씩 항을 묶어 인수분해한다.

예 $x^2-x-y^2+y=x^2-y^2-x+y$

$=(x+y)(x-y)-(x-y)$

(공통으로 들어 있는 인수)

$=(x-y)(x+y-1)$

풀이 답 | ④

$a^3+b-a-a^2b=a^3-a^2b+b-a$

$=a^2(a-b)$ ❶ $\boxed{}$ $(a-b)$

$=(a-b)(a^2-$ ❷ $\boxed{})$

$=(a-b)(a+1)($ ❸ $\boxed{})$

따라서 주어진 다항식의 인수가 아닌 것은 ④ $a+b$이다.

참고 $a^3+b-a-a^2b$의 인수는 다음과 같다.

$a-b$, $a+1$, $a-1$, $(a-b)(a+1)$, $(a-b)(a-1)$, $\underbrace{(a+1)(a-1)}_{a^2-1}$,
$(a-b)(a+1)(a-1)$

답 ❶ $-$ ❷ 1 ❸ $a-1$

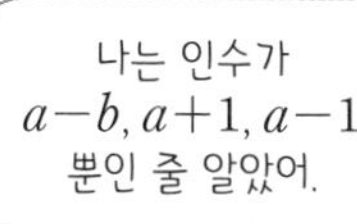

나는 인수가
a−b, a+1, a−1
뿐인 줄 알았어.

그 뿐 아니라
이들 인수끼리의
곱도 인수야.

43 항이 4개인 경우의 인수분해 - A^2-B^2의 꼴

다음 중 $9x^2+4y^2-12xy-36$의 인수인 것은?

① $3x+6$ ② $3x+2y-6$ ③ $3x-2y-6$

④ $3x+6y-2$ ⑤ $3x-6y-2$

Tip

항 4개 중 3개가 완전제곱식으로 인수분해될 때에는 A^2-B^2의 꼴로 변형하여 인수분해한다.

예 x^2+6x-y^2+9

$=(x^2+6x+9)-y^2$ ← (3항)+(1항)으로 묶기

$=(x+3)^2-y^2$ ← $(\quad)^2-(\quad)^2$의 꼴로 만들기

$=(x+3+y)(x+3-y)$ ← 인수분해

(1항)+(3항) 또는 (3항)+(1항)으로 묶으면 보통 (3항)은 완전제곱식이 돼!

풀이 답 | ③

$9x^2+4y^2-12xy-36$

$=(9x^2-12xy+4y^2)-36$

$=(3x-$ ❶ $\boxed{}\,y)^2-$ ❷ $\boxed{}^2$

$=(3x-2y+6)(3x-2y$ ❸ $\boxed{}\,6)$

따라서 주어진 다항식의 인수인 것은 ③이다.

답 ❶ 2 ❷ 6 ❸ $-$

44 인수분해를 이용한 수의 계산

인수분해 공식을 이용하여 A, B의 값을 각각 구하시오.

$$A=23.5^2-7\times23.5+3.5^2, \qquad B=\sqrt{125^2-75^2}$$

Tip

(1) 공통인수로 묶어 내기 ➡ $ma+mb=m(a+b)$

(2) 완전제곱식 이용하기 ➡ $a^2\pm2ab+b^2=(a\pm b)^2$ (복호동순)

(3) 제곱의 차 이용하기 ➡ $a^2-b^2=(a+b)(a-b)$

풀이 답 | $A=400$, $B=100$

$A=23.5^2-7\times23.5+3.5^2$

$=23.5^2-$ ❶ $\boxed{}$ $\times23.5\times3.5+3.5^2$

$=(23.5-$ ❷ $\boxed{})^2$

$=20^2=400$

$a=23.5$, $b=3.5$로 생각하면
$23.5^2-2\times23.5\times3.5+3.5^2$
$=a^2-2ab+b^2=(a-b)^2$
$=(23.5-3.5)^2$

$B=\sqrt{125^2-75^2}$

$=\sqrt{(125+75)(125-75)}$

$=\sqrt{200\times \text{❸}\boxed{}}$

$=\sqrt{10000}$

$=\sqrt{100^2}=100$

$125=a$, $75=b$로 생각하면
$125^2-75^2=a^2-b^2$
$=(a+b)(a-b)$
$=(125+75)(125-75)$

답 ❶ 2 ❷ 3.5 ❸ 50

memo

시험에 잘 나오는

대표 유형 ZIP

중간고사대비

시험에 잘 나오는

대표 유형 ZIP

중학 수학 3-1

BOOK 2

기 말 고 사 대 비

특목고 대비

일등 전략

시험에 잘 나오는

대표 유형 ZIP

중학 수학

3-1

기말고사 대비

이 책의
차례

시험에 잘 나오는
대표 유형을
기출 문제로 확인해 봐.

01 이차방정식이 될 조건

방정식 $3x(ax-5)=2x^2+2$가 x에 대한 이차방정식이 되기 위한 상수 a의 조건은?

① $a\neq\frac{2}{3}$ ② $a\neq\frac{3}{2}$ ③ $a\neq0$

④ $a\neq2$ ⑤ $a\neq-2$

Tip

x에 대한 이차방정식 : 등식의 모든 항을 좌변으로 이항하여 정리한 식이 (x에 대한 이차식)$=0$의 꼴로 나타나는 방정식

➡ $ax^2+bx+c=0$ (단, a, b, c는 상수, $a\neq0$)

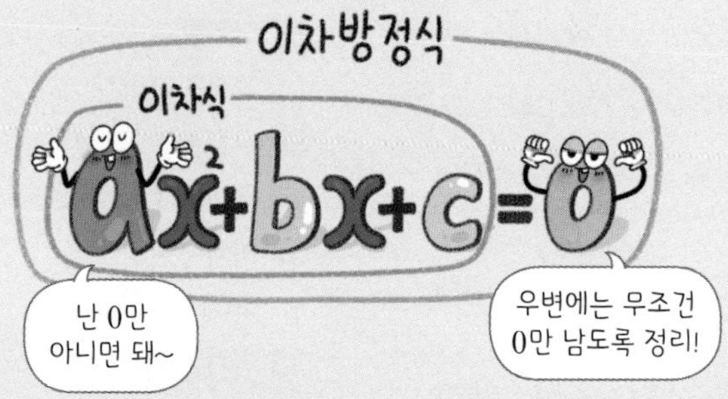

이차방정식
이차식
ax²+bx+c=0
난 0만 아니면 돼~
우변에는 무조건 0만 남도록 정리!

예 $x^2+2x-2=x^2+1$ ➡ $2x-3=0$

➡ 이차방정식이 아니다.

풀이 답 | ①

$3x(ax-5)=2x^2+2$에서 $(3a-2)x^2-15x-$ ❶ $\boxed{}$ $=0$

이 식이 x에 대한 이차방정식이 되려면 $3a-2$ ❷ $\boxed{}$ 0이어야 한다.

$\therefore a\neq$ ❸ $\boxed{}$

답 ❶ 2 ❷ $\neq$ ❸ $\frac{2}{3}$

02 이차방정식의 한 근이 주어질 때 미지수의 값 구하기

이차방정식 $x^2-ax-a^2-5=0$의 한 근이 $x=-3$일 때, 양수 a의 값은?

① 1 ② 2 ③ 3 ④ 4 ⑤ 5

Tip

미지수를 포함한 이차방정식의 한 근이 주어지면 주어진 근을 이차방정식에 대입하여 미지수의 값을 구한다.

풀이 답 | ④

$x=-3$을 $x^2-ax-a^2-5=0$에 대입하면

$9+3a-a^2-5=0$, $a^2-3a-4=0$

$(a+$ ❶ $)(a-4)=0$

$\therefore a=$ ❷ 또는 $a=4$

이때 $a>0$이므로 $a=$ ❸

답 ❶ 1 ❷ −1 ❸ 4

03 두 이차방정식의 공통인 근

두 이차방정식 $x^2-4x-12=0$, $x^2+9x+14=0$의 공통인 근이 이차방정식 $x^2+px+6=0$의 한 근일 때, 상수 p의 값은?

① 4 ② 5 ③ 6 ④ 7 ⑤ 8

Tip

(1) **이차방정식의 해(근)** : 이차방정식 $ax^2+bx+c=0$ (a, b, c는 상수, $a\neq0$)을 참이 되게 하는 x의 값

(2) **두 이차방정식의 공통인 근** : 두 이차방정식을 모두 만족하는 근

예 두 이차방정식 $(x-1)(x+1)=0$, $(x-1)(x-2)=0$의 공통인 근은 $x=1$

난 여기까지인가.
난 공통인 근이니까 모두 통과!
(x-1)(x+1)=0
x=-1
(x-1)(x-2)=0
x=1

풀이 답 | ②

$x^2-4x-12=0$에서 $(x+2)(x-6)=0$

$\therefore x=$ ❶ ☐ 또는 $x=6$

$x^2+9x+14=0$에서 $(x+2)(x+7)=0$

$\therefore x=-2$ 또는 $x=-7$

$x=$ ❷ ☐를 $x^2+px+6=0$에 대입하면

$4-2p+6=0$, $-2p=-10$

$\therefore p=$ ❸ ☐

답 ❶ -2 ❷ -2 ❸ 5

04 이차방정식의 한 근이 문자로 주어질 때 식의 값 구하기 (1)

이차방정식 $x^2+2x-2=0$의 한 근을 $x=a$, 이차방정식 $2x^2-x-4=0$의 한 근을 $x=b$라 할 때, $a^2+2a+4b^2-2b$의 값은?

① 4　② 6　③ 8　④ 10　⑤ 12

Tip

이차방정식 $x^2+ax+b=0$의 한 근이 $x=k$일 때
$k^2+ak+b=0$
$\therefore k^2+ak=-b$

풀이 답 | ④

$x=a$를 $x^2+2x-2=0$에 대입하면
$a^2+2a-2=0$
$\therefore a^2+2a=2$
$x=b$를 $2x^2-x-4=0$에 대입하면
$2b^2-b-4=0$
$\therefore 2b^2-b=$ ❶ ☐
$\therefore a^2+2a+4b^2-2b=a^2+2a+2(2b^2-b)$
$=$ ❷ ☐ $+2\times$ ❸ ☐
$=10$

$4b^2-2b=2(2b^2-b)$이므로
$2b^2-b$의 값을 알면 돼.

답 ❶ 4 ❷ 2 ❸ 4

05 이차방정식의 한 근이 문자로 주어질 때 식의 값 구하기 (2)

이차방정식 $x^2-6x+1=0$의 한 근을 $x=\alpha$라 할 때, $\left(\alpha-\frac{1}{\alpha}\right)^2$의 값은?

① 28 ② 30 ③ 32 ④ 34 ⑤ 36

Tip

이차방정식 $x^2+ax+1=0$의 한 근이 $x=k$일 때

$k^2+ak+1=0$
양변을 $k(k\neq0)$로 나눈다.
$k+a+\frac{1}{k}=0$

$\therefore k+\frac{1}{k}=-a$

$x=0$을 $x^2+ax+1=0$에 대입하면 $1\neq0$이므로 $x=0$은 이 이차방정식의 근이 아니다. $\therefore k\neq0$

참고 (1) $a^2+\frac{1}{a^2}=\left(a+\frac{1}{a}\right)^2-2$

$=\left(a-\frac{1}{a}\right)^2+2$

(2) $\left(a-\frac{1}{a}\right)^2=\left(a+\frac{1}{a}\right)^2-4$

풀이 답 | ③

$x=\alpha$를 $x^2-6x+1=0$에 대입하면

$\alpha^2-6\alpha+1=0$

$\alpha\neq$ ❶ ☐ 이므로 양변을 α로 나누면

$\alpha-6+\frac{1}{\alpha}=0$ $\therefore \alpha+\frac{1}{\alpha}=$ ❷ ☐

$\therefore \left(\alpha-\frac{1}{\alpha}\right)^2=\left(\alpha+\frac{1}{\alpha}\right)^2-$ ❸ ☐

$=6^2-4=32$

답 ❶ 0 ❷ 6 ❸ 4

06 인수분해를 이용한 이차방정식의 풀이

이차방정식 $2(x+4)(x-4)=x(x+4)$의 두 근의 곱은?

① -32 ② -16 ③ 12 ④ 16 ⑤ 32

Tip

1 주어진 이차방정식을 전개한 후 $ax^2+bx+c=0$의 꼴로 나타낸다.

2 좌변을 인수분해한다.

3 $AB=0$이면 $A=0$ 또는 $B=0$임을 이용하여 해를 구한다.

참고 $A=0$ 또는 $B=0$은 다음 중 어느 하나가 성립함을 의미한다.

① $A=0$이고 $B=0$ ② $A=0$이고 $B\neq0$ ③ $A\neq0$이고 $B=0$

내가 0 할래.
내가 0 할 거야.
너희 둘 다 0이어도 돼.

풀이 답 | ①

$2(x+4)(x-4)=x(x+4)$에서 $x^2-4x-32=0$

$(x+4)(x-8)=0$ $\quad\therefore x=$ ❶ [ ] 또는 $x=8$

따라서 두 근의 곱은

❷ [ ] $\times 8=$ ❸ [ ]

답 ❶ -4 ❷ -4 ❸ -32

07 이차방정식의 한 근이 주어질 때 다른 한 근 구하기

이차방정식 $2x^2-3x-14=0$의 두 근 중 작은 근이 이차방정식 $x^2-(a-1)x-6=0$의 한 근일 때, 이차방정식 $x^2-(a-1)x-6=0$의 다른 한 근은? (단, a는 상수)

① $x=1$　　② $x=2$　　③ $x=3$

④ $x=4$　　⑤ $x=5$

Tip

먼저 $2x^2-3x-14=0$의 근을 구해야 돼.

두 근 중 작은 근을 $x^2-(a-1)x-6=0$에 대입하여 상수 a의 값을 구해.

풀이 답 | ③

$2x^2-3x-14=0$에서 $(x+2)(2x-7)=0$

$\therefore x=-2$ 또는 $x=\frac{7}{2}$

이때 두 근 중 작은 근은 $x=-2$이므로

$x=$ ❶ ☐ 를 $x^2-(a-1)x-6=0$에 대입하면

$4+2(a-1)-6=0$, $2a-4=0$　　$\therefore a=$ ❷ ☐

$a=2$를 $x^2-(a-1)x-6=0$에 대입하면 $x^2-x-6=0$

$(x+2)(x-3)=0$　　$\therefore x=-2$ 또는 $x=3$

따라서 다른 한 근은 $x=$ ❸ ☐ 이다.

답 ❶ -2 ❷ 2 ❸ 3

08 제곱근을 이용한 이차방정식의 풀이

이차방정식 $2(x+1)^2-10=0$의 해가 $x=p\pm\sqrt{q}$일 때, 유리수 p, q에 대하여 $q-p$의 값은?

① -4　　② -2　　③ 2　　④ 4　　⑤ 6

Tip

제곱근을 이용하여 이차방정식 $a(x-p)^2=q\left(a\neq0, \dfrac{q}{a}\geq0\right)$의 해 구하기

➡ $(x-p)^2=\dfrac{q}{a}$, $x-p=\pm\sqrt{\dfrac{q}{a}}$

$\therefore x=p\pm\sqrt{\dfrac{q}{a}}$

풀이 답 | ⑤

$2(x+1)^2-10=0$에서 $2(x+1)^2=10$

$(x+1)^2=5$　　$\therefore x=$ ❶ $\square$ $\pm\sqrt{5}$

따라서 $p=$ ❷ $\square$, $q=5$이므로

$q-p=5-(-1)=$ ❸ $\square$

답 ❶ -1 ❷ -1 ❸ 6

09 완전제곱식을 이용한 이차방정식의 풀이

이차방정식 $\frac{1}{2}x^2-4x+4=0$을 $(x+a)^2=b$의 꼴로 나타낼 때, $a+b$의 값은? (단, a, b는 상수)

① -4 ② -1 ③ 0 ④ 1 ⑤ 4

Tip

이차방정식 $ax^2+bx+c=0$의 양변을 a로 나눈 후 $(x+p)^2=q$ $(q\geq0)$의 꼴로 고친다.

예 $2x^2+8x-1=0$

양변을 2로 나눈다.

$x^2+4x-\frac{1}{2}=0$

상수항은 우변으로 이항한다.

$x^2+4x=\frac{1}{2}$

양변에 $\left(\frac{4}{2}\right)^2$을 더한다.

$x^2+4x+4=\frac{1}{2}+4$

$(x+2)^2=\frac{9}{2}$

$\therefore x=-2\pm\frac{3\sqrt{2}}{2}$

$ax^2+bx+c=0$

이차항의 계수를 1로 바꾸기

$x^2+\frac{b}{a}x+\frac{c}{a}=0$

좌변을 완전제곱식으로 바꾸기

$(x-p)^2=q(q\geq0)$

제곱근을 이용하여 x의 값 구하기

$x=p\pm\sqrt{q}$

풀이 답 | ⑤

$\frac{1}{2}x^2-4x+4=0$에서 $x^2-8x+8=0$

$x^2-8x=-8$

x^2-8x+ ❶ $=-8+$ ❷

$\therefore (x-4)^2=$ ❸

이것이 $(x+a)^2=b$와 같으므로 $a=-4$, $b=8$

$\therefore a+b=-4+8=4$

답 ❶ 16 ❷ 16 ❸ 8

10 이차방정식 $(x+p)^2=q$가 근을 가질 조건

이차방정식 $\frac{1}{2}(x-1)^2=-\frac{a}{3}+1$이 해를 갖지 않도록 하는 상수 a의 값의 범위는?

① $a<-3$ ② $a<-2$ ③ $a<2$
④ $a\geq 3$ ⑤ $a>3$

Tip

이차방정식 $(x+p)^2=q$의 근의 개수는 q의 값의 부호에 따라 달라진다.

(1) 서로 다른 두 근을 가질 조건 ➡ $q>0$
(2) 중근을 가질 조건 ➡ $q=0$
(1), (2): 근을 가질 조건
(3) 근을 갖지 않을 조건 ➡ $q<0$

이차방정식 $(x+p)^2=q$가
근을 가질 조건 ➡ $q\geq 0$

풀이 답 | ⑤

$\frac{1}{2}(x-1)^2=-\frac{a}{3}+1$에서

$(x-1)^2=-\frac{2}{3}a+$ ❶ ☐

이 이차방정식이 해를 갖지 않으려면

$-\frac{2}{3}a+2$ ❷ ☐ 0

$-\frac{2}{3}a<-2 \qquad \therefore a>$ ❸ ☐

답 ❶ 2 ❷ < ❸ 3

11 완전제곱식을 이용한 이차방정식의 풀이의 활용

아라비아의 수학자 알콰리즈미는 이차방정식 $x^2+10=39$의 양수인 근을 정사각형의 넓이를 이용하여 푸는 방법을 고안해 내었다.

(1) $x^2+10x=39$의 좌변 x^2+10x를 오른쪽 그림과 같이 정사각형과 직사각형의 넓이를 이용하여 나타낸다.

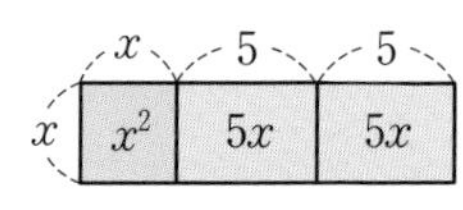

(2) (1)의 도형을 새롭게 배열하여 하나의 정사각형이 되도록 만들면 이차방정식 $x^2+10x=39$를 다음과 같이 변형하여 해를 구할 수 있다.

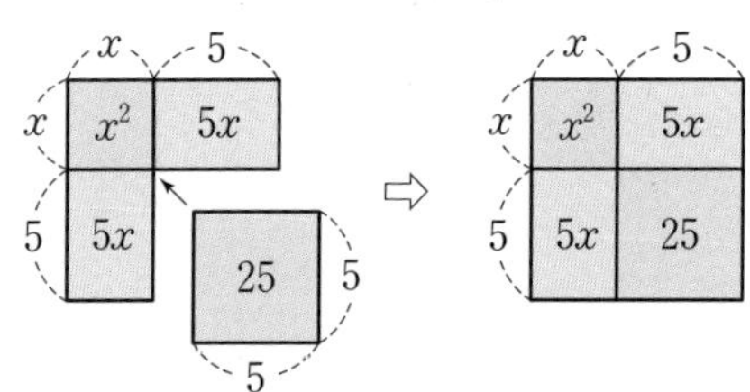

$$x^2+10x=39$$
$$x^2+10x+25=39+25$$
$$(x+5)^2=64$$
$$x+5=\pm 8$$
$$\therefore x=3(\because x>0)$$

위의 방법에 따라 이차방정식 $x^2+8x=9$의 양수인 해를 구하시오.

Tip

x^2+8x를 한 변의 길이가 x인 정사각형과 가로의 길이가 4, 세로의 길이가 x인 직사각형의 넓이를 이용하여 나타낸다.

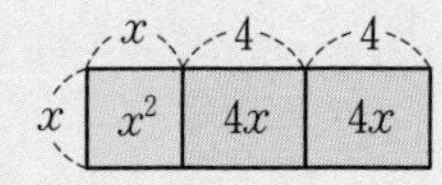

풀이 답 | $x=1$

$x^2+8x=9$

x^2+8x+ ❶ $\square$ $=9+$ ❷ $\square$

$(x+4)^2=25,\ x+4=\pm 5$

$\therefore x=$ ❸ $\square$ $(\because x>0)$

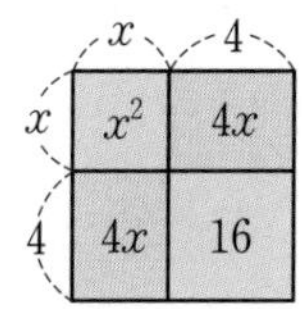

답 ❶ 16 ❷ 16 ❸ 1

12 이차방정식의 근의 공식

이차방정식 $2x^2=8-7x+k$의 근이 $x=\frac{a\pm\sqrt{17}}{4}$일 때, 유리수 a, k에 대하여 $a+k$의 값은?

① -25　② -19　③ 19　④ 25　⑤ 33

Tip

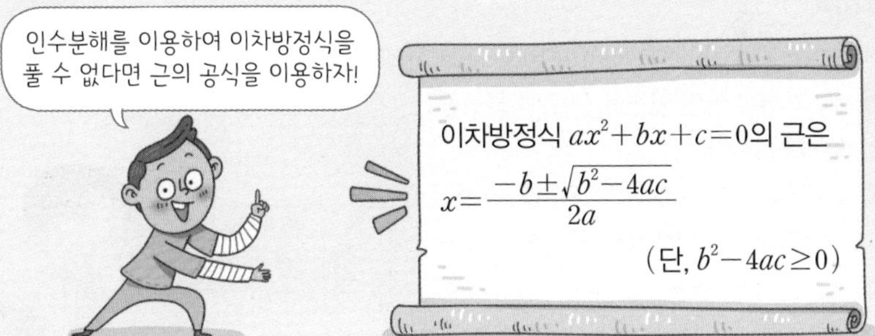

인수분해를 이용하여 이차방정식을
풀 수 없다면 근의 공식을 이용하자!
이차방정식 $ax^2+bx+c=0$의 근은
$x=\frac{-b\pm\sqrt{b^2-4ac}}{2a}$
(단, $b^2-4ac\geq0$)

참고 이차방정식 $ax^2+2b'x+c=0$의 근은

$$x=\frac{-b'\pm\sqrt{b'^2-ac}}{a}\ (\text{단, } b'^2-ac\geq0)$$

풀이 답 | ②

$2x^2=8-7x+k$에서 $2x^2+7x-8-k=0$

$$x=\frac{-7\pm\sqrt{49-8\times(-8-k)}}{4}=\frac{-7\pm\sqrt{113+8k}}{4}$$

이것이 $x=\frac{a\pm\sqrt{17}}{4}$과 같으므로 $a=$ ❶ [　　], $113+8k=17$

$113+8k=17$에서 $8k=-96$　$\therefore k=$ ❷ [　　]

$\therefore a+k=-7+(-12)=$ ❸ [　　]

답 ❶ -7 ❷ -12 ❸ -19

13 계수가 소수 또는 분수인 이차방정식의 풀이

이차방정식 $\frac{1}{3}x^2-\frac{1}{5}=\frac{2}{3}x+0.3$의 해는?

① $x=\frac{-2\pm\sqrt{10}}{2}$　② $x=\frac{2\pm\sqrt{10}}{2}$　③ $x=\frac{2\pm\sqrt{6}}{2}$

④ $x=\frac{-4\pm\sqrt{10}}{2}$　⑤ $x=\frac{4\pm\sqrt{10}}{2}$

Tip

(1) 계수가 소수이면 양변에 10, 100, 1000, …과 같은 수를 곱한다.

(2) 계수가 분수이면 양변에 분모의 최소공배수를 곱한다.

(3) 계수가 소수와 분수이면 소수를 분수로 고쳐 양변에 분모의 최소공배수를 곱한다.

풀이 답 | ②

$\frac{1}{3}x^2-\frac{1}{5}=\frac{2}{3}x+0.3$의 양변에 30을 곱하면

$10x^2-6=20x+$ ❶ ☐

$2x^2-4x-$ ❷ ☐ $=0$

$\therefore x=\frac{-(-2)\pm\sqrt{(-2)^2-2\times(\text{❸ ☐})}}{2}$

$=\frac{2\pm\sqrt{10}}{2}$

0.3$=\frac{3}{10}$이므로 3, 5, 10의 최소공배수인 30을 양변에 곱해야 돼.

답 ❶ 9 ❷ 3 ❸ -3

14 공통부분이 있는 이차방정식의 풀이

이차방정식 $4(x-2)^2+5(x-2)-6=0$의 두 근의 합은?

① $-\frac{11}{4}$ ② $-\frac{5}{2}$ ③ $\frac{11}{4}$

④ $\frac{5}{2}$ ⑤ 2

Tip

1 공통부분을 A로 놓는다. → A에 대한 이차방정식

2 인수분해 또는 근의 공식을 이용하여 A의 값을 구한다.

3 1 의 식에 A의 값을 대입하여 x의 값을 구한다.

풀이 답 | ③

$x-2=A$로 놓으면 $4A^2+5A-6=0$

$(4A-3)(A+$ ❶ $\square$ $)=0$

$\therefore A=\frac{3}{4}$ 또는 $A=$ ❷ $\square$

즉 $x-2=\frac{3}{4}$ 또는 $x-2=-2$이므로

$x=\frac{11}{4}$ 또는 $x=0$

따라서 두 근의 합은 $\frac{11}{4}+0=$ ❸ $\square$

답 ❶ 2 ❷ -2 ❸ $\frac{11}{4}$

15 이차방정식이 중근을 가질 조건

이차방정식 $(k-1)x^2-2(k-1)x+3=0$이 중근을 가질 때, 상수 k의 값은?

① 1　　② 2　　③ 3　　④ 4　　⑤ 5

Tip

이차방정식 $ax^2+bx+c=0$이 중근을 가진다.

➡ $b^2-4ac=0$

참고 이차방정식의 x의 계수가 짝수일 때, 즉 $ax^2+2b'x+c=0$의 꼴일 때에는 $b'^2-ac=0$임을 이용할 수 있다.

풀이 답 | ④

$(k-1)x^2-2(k-1)x+3=0$이 중근을 가지므로

$(k-1)^2-(k-1)\times 3=0$

$k^2-5k+4=0$

$(k-1)(k-4)=0$

$\therefore k=1$ 또는 $k=$ ❶ ☐

이때 (x^2의 계수)$\neq 0$이므로

$k\neq$ ❷ ☐

$\therefore k=$ ❸ ☐

주의!

이차방정식이 중근을
가질 조건도 알아야 하지만
x^2의 계수가 0이 되면
안 되는 것도 생각해야 해.

답 ❶ 4 ❷ 1 ❸ 4

16 이차방정식의 근의 개수

이차방정식 $x^2+2x+k-6=0$이 서로 다른 두 근을 가질 때, 정수 k의 최댓값은?

① 5　　② 6　　③ 7　　④ 8　　⑤ 9

Tip

이차방정식 $ax^2+bx+c=0$의 근의 개수는

근의 공식 $x=\dfrac{-b\pm\sqrt{b^2-4ac}}{2a}$에서

b^2-4ac의 부호에 따라 결정된다.

(1) $b^2-4ac>0$ ➡ 서로 다른 두 근을 가진다.

(2) $b^2-4ac=0$ ➡ 한 근(중근)을 가진다.

(3) $b^2-4ac<0$ ➡ 근이 없다.

참고 이차방정식이 근을 가질 조건 ➡ $b^2-4ac\geq0$

이차방정식
$ax^2+bx+c=0$의 근의 공식
$x=\dfrac{-b\pm\sqrt{b^2-4ac}}{2a}$ 에서
의 부호에 따라
근의 개수가 다르구나!

풀이 답 | ②

$x^2+2x+k-6=0$이 서로 다른 두 근을 가지므로

$2^2-4\times1\times(k-6)$ [❶　] 0

$28-4k>0$　　$\therefore k<$ [❷　]

따라서 정수 k의 최댓값은 6이다.

다른 풀이

$x^2+2x+k-6=0$에서 $(x+1)^2=-k+7$

이 이차방정식이 서로 다른 두 근을 가지므로 $-k+7$ [❸　] 0

$\therefore k<7$

따라서 정수 k의 최댓값은 6이다.

답 ❶ $>$ ❷ 7 ❸ $>$

17 이차방정식의 해의 조건이 주어진 경우

이차방정식 $x^2-(m+1)x+24=0$의 두 근의 비가 $2:3$일 때, 다음 중 상수 m의 값이 될 수 있는 것은?

① 1　　② 3　　③ 5　　④ 7　　⑤ 9

Tip

이차방정식의 두 근에 대한 조건이 주어지면 두 근을 하나의 미지수를 사용해서 나타내렴.

두 근의 차가 k이다. → α, $\alpha+k$

한 근이 다른 근의 k배이다. → α, $k\alpha$

두 근의 비가 $m:n$이다. → mk, nk(단, $k\neq0$)

풀이 답 | ⑤

두 근을 $2a$, $3a(a\neq0)$로 놓으면

$(x-2a)(x-3a)=0$, $x^2-5ax+6a^2=0$

이 식이 $x^2-(m+1)x+24=0$과 같으므로

$-5a=-($ ❶ $)$, $6a^2=$ ❷

$\therefore a=2$, $m=9$ 또는 $a=-2$, $m=$ ❸

따라서 m의 값이 될 수 있는 것은 ⑤ 9이다.

답 ❶ $m+1$ ❷ 24 ❸ -11

18 계수가 유리수인 이차방정식의 근

이차방정식 $3x^2-ax+b=0$의 한 근이 $x=3+2\sqrt{2}$일 때, $a+b$의 값은?

(단, a, b는 유리수)

① 12 ② 15 ③ 18 ④ 21 ⑤ 24

Tip

계수와 상수항이 모두 유리수인 이차방정식에서 한 근이 $p+q\sqrt{m}$이면 다른 한 근은 $p-q\sqrt{m}$이다. (단, p, q는 유리수, $\sqrt{m}$은 무리수)

우리 둘 중 하나만
보여도 남은 하나를
기억해 줘.
P+q√m
P−q√m

풀이 답 | ④

계수와 상수항이 모두 유리수인 이차방정식의 한 근이 $3+2\sqrt{2}$이므로

다른 한 근은 ❶ ______ 이다.

x^2의 계수가 3이고 두 근이 $3+2\sqrt{2}$, $3-2\sqrt{2}$인 이차방정식은

$3\{x-(3+2\sqrt{2})\}\{x-(3-2\sqrt{2})\}=0$

$3x^2-18x+$ ❷ ______ $=0$

이 식이 $3x^2-ax+b=0$과 같으므로 $a=$ ❸ ______, $b=3$

$\therefore a+b=18+3=21$

답 ❶ $3-2\sqrt{2}$ ❷ 3 ❸ 18

19 수에 대한 문제

연속하는 두 홀수의 곱이 35일 때, 두 수의 제곱의 차는?

① 24　② 32　③ 40　④ 48　⑤ 56

Tip

연속하는 수는 다음과 같이 한 미지수로 나타낸다.

(1) 연속하는 두 자연수 ➡ $x-1$, x 또는 x, $x+1$

(2) 연속하는 세 자연수 ➡ $x-1$, x, $x+1$

(3) 연속하는 두 홀수(짝수) ➡ x, $x+2$

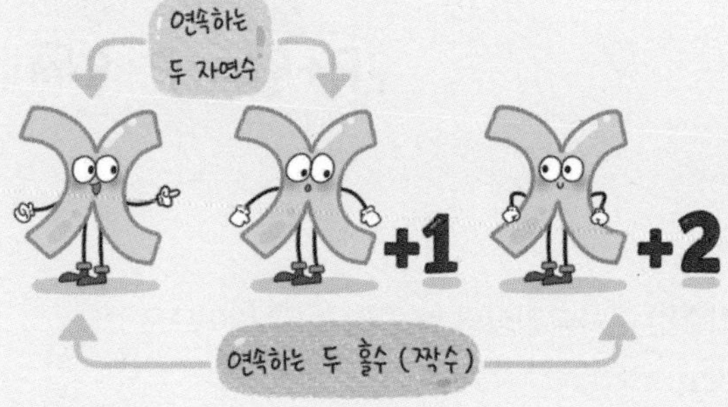

풀이 답 | ①

연속하는 두 홀수를 x, $x+2$($x\geq1$인 홀수)라 하면

$x(x+2)=35$, $x^2+2x-35=0$

$(x-5)(x+$ ❶ $)=0$　　$\therefore x=5$ 또는 $x=-7$

그런데 $x\geq1$이므로 $x=$ ❷

따라서 두 홀수는 5, ❸ 이므로

두 수의 제곱의 차는 $7^2-5^2=24$

답 ❶ 7 ❷ 5 ❸ 7

20 위로 쏘아 올린 물체에 대한 활용 문제

지면에서 똑바로 위로 쏘아 올린 물체의 t초 후의 높이가 $(60t-5t^2)$ m이다. 물체가 180 m의 높이에 도달하는 데 걸리는 시간은 몇 초인가?

① 3초 ② 4초 ③ 5초 ④ 6초 ⑤ 7초

Tip

t초 후의 물체의 높이가 t에 대한 이차식으로 주어질 때

(1) 높이 h m에 도달하는 시간 ➡ (t에 대한 이차식)$=h$로 놓고 이차방정식을 푼다.

(2) 물체가 지면에 떨어질 때의 높이는 0 m이다.

(3) 쏘아 올린 물체의 높이가 h m인 경우는 물체가 올라갈 때, 내려올 때 두 번 생긴다. (단, 최고 높이는 한 번만 생긴다.)

지금 내 높이는 h m야.
높이가 h m인 경우가 또 있네!
h m
지면에 떨어질 때 높이는 0 m야.

풀이 답 | ④

$60t-5t^2=$ ❶ 에서 $t^2-12t+36=0$

$(t-6)^2=0$ $\quad\therefore t=$ ❷

따라서 물체가 180 m의 높이에 도달하는 데 걸리는 시간은 ❸ 초이다.

답 ❶ 180 ❷ 6 ❸ 6

21 도형에 대한 활용 문제

조선시대 수학자 홍정하는 1713년에 조선을 방문한 청나라의 수학자인 하국주를 만나 수학에 대한 이야기를 나누게 되었다. 다음은 대화 중에 하국주가 홍정하에게 냈던 문제이다. □ 안에 알맞은 수를 구하시오.

Tip

큰 정사각형의 한 변의 길이를 x자라 하면 작은 정사각형의 한 변의 길이는 $(x-6)$자이므로 문제의 뜻에 맞게 이차방정식을 세운다.

풀이 **답** | 18

큰 정사각형의 한 변의 길이를 x자라 하면 작은 정사각형의 한 변의 길이는 $(x-6)$자이므로

$x^2+(x-6)^2=468$, x^2-6x- ❶ $=0$

$(x+12)(x-18)=0$ $\therefore x=-$ ❷ 또는 $x=$ ❸

그런데 $x>6$이므로 $x=18$

따라서 큰 정사각형의 한 변의 길이는 18자이다.

답 ❶ 216 ❷ 12 ❸ 18

22 여러 가지 이차방정식의 활용 문제

한 변의 길이가 12 m인 정사각형 모양의 땅에 새롭게 공간을 만들려고 한다. 다음 평면도에서 회의실과 사무실은 정사각형 모양이고, 창고와 현관의 넓이를 합하면 18 m^2일 때, 회의실의 한 변의 길이를 구하시오.

회의실과 사무실은 정사각형 모양으로 해 주세요.
그럼 회의실의 한 변의 길이를 알아야겠군요.
회의실
창고
사무실
현관
복도
화장실

Tip

회의실의 한 변의 길이를 x m라 할 때, 창고와 현관의 가로의 길이는 x m이다.

풀이 답 | 3 m

오른쪽 그림에서 $\overline{AD}=x$ m라 하면

$\overline{DF}=(12-x)-x=$ ❶ ☐ (m)

이므로 창고와 현관의 넓이의 합은

$\overline{AD}\times(\overline{DC}+\overline{CF})=\overline{AD}\times$ ❷ ☐

$=x(12-2x)$

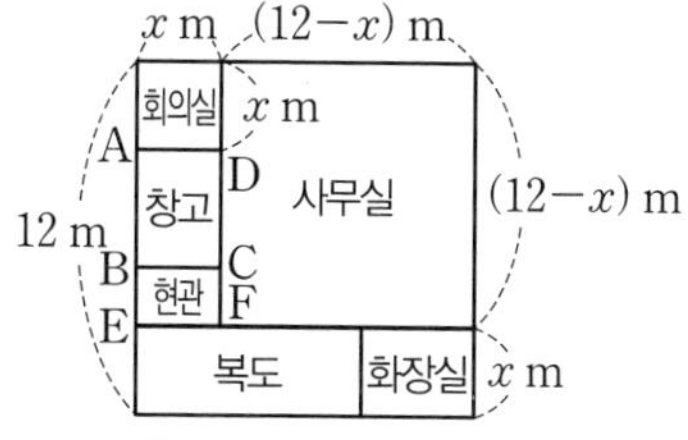

이때 창고와 현관의 넓이의 합은 18 m^2이므로

$x(12-2x)=18$, $(x-3)^2=0$ $\quad\therefore x=$ ❸ ☐

따라서 회의실의 한 변의 길이는 3 m이다.

답 ❶ $12-2x$ ❷ $\overline{DF}$ ❸ 3

23 이차함수의 뜻

다음 중 y가 x에 대한 이차함수인 것을 말한 학생을 찾으시오.

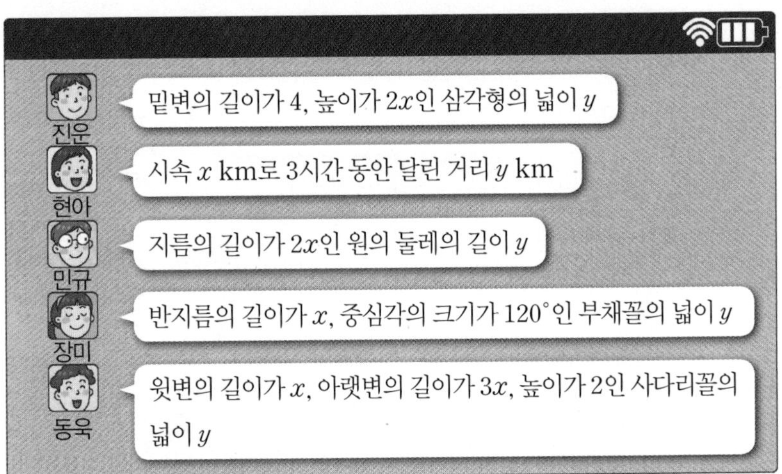

진운
밑변의 길이가 4, 높이가 $2x$인 삼각형의 넓이 y
현아
시속 x km로 3시간 동안 달린 거리 y km
민규
지름의 길이가 $2x$인 원의 둘레의 길이 y
장미
반지름의 길이가 x, 중심각의 크기가 $120°$인 부채꼴의 넓이 y
동욱
윗변의 길이가 x, 아랫변의 길이가 $3x$, 높이가 2인 사다리꼴의 넓이 y

Tip

함수 $y=f(x)$에서 y가 x에 대한 이차식, 즉 $y=ax^2+bx+c$(a, b, c는 상수, $a\neq0$)로 나타날 때, 이 함수를 x에 대한 이차함수라 한다.

풀이 답 | 장미

진운 : $y=\frac{1}{2}\times4\times2x=4x$ ➡ y는 x에 대한 ❶ ______ 함수이다.

현아 : $y=3x$ ➡ y는 x에 대한 일차함수이다.

민규 : $y=2\pi x$ ➡ y는 x에 대한 ❷ ______ 함수이다.

장미 : $y=\pi\times x^2\times\frac{120}{360}=\frac{1}{3}\pi x^2$ ➡ y는 x에 대한 ❸ ______ 함수이다.

동욱 : $y=\frac{1}{2}\times(x+3x)\times2=4x$ ➡ y는 x에 대한 일차함수이다.

따라서 y가 x에 대한 이차함수인 것을 말한 학생은 장미이다.

답 ❶ 일차 ❷ 일차 ❸ 이차

24 이차함수가 될 조건

다음 중 함수 $y=(2x+1)(3x-1)-kx(3x+1)$이 x에 대한 이차함수가 되기 위한 상수 k의 조건은?

① $k\neq-2$　② $k=2$　③ $k\neq2$
④ $k=3$　⑤ $k\neq3$

Tip

함수 $y=ax^2+bx+c$가 x에 대한 이차함수가 되려면 반드시 $a\neq0$이어야 한다.

예 함수 $y=(a-1)x^2+3x+2$가 x에 대한 이차함수가 되려면

$a-1\neq0$　$\therefore a\neq1$

우리 둘이 만나면 이차함수!

$y=ax^2+bx+c$

난 절대 0이 될 수 없어!

풀이 답 | ③

$y=(2x+1)(3x-1)-kx(3x+1)$

$=(6-3k)x^2+(1-k)x-$ ❶

이 함수가 x에 대한 이차함수가 되려면

$6-3k$ ❷ 0이어야 한다.

$\therefore k\neq$ ❸

답 ❶ 1 ❷ $\neq$ ❸ 2

25 이차함수 $y=ax^2$의 그래프 (1)

다음 중 이차함수 $y=\frac{1}{2}x^2$의 그래프에 대한 설명으로 옳은 것을 모두 고르면? (정답 2개)

① 모든 실수 x에 대하여 $y \le 0$이다.

② 축의 방정식은 $x=\frac{1}{2}$이다.

③ 제1, 2사분면을 지난다.

④ 점 $(2, 2)$를 지난다.

⑤ $x>0$일 때, x의 값이 증가하면 y의 값은 감소한다.

Tip

이차함수 $y=ax^2$의 그래프

(1) 원점을 꼭짓점으로 하고, y축을 축으로 하는 포물선이다.

① 꼭짓점의 좌표 : $(0, 0)$ ② 축의 방정식 : $x=0$(y축)

(2) $a>0$이면 아래로 볼록

$a<0$이면 위로 볼록

(3) a의 절댓값이 클수록 폭이 좁아진다.

(4) 이차함수 $y=-ax^2$의 그래프와 x축에 대칭이다.

풀이 답 | ③, ④

① 모든 실수 x에 대하여 y [❶] 0이다.

② 축의 방정식은 [❷]이다.

④ $x=2$를 대입하면 $y=\frac{1}{2}\times 2^2=2$이므로 점 $(2, 2)$를 지난다.

⑤ $x>0$일 때, x의 값이 증가하면 y의 값도 [❸]한다.

따라서 옳은 것은 ③, ④이다.

답 ❶ $\ge$ ❷ $x=0$ ❸ 증가

26 이차함수 $y=ax^2$의 그래프 (2)

달리는 자동차가 브레이크를 밟은 후 정지할 때까지 이동하는 거리를 제동 거리라 하고, 시속 x km로 달리는 자동차의 제동 거리를 y m라 하면 $y=ax^2$인 관계가 성립한다고 한다. 이 자동차가 시속 50 km로 달리다가 브레이크를 밟았을 때의 제동 거리가 20 m일 때, 시속 100 km로 달리다가 브레이크를 밟았을 때의 제동 거리를 구하시오.

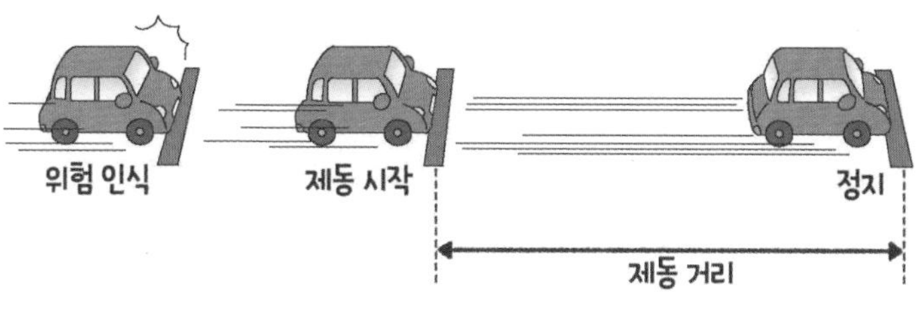

Tip

x와 y 사이의 관계식을 구하고, $x=100$을 대입하여 y의 값을 구한다.

풀이 답 | 80 m

$y=ax^2$에 $x=50$, $y=$ ❶ [　] 을 대입하면

$20=a\times50^2$, $2500a=20$　　$\therefore a=$ ❷ [　]

$x=100$을 $y=\frac{1}{125}x^2$에 대입하면

$y=\frac{1}{125}\times100^2=$ ❸ [　]

따라서 시속 100 km로 달리다가 브레이크를 밟았을 때의 제동 거리는 80 m이다.

답 ❶ 20 ❷ $\frac{1}{125}$ ❸ 80

27 이차함수 $y=ax^2$의 그래프의 폭

오른쪽 그림은 보기의 이차함수의 그래프를 그린 것이다. 보기에 주어진 이차함수의 식과 그래프를 바르게 연결한 것은?

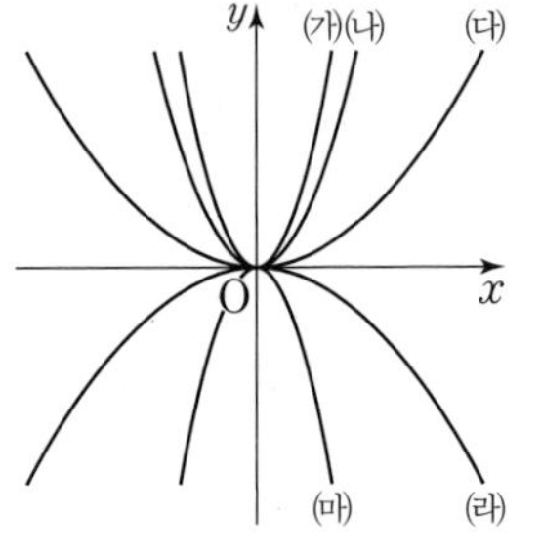

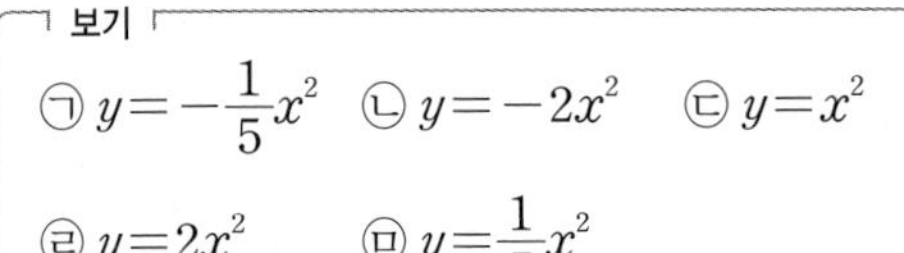

보기

㉠ $y=-\frac{1}{5}x^2$ ㉡ $y=-2x^2$ ㉢ $y=x^2$

㉣ $y=2x^2$ ㉤ $y=\frac{1}{5}x^2$

① (가)—㉤ ② (나)—㉢ ③ (다)—㉣

④ (라)—㉡ ⑤ (마)—㉠

Tip

이차함수 $y=ax^2$의 그래프에서 a의 절댓값이 클수록 그래프의 폭은 좁아진다.

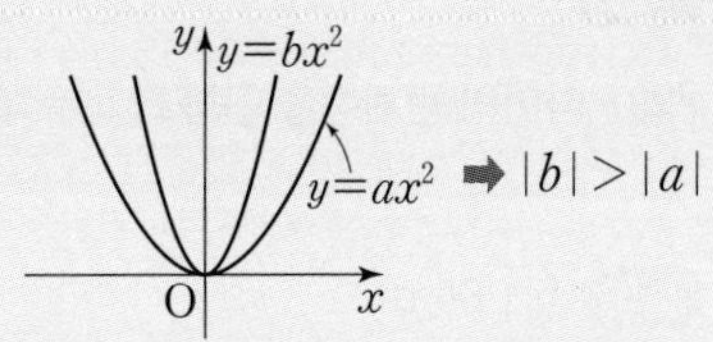

풀이 답 | ②

이차함수 $y=ax^2$의 그래프에서 $a>0$인 것은 (가), (나), (다), $a<0$인 것은 (라), (마)이다.

이때 a의 절댓값이 클수록 그래프의 폭이 ❶ [ ] 으므로

(가)—❷ [ ], (나)—㉢, (다)—❸ [ ], (라)—㉠, (마)—㉡

답 ❶ 좁 ❷ ㉣ ❸ ㉤

28 이차함수 $y=ax^2+q$의 그래프

다음 중 이차함수 $y=5x^2-2$의 그래프에 대한 설명으로 옳은 것은?

① 꼭짓점의 좌표는 $(-2, 0)$이다.

② 점 $(1, 5)$를 지난다.

③ 위로 볼록한 포물선이다.

④ 제3, 4사분면을 지나지 않는다.

⑤ $y=3x^2-2$의 그래프보다 폭이 좁다.

Tip

$y=ax^2 \xrightarrow[q\text{만큼 평행이동}]{y\text{축의 방향으로}} y=ax^2+q$

➡ 꼭짓점의 좌표 : $(0, q)$

축의 방정식 : $x=0$

풀이 답 | ⑤

① 꼭짓점의 좌표는 (0, ❶ ______)이다.

② $x=1$일 때, $y=5\times1^2-2=$ ❷ ______ 이므로 점 $(1, 5)$를 지나지 않는다.

③ ❸ ______ 로 볼록한 포물선이다.

④ $y=5x^2-2$의 그래프가 오른쪽 그림과 같으므로 모든 사분면을 지난다.

따라서 옳은 것은 ⑤이다.

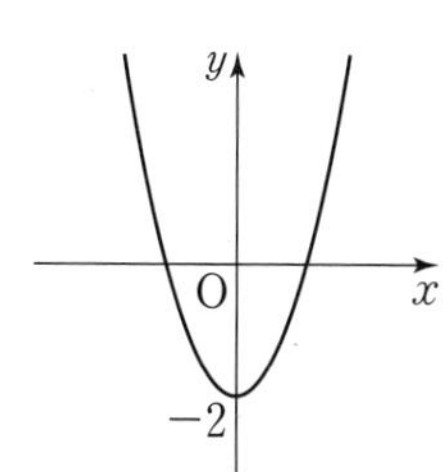

답 ❶ -2 ❷ 3 ❸ 아래

29 이차함수 $y=a(x-p)^2$의 그래프

다음 중 이차함수 $y=-3(x-4)^2$의 그래프에 대한 설명으로 옳은 것은?

① 꼭짓점의 좌표는 $(0, -4)$이다.

② 축의 방정식은 $x=-4$이다.

③ $y=-\frac{1}{3}x^2$의 그래프와 폭이 같다.

④ $x>4$일 때, x의 값이 증가하면 y의 값은 감소한다.

⑤ $y=-3x^2$의 그래프를 x축의 방향으로 -4만큼 평행이동한 것이다.

Tip

$y=ax^2$ $\xrightarrow[p\text{만큼 평행이동}]{x\text{축의 방향으로}}$ $y=a(x-p)^2$

➡ 꼭짓점의 좌표 : $(p, 0)$

축의 방정식 : $x=p$

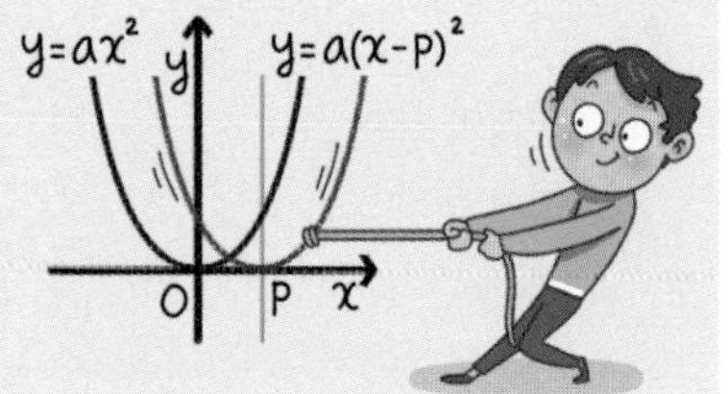

풀이 답 | ④

① 꼭짓점의 좌표는 (❶ , 0)이다.

② 축의 방정식은 $x=4$이다.

③ $y=-\frac{1}{3}x^2$의 그래프보다 폭이 ❷ 다.

⑤ $y=-3x^2$의 그래프를 x축의 방향으로 ❸ 만큼 평행이동한 것이다.

따라서 옳은 것은 ④이다.

답 ❶ 4 ❷ 좁 ❸ 4

30 이차함수 $y=a(x-p)^2+q$의 그래프 (1)

다음 이차함수의 그래프 중 이차함수 $y=-3x^2$의 그래프를 평행이동하여 포갤 수 없는 것을 모두 고르면? (정답 2개)

① $y=-\frac{1}{3}(x+2)^2$

② $y=-3x^2-4$

③ $y=3(x-3)^2-5$

④ $y=-3\left(x+\frac{1}{2}\right)^2+6$

⑤ $y=-3(x+1)^2-\frac{1}{3}$

Tip

그래프를 평행이동하면 그래프의 모양과 폭은 변하지 않고 위치만 바뀐다. 즉 x^2의 계수가 같은 이차함수의 그래프는 평행이동하여 완전히 포갤 수 있다.

풀이 답 | ①, ③

② $y=-3x^2$의 그래프를 y축의 방향으로 -4만큼 평행이동하면 $y=-3x^2-4$의 그래프와 포개진다.

④ $y=-3x^2$의 그래프를 x축의 방향으로 ❶ [ ] 만큼, y축의 방향으로 6만큼 평행이동하면 $y=-3\left(x+\frac{1}{2}\right)^2+6$의 그래프와 포개진다.

⑤ $y=-3x^2$의 그래프를 x축의 방향으로 ❷ [ ] 만큼, y축의 방향으로 ❷ [ ] 만큼 평행이동하면 $y=-3(x+1)^2-\frac{1}{3}$의 그래프와 포개진다.

따라서 $y=-3x^2$의 그래프를 평행이동하여 포갤 수 없는 것은 ①, ③이다.

답 ❶ $-\frac{1}{2}$ ❷ -1 ❸ $-\frac{1}{3}$

31 이차함수 $y=a(x-p)^2+q$의 그래프 (2)

다음 중 이차함수 $y=-2(x+1)^2+3$의 그래프에 대한 설명으로 옳지 않은 것은?

① 축의 방정식은 $x=-1$이다.

② 꼭짓점의 좌표는 $(-1, 3)$이다.

③ 제1사분면을 지나지 않는다.

④ $y=-2x^2$의 그래프를 x축의 방향으로 -1만큼, y축의 방향으로 3만큼 평행이동한 것이다.

⑤ $x<-1$일 때, x의 값이 증가하면 y의 값도 증가한다.

Tip

$$y=ax^2 \xrightarrow[y\text{축의 방향으로 } q\text{만큼 평행이동}]{x\text{축의 방향으로 } p\text{만큼,}} y=a(x-p)^2+q$$

➡ 꼭짓점의 좌표 : (p, q), 축의 방정식 : $x=p$

풀이 답 | ③

③ $y=-2(x+1)^2+3$의 그래프는 오른쪽 그림과 같으므로 ❶ [ ] 사분면을 지난다.

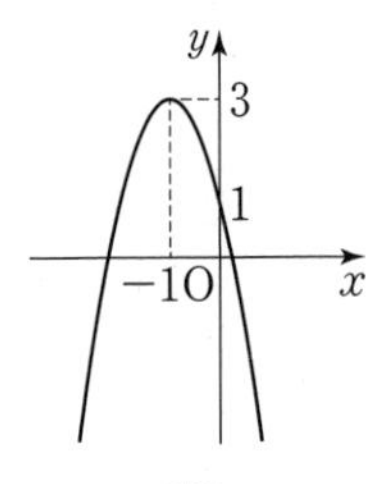

답 ❶ 모든

32 이차함수 $y=a(x-p)^2+q$의 그래프의 평행이동

이차함수 $y=-a(x-4)^2-2$의 그래프를 x축의 방향으로 -5만큼, y축의 방향으로 5만큼 평행이동하면 점 $(-3, -9)$를 지날 때, 상수 a의 값은?

① -3 ② -2 ③ -1 ④ 2 ⑤ 3

Tip

이차함수 $y=a(x-p)^2+q$의 그래프를 x축의 방향으로 m만큼, y축의 방향으로 n만큼 평행이동한 그래프의 식

➡ $y=a(x-m-p)^2+q+n$

① 꼭짓점의 좌표 : $(p+m, q+n)$

② 축의 방정식 : $x=p+m$

이차함수 $y=a(x-p)^2+q$의 그래프를 평행이동하여도 그래프의 모양과 폭은 변하지 않으므로 x^2의 계수 a는 변하지 않는다.

풀이 답 | ⑤

이차함수 $y=-a(x-4)^2-2$의 그래프를 x축의 방향으로 -5만큼, y축의 방향으로 5만큼 평행이동한 그래프의 식은

$y=-a(x-4+$ ❶ $\square$ $)^2-2+5=-a(x+1)^2+3$

이 그래프가 점 $(-3, -9)$를 지나므로

❷ $\square$ $=-a\times(-3+1)^2+3$

$-4a+3=-9$ $\therefore a=$ ❸ $\square$

답 ❶ 5 ❷ -9 ❸ 3

33 이차함수 $y=a(x-p)^2+q$의 그래프에서 a, p, q의 부호

이차함수 $y=a(x+p)^2-q$의 그래프가 오른쪽 그림과 같을 때, 상수 a, p, q의 부호는?

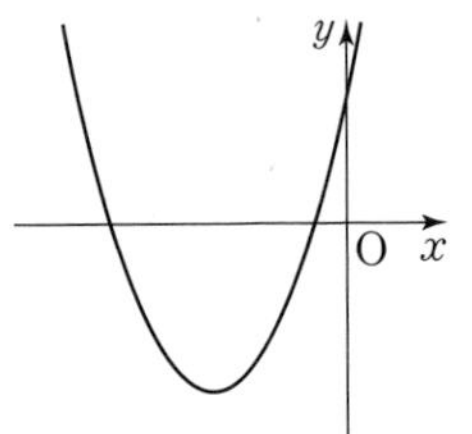

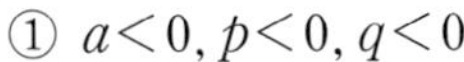

① $a<0, p<0, q<0$

② $a<0, p<0, q>0$

③ $a>0, p>0, q>0$

④ $a>0, p>0, q<0$

⑤ $a>0, p<0, q<0$

Tip

(1) a의 부호 : 그래프의 모양으로 결정한다.

① 아래로 볼록 ➡ $a>0$

② 위로 볼록 ➡ $a<0$

(2) p, q의 부호 : 꼭짓점 (p, q)가 제몇 사분면에 있는지 확인하여 결정한다.

제1사분면	제2사분면
$p>0, q>0$	$p<0, q>0$
제3사분면	제4사분면
$p<0, q<0$	$p>0, q<0$

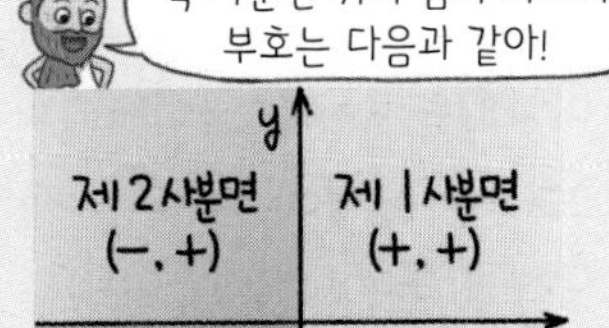

풀이 답 | ③

이차함수 $y=a(x+p)^2-q$의 그래프가 아래로 볼록하므로 a ❶ $\square$ 0

꼭짓점 $(-p, -q)$가 제3사분면 위에 있으므로 $-p$ ❷ $\square$ 0, $-q<0$

$\therefore p$ ❸ $\square$ 0, $q>0$

답 ❶ $>$ ❷ $<$ ❸ $>$

34 이차함수 $y=ax^2+bx+c$의 그래프의 꼭짓점의 좌표와 축의 방정식

이차함수 $y=\frac{1}{2}x^2+x+5a-\frac{9}{2}$의 그래프의 꼭짓점이 x축 위에 있도록 하는 상수 a의 값은?

① -1　　② 1　　③ 2　　④ 4　　⑤ 5

Tip

이차함수 $y=ax^2+bx+c$의 그래프는 다음과 같이 함수의 식을 $y=a(x-p)^2+q$의 꼴로 변형한다.

$y=ax^2+bx+c$ ➡ $y=a\left(x+\frac{b}{2a}\right)^2-\frac{b^2-4ac}{4a}$

(1) 꼭짓점의 좌표 : $\left(-\frac{b}{2a}, -\frac{b^2-4ac}{4a}\right)$

(2) 축의 방정식 : $x=-\frac{b}{2a}$

식의 꼴을 바꾸면 꼭짓점의 좌표와 축의 방정식을 구할 수 있어.

풀이 답 | ②

$y=\frac{1}{2}x^2+x+5a-\frac{9}{2}=\frac{1}{2}(x+1)^2+5a-$ ❶ ______ 이므로

꼭짓점의 좌표는 (❷ ______, $5a-5$)

이 꼭짓점이 x축 위에 있으므로 $5a-5=$ ❸ ______

$\therefore a=1$

답 ❶ 5 ❷ -1 ❸ 0

35 이차함수 $y=ax^2+bx+c$의 그래프 그리기

다음 중 이차함수 $y=-x^2+4x+5$의 그래프는?

①
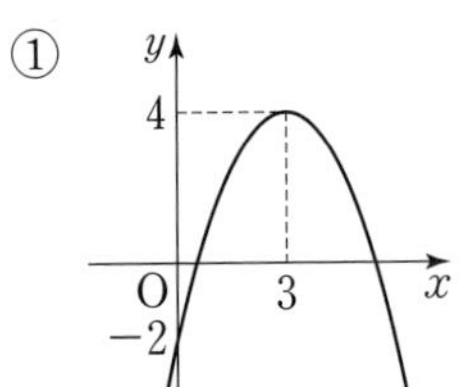

②
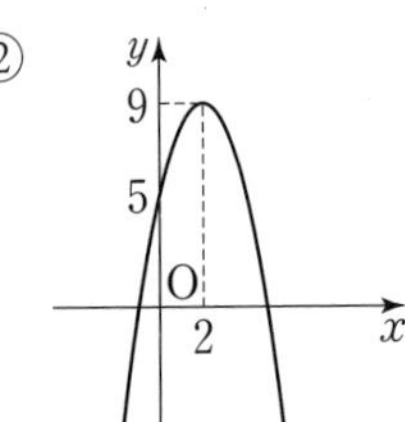

③
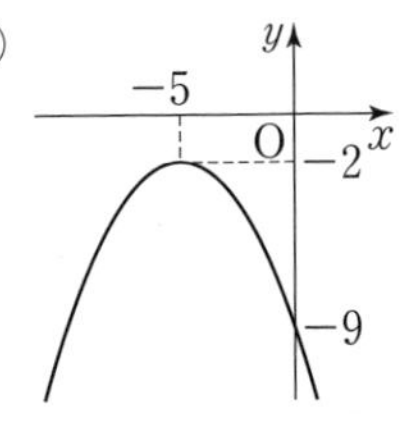

④
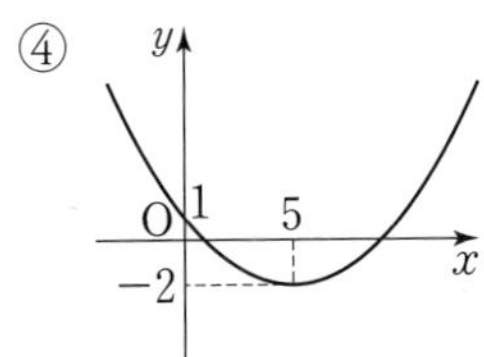

⑤
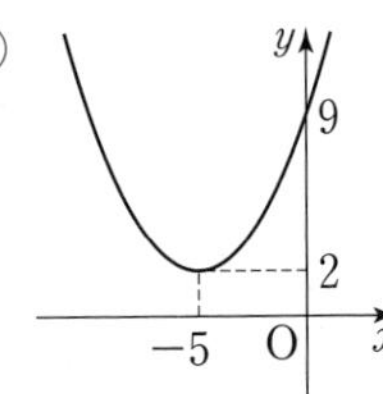

Tip

이차함수 $y=ax^2+bx+c$의 그래프 그리기

1 이차함수의 식을 $y=a(x-p)^2+q$의 꼴로 고쳐 꼭짓점의 좌표를 구한다.

2 그래프의 모양을 결정한다.

➡ $a>0$이면 아래로 볼록, $a<0$이면 위로 볼록

3 y축과의 교점의 좌표를 구한다.

풀이 답 | ②

$y=-x^2+4x+5=-(x-$ ❶ $\square$ $)^2+$ ❷ $\square$

꼭짓점의 좌표는 $(2, 9)$이고 y축과 만나는 점의 좌표는 $(0,$ ❸ $\square$ $)$이므로

이차함수 $y=-x^2+4x+5$의 그래프는 ②이다.

답 ❶ 2 ❷ 9 ❸ 5

36 이차함수 $y=ax^2+bx+c$의 그래프의 평행이동

이차함수 $y=-2x^2-4x+4$의 그래프를 x축의 방향으로 m만큼, y축의 방향으로 n만큼 평행이동하였더니 꼭짓점의 좌표가 $(2, 24)$가 되었다. 이때 $m+n$의 값은?

① 11 ② 14 ③ 17 ④ 21 ⑤ 23

어떻게 구해야 하지?
$y=-2x^2-4x+4$를 $y=a(x-p)^2+q$의 꼴로 고쳐 봐.

Tip

이차함수 $y=ax^2+bx+c$의 그래프를 x축의 방향으로 m만큼, y축의 방향으로 n만큼 평행이동한 그래프의 식

➡ $y=ax^2+bx+c$를 $y=a(x-p)^2+q$의 꼴로 고친 후 생각한다.

풀이 답 | ④

$y=-2x^2-4x+4=-2(x+$ ❶ $)^2+6$의 그래프를 x축의 방향으로 m만큼, y축의 방향으로 n만큼 평행이동한 그래프의 식은

$y=-2(x-m+1)^2+6+n$

이 그래프의 꼭짓점의 좌표는 $(m-1,$ ❷ $)$이므로

$m-1=2, 6+n=24$ $\quad\therefore m=3, n=$ ❸

$\therefore m+n=3+18=21$

답 ❶ 1 ❷ $6+n$ ❸ 18

37 이차함수 $y=ax^2+bx+c$의 그래프의 성질 (1)

다음 중 이차함수 $y=-\frac{1}{3}x^2+2x-1$의 그래프에 대한 설명으로 옳지 않은 것은?

① 꼭짓점의 좌표는 $(3, 2)$이다.
② y축과 점 $(0, -1)$에서 만난다.
③ 제1, 2, 4사분면을 지난다.
④ 점 $(6, -1)$을 지난다.
⑤ $x>3$일 때, x의 값이 증가하면 y의 값은 감소한다.

Tip

이차함수 $y=ax^2+bx+c$의 그래프에서
(1) 꼭짓점의 좌표 ➡ $y=a(x-p)^2+q$의 꼴로 변형한다.
(2) y축과의 교점의 좌표 ➡ $(0, c)$
(3) 그래프가 지나는 사분면 ➡ 그래프를 그려서 확인한다.

풀이 답 | ③

$y=-\frac{1}{3}x^2+2x-1=-\frac{1}{3}(x-$ ❶ $)^2+2$

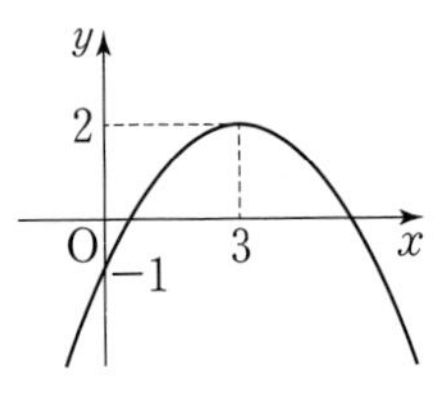

③ $y=-\frac{1}{3}x^2+2x-1$의 그래프를 그리면 오른쪽 그림과 같으므로 제1, ❷ , 4사분면을 지난다.

④ $x=6$일 때, $y=-\frac{1}{3}\times6^2+2\times6-1=-1$이므로 점 $(6,$ ❸ $)$을 지난다.

따라서 옳지 않은 것은 ③이다.

답 ❶ 3 ❷ 3 ❸ -1

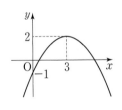

38 이차함수 $y=ax^2+bx+c$의 그래프의 성질 (2)

은수네 가족은 주말을 맞아 캠핑장을 찾았다. 다음 그림과 같이 이차함수 $y=2x^2+4x-2$의 그래프에 대한 설명이 있는 징검다리에서 설명이 옳으면 ➡를, 옳지 않으면 ⬇를 따라 징검다리를 건널 때, 은수네 가족이 도착하는 텐트를 구하시오.

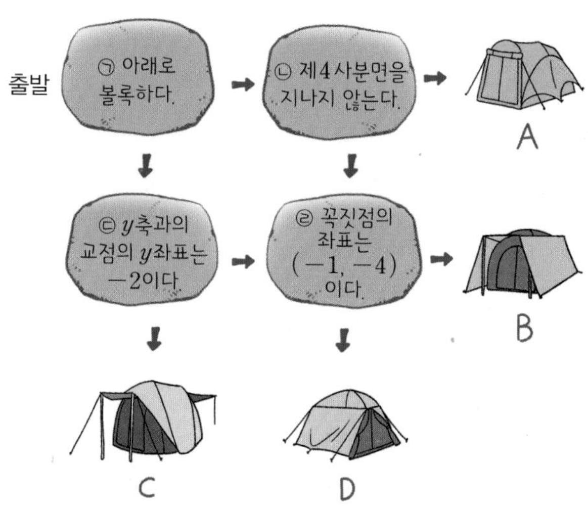

Tip

이차함수 $y=2x^2+4x-2$를 $y=a(x-p)^2+q$의 꼴로 변형한다.

풀이 답 | B

$y=2x^2+4x-2=2(x+1)^2-$ ❶ ☐

㉠ 아래로 볼록하다. (➡)

㉡ 그래프는 오른쪽 그림과 같이 ❷ ☐ 사분면을 지난다. (⬇)

㉣ 꼭짓점의 좌표는 (❸ ☐, −4)이다. (➡)

따라서 은수네 가족이 도착하는 텐트는 B이다.

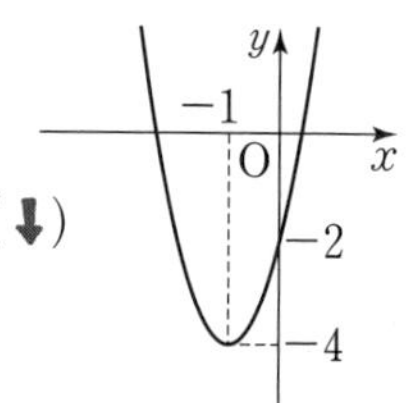

답 ❶ 4 ❷ 모든 ❸ −1

39 이차함수 $y=ax^2+bx+c$의 그래프와 삼각형의 넓이

오른쪽 그림과 같은 이차함수 $y=-\frac{1}{2}x^2+3x+\frac{7}{2}$의 그래프에서 두 점 A, B는 x축과의 교점이고 점 C는 y축과의 교점일 때, △ABC의 넓이는?

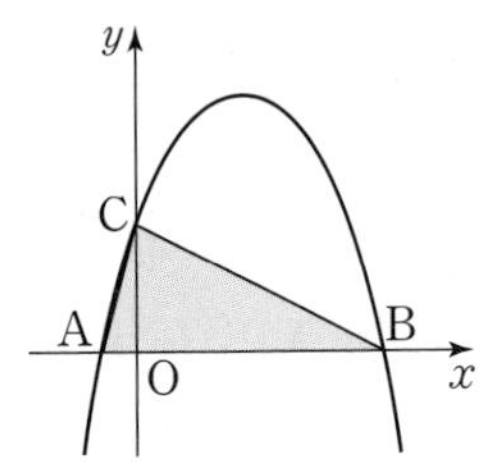

① $\frac{7}{2}$ ② 7 ③ $\frac{21}{2}$
④ 14 ⑤ 27

Tip

1 이차함수 $y=ax^2+bx+c$에 $y=0$을 대입하여 두 점 A, B의 좌표를 각각 구한다.
2 $x=0$을 대입하여 y축과의 교점 C의 좌표를 구한다.
3 △ABC의 넓이를 구한다.

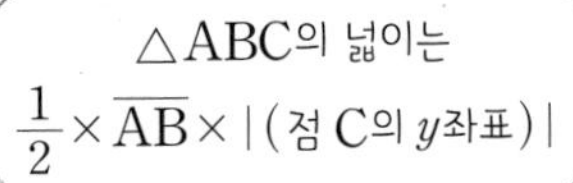

△ABC의 넓이는
$\frac{1}{2}\times\overline{AB}\times|(\text{점 C의 }y\text{좌표})|$

풀이 답 | ④

$y=-\frac{1}{2}x^2+3x+\frac{7}{2}$에 $y=0$을 대입하면

$-\frac{1}{2}x^2+3x+\frac{7}{2}=0$, $x^2-6x-7=0$

$(x+1)(x-7)=0$ $\therefore x=-1$ 또는 $x=7$

$\therefore$ A(❶ , 0), B(❷ , 0)

또 $x=0$을 대입하면 $y=\frac{7}{2}$ $\therefore$ C$\left(0, \text{❸}\right)$

따라서 $\overline{AB}=7-(-1)=8$이므로

$\triangle ABC=\frac{1}{2}\times 8\times\frac{7}{2}=14$

답 ❶ -1 ❷ 7 ❸ $\frac{7}{2}$

40 이차함수의 그래프의 평행이동과 넓이

다음 대화를 읽고 오른쪽 그림의 두 이차함수 $y=\frac{1}{2}x^2+1$, $y=\frac{1}{2}x^2-1$의 그래프와 두 직선 $x=-1$, $x=2$로 둘러싸인 부분의 넓이를 구하시오.

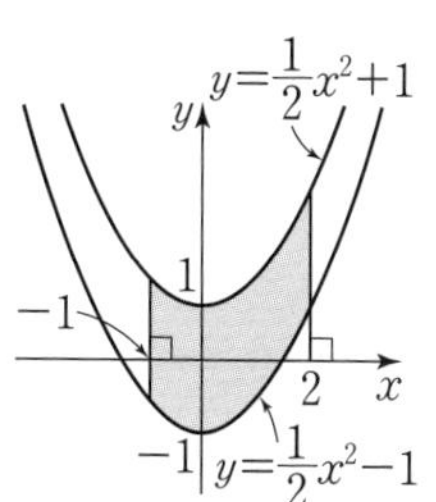

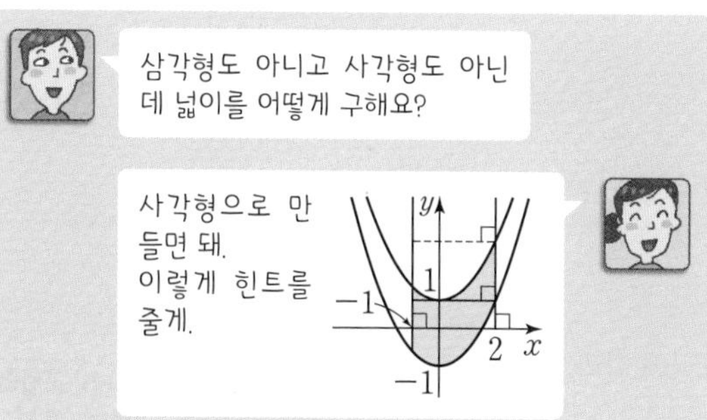

삼각형도 아니고 사각형도 아닌데 넓이를 어떻게 구해요?
사각형으로 만들면 돼. 이렇게 힌트를 줄게.
y
1
−1
2
x
−1

Tip

$y=\frac{1}{2}x^2-1$의 그래프를 y축의 방향으로 2만큼 평행이동하면 $y=\frac{1}{2}x^2+1$의 그래프와 포개짐을 이용하여 넓이가 같은 부분을 찾는다.

풀이 답 | 6

오른쪽 그림에서 ㉠의 넓이와 ㉡의 넓이가 같으므로

구하는 넓이는 ❶ ☐ 의 넓이와 같다.

따라서 $\overline{AB}=3-1=2$, $\overline{BC}=2-(-1)=3$이므로

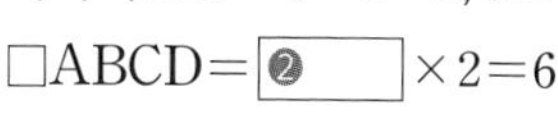
$\square ABCD=$ ❷ ☐ $\times 2=6$

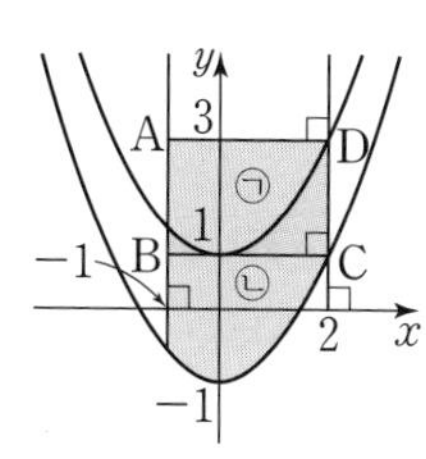

답 ❶ □ABCD ❷ 3

41 이차함수 $y=ax^2+bx+c$의 그래프에서 a, b, c의 부호

이차함수 $y=ax^2-bx+c$의 그래프가 오른쪽 그림과 같을 때, a, b, c의 부호는? (단, a, b, c는 상수)

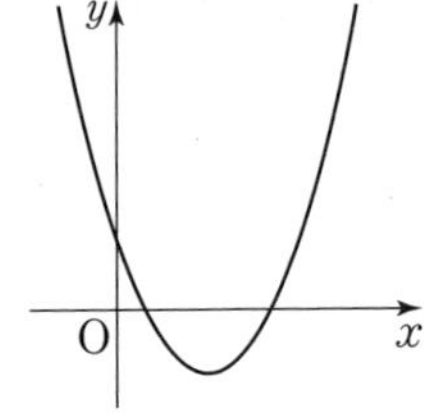

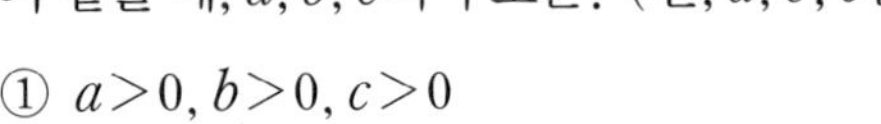

① $a>0, b>0, c>0$
② $a>0, b<0, c<0$
③ $a>0, b<0, c>0$
④ $a<0, b>0, c>0$
⑤ $a<0, b<0, c>0$

Tip

(1) a의 부호 : 그래프의 모양에 따라 결정
① 아래로 볼록 ➡ $a>0$
② 위로 볼록 ➡ $a<0$

(2) b의 부호 : 축의 위치에 따라 결정
① 축이 y축의 왼쪽 ➡ $ab>0$
② 축이 y축과 일치 ➡ $b=0$
③ 축이 y축의 오른쪽 ➡ $ab<0$

(3) c의 부호 : y축과의 교점의 위치에 따라 결정
① y축과의 교점이 x축보다 위쪽 ➡ $c>0$
② y축과의 교점이 원점 ➡ $c=0$
③ y축과의 교점이 x축보다 아래쪽 ➡ $c<0$

그래프의 모양으로 결정
y축과의 교점의 위치로 결정
$y=ax^2+bx+c$
축의 위치로 결정

풀이 답 | ①

그래프가 아래로 볼록하므로 a ❶ 0
축이 y축의 오른쪽에 있으므로 $-ab$ ❷ 0 $\quad\therefore b>0$
y축과의 교점이 x축보다 위쪽에 있으므로 c ❸ 0

답 ❶ > ❷ < ❸ >

42 이차함수의 식 구하기 (1)

다음 그림과 같이 두 학생이 게임을 하고 있다.

화난 새를 새총으로 쏘아서 뚱보 돼지를 맞혀야 돼.
내가 먼저 해 볼게.

어, 새가 왜 뚝 떨어지지?

물건을 공중에 비스듬히 던지면 포물선을 그리며 날아가니까 그걸 예측해서 던져야 돼.

오른쪽 그림과 같은 포물선을 그리며 새가 날아갔을 때, 이 포물선을 나타내는 이차함수의 식을 $y=ax^2+bx+c$의 꼴로 나타내시오.

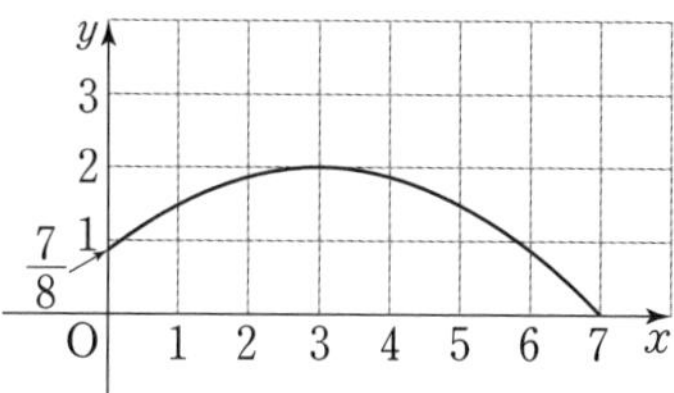

Tip

꼭짓점의 좌표가 $(3, 2)$, 그래프가 지나는 한 점의 좌표가 $\left(0, \frac{7}{8}\right)$임을 이용하여 이차함수의 식을 구한다.

풀이 답 | $y=-\frac{1}{8}x^2+\frac{3}{4}x+\frac{7}{8}$

꼭짓점의 좌표가 $(3, 2)$이므로 이차함수의 식을 $y=a(x-$ ❶ $\boxed{}$ $)^2+2$로 놓자.

이 그래프가 점 $\left(0, \frac{7}{8}\right)$을 지나므로 ❷ $\boxed{}$ $a+2=\frac{7}{8}$ $\quad\therefore a=-\frac{1}{8}$

$\therefore y=-\frac{1}{8}(x-3)^2+2=-\frac{1}{8}x^2+$ ❸ $\boxed{}$ $x+\frac{7}{8}$

답 ❶ 3 ❷ 9 ❸ $\frac{3}{4}$

43 이차함수의 식 구하기 (2)

직선 $x=-1$을 축으로 하는 이차함수 $y=ax^2+bx+c$의 그래프가 오른쪽 그림과 같을 때, $a-b+c$의 값은? (단, a, b, c는 상수)

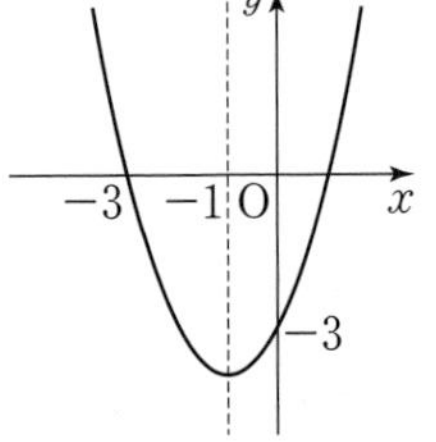

① -4 ② -2 ③ 2
④ 4 ⑤ 6

Tip

축의 방정식 $x=p$와 그래프 위의 서로 다른 두 점의 좌표가 주어질 때

1 이차함수의 식을 $y=a(x-p)^2+q$로 놓는다.

2 1의 식에 주어진 두 점의 좌표를 각각 대입하여 상수 a, q의 값을 구한다

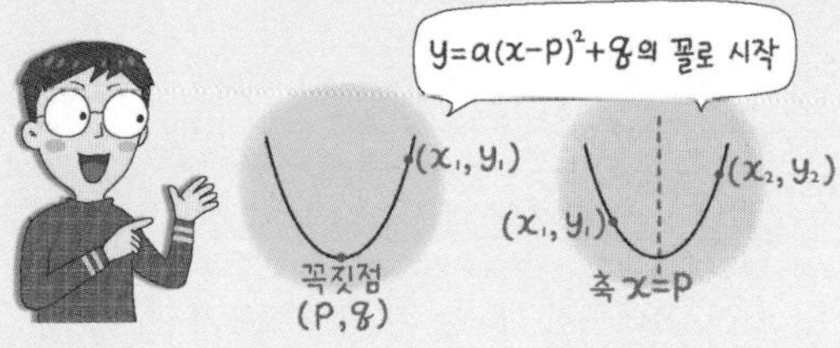

풀이 답 | ①

축의 방정식이 $x=-1$이므로 이차함수의 식을 $y=a(x+1)^2+q$로 놓자.

이 그래프가 점 $(-3, 0)$을 지나므로 $0=$ ❶ [ ] $a+q$ …… ㉠

또 점 $(0, -3)$을 지나므로 $-3=a+q$ …… ㉡

㉠, ㉡을 연립하여 풀면 $a=$ ❷ [ ], $q=$ ❸ [ ]

따라서 $y=(x+1)^2-4=x^2+2x-3$이므로 $b=2$, $c=-3$

$\therefore a-b+c=1-2+(-3)=-4$

답 ❶ 4 ❷ 1 ❸ -4

44 이차함수의 식 구하기 (3)

이차함수 $y=ax^2+bx+c$의 그래프가 오른쪽 그림과 같을 때, $2a+b+c$의 값은?

(단, a, b, c는 상수)

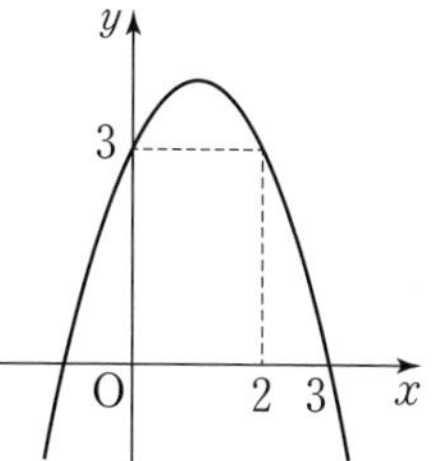

① 2　　② 3　　③ 4

④ 5　　⑤ 6

Tip

그래프 위의 서로 다른 세 점의 좌표가 주어질 때

1 이차함수의 식을 $y=ax^2+bx+c$로 놓는다.

2 1의 식에 주어진 세 점의 좌표를 각각 대입하여 상수 a, b, c의 값을 구한다.

풀이 답 | ②

이차함수 $y=ax^2+bx+c$의 그래프가 점 $(0, 3)$을 지나므로 $c=$ ❶ ☐

즉 $y=ax^2+bx+3$의 그래프가 점 $(2, 3)$을 지나므로

$3=4a+2b+3$　　$\therefore 2a+b=0$　　…… ㉠

또 점 $(3, 0)$을 지나므로

$0=9a+3b+3$　　$\therefore 3a+b=-1$　　…… ㉡

㉠, ㉡을 연립하여 풀면 $a=$ ❷ ☐, $b=$ ❸ ☐

$\therefore 2a+b+c=2\times(-1)+2+3=3$

답 ❶ 3 ❷ -1 ❸ 2

memo

시험에 잘 나오는

대표 유형 ZIP

기 말 고 사 대 비